NORM UND STRUKTUR

STUDIEN ZUM SOZIALEN WANDEL IN MITTELALTER UND FRÜHER NEUZEIT

IN VERBINDUNG MIT

GERD ALTHOFF, HEINZ DUCHHARDT, PETER LANDAU
KLAUS SCHREINER, WINFRIED SCHULZE

HERAUSGEGEBEN VON
GERT MELVILLE

Band 12

PROZESSIONEN IN SPÄTMITTELALTERLICHEN STÄDTEN

Politische Partizipation, obrigkeitliche Inszenierung, städtische Einheit

von

ANDREA LÖTHER

1999

BÖHLAU VERLAG KÖLN WEIMAR WIEN

Gedruckt mit Unterstützung
des Bistums Erfurt, der Freiherr von Haller'schen Forschungsstiftung
und der Geschwister Boehringer Ingelheim Stiftung
für Geisteswissenschaften in Ingelheim am Rhein

Die Deutsche Bibliothek – CIP-Einheitsaufnahme

Löther, Andrea:
Prozessionen in spätmittelalterlichen Städten :
politische Partizipation, obrigkeitliche Inszenierung,
städtische Einheit / von Andrea Löther. –
Köln ; Weimar ; Wien : Böhlau, 1999
(Norm und Struktur ; Bd. 12)
Zugl.: Bielefeld, Univ., Diss., 1997
ISBN 3-412-04799-6

Druck und Bindung: Strauss Offsetdruck GmbH, Mörlenbach
Gedruckt auf chlor- und säurefreiem Papier
Printed in Germany
ISBN 3-412-04799-6

Inhaltsverzeichnis

Vorwort IX

I.   Einleitung 1
1.   Fragestellung 1
2.   Forschungsstand 6
3.   Leitstädte, Untersuchungszeitraum und Quellen 14

II. Historische Voraussetzungen und theologische Deutungen
     spätmittelalterlicher Prozessionen 24
1.   Das Prozessionswesen in Spätantike und Früh- und
     Hochmittelalter 24
2.   Prozessionen in theologischer Deutung 41

III. Nürnberg: Entstehung und Strukturen von
     Fronleichnamsprozessionen 50
1.   Sozial-, verfassungs- und kirchengeschichtliche Entwicklung
     Nürnbergs 50
2.   Die Entstehung von Fronleichnamsprozessionen im
     14. Jahrhundert 55
     2.1 Die ersten Fronleichnamsprozessionen: Geschichtliche
          Anfänge und theologische Grundzüge 56
     2.2 Stiftung und Ausgestaltung der Fronleichnamsprozession des
          Heilig-Geist-Spitals 64
          Die Anfänge der Fronleichnamsprozession - Konrad Groß: Stifter der
          Fronleichnamsprozession und Reichsschultheiß - Die Prozession nimmt Gestalt an:
          Veränderungen im Teilnehmerkreis und Ablauf während der ersten Jahre der
          Prozession - Die Prozession im 15. Jahrhundert - Fazit: Die Etablierung der
          Fronleichnamsprozession des Heilig-Geist-Spitals
     2.3 Die Fronleichnamsprozessionen der anderen Nürnberger
          Kirchen 83
     2.4 Die Entstehung von Fronleichnamsprozessionen im
          Städtevergleich 85
          Laien oder Kleriker als Initiatoren von Prozessionen - Von klerikalen Umgängen zu
          einer städtischen Prozession: Die „Große Gottestracht" in Köln
3.   Strukturen von Fronleichnamsprozessionen im 15. Jahrhundert 100
     3.1 Die Zeit 101
     3.2 Der Raum 105

3.3   Die Akteure... 111
Musikanten - Engelknaben - Schüler, Geistliche und das Sakrament - Geleit des
Sakraments und Baldachinträger - Weitere Teilnehmer: Kerzen- und Fahnenträger
sowie städtische Bedienstete

3.4   Ein Fest zum Zuschauen: Schmuck der Kirchen während der
       Fronleichnamsoktav und festliche Gestaltung der Prozession .. 133

3.5   Handlungsträger und Beteiligung der Bevölkerung.................... 139
Exklusiver Teilnehmerkreis der Nürnberger Fronleichnamsprozessionen - Aktive
Beteiligung der gesamten Stadt und Exklusivität als zwei Typen von Prozessionen -
Rangordnungen und Rangstreitigkeiten

4.   Reliquienprozessionen: Sebalds- und Deocarusprozession............ 147
4.1   Sebaldsprozession.. 147
4.2   Deocarusprozession 153

5.   Politische und soziale Verortung der Funktionsträger..................... 154

6.   Fazit: Die Nürnberger Prozessionen im 15. Jahrhundert.................. 172

IV.   Erfurt: Gedenken, Repräsentation und Krisenbewältigung............... 173

1.   Sozial-, verfassungs- und kirchengeschichtliche Entwicklung
       Erfurts 173

2.   Erinnerung: Die Prozessionen nach Schmidtstedt und Neuses 174
2.1   Die Hungersnot 1315 - 1317 und die Erfurter Prozession nach
       Schmidtstedt 174
2.2   Der Schwarze Tod 1350/51 und die Prozession nach Neuses .. 183
2.3   Prozession und Memoria.. 193
2.4   Die Prozessionen nach Schmidtstedt und Neuses im 15. und
       16. Jahrhundert und nach der Reformation 202

3.   Repräsentation: Die Adolar- und Eoban-Prozession 209
3.1   Adolarverehrung und die Anfänge der Prozession.................... 209
3.2   Verlauf der Adolar- und Eoban-Prozession........................... 215
3.3   Der Prozessionszug: Rat und Stiftsgeistlichkeit 217
3.4   Militärisches Geleit: Verteidigungsbereitschaft, Männlichkeit
       und Schönheit.. 223
3.5   Exklusivität: Zuschauende und Prozessionsroute...................... 232
3.6   Fazit: Die Adolar- und Eoban-Prozession als Selbstdarstellung der
       geistlichen und politischen Spitze Erfurts 233

4.   Präsenz: Die Bittprozessionen der Jahre 1482 und 1483............... 234
4.1   Prozession und Ereignis 235
Typologie der Ereignisse - Erfurter Ereignisse 1482/83: Pest, Hungersnot und
Konflikte mit dem Stadtherrn

4.2 Gestaltung und Ablauf der Prozessionen 246
Veranstalter und Organisatoren - Prozessionswege: Schützende Kreise und
verbindende Linien - Die Zeit: Jahreszeit, Heiligenfeste und Wochentage -
Messen, Gesänge und Stationen: Die Liturgie - Bittprozessionen im System
religiöser Praktiken

4.3 Partizipationsmodell: Präsenz 264
Beteiligung der Bevölkerung als Ausdruck städtischer Eintracht - Geistlicher
Stand und Geschlechtertrennung: die geordnete Prozession -
Verhaltensanforderungen: Demut, Buße und Schweigen

4.4 Fazit: Bittprozessionen zwischen Ereignis, Partizipation und
obrigkeitlicher Organisation 280

5. Prozession und Konflikt 281

5.1 Konflikte zwischen Bürgerschaft und Geistlichkeit: Die
Sommerprozessionen 1413 im Braunschweiger „Papenkrich".. 282

5.2 Prozessionen und innerbürgerschaftliche Konflikte: Das
„Tolle Jahr" in Erfurt 1509/10 und die Adolar- und Eoban-
Prozession 1514 292

V. Prozessionen in der Reformation 300

1. Luthers Kritik an Sakramentsfrömmigkeit und Heiligenverehrung... 302

2. Gerede, Tumulte und ‚unzuchtig wort widder das hellig sacrament'............ 307

VI. Resümee: Partizipation und Sinngebungen 330

VII. Anhang 338

1. Skizzen zur Verfassungsstruktur Nürnbergs und Erfurts 338

2. Karten und Pläne zu den Prozessionsrouten 341

3. Tabellen 348

4. Sample: Bittprozessionen 361

5. Abkürzungsverzeichnis 363

6. Quellen- und Literaturverzeichnis 364
6.1 Ungedruckte Quellen 364
6.2 Gedruckte Quellen 365
6.3 Benutzte Lexika und Wörterbücher 370
6.4 Sekundärliteratur 371

Vorwort

Weihrauchduft, feierliches Hochamt, liturgischer Gesang, das Altarsakrament in einer Gold- oder Silbermonstranz, steifer Sonntagsanzug, lärmender Kirmes - dies mögen im Rückblick all diejenigen mit Prozessionen assoziieren, die als Kommunionkinder an Umgängen beteiligt waren. Was aber bringt eine Protestantin, die in ihrer Jugend mit solchen Kennzeichen katholischer Konfessionszugehörigkeit nicht in Berührung kam, dazu, speziell diesen Bereich religiöser Praxis zu erforschen? Was interessiert eine Historikerin, die mittelalterliche Quellenberichte über mehrstündige Umgänge entlang der Stadtmauern und über Monstranzen, Prozessionsstangen und kiloschwere Kerzen eher mit Verwunderung und Staunen als in Wiedererkennung von Kindheitserinnerungen zur Kenntnis nimmt?

Meine Ausgangsfragen waren anderer Natur. Ich wollte herausfinden, ob und wie Bürger und Bürgerinnen in das Gemeinwesen einer mittelalterliche Stadt eingebunden waren. Wie nahmen sie am öffentlichen Leben ihrer Kommune teil? Ermöglichten säkulare und religiöse Formen der Teilhabe den Zusammenhalt eines städtischen Gemeinwesens? Kurz, die Erforschung von Prozessionen verspricht Einblicke in das Funktionieren einer spätmittelalterlichen Stadtgesellschaft. In den regelmäßigen und den außergewöhnlichen Umgängen könnten sich Partizipationsmöglichkeiten ebenso wie Repräsentationsbedürfnisse, Wahrnehmungen städtischer Einheit ebenso wie Konflikte um soziale Stellungen offenbaren. Es sollte erprobt werden, ob sich Prozessionen, wenn sie in die politischen und sozialen Strukturen eingebettet und die religiösen Sinnbedürfnisse, die sie befriedigten, erfassen werden, als Indikatoren und Schnittstellen herrschaftlicher Repräsentation und genossenschaftlicher Partizipation deuten lassen.

Das Forschungsprogramm entstand im Rahmen des Projektes „Bürger- und Gottesstadt. Formen sozialer, politischer und religiöser Teilhabe in der spätmittelalterlichen Stadtgesellschaft" unter der Leitung von Prof. Dr. Klaus Schreiner im Bielefelder Sonderforschungsbereich „Sozialgeschichte des neuzeitlichen Bürgertums. Deutschland im internationalen Vergleich". Die Zusammenarbeit mit Kollegen und Kolleginnen ermöglichte anregende Diskussionen, ohne die das Forschungsprojekt nicht hätten verwirklicht werden können. Für Anregungen und Kritik, für die Beantwortung einer Vielzahl von Fragen und nicht zuletzt für das Lesen einzelner Kapitel danke ich Klaus Graf, Ulrich Meier, Gerd Schwerhoff und Gabriela Signori. Die Betreuer der Arbeit, Klaus Schreiner und Heinrich Rüthing, standen mit Ratschlägen und Anmerkungen zur Seite. Auf ihre Sachkenntnis konnte ich zurückgreifen, wann immer es nötig war. Uschi Bender-Wittmann und Wiebke Kolbe diskutierten nicht nur einzelne Kapitel, sondern gaben mir in der langwierigen Arbeit immer wieder Mut und Aufmunterung.

Bedanken möchte ich mich auch bei den Mitarbeiterinnen und Mitarbeitern der Archive in Nürnberg und Erfurt für die freundliche Unterstützung. Daß ich nach einem Archivtag nicht in ein Hotelzimmer zurückkehren mußte, verdanke ich der freundlichen Aufnahme bei Familie Peschke in Nürnberg sowie Anja Lohaus und Thomas Engemann in Erfurt.

Finanzielle Zuschüsse des Bistums Erfurt und der Freiherr von Haller'schen Forschungsstiftung in Nürnberg ermöglichten die Drucklegung der Arbeit. Meinen Eltern Elfriede und Johann Löther danke ich für die umfassende Unterstützung während meines Studiums und der Promotionszeit sowie für finanzielle Hilfe bei der Veröffentlichung. Meine Mutter half mir zudem bei der Korrektur der Druckfassung.

Schließlich erinnerten mich Freundinnen und Freunde in der Zeit des Forschens und Schreibens daran, daß es ein Leben jenseits von Büchern, Archiven und dem Computer gibt. Sie zeigten Verständnis, wenn ich begeistert von längst vergangenen Zeiten und Menschen erzählte. Mit Leonard und Jonathan Irrgang sowie Anahita Reinsch seien lediglich die jüngsten derjenigen genannt, die mich immer wieder in die Gegenwart zurückholten.

I. Einleitung

1. Fragestellung

Alljährlich am Freitag vor Johannis trugen die Ratsherren des Altenwiek den Schrein des hl. Auctor, *der gantzen stad houet*, um die Stadt und der gesamte Klerus, die Räte, die Gilden und die übrige Bürgerschaft Braunschweigs folgten ihm, *vp dat de hillighe here sunte Auctor by godde vort vorwarue gnade vnde beschermingbe der stad Brunswik in allen oren nöden.*[1] Angesichts dieses einträchtigen Zusammenwirkens von geistlichen und weltlichen Gewalten fragte Ludwig Hänselmann 1880: „Wie hätte in guter Zeit nicht auch diese Sacralgemeinschaft ihre versöhnliche Kraft bewähren sollen, wenn da und dort etwa eine Zwietracht aufkeimen wollte?"[2] Hänselmann zeichnet in seiner Einleitung zu den Braunschweiger Chroniken das Bild einer städtischen Bürgergemeinde, die - lange Zeit durch Konflikt und Zwietracht innerlich zerstritten - im Zeichen eines religiösen Rituals zu ihrer Eintracht zurückfindet. Seine Setzung „Sakralgemeinschaft" griffen andere Autoren auf, um die Verwobenheit von Politik und Religion in einer mittelalterlichen Stadt - die politische Religiosität - zu beschreiben. Karl Frölich gebrauchte in seiner Arbeit zu Kirche und städtischem Verfassungsleben Hänselmanns Ausdruck, um die verfassungsrechtliche Seite des Prozessionswesens zu benennen und um zu beschreiben, wie sich der Rat um die Beteiligung der gesamten Geistlichkeit bemühte.[3] Bernd Moeller spricht vom „sakralgenossenschaftliche(n) Selbstverständnis der spätmittelalterlichen Stadt".[4] Stehen diesem Bild des guten Einvernehmens von Bürgerschaft und Klerus nicht zahlreiche Konflikte und Antagonismen entgegen?[5] Auch Hans-Dieter Heimann betrachtet städtische Feste, vor allem Stadtprozessionen, als „Manifestationen der Sakralgemeinschaft". In der Rekonstruktion ihrer Formen und Funktionen sieht er aber anders als Frölich oder Moeller die Gelegenheit, „einerseits typische stadtbezogene mittelalterliche Ordnungsvorstellungen und andererseits darin zugleich die Formierung eines spezifischen Selbstverständnisses und urbaner Identität zu erfassen".[6] Jenseits apriori-

---

1 UB Braunschweig I, 178.
2 Hänselmann, Einleitung zu: St.Chr. Bd. 16, XVIII, nicht die Einleitung zum UB Braunschweig, wie Isenmann, Stadt, 210, annimmt.
3 FRÖLICH, Kirche, 266.
4 MOELLER, Reichsstadt, 15.
5 Vgl. ISENMANN, Stadt, 210.
6 HEIMANN, Städtische Feste, 171.

scher Erklärungsmuster öffnet sich hier ein Forschungsprogramm, das danach fragt, wie eine Sakralgemeinschaft zustande kommt. Wie übersetzte sich das „sakralgenossenschaftliche Selbstverständnis" in religiöse Praxis? Wer gehörte zur Sakralgemeinschaft? Männer und Frauen, Bürgerschaft und Einwohner, alle Altersgruppen? In welchem Verhältnis standen politische und religiöse Partizipation zueinander? Hänselmanns Formulierung der Sakralgemeinschaft kann für die Geschichtswissenschaft dann fruchtbar gemacht werden, wenn sie zum Anlaß genommen wird, die Praktiken und das Selbstverständnis, die die gesellschaftliche Formation Stadt konstituierten, zu untersuchen. Ein geeigneter Gegenstand solcher Forschung sind die Prozessionen einer spätmittelalterlichen Stadt, an deren Beispiel schon Hänselmann und Frölich den Begriff Sakralgemeinschaft entwickelten.

Fragen nach Selbstverständnis und urbaner Identität verlangen nach Operationalisierungen. Im Zentrum dieser Arbeit stehen die Kategorien Partizipation und Sinngebung. Mit der Untersuchung des Teilnehmerkreises können Prozessionen in Beziehung zu sozialen und politischen Strukturen gesetzt werden. Welche städtischen Gruppen - die gesamte Stadt oder nur die Führungsschicht - waren an Prozessionen beteiligt? Unterschieden sich Prozessionen in ihrer Teilnehmerstruktur? Wichtig ist es weiter, Partizipation und Teilhabe in das Herrschaftsgefüge einer Stadt einzuordnen. Wer organisierte oder finanzierte Prozessionen? Wie kamen Hierarchien in Prozessionen zum Ausdruck? Entsprach die Teilnahme an Prozessionen Partizipationsforderungen der städtischen Bevölkerung oder war sie Verpflichtung durch den Rat? Auch Aspekte der Integration und Ausgrenzung, Differenzierung und Hierarchisierung kommen mit der Kategorie Partizipation in den Blick.

Die Symbole und religiösen Aussagen einer Prozession, ihre Rangfolge oder die Route strukturierten und deuteten eine Stadt. Diese Deutungsmuster sollen mit der Frage nach Sinngebungen, der zweiten forschungsleitenden Kategorie, erfaßt werden. Rituale und Symbole trugen zur Konstituierung von Stadtgesellschaft bei, indem sie Ordnungsvorstellungen und städtisches Selbstverständnis zum Ausdruck brachten. Prozessionen gehörten zur sozialen Realität: Sie waren kein Spiegelbild der städtischen Wirklichkeit, sondern setzten bestimmte Vorstellungen über die Stadt in Szene. Um Sinngebungen zu erfassen, wird zum einen nach Wahrnehmungen von Prozessionen zu fragen sein. Insbesondere chronikalische Quellen verraten in dem, worauf sie ihre Schwerpunkte legen oder was sie verschweigen, viel über Deutungen. Zum anderen wird nach Aneignungen von Prozessionen jenseits offizieller religiöser Ziele zu fragen sein, wie sie insbesondere in

Konflikten aufscheinen. Kurz, es geht in dieser Arbeit darum, die Bedeutung und die Einbettung von Prozessionen im Leben städtischer Gesellschaften des Spätmittelalters zu erforschen.

Mit diesen Zielsetzungen schließt sich die Untersuchung an Arbeiten zu politischen und sozialen Strukturen mittelalterlicher Städte an, die nach der Herrschaftspraxis, der Gemeinde und den städtischen Werten fragen. Während Untersuchungen in Anlehnung an Otto Brunner und Erich Maschke mittelalterliche Städte unter den Stichworten Obrigkeit und Oligarchie beschreiben, betont die neuere Forschung das Selbstverständnis der Stadtbürger und die Rückbindung der Ratsherrschaft, die vielfach einem oligarchischen Regiment ratsfähiger Familien gleichkam, an den genossenschaftlichen Bürgerwillen.[7] Innerstädtische Konflikte sind ein vorrangiges Feld dieser Forschungen. Auch Institutionen und rituelle Formen bürgerschaftlicher Mitwirkung deuten auf Partizipationsmöglichkeiten unterhalb des Rates, doch liegen hierzu erst wenige Arbeiten vor.[8] Schließlich unterstreichen Untersuchungen zur politischen Theorie, daß sich Vorstellungen vom ,guten Regiment' „am Ideal einer durch den Konsens der Bürger getragenen Ordnung, die am besten den Bedürfnissen des Gemeinwohls (bonum commune) zu entsprechen schien", orientierten. Die Spannung und das Ineinanderwirken von gemeindlicher Mitwirkung und obrigkeitlicher Herrschaft charakterisieren Klaus Schreiner und Ulrich Meier als ,konsensgestützte Herrschaft'.[9] Diese Konzeption der Verfassungs- und Sozialstruktur einer mittelalterlichen Stadt scheint mir auch geeignet für die Interpretation von Prozessionen, da damit sowohl die Ordnung und Inszenierung durch die Obrigkeit, als auch die notwendige Mitwirkung, aber auch eigene Aneignung durch die städtische Bevölkerung erfaßt werden kann.

---

7 Zu Oligarchie und Obrigkeit vgl. BRUNNER, Stadt; NAUJOKS, Obrigkeit; MASCHKE, Verfassung. Vgl. ISENMANN, Stadt, 131ff. Als Einzelstudie vgl. SIEH-BURENS, Oligarchie. Zu bürgerschaftlichem Selbstverständnis und genossenschaftlicher Rückbindung vgl. EHBRECHT, Ordnung; KELLER, Kommune; SCHILLING, Republikanismus. Zur Forschungs- und Rezeptionsgeschichte der mittelalterlichen Stadt vgl. SCHREINER, Kommunebewegung; SCHULZ, Freiheit, 275-283; SCHREINER/MEIER, Regimen, 11f.; SCHWERHOFF, Ratsherrschaft, 189f.

8 Auf die reiche Literatur zu innerstädtischen Konflikten muß hier nicht eingegangen werden. Vgl. EHBRECHT, Stadtkonflikte. Zu bürgerschaftlicher Mitwirkung vgl. ISENMANN, Gemeinde, 214-242; JÜTTE, Stadtviertel; GLEBA, Bürgereid; JOOSS, Schwören; BOONE, Selbstverwaltungsorgane; BRÄUER, Artikulationsformen; KELLER, Bürgerschaft.

9 Vgl. SCHREINER/MEIER, Regimen, 15-18, Zitat: 16. Zur politischen Theoriegeschichte vgl. MEIER, Mensch.

Wichtig für diese Forschungen ist der Begriff „Gemeinde". Nach Max
Weber kannte nur die okzidentale Stadt „eine Stadtgemeinde im vollen Sinn
des Wortes". Neben der Tatsache, „daß es sich um Siedlungen mindestens
stark gewerblich-händlerischen Charakters handelte" nennt er folgende
Merkmale: „1. die Befestigung, - 2. der Markt, - 3. eigenes Gericht und mindestens teilweise eigenes Recht, - 4. Verbandscharakter und damit verbunden 5. mindestens teilweise Autonomie und Autokephalie, also auch Verwaltung durch Behörden, an deren Bestellung die Bürger als solche irgend-
wie beteiligt waren."[10] Charakteristisch ist die Einsetzung eines die Ordnung
garantierenden Leiters oder Verwaltungsstabes durch die Verbandsgenos-
sen.[11] Während Weber den Gemeindebegriff nutzt, um den besonderen
Charakter der okzidentalen Stadt zu beschreiben, hebt Gierke mit ihm die
mittelalterliche, zur Körperschaft fortgeschrittene Stadt von anderen Ge-
nossenschaften ab. Die Bürgergemeinde war politischer Verband, die Stadt
eine juristische Person mit Rechts-, Handlungs- und Verpflichtungsfähig-
keit.[12] Oder wie Eberhard Isenmann formuliert: Grundlage für die Autonomie der Stadt waren „die Existenz einer rechtlich-politischen Bürgergemeinde und der Korporationscharakter der Stadt".[13] Seit Gierke ist mit dem
Gemeindebegriff die Gegenüberstellung von Herrschaft und Genossenschaft, von herrschaftlicher und gemeindlicher Vergemeinschaftung verbunden. Eine solche Polarisierung kann Strukturen deutlich machen; sinn-
voller sind Herrschaft und Genossenschaft jedoch als Strukturgebilde zu
verstehen, zwischen denen Spannungen und wechselseitige Beziehungen
bestehen.[14] Die Bestellung des Rates durch die Gemeindemitglieder war,
folgen wir Weber, gerade ein Merkmal der Gemeinde, doch brachte dieser
Akt hierarchische und herrschaftliche Gliederungen hervor.[15] Die Gemeinde war, so läßt sich zusammenfassen, eine Sozialform, die politische Teilhabe der Bürger vermittelte, aber zugleich herrschaftliche Bezüge begründete.

Der durch Gierke und Weber geprägte Stadtbegriff läßt sich mit Quel-
lenbegriffen wie *communitas, universitas* oder *gemein* verbinden.[16] Untersuchungen zur Quellensprache und zu politischen Vorstellungen zeigen, daß

---

10 WEBER, WuG, 736.
11 WEBER, WuG, 26f.
12 GIERKE, Genossenschaftsrecht, Bd. 2, 573-828, 862-865. Vgl. ISENMANN, Stadt, 92, 108.
13 ISENMANN, Stadt, 108.
14 Vgl. ISENMANN, Gemeinde, 204.
15 Vgl. Isenmann, Gemeinde, 196. Zur Stadtgemeinde vgl. Steinbach, Stadtgemeinde; Planitz, Stadt; Ebel, Bürgereid; Ehrecht (Hg.), Führungsgruppen; Isenmann, Stadt, 89ff.;
   Pitz, Untertanenverband; Blickle (Hg.), Landgemeinde; Schulz, Freiheit, 11-17.
16 Vgl. MICHAUD, Universitas; GLEBA, Gemeinde.

Gemeinde ein mehrdeutiger Begriff war, in dem Stadt als in Eintracht verbundene Gesamtkorporation gedacht wurde und der gleichzeitig die Opposition zu den Herrschaftsträgern benannte.[17] Gemeinde beschrieb aber auch
den durch Mauern geschützten Wohn- und Lebensort und den Rechts- und
Friedensbezirk der Stadt. Schließlich verwies die Gemeinde auf gemeinsame
religiöse Glaubensinhalte und Praktiken, meinte dabei aber nicht im heutigen Sinne den Pfarrsprengel, sondern umfaßte die Einwohnerschaft der
gesamten Stadt. Die „communitas fidelium" schloß auch Frauen, Jugendliche oder Einwohner ein, während zur „communitas civium" nur Personen
mit Bürgerrecht gehörten. Welche Gruppen in diesem vielfältigen, sich
überlappenden Netz als Teilnehmer einer Prozession angesprochen waren,
wird im Einzelfall zu klären sein. Zugleich soll untersucht werden, welche
Ausgrenzungs- und Integrationsmechanismen in Prozessionen wirkten und
dabei Gemeinde formierten.

Die Vorstellung der Gemeinde beinhaltet Werte wie Eintracht und Frieden. Das Ineinandergreifen von gemeindlicher Mitwirkung und obrigkeitlicher Herrschaft findet ihren normativen Niederschlag in der Anbindung der
gerechten Herrschaft an den gemeinen Nutzen.[18] Frieden, Eintracht und
Gemeinnutz waren Grundwerte mittelalterlicher städtischer Gesellschaft,
die den christlichen Idealen Brüderlichkeit und Nächstenliebe entsprachen
und damit nicht spezifisch städtisch waren. Daneben adaptierten mittelalterliche Städte korporative Werte wie Konsens oder wechselseitige Hilfe, die
in zünftischen Kontexten ihre spezifische Bedeutung entwickelt hatten.[19]
Auch wenn Eintracht, Frieden und gemeiner Nutzen allgemein anerkannte
Werte waren, divergierten die Vorstellungen, wie sie zu interpretieren und
zu verwirklichen seien.[20] Gerade die Allgemeingültigkeit ermöglichte es, im
Konfliktfall der gegnerischen Seite Verletzung der Werte vorzuwerfen. Die
Anerkennung städtischer Werte bei gleichzeitigen Kontroversen um ihre
Umsetzung deutet Gerd Schwerhoff als „Zusammenspiel von sozialüber-
greifenden Werten und sozialspezifischer Interpretation".[21]

Im Rahmen dieser Forschungsansätze kann eine Untersuchung von städtischen Prozessionen wichtige Erkenntnisse zur mittelalterlichen Stadtge-

---

17 Vgl. SCHWERHOFF, Ratsherrschaft, 190-196.
18 Zum gemeinen Nutzen vgl. EBERHARD, Legitimationsbegriff; SCHULZE, Gemeinnutz;
    HIBST, Utilitas.
19 Zu städtischen Werten vgl. RUBLACK, Grundwerte; BLACK, Guilds, 44-73; SCHWERHOFF,
    Ratsherrschaft, 197-200.
20 Vgl. RUBLACK, Grundwerte, 17-25
21 SCHWERHOFF, Ratsherrschaft, 199.

schichte beitragen. An Hand von Prozessionen läßt sich das Selbstverständnis mittelalterlicher Stadtbewohner in ihren politischen und religiösen, alltäglichen und öffentlichen Handlungsfeldern ermitteln. Da Prozessionen im Spannungsfeld von Religion und Politik sowie von obrigkeitlicher Herrschaft und gemeindlicher Mitwirkung standen, kann ihre Erforschung mithelfen, das Ineinanderwirken verschiedener Bereiche und die Funktionsweise städtischer Gesellschaften zu verstehen. Zugleich beleuchten Prozessionen die Werte und Normen einer Stadt sowie deren Umsetzung in rituelle Handlungen. Mit diesem Forschungsprogramm werden liturgie- und theologiegeschichtliche Fragen insoweit behandelt, wie sie unmittelbar zur Erklärung der Gestaltung und der Sinngebung von Prozessionen notwendig sind; vorrangig geht es um die soziale und politische Einbettung von Prozessionen.

2. Forschungsstand

Ein erstes Interesse an Prozessionen zeigen kulturgeschichtliche Arbeiten des ausgehenden 19. Jahrhunderts. Georg Ludwig Kriegk widmet ihnen in seinem zweibändigen Werk „Deutsches Bürgertum im Mittelalter" einen längeren Abschnitt, der vorwiegend auf Frankfurter Quellen basiert. Alwin Schultz stützt sich in seinem Buch „Deutsches Leben im XIV. und XV. Jahrhundert" auf wenige Quellen, die er referiert, ohne vergleichend und strukturierend zu arbeiten.[22] Eine systematische Erfassung erfuhren Prozessionen zu Beginn der dreißiger Jahre dieses Jahrhunderts in den Arbeiten von Alois Mitterwieser, Xaver Haimerl und Peter Browe. Mitterwieser und Haimerl wollten mit ihren Untersuchungen den Mangel an einer geschlossenen Darstellung zu Prozessionen ausgleichen.[23] Durch die Zusammenstellung und systematische Auswertung des vor allem gedruckt vorliegenden Quellenmaterials kommen Entstehung und Veränderungen der Prozessionen in den Blick. Beide Autoren sind stark der Theologie- und Liturgiegeschichte verpflichtet, so daß Bezüge zur Stadtgeschichte fehlen. Ebenfalls unter theologischem Interesse untersuchte Browe in zahlreichen Arbeiten die mittelalterliche Sakramentsfrömmigkeit. Ihm ging es zum einen um die Entstehung der eucharistischen Prozessionen, die er mit einer Übersicht der Quellenbelege nachzeichnet. Zum anderen behandelt er ihre Gestaltung mit Stationen, Spielen und ähnlichem; auch Rangstreitigkeiten tauchen unter

---

22 KRIEGK, Bürgertum, 363-377; SCHULTZ, Deutsches Leben, 417ff., 424f. Vgl. GRUPP, Kulturgeschichte, passim.
23 MITTERWIESER, Fronleichnamsprozession; HAIMERL, Prozessionswesen.

dem Stichwort „Entartung der Prozessionen" auf.[24] Der Frage nach den Ursprüngen, Vorbildern und dem Aufkommen der Sakramentsprozessionen gingen neben Browe weitere Autoren nach.[25] Viele kleinere Arbeiten steuerten lokalgeschichtliche Untersuchungen bei.[26] Die gottesdienstliche Gestaltung stand in Untersuchungen zu kirchlichen Institutionen und in Editionen der liturgischen Quellen im Vordergrund. Den Prozessionen und ihren Gesängen in Mainz widmet Theodor Heinrich Klein eine Studie. Stiftische Prozessionen - vor allem deren Topographie und Gesänge - werden in Editionen von Ordinarien und anderen liturgischen Büchern diskutiert.[27] In Arbeiten zum Komplex Stadt und Kirche - beispielsweise zu Göttingen, Ulm, Augsburg oder Nürnberg, um nur einige zu nennen - sind Prozessionen ein Gegenstandsbereich, der meist nur kurz abgehandelt wird. Leider fehlt hier häufig ein Vergleich mit anderen Städten; zudem gehen die Autoren zumeist von der pauschalen Annahme aus, daß an Prozessionen grundsätzlich die gesamte Stadt teilgenommen hätte.[28]

Lucien Pfleger legte 1937 mit seiner Arbeit zu Stadt- und Ratsgottesdiensten in Straßburg eine wegweisende Studie vor, in der er von der „gemeinschaftsbildenden Funktion der Religion" ausgeht und die Beteiligung des Stadtrates am gottesdienstlichen Leben des Münsters untersucht.[29] Ihm gelingt damit eine Einordnung der Prozessionen in zeitgenössische politische Kontexte, die anderen Arbeiten fehlt. Ähnlich anregend ist Ludwig

---

24 BROWE, Entstehung; DERS., Verehrung, 88-140.

25 Vgl. STAPPER, Gereonsaltar; KARRER, Fronleichnamsprozession; SCHNITZLER, Fronleichnamsprozession; NIEDERMEIER, Sakramentsprozessionen.

26 Vgl. KERNSTOCK, Fronleichnamsfest (Vorau); BRUDER, Fronleichnamsfeier (Mainz); MAYER, Freiburger Fronleichnamsprozession (Freiburg); FÜRSTENBERG, Fronleichnamsfeier (Diözese Paderborn); BARTH, Einführung (Stift Rheinau); SCHNAPP, Fronleichnams-Oktavprozession (Bamberg); HEILIG, Einführung (Diözese Konstanz); SIBEN, Fronleichnamsfest (Speyer); BARTH, Fronleichnamsfest (Straßburg); BAUERREISS, Entstehung (Bayern); FISCHER, Anfänge (Freising); HOFMANN, Fronleichnamsprozession (Aschaffenburg); TORSY, Verehrung (Wittlaer); HEINZ, Fronleichnamsfeier (Karden); KIMMINICH, Prozessionsteufel (Freiburg); SCHLIERF, Gottestracht (Köln); GÜNTNER, Fronleichnamsprozession (Regensburg). - Als Bibliographie zum Fronleichnamsfest vgl. HÄUSSLING, Literaturbericht.

27 KLEIN, Prozessionsgesänge; ARENS, Liber ordinarius (Essen); PETERS, Liturgische Feiern (Bonn); KURZEJA, Liber Ordinarius (Trier); OEDIGER, Ordinarius (Xanten); WEHNER, Gottesdienstordnung (Würzburg); ODENTHAL, Liber Ordinarius (Köln). Vgl. auch BAYLEY, Processions, für die Prozessionen in Salisbury.

28 Vgl. VOGELSANG, Göttingen, 21f.; GEIGER, Reichsstadt, 164f.; TRÜDINGER, Würzburg, 219f.; SCHLEMMER, Gottesdienst, 260-280.

29 PFLEGER, Ratsgottesdienste.

Remlings Untersuchung der „Großen Prozession" in Münster, die er als
städtisches und kirchliches Ereignis charakterisiert. Remlings Studie besticht
durch eine sorgfältige Quellenarbeit, durch die er die Ursprünge und die
Bedeutung der Prozession im 14. Jahrhundert zu klären sucht und ihren
Wandel in der Gegenreformation deutlich machen kann.[30]
Die Rangfolge bei Prozessionen, wie sie in Ordnungen und Beschrei-
bungen festgehalten wurde, nutzten Karl Frölich und Werner Spieß, um die
Gliederung der Einwohnerschaft zu beschreiben.[31] Während diese beiden
Autoren von der Vorstellung ausgingen, in der Prozessionsordnung ein
Abbild des sozialen Gefüges zu finden, regte Wilfried Ehbrecht an, mit
Hilfe von Prozessionen Selbstverständnis und Verhaltensweisen städtischer
Gesellschaften zu erfragen und mit diesem Material Analysen der Sozial-
struktur zu ergänzen.[32] Ehbrecht erkannte auch die Bedeutung von Prozes-
sionen für innerstädtische Konflikte während der Reformation, führte seine
Anregungen aber nicht systematisch aus.[33] Sein Ansatz ermöglicht es, Prozessionen mit gesellschaftlichen Strukturen in Verbindung zu setzen und
gleichzeitig als eigenständige Ereignisse zu betrachten.

Neue Perspektiven eröffnen die Studien von Richard C. Trexler und Edward Muir zu Ritualen in Florenz und Venedig, deren Rezeption in
Deutschland trotz ihres Erscheinens vor mehr als 15 Jahren noch aus-
steht.[34] Nach Trexler spiegeln Rituale soziale Realität nicht wider, sondern
im Gegenteil, Rituale schufen die politische Ordnung. Die florentinische
Gesellschaft charakterisiert er durch einen Mangel an Ehre und gegenseiti-
gem Vertrauen, der durch Rituale ausgeglichen werden sollte. Für die „klas-
sische" Periode der florentinischen Rituale (1340-1470) analysiert er insbesondere die Feierlichkeiten zum Fest des Stadtpatrons Johannes des Täu-
fers. Mit Empfangsritualen geht er auf die Riten der Außenpolitik ein. Im
letzten Teil untersucht Trexler die Veränderungen von 1480 bis 1530. Er
spricht für diese Zeit von einer „ritual revolution", da die bisher ausge-
schlossenen Kinder, Jugendlichen, Frauen und Unterschichten in das Zentrum der Prozessionen rückten. Die Veränderungen auf der politischen

---

30 REMLING, Prozession.
31 FRÖLICH, Kirche, 267; SPIESS, Fernhändlerschicht. Zur Kritik ihrer Ansätze vgl. unten
   S.142.
32 EHBRECHT, Ordnung, 87f.
33 EHBRECHT, Verlaufsformen, 27ff. Als systematische Analyse von Prozessionen im reformatorischen Prozeß vgl. SCRIBNER, Reformation.
34 TREXLER, Public Life; MUIR, Civic ritual. Zur Rezeption der Studie von Trexler in
   Deutschland vgl. SCHWERHOFF, Leben, 35.

Ebene, den Aufstieg der Medici, beschreibt Trexler als Folge der rituellen Revolution und kehrt damit die bisherige Forschungsmeinung um. Seine Arbeit wurde in vielen Punkten auch von Wissenschaftlern kritisiert, die seinen Ansatz befürworten. Doch selbst ein harscher Kritiker wie Humfrey Butters lobt: „This is a most unusual and ambitous work."[35]

Das fast gleichzeitig erschienene Buch Muirs widmet sich der Gegenspielerin von Florenz unter den italienischen Stadtstaaten, Venedig. Muir geht vom „venezianischen Mythos" aus - Gleichgewicht der Kräfte, Dauerhaftigkeit der Institutionen und soziale Eintracht gelten als Garanten der Stabilität der Lagunenstadt -, nicht, um diesem die soziale und politische Realität entgegenzuhalten, sondern um seine Bedeutung und Funktion herauszuarbeiten. Im ersten Teil verfolgt er die Konstruktion dieses Mythos, dessen rituelle Verarbeitung im Markuskult, in der Dogenprozession, in der „Verlobung Venedigs mit dem Meer" und in der Fronleichnamsprozession er im zweiten Teil nachzeichnet.[36] Unter Bezug auf Ansätze der Kulturanthropologie begreifen Muir und Trexler Prozessionen, Zeremonien oder Feste als konstitutive Bestandteile des politischen und sozialen Lebens einer italienischen Stadt der Renaissance.

Nicht nur Trexler und Muir ließen sich in ihren Arbeiten von anthropologischen Ansätzen beeinflußten. Bereits 1972 untersuchte Charles Phythian-Adams mit einer ähnlichen Fragestellung Zeremonien im Jahresablauf von Coventry. An diesen interessierten ihn zum einen die Bezüge zur Sozialstruktur, die er über die Teilnehmer an den verschiedenen ritualisierten Aktionen zu ermitteln sucht. Er entdeckt dabei eine Zweiteilung des Jahres in eine „rituelle" Hälfte von Weihnachten bis Mitsommer mit allen wichtigen religiösen und politischen Ritualen und in eine „weltlichen" Hälfte mit normalen Wirtschaftsaktivitäten und Feiern im Privaten. Zum anderen fragt Phythian-Adams nach den Veränderungen der Zeremonien im 16. Jahrhundert. Deren Abschaffung oder Einschränkung beschreibt er als Triumph der weltlichen Hälfte.[37] Mervyn James stellt in seiner Studie zum Fronleichnamsfest und zu geistlichen Spielen in englischen Städten die These auf,

---

35 HUMFREY BUTTERS, Rez. in: Renaissance Quarterly 35 (1982), 468. Als weitere Rezensionen vgl. AHR 89 (1984), 475-477 (DONALD WEINSTEIN); Annales 38 (1983), 1110-1124 (PHILIPPE BRAUNSTEIN, CHRISTIANE KLAPISCH-ZUBER); Geschichte in Köln 35, Aug. 1994, 33-60 (GERD SCHWERHOFF).

36 Als Rezensionen vgl. Renaissance Quarterly 35 (1982), 476-479 (ROBERT FINLAY); Annales 38 (1983), 1110-1124 (PHILIPPE BRAUNSTEIN, CHRISTIANE KLAPISCH-ZUBER); Journal of Social History 16 (1983), 192-194 (GUIDO RUGGIERO); The Catholic Historical Review 70 (1984), 305-306 (STANLEY CHOJNACKI).

37 PHYTHIAN-ADAMS, Ceremony.

„that the theme of Corpus Christi is society seen in terms of body".[38] Mit
Theorien von Mary Douglas arbeitet James die Körpermetaphorik der Sakramentsverehrung heraus. Das Körperbild habe in mittelalterlichen Städten
sowohl Differenzierung als auch Einheit des sozialen Körpers darstellen
können. Auch Charles Zika untersucht die Eucharistieverehrung. Um zu
erkunden, wie das Sakrament seine herausragende Bedeutung in der religiösen Praxis des 14. und 15. Jahrhunderts erhalten konnte, analysiert er Hosti-
enpraxis, eucharistische Prozessionen und Blutwunder in deutschen Städten
des Spätmittelalters. Ähnlich wie James sieht er im Sakrament ein Symbol
für den sozialen Körper, das Einheit bei wachsender Differenzierung ausdrückte. Die Prozessionen sind ihm Spiegel der Sozialstruktur.[39] Gegen
diese Interpretationen der Fronleichnamsprozessionen wendet sich Miri
Rubin. Der These, daß Prozessionen gemeinschaftsbildend seien, stellt sie
entgegen, daß sie Hierarchien und Trennlinien der Gesellschaft verstärkten.
Sie hält es für unzulässig, unmittelbar von der Körpermetaphorik auf politische Bedeutungen zu schließen. Gegen ein Bild von Harmonie und Integration betont Rubin Konflikte und Spannungen, die Prozessionen inhärent
seien.[40] Ihren Widerspruch zu Zika und James arbeitet Rubin pointiert heraus, um sich von einem harmonisierenden Bild abzusetzen. Allerdings beschreibt auch James Hierarchien und Konflikte, so daß der Forschungsstreit
weniger grundsätzlich ist, als er scheinen mag.

Beeinflußt durch die historische Geographie und Ethnologie fragen französische Arbeiten vorrangig nach Topographie und räumlicher Verortung der
Prozessionen.[41] Die Ergebnisse zeigen die Anciennität der Routen und den
Ausschluß bestimmter, meist jüngerer kirchlicher Institutionen und Stadtteile auf. Eine wegweisende Untersuchung legte Jacques Chiffoleau 1990
über die Pariser Bittprozessionen des Jahres 1412 vor. In der Analyse von
Ereignis, Zeit, Raum, religiösen Objekten und Austauschbeziehungen beschreibt er die Wiederholung und zunehmende Ästhetisierung der Prozessionen.[42] In deutschsprachigen Forschungen sind die Anregungen dieser
anglo-amerikanischen und französischen Arbeiten zu Ritualen und Prozessionen bisher kaum aufgenommen. Eine Ausnahme bildet Gabriela Signori,

---

38 JAMES, Ritual, 4.
39 ZIKA, Processions, 42f.
40 RUBIN, Corpus Christi, 243-271; DIES., Symbolwert. Mit einem ähnlichen Ansatz vgl. auch
   McREE, Unity.
41 Vgl. VÉNARD, Itinéraire; GUEUSQUIN-BARBICHON, Organisation; OZOUF, Innovations;
   COULET, Processions.
42 CHIFFOLEAU, Analyse.

die in Anlehnung an Chiffoleau die Bittprozessionen in Straßburg 1474-1477 während des Burgunderkrieges untersuchte. Ihr geht es um die „semantische Verschachtelung von Ereignis und Ritual".[43] Prozessionen waren in Straßburg in dieser Zeit konstitutiver Bestandteil der Ratspolitik, während andere, ähnlich vom Krieg betroffene oberrheinische Städte wegen der Gefahren, die eine solche Mobilisierung der Bevölkerung mit sich brachte, auf Umgänge weitgehend verzichteten. Auch Dieter Scheler setzt sich mit anthropologisch orientierten Arbeiten auseinander. In seiner vorwiegend auf flämischen Material beruhenden Studie wendet er sich gegen die Zuordnung von Prozessionen zur Volkskultur. Eine Interpretation, wie die von Robert Scribner, der Prozessionen in den kosmologischen Vorstellungen einer Gesellschaft voller struktureller Unsicherheit verankert sieht, würde den Bruch, der mit der Reformation erfolgte, nicht erklären.[44] Scheler beschreibt Prozessionen als inszenierte Wirklichkeit und verortet sie zwischen Obrigkeit und Volk. Ihre Abschaffung während der Reformation stünde in der Kontinuität des ratsherrlichen Kirchenregiments. Ich bin in dieser Arbeit vor allem den Anregungen von Rubin verpflichtet, da sich ihre Überlegungen eher für die Analyse konkreter Prozessionen nutzen lassen als die vor allem aus theologischen Konzepten erschlossenen Thesen von James und Zika. Mit Signori und Scheler halte ich die Einbettung von Prozessionen in das Herrschaftsgefüge einer Stadt und den Blick auf Obrigkeit und Ratspolitik für wichtig.

Ein wichtiger Anknüpfungspunkt an die anthropologische Forschung ist die Konzeptualisierung von Zeremonien und Prozessionen als Rituale.[45] Trexler versteht darunter verbale und körperliche Handlungen, die „in specific contexts of space and time, become relatively fixed into those recognizable social and cultural deposits we call behavioral forms". Rituale sind die zentrale Analysekategorie seiner Arbeit über Florenz.[46] Muir sieht in ihnen den Schlüssel zum Verständnis des venezianischen Mythos. Er stellt kommunikative Aspekte des Rituals in den Vordergrund: „Civic rituals were commentaries on the city, its internal dynamics, and its relationship with the

---

43 SIGNORI, Ritual, 33.
44 SCHELER, Inszenierte Wirklichkeit, 119f.
45 Auf die Annäherung von Geschichtswissenschaft und Anthropologie möchte ich hier nicht näher eingehen. Vgl. MEDICK, Missionare; HABERMAS (Hg.), Schwein des Häuptlings; DANIEL, Kultur.
46 TREXLER, Public Life, XXIV.

outside world."[47] Auch in der deutschen Geschichtswissenschaft wird zunehmend das Konzept Ritual verwendet. Erwähnt seien für die Mediävistik die Sektion „Spielregeln in mittelalterlicher Öffentlichkeit (Gesten, Gebärden, Ritual, Zeremoniell)" beim Historikertag 1992 in Hannover und die Sektion „Texte, Bilder, Rituale (Wirklichkeitsbetrachtung und Wirklichkeitskonstruktion politisch-rechtlicher Kommunikationsmedien in Stadt- und Landgesellschaften des Mittelalters)" beim Historikertag 1998 in Frankfurt.[48]

Ritual als Forschungsbegriff ist attraktiv, birgt aber auch Gefahren. Die Anwendung anthropologischer Begriffe und Konzepte erzeugt einen Verfremdungseffekt, der neue Perspektiven auf bekannte Phänomene eröffnet. Gewinnbringend wurde bei der Erforschung politischer Strukturen nach Ritualen gefragt, um Mechanismen von Herrschaftslegitimation und Herrschaftserhaltung zu untersuchen.[49] Unter Anwendung von Arnold van Genneps Konzept der „Übergangsriten" konnten Begräbnisrituale neu interpretiert werden.[50] Mit Ritualen scheint ein begrifflich und theoretisch reflektiertes Konzept bereitzustehen, doch tatsächlich arbeiten selbst Anthropologie und Soziologie nicht mit einer anerkannten Definition. Ronald Grimes listet in seinem Artikel in der „Encyclopedia of Religion" sechs Definitionen auf, der er eine eigene siebte anschließt.[51] Einigkeit bestehe, so Steven Lukes, darin, daß Rituale durch Regeln geleitet werden und normativen Druck auf die Teilnehmer ausüben. Zerstritten ist die Forschung über die Verbindung von Ritual und Religion.[52] Wurde in der Forschung des 19. und frühen 20. Jahrhunderts Ritual eng an Religion und „primitive" Kulturen geknüpft, so wird diese Eingrenzung inzwischen in Frage gestellt, allerdings mit der Folge, daß der Begriff kaum noch abgrenzbar ist.[53]

---

47 MUIR, Civic ritual, 5. Außer den im Forschungsüberblick erwähnten neueren angloamerikanischen Studien zu Prozessionen vgl. BRADY, Rites; SCRIBNER, Ritual.

48 Die Vorträge von Gerd Althoff, Hagen Keller, Dagmar Hüpper und Jan-Dirk Müller beim Historikertag 1992 sind in den Frühmittelalterlichen Studien 27 (1993), 27-124, veröffentlicht. Vgl. auch die Sammelbände von KIRCHGÄSSNER/BECHT, Stadt und Repräsentation; RAGOTZKY/WENZEL, Höfische Repräsentation, und HANAWALT, City.

49 Vgl. HAMMERTON/CANNADINE, Conflict; BRYANT, King; CANNADINE (Hg.), Rituals; HOLENSTEIN, Obrigkeit; ALTHOFF, Colloquium; LOACH, Function.

50 Zu Begräbnisriten vgl. PAXTON, Christianizing; STROCCHIA, Death.

51 RONALD L. GRIMES, Art. Ritual, in: The Encyclopedia of Religion, Bd. 12 (1987), 405.

52 LUKES, Political Ritual, 53.

53 Grundlegend zu Ritual vgl. GOODY, Religion; GLUCKMAN, Ritual; LUKES, Political Ritual; EDMUND LEACH, Art. Ritual, in: International Encyclopedia of Social Sciences, Bd. 13 (1968), 520-526; GRIMES, Research; ELIZABETH S. EVANS, Art. Ritual, Encyclopedia of

Als umfassendes theoretisches Konzept rezipierte die historische Forschung vor allem die Arbeiten von Victor Turner, der seine Überlegungen zum Ritual selbst auf historische Gegenstandsbereiche - das franziskanische Mönchtum oder Pilgerfahrten - übertrug.[54] In seinem Werk „The Ritual Process" von 1969 untersucht er die Herrschaftseinsetzung bei den Ndembu in Sambia. Im Anschluß an van Gennep unterscheidet er drei Phasen dieses Übergangsritus: Ablösung, Liminalität oder Schwellenzustand und Wiedereingliederung. Zentral ist für ihn die liminale Phase, die er als Anti-Struktur begreift und auf deren Analyse er ein umfassendes Gesellschaftskonzept aufbaut. Der Zustand der Liminalität außerhalb sozialer Strukturen offenbare ein Modell sozialer Beziehungen, die „communitas", der als nicht oder nur rudimentär strukturierte Gemeinschaft von Gleichen die Gesellschaft als strukturiertes, differenziertes und oft hierarchisch gegliedertes System gegenüberstehe. Der liminale Status kann in bestimmten sozialen Gruppen institutionalisiert sein, die strukturell untergeordnet seien, aber rituelle Stärke besäßen.[55] Religiöse Bewegungen wie die Franziskaner interpretiert Turner als Verwirklung von „communitas" und permanenter Liminalität. Turner gelingt es, gegen funktionalistische Interpretationen den Prozeßcharakter von Ritualen herauszuarbeiten. In der Geschichtswissenschaft befruchteten die Überlegungen zu Statusumkehrung und Kreativität der liminalen Phase insbesondere Forschungen zum Karneval. Allerdings ergeben sich in der Anwendung auf historische Gegenstände auch Probleme, vor allem wenn Konzepte und Begriffe ohne eine wirkliche Auseinandersetzung übernommen werden. Die unreflektierte Übernahme ethnologischer Denkmodelle birgt die Gefahr, daß mythische und magische Wahrnehmungs- und Ausdrucksformen überbetont werden, wie Scheler anmerkt.[56] An Turner und von ihm inspirierten Arbeiten kritisiert Signori, daß das „grundlegende Spannungsverhältnis zwischen Herrschaft und Gemeinschaft" ausgeblendet werde. Die historische Forschung hätte bei Ritualen soziopolitische Ungleichheiten und Hierarchien herausgearbeitet, die im Kontrast zu den Bildern ständen, die Turner zeichnet.[57] Kritik an Turner meldet auch Caroline W. Bynum an. Nach ihr ist das Konzept von Liminalität nur auf Männer anwendbar, da nur sie aus einer Machtposition heraus

---

Cultural Anthropology, Bd. 3 (1996), 1120-1123. Zu den Schwierigkeiten einer Definition vgl. auch SIGNORI, Ritual, 44.

54 Vgl. TURNER, Ritual; DERS., Image.

55 Insbesondere Trexler arbeitet mit dem Konzept von Liminalität und liminalen Gruppen.

56 SCHELER, Inszenierte Wirklichkeit, 119.

57 SIGNORI, Ritual, 45f., Zitat: 46.

Möglichkeiten der Statusumkehrung und -erniedrigung hätten.[58] Generell scheint mir das von Turner zu einem Gesellschaftskonzept und zu Kulturkritik ausgeweitete Konzept von Ritual und Liminalität ungeeignet zur konkreten Analyse von Ritualen.

Für die eigene Forschung ist eine pragmatische Definition notwendig: Ich verstehe unter Ritualen eine Folge von kollektiven Handlungen, die weitgehend festgelegt sind und symbolische Bedeutungen in sich tragen.[59] Wenn ich im folgenden Prozessionen als Rituale betrachte, übernehme ich nicht die weitgefaßten Folgerungen Turners, sondern möchte die Anregungen nutzen, die mit dieser Begriffsbildung verbunden sind. Mit dem Konzept Ritual können Phänomene wie Prozessionen, Schwörtage, Begräbnisse oder Krönungen als konstitutiv für Gesellschaften verstanden werden. Fragen nach dem formalen Ablauf, den Spielregeln, den Funktionsweisen, den Handlungsträgern und den symbolischen Bedeutungen treten in den Vordergrund. Rituale können auf soziale Integration ausgerichtet sein, doch brachten sie immer auch Hierarchien, Konflikte und sozialen Wandel zum Ausdruck.[60] Wichtige Aspekte sind der kommunikative Charakter von Ritualen und die Mehrdeutigkeit von Symbolen, die Prozessionen wie andere Rituale zu offenen Gefäßen für verschiedenste Inhalte machten.[61] Kurz gesagt, wenn Prozessionen hier als Rituale verstanden werden, sollen neue Forschungsperspektiven eröffnet werden, ohne aber vorgefaßte Interpretationen zu übernehmen.

3. Leitstädte, Untersuchungszeitraum und Quellen

Um den dargelegten Fragen nachgehen zu können, ist es nötig, Prozessionen in einen stadtgeschichtlichen Kontext einzuordnen. Deshalb werden in dieser Arbeit zwei Städte, Nürnberg und Erfurt, exemplarisch analysiert. An diesen beiden Städten mit ihrem reichhaltigen, sich wechselseitig ergänzenden Quellenmaterial sollen verschiedene Typen von Prozessionen untersucht und stadtgeschichtlich verortet werden, wobei die Verfassungsstruktur - in Nürnberg eine patrizische Verfassung, in Erfurt seit 1309 eine Mehrheit der Zünfte und der Gemeinde im Rat - ein Unterscheidungsmerkmal unter anderen ist. Ein systematischer Vergleich zwischen Nürnberg und Erfurt wird aufgrund der unterschiedlichen Quellenlage nicht angestrebt. In Nürn-

---

58 BYNUM, Women's Stories, 32f., 49. Zu Kritik an Turner vgl. auch GRIMES, Definition.
59 Vgl. ähnlich BURKE, Cities, 29: „my working definition of ritual is an action or sequence of actions which are at once collective, repetitive and symbolic".
60 Vgl. LUKES, Political Ritual, 62-67; GEERTZ, Ritual.
61 Vgl. TURNER, Ritual, 55; LEACH, Art. Ritual, 523f.

berg liegt vor allem Material zu Fronleichnamsprozessionen vor. Diese scheint es in Erfurt zumindest stadtweit nicht gegeben zu haben. Statt dessen berichten die Quellen von zwei im 14. Jahrhundert entstandenen Gedenkprozessionen, von einer alle sieben Jahre durchgeführten Reliquienprozession und von Bittprozessionen. Zur Einbettung und Gewichtung der Ergebnisse aus den beiden Leitstädten wird Vergleichsmaterial aus anderen Städten vorrangig des deutschsprachigen Gebiets herangezogen, soweit das mit der Sekundärliteratur und gedruckten Quellen möglich ist.

Der Untersuchungszeitraum erstreckt sich von der Wende zum 14. Jahrhundert bis zur Reformation. Prozessionen unter städtischer Leitung, insbesondere beim Fronleichnamsfest, das erst 1264 eingesetzt wurde, aber auch Gedenk- und Reliquienprozessionen entstanden erst im 14. Jahrhundert, während die älteren regelmäßigen Umgänge, wie die Markusprozession oder die Rogationen, vorrangig vom Klerus gestaltet und organisiert wurden. Mit der Reformation endeten Prozessionen in protestantischen Städten; für Katholiken wurden die Umgänge zu einem öffentlichen Zeichen der Konfessionszugehörigkeit. Die Reformation bildet deshalb den zeitlichen Abschluß dieser Arbeit.

Welche Quellen geben Auskunft über Prozessionen? Zunächst ist an Prozessionsordnungen zu denken, wie sie beispielsweise der Erfurter Rat im Anhang zur Ratsverfassung von 1452 für die Adolar- und Eoban-Prozession niederschreiben ließ.[62] Unter Bezug auf die Prozession des Vorjahres regelte der Rat vorrangig den Verlauf und die Route und traf Vorkehrungen für die Sicherheit. Daneben ist auch der Teilnehmerkreis erkennbar, ohne daß aber eine Rangfolge der Zünfte festgelegt wurde, wie von einer Prozessionsordnung erwartet werden könnte. Solche Rangordnungen sind weder für Erfurt noch für Nürnberg überliefert. Eine Art Prozessionsordnung existiert auch mit den Stiftungsbriefen für die Fronleichnamsprozession des Nürnberger Heilig-Geist-Spitals. Dessen Gründer Konrad Groß legte 1340 und 1343 Ablauf und Teilnehmerkreis fest.[63] Als weitere Quellengruppen können Ablaßprivilegien und Stiftungsurkunden herangezogen werden. Ablässe eignen sich zur Datierung von Prozessionen und geben Hinweise auf die Gestaltung, sind jedoch als stark standardisierte Quellen wenig ergiebig für Fragen nach der Teilnehmerstruktur.[64] Urkunden von Stiftungen, die die festliche Gestaltung der Prozessionen durch

---

62 MICHELSEN, Ratsverfassung, 46f.
63 StadtAN D2/II, Nr. 1, fol. 125'-126, 165-165'.
64 Zu Ablaßprivilegien vgl. PAULUS, Ablaß; WEIGEL, Nürnberger Ablaßbriefe; BOOCKMANN, Ablaß-Medien.

Vergabe von Präsenzen fördern wollten, verraten etwas über die geistlichen
Teilnehmer sowie die Bedeutung der Umgänge für Laien und Geistlichkeit,
sind aber auch für Datierungsfragen zu nutzen.

Städtische Prozessionen des Spätmittelalters standen im Spannungsfeld
von Religion und Politik; entsprechend finden sich Hinweise über sie in
Quellen aus dem kirchlichen Bereich und aus der Ratsverwaltung. Unter
den liturgischen Quellen informieren vorrangig Rituale, Processionale sowie
Ordinarien über Prozessionen.[65] Überliefert sind entsprechende liturgische
Quellen für Erfurt, die jedoch keine Auskünfte über die städtischen Prozessionen enthalten.[66] Zudem schenken Rituale oder Ordinarien mit Anweisungen zu Gesängen, Stationen, den Tagzeiten oder der Kleidung des Klerus den Laien kaum Aufmerksamkeit. Ertragreicher waren für diese Arbeit
Quellen der Kirchenverwaltung wie Rechnungsbücher, Mesner- und Kirchenordnungen oder Inventare, die verstreute, aber vielfältige Informationen zu Prozessionen enthalten. Als Beispiel sei der Quellenfundus der
Nürnberger Sebaldskirche dargelegt. Umfangreich ist vor allem der Bestand
an Amts- und Rechnungsbüchern, die Sebald Schreyer (1446-1520) während
seiner von 1482 bis 1503 währenden Amtszeit als Kirchenmeister von St.
Sebald anlegen ließ. Als vom Rat eingesetzter Kirchenmeister leistete
Schreyer die eigentliche Verwaltungsarbeit, während die Kirchenpfleger -
durchgängig Ratsherren, wie zur Zeit Schreyers der oberste Losunger Ruprecht Haller - für die Überwachung von baulichen Veränderungen, die
Regelung der Verwaltung und die Verwendung der Kirchengüter zuständig
waren und die Interessen der jeweiligen Kirche im Rat vertraten.[67] Schreyer
begründet seine redaktionelle Arbeit an den Amtsbüchern 1482 damit, daß
er bemerkt habe, *das in den salpuchern der kirchen davor kein ordnung noch sunde-*

---

65 Zu liturgischen Quellen vgl. BOHATTA, Liturgische Bibliographie, 60; GY, Collectaires;
   SCHONATH, Liturgische Drucke; NEUHEUSER, Bibliographie; NEUHEUSER, Typologie;
   PROBST, Bibliographie. Beispielhaft für die Untersuchung von Prozessionen anhand von
   liturgischen Quellen sind die Arbeiten von ANDRÉ MARCEL BURG zu Straßburg. Zu
   edierten Ordinarien vgl. oben Anm. 27.
66 Vgl. BAEf Hs. liturg, Nr. 5, Nr. 6, Nr. 6a.
67 Zu den Kirchenpflegern in Nürnberg vgl. REICKE, Stadtgemeinde, 100-107; SCHLEMMER,
   Gottesdienst, 110f. Sebald Schreyer: geb. 9. Juni 1446 als Sohn von Hans Schreyer, einem
   wohlhabenden Pelzhändler, und Genofefa Fuchs; dreijähriges Studium in Leipzig; vier
   Jahre in kaiserlichen Diensten; 1475 Niederlassung in Nürnberg; Geldgeschäfte; 1477 Genannter im Großen Rat; seit 1478 Schöffe am Land- und Bauerngericht; weitere städtische
   Ämter; 1482 Kirchenmeisters der Sebaldskirche; enge Bindung zu Nürnberger Humani-
   stenkreisen; gest. 1520. Zu Lebenslauf und Wirken Sebald Schreyers vgl. CAESAR, Sebald
   Schreyer. Zu den Nürnberger Ratsämtern vgl. die Skizze im Anhang S. 338.

rung der zinsz in der stat, der gult auf dem land, der spend, beleuchtung, jahrtag, auch ander stiftung und ordnung des gotshaws gehalten gewesen, sunder das solichs und anderes darinnen durcheinander vermengt geschriben und gesetzt worden ist.[68] Informationen über die Fronleichnamsprozession enthalten das Salbuch, das Amtsbuch mit der Kirchenordnung von 1482-1503, das Amtsbuch mit der Mesnerpflichtordnung, das Einnahmen- und Ausgabenbuch von 1482-1494 und das Rechnungsbuch von 1482-1503. Weiter ist ein Ablaßkalender erhalten.[69] Als Sebald Schreyer die Verwaltungsbücher neu ordnete, konnte er auf das älteste für St. Sebald überlieferte Salbuch von 1450 zurückgreifen, das der Kirchenpfleger Sebald Pömer und der Kirchenmeister Hans Hübner, beide Ratsmitglieder, verfaßt hatten und das ein Inventar von 1446 enthält.[70] Der Nachfolger Schreyers, Lazarus Holzschuher, übertrug die Kirchenordnung 1503 in ein *Manual eins kirchenmeisters sebaldi.*[71] Die bisherige Forschung nutzte zur Untersuchung der Sebalder Prozessionen ausschließlich das edierte Mesnerpflichtbuch von 1482.[72] Für die Umgänge erweist sich diese Quelle aber als unvollständig, so daß sich ein umfassendes Bild erst ergibt, wenn insbesondere auch die unedierten Kirchenordnungen Schreyers und Holzschuhers sowie Schreyers Rechnungsbuch herangezogen werden. Während für St. Sebald auf einen großen Quellenfundus zurückgegriffen werden kann, liegen für die Frauen- und Lorenzkirche weniger Quellen vor, die aber ähnlicher Art sind. Das 1442 von Stephan Schuler verfaßte Salbuch enthält ein Inventar, Ordnungen für verschiedene Bedienstete der Kirche, Anweisungen über den Ablauf des Kirchenjahres und ähnliches.[73] Für St. Lorenz

---

68 LKAN Nr. 184 (=StAN Rep. 59, Nr. 2), fol. 7. Interpunktion der ungedruckten Quellen: A.L. Zu den Amtsbüchern Sebald Schreyers vgl. CAESAR, Sebald Schreyer, 83-91. Beschreibung der Handschriften Schreyers: CAESAR, Sebald Schreyer, 180-210. Vgl. auch ZAHN, Fakten. Allgemein zu kirchenadministrativen Quellen Nürnbergs vgl. SCHLEMMER, Gottesdienst, 112-119.

69 StAN Rep. 59 (Nbg. Salbücher), Nr. 2; GNM Merkel-Hs. Nr. 100; StadtAN A21, Nr. 169-2°, fol. 42-78' sind von GÜMBEL, Sebald, 7-40, ediert; LKAN Pfarramt(PfA) Nürnberg - St. Sebald, Nr. 463 (alte Nummer: Sebald 252); StadtAN A21, Nr. 7 Sebald Schreyer 4-2°; StadtAN A21, Nr. 214-2°.

70 StAN Rep. 59, Nr. 1. Die Mesnerordnung, fol. 89-97, wurde von GÜMBEL, Sebald, 41-48, ediert. Zur Mesnerordnung vgl. CAESAR, Sebald Schreyer, 82.

71 GNM Archiv, Reichsstadt Nürnberg Nr. XV, ZR 7115.

72 Vgl. HAIMERL, Prozessionswesen, 44-49; MITTERWIESER, Fronleichnamsprozession, 22; SCHLEMMER, Gottesdienst, 225f., 261-264.

73 Das Salbuch wurde 1869 von J. METZNER ediert (im folgenden: SCHULER, Salbuch). Stephan Schuler entstammte einer wohlhabenden, aber nicht patrizischen Familie Nürnbergs, saß seit 1426 im Großen Rat und wurde - nach eigenen Angaben - 1432 zum Pfleger der Frauenkirche gewählt. Er starb zwischen dem 13.12.1451 und dem 5.3.1452. Vgl.

existiert ein Mesnerpflichtbuch, das, so der Herausgeber Albert Gümbel, der Kirchenpfleger Andreas von Watt und der Kirchenmeister Hans Schürstab zu Beginn der 1490er Jahre zusammenstellten und das 1493 in Reinschrift geschrieben wurde.[74] Außerdem wurde das Salbuch von 1460 ausgewertet.[75] Ein reicher Quellenbestand mit verschiedenen Amtsbüchern aus der zweiten Hälfte des 14. Jahrhunderts und vom Beginn des 15. Jahrhunderts sowie die seit 1434 überlieferten Rechnungsbücher liegt schließlich für das Heilig-Geist-Spital vor.[76] Quellen dieser Art sind dagegen für Erfurt kaum vorhanden. Genutzt wurden Erb- und Rechnungsbücher der Schmidtstedter Kirche, wohin eine Prozession führte, und der Pfarrkirche St. Lorenz sowie ein Patronatsverzeichnis des Rates.[77]

Die aufgelisteten kirchenadministrativen Quellen wurden in Nürnberg von den Kirchenmeistern und -pflegern verfaßt, die dem Rat gegenüber verantwortlich waren. Daneben sind Quellen aus der Ratsverwaltung selbst heranzuziehen. In Ratsprotokollen, wie sie in Nürnberg vereinzelt seit dem 14. Jahrhundert, durchgängig seit dem 15. Jahrhundert überliefert sind, wurden Anweisungen zu Bittprozessionen notiert. Die Nürnberger Ratsprotokolle vermerkten zudem seit 1485 die „Führer" des Sakraments sowie die Baldachin- und Schreinträger.[78] Auffällig ist das Bemühen um Systematisieren und Verschriftlichung der religiösen Praktiken in den 1480er und 1490er Jahren, wie es in den Ratsprotokollen und den Schriften Schreyers

---

St. Chr. X, 14 (1409 verkaufte ein Stephan Schuler, wahrscheinlich der Vater des Verfassers, ein Haus an Berthold Tucher); ROTH, Genannte 24; SCHULER, Salbuch, XI. Müllner erwähnt Schuler 1438 und 1451 als Pfleger. Daneben listet er 1432 Ulrich Fütterer, 1438 Gabriel Tetzel, 1443 Michel Behaim und 1451 Berthold Tucher auf. Diese vier Pfleger entstammten alle patrizischen Familien und waren, bis auf Ulrich Fütterer, Ratsherren. Wahrscheinlich war Schuler eher Kirchenmeister, obwohl er sich selbst Pfleger bezeichnet. MÜLLNER, Annalen Bd. 2, 13. Sterbedaten nach dem großen Totengeläutbuch von St. Sebald, in: St. Chr. X, 14.

74 StAN Rep. 19 (D-Akten), Nr. 248. Die Mesnerordnung wurde von GÜMBEL, Lorenz, ediert. Zu den Verfassern vgl. GÜMBEL, Lorenz, 2-9.

75 StAN Rep. 59, Nr. 3.

76 StadtAN D2/II, Nr. 1-4 (Stiftsbücher, Registerbuch, Leitbuch); Nr. 15 (Ablaßbuch); StadtAN D2/III (Bestand Rechnungsbücher). Zu den Quellen des Heilig-Geist-Spitals vgl. KNEFELKAMP, Heilig-Geist-Spital, 19f.

77 StAE 1-1 VI-b/5, Nr. 1-2; BAEf Depositium St. Lorenz, Einnahmen- und Ausgabenbuch 1430, unsigniert; BAEf Depositium St. Lorenz, Zins- und Rechnungsbuch 1498-1513, unsigniert; BAEf Depositium St. Lorenz, Zins- und Einnahmenbuch 1539, unsigniert; BAEf Geistliches Gericht VI k 36; StAE 2-270/1.

78 StAN Rep 60b, Nr. 1-12. Zu den Ratsbüchern vgl. MUMMENHOFF, Ratsbücher. In den edierten Nürnberger Ratsverlässen fanden sich keine Hinweise auf Prozessionen. Vgl. STAHL, Nürnberger Ratsverlässe; SCHIEBER, Nürnberger Ratsverlässe.

zum Ausdruck kommt. Die Schreinträger der Lorenzer Reliquienprozession werden erstmalig 1492 im Ratsprotokoll vermerkt;[79] ein Jahr später ist das Mesnerpflichtbuch dieser Kirche fertiggestellt. In Erfurt sind die Ratsprotokolle für den fraglichen Zeitraum nicht überliefert. Stadtrechnungen dieser Stadt bezeugen, inwieweit der Rat an der Organisation und Finanzierung von Prozessionen beteiligt war. Auch Hinweise auf die Gestaltung lassen sich ihnen entnehmen[80]

Wichtig sind schließlich chronikalische Quellen, die allerdings vorrangig über außergewöhnliche Prozessionen berichten. Eine Nürnberger Chronik des 15. Jahrhunderts, die im Umkreis der Tucherfamilie entstand, beschreibt die Fronleichnamsprozession von 1487, die in Anwesenheit von Reichstag und Kaiser Friedrich III. besonders festlich begangen wurde.[81] Aus ähnlichen Gründen fand die Fronleichnamsprozession von 1522 Aufnahme in den 1623 fertiggestellten „Annalen" des Nürnberger Historiker Johannes Müllner.[82] In einer systematischen Zusammenfassung erwähnt Müllner die Prozession 1522 als Beleg, *also das dies jahr noch wenig anzeig einer religionis enderung sich hierfür gethan.*[83] Das Fronleichnamsfest handelt er in seiner Beschreibung der vorreformatorischen kirchlichen Zeremonien allgemein und mit wenigen Worten ab: *das fronleichnahmsfest oder aber festum corporis christi wurd in der ganzen christenheit mit aller ehrerbietigkeit und schönen herrlichen umgängen gefeyert. Zu Nürnberg hielt man eine schöne vesper, brauchet aber keine orgel, sondern an derselben statt etliche schöne seitenspiel.*[84] Ausführlicher geht er dagegen auf den Kreuzfindungstag am 3. Mai ein, bei denen große Umgänge der Pfarrkirchen stattgefunden haben sollen.[85] Da aber die zeitgenössischen Quellen keine Prozessionen am Kreuzfindungstag erwähnen und die beschriebene

79 StAN Rep. 60b, Nr. 5, fol. 225.
80 StAE 1-1/XXII-3, Nr. 1a, Nr. 2-7 (Hilfs- und Nebenrechnungen zur Großen Mater, 1486, 1512, 1516, 1518-1520, 1528, 1530); StAE 1-1/XXII-2, Nr. 1 (Große Mater).
81 St. Chr. Bd. 11, 494f. Zur Nürnberger Chronistik vgl. BOCK, Wolfgang Lüder; SCHMIDT, Städtechroniken; STRASSNER, Graphemsystem; SCHNEIDER, Heinrich Deichsler.
82 MÜLLNER, Annalen III, fol. 1378-1379 (1487), fol. 1709-1709' (1522). Johannes Müllner (1565-1634): Studium der Philosophie und Jurisprudenz in Altdorf und Heidelberg; 1591 endgültige Rückkehr in seine Geburtsstadt Nürnberg; 1592 als Syndikus in städtischen Diensten; 1602 Jüngerer Ratsschreiber; 1603 Genannter im Großen Rat; 1624 Älterer Ratsschreiber. Seine in 25jähriger Privatarbeit entstandenen „Annalen" legte er 1623 dem Rat vor. In dessen Auftrag schrieb er eine Zusammenfassung („Relationen"), die 1628 fertiggestellt war. Zu Leben und Wirken von Johannes Müllner vgl. HIRSCHMANN, Einleitung, 1* -37*.
83 MÜLLNER, Relationen, fol. 140'.
84 MÜLLNER, Relationen, fol. 239.
85 MÜLLNER, Relationen, fol. 240'-241.

Prozession in frappanter Weise den Fronleichnamsprozessionen ähnelt, kann hier nur eine Verwechselung vorliegen.[86] Für Erfurt, einem Zentrum der klösterlichen Chronistik des Hochmittelalters, existieren mit Hartung Cammermeister, Nikolaus von Siegen und Konrad Stolle auch mehrere Chroniken des 15. Jahrhunderts. Ausführlich analysiert wurden die Berichte Konrad Stolles über die Erfurter Bittprozessionen von 1482 und 1483.[87]

Jeder Chronist wirft einen eigenen Blick auf Prozessionen, jede Quelle setzt Schwerpunkte, beschreibt bestimmte Gestaltungselemente oder Teilnehmergruppen und läßt andere weg. Deutlich werden diese Differenzen, wenn zwei Autoren über die gleichen Prozessionen berichten. Der Domherr Heinrich Tribbe verfaßte um 1460 eine Beschreibung von Stadt und Stift Minden. Prozessionen behandelt er im Abschnitt über die Gottesdienstordnung der großen Feste Ostern, Pfingsten und Fronleichnam. Er erläutert ausführlich die Liturgie der Tagzeiten mit dem Entzünden der Kerzen, den Gesängen und den Lesungen.[88] Wesentlich ist für Tribbe die Ordnung der Geistlichen, mit dem Bischof an höchster Stelle. Nachdem er die Teilnahme der Mönche - herausgehoben sind diejenigen von St. Simeon, die mit den Stiftsherren im Chor standen - und weiterer Kleriker dargelegt hat, geht er an einer Stelle auf Laien ein: *et proconsules et consules et scabini et advocati et armigeri et omnes alii laici debent ire apud dominum episcopum*.[89] Ihre Teilnahme ist ihm nicht wichtig. Auch hebt er die Fronleichnamsprozession nicht besonders hervor, sondern notiert lediglich, daß bei diesem Fest die Prozession mit Fahnen, Weihrauchfaß und Kerzen zum Kloster ging.[90] Als Geistlicher

---

86 Wegen der Unsicherheit wird Müllners Beschreibung im folgenden nicht herangezogen.

87 CAMMERMEISTER, Chronik; NIKOLAUS VON SIEGEN, Chronicon ecclesiasticum; STOLLE, Memoriale, 432ff., 498-502. Zur Erfurter Chronistik vgl. HERRMANN, Bibliotheca Erfurtina; HOLDER-EGGER, Studien; PATZE, Landesgeschichtsschreibung; SCHMIDT, Chronicon. Hartung Cammermeister (gest. 15. März 1467): in Erfurt geboren; in den 1420/30er Jahren in Diensten des thüringischen Landgrafen; 1431 Geleit des Landgrafen als Verpfändung erhalten; 1441 Geleitstafel; wohl schon 1442 im Rat; seit 1447 regelmäßig oberster Ratsmeister; die Chronik entstand als Ergänzung und Fortführung der „Düringischen Chronik" von Rothe. Zu Cammermeister vgl. die Einleitung des Herausgebers Robert Reiche in CAMMERMEISTER, Chronik, II-LXVI; HUBERT HERKOMMER, Art. Kammermeister, Hartung, in: VL 4 (1983), 981ff. Nikolaus (Bottenbach) von Siegen, Benediktiner im Erfurter Peterskloster (Noviziat 1466, Profeß und Priesterweihe 1470) schrieb 1494/95 eine Kloster- und Ordenschronik. Er starb am 14. November 1495 an der Pest. Vgl. FRANK, Peterskloster, 266ff. Zu Konrad Stolle vgl. unten S.241.

88 TRIBBE, Beschreibung, 65-68.

89 TRIBBE, Beschreibung, 66.

90 TRIBBE, Beschreibung; 68.

betrachtet er Prozessionen aus einer ähnlichen Sicht wie die Verfasser liturgischer Bücher. Er wollte in kirchenreformatorischer Absicht die Gewohnheiten des gottesdienstlichen Lebens festhalten. Der protestantische Ratsherr Heinrich Piel (1516/17-1580), der in der zweiten Hälfte des 16. Jahrhunderts eine Mindener Chronik verfaßte, verfolgte andere Interessen, als er die Fronleichnamsprozession in einem Einschub zur Abhandlung der Reformationsgeschichte beschrieb. Nach dem Hinweis auf die letzte Belagerung Mindens 1553 berichtet Piel, daß den Bürgern die Teilnahme an Umgängen des Domes verboten war. Er ergreift die Gelegenheit, die vorreformatorischen Zeremonien zu beschreiben, *so wol vormutlich, daß unsere kinder von dergleichen hendel nicht viele zu vorzelende wissen*.[91] Da er sich als Zeuge eines nicht mehr bestehenden Brauches begreift, geht er ausführlicher auf die Fronleichnamsprozession ein, als dies bei Chronisten üblich war. Für die große Prozession am Freitag nach Fronleichnam versammelten sich im Dom der gesamte Klerus, alle Bürger und die Frauen. Beteiligt waren auch Mitglieder *des rades, kaufmans, der ampte und aller bruderschaft, deren die zeit viele weren*.[92] Die vier jüngsten Ratsherren trugen den Baldachin über dem Sakrament. Aus Piels Beschreibung sind aber nicht nur die geistlichen und weltlichen Teilnehmer und Teilnehmerinnen erkennbar, sondern auch der Weg: Vom Dom aus ging es zur Johanniskirche, weiter über den Markt zum Simeonstor, wo eine Station gehalten wurde. Danach zog die Prozession zu allen Toren und Kirchen, um im Dom zu enden. Das Hauptaugenmerk des Chronisten gilt der Pracht und der Festlichkeit, auch wenn er nicht mit protestantischer Kritik an der Sakramentsfrömmigkeit und der Äußerlichkeit spart. Über den Rat, die Zünfte und Bruderschaften schreibt er: *Die waren alle mit krensen auf dem bloßen heubte geziret, zwei und zwei zusamende, mit großen bernenden waeßkarßen, so eines beines dicke und eines menschen lang ein teil, der ein teil auf hohen beumen, so vorgult mit bilderen und waffen ausgeschnitten, negst den fanen*.[93] Ebenso hebt er den festlichen Schmuck der Häuser

---

91 PIEL, Chronicon Domesticum, 123. Ähnlich aus einer Rückschau nach den Umbrüchen der Reformation berichten Franciscus Lubecus über die Göttinger Prozessionen und die katholisch gebliebenen Brüder von Pflummern über die vorreformatorischen kirchlichen Zustände Biberachs. Der Protestant Lubecus begründet seinen ausführlichen Bericht über die Bittprozessionen von 1494: *Diss allem hab ich vorzeichnen wollen, das jederman sehen, wie andechtig die leute zu der zeit im pabsthum gwesen, auch sehen, wie vile geistliche sie konnen in einer stad halten, da sie itz nicht den 20. theil halten konnen, wie geneigt die leute do gwesen, unwissent dem deufl zu dienen*. LUBECUS, Annalen, 257. Zu den Brüdern von Pflummern vgl. ANGELE, Altbiberach, 9-12.
92 PIEL, Chronicon Domesticum, 124.
93 PIEL, Chronicon Domesticum, 124.

oder die Kleidung der Geistlichen und Laien hervor. Die Fronleichnamsprozession war ihm weniger liturgische Feier als vielmehr ein Fest der
gesamten Stadt, und so beendet er seine Beschreibung mit dem Hinweis auf
die Festessen des Rates und der Zünfte. Während für Piel die Fronleichnamsprozession eine Angelegenheit der gesamten weltlichen und geistlichen
Bevölkerung ist, erwähnt der Frankfurter Patrizier Bernhard Rorbach nur
patrizische Teilnehmer: *Anno 1468 in festo corporis Christi portaverunt den kasten
Georg, Echart, Ort et Heinz supradicti. item so trugen 4 fackeln Philips Katzmann
Henrich Ergersheimer Brant von Knobloch und Jacob Schiltknecht.*[94] Auch die Nürnberger Ratsprotokolle nehmen Fronleichnamsprozessionen nur aus diesem
Blickwinkel wahr: *Item heur zu unser hern fronleichnamstag den priester mit dem
heiligen sacrament ze furen, zu sant sebald sind gevordert dise hern, herr paulus volck-
meir, herr niclas grolant.*[95]
　　Auf die selektive Wahrnehmung, die sich in Quellen widerspiegelt, oder
auf die Interessengebundenheit der jeweiligen Verfasser hinzuweisen, mag
einer kritischen Geschichtswissenschaft banal erscheinen. Leider übernahm
aber die bisherige Forschung allzu häufig Beschreibungen von Prozessionen, zumal aus chronikalischen Quellen, als Abbild der historischen Wirklichkeit. In dieser Arbeit soll es jedoch nur in einem ersten Schritt darum
gehen, durch das Zusammenfügen möglichst verschiedenartiger Quellen ein
umfassendes Bild von Prozessionen zu rekonstruieren. Für die weitergehende Frage nach Sinngebungen dagegen sind die Quellen in dem zu nutzen, was sie betonen und was sie weglassen, da sie damit, vor dem Hintergrund des Standortes und der Interessen der Verfasser, über Deutungen
und Wahrnehmungen informieren.
　　Der Aufbau der Arbeit orientiert sich an den beiden Leitstädten Nürnberg
und Erfurt. Zuvor werden kurz die historischen Voraussetzungen und
theologischen Deutungen spätmittelalterlicher Prozessionen dargelegt. Zum
einen wird die Herausbildung des Prozessionswesens in Spätantike und
Hochmittelalter betrachtet, um Veränderungen und Kontinuitäten nach
1300 bestimmen zu können. Zum anderen soll an Schriften von Bernhard
von Clairvaux, Johannes Beleth, Wilhelm Durandus und Dionysius Cartusianus erarbeitet werden, wie Prozessionen theologisch ausgelegt wurden.
Im Kapitel zu Nürnberg stehen die Fronleichnamsprozessionen im Vordergrund, deren Entstehungsprozeß im 14. Jahrhundert mit dem dichten
Quellenmaterial des Heilig-Geist-Spitals nachgezeichnet werden kann.

---

94 FRONING, Chroniken, 216f., Zitat: 216.
95 StAN Rep. 60b, Nr. 5, fol. 226' (1488).

Strukturen der Fronleichnamsprozessionen - Teilnehmerkreis, zeitlicher Ablauf, Topographie der Prozessionswege sowie Liturgie, religiöse Objekten und Schmuck - werden am Beispiel der Nürnberger Sebalds-, Lorenz- und Frauenkirche mit Quellen aus dem 15. Jahrhundert beschrieben. Ein kurzer Blick auf die Reliquienprozessionen der beiden Pfarrkirchen vervollständigt das Bild der Nürnberger Prozessionen, die abschließend in einer prosopographischen Analyse der Funktionsträger sozial verortet werden.

Am Beispiel der Erfurter Prozessionen nach Schmidtstedt und Neuses wird zum einen die Entstehung von städtischen Prozessionen und der zunehmende ratsherrliche Einfluß im 14. Jahrhundert behandelt; zum anderen geht es um das Thema Prozession und Gedenken. Gegen die bisherige Forschung, die Prozessionen als Angelegenheit der gesamten Stadt auffaßt, wird an Hand der Erfurter Adolar- und Eoban-Prozession ein Partizipationsmodell herausgearbeitet werden, bei dem die politische und geistliche Spitze ihre herausgehobene Stellung zum Ausdruck brachte. Gegenbild sind die Bittprozessionen von 1482 und 1483. An ihnen läßt sich ein Modell darstellen, bei dem die gesamte Stadt zur Teilnahme aufgefordert war. Gleichzeitig werden an dieser Stelle die Strukturen von Bittprozessionen im Vergleich mit regelmäßigen Umgängen behandelt.

Prozessionen zielten im Selbstverständnis der Organisatoren und Akteure auf Eintracht. Tatsächlich aber gab es bei und um Prozessionen immer wieder Konflikte. Deren Analyse kann aufdecken, daß Widersprüche zum Bild der Harmonie, wie es Prozessionsordnungen beschwören, bestanden haben. Auch zeigen sich in Konflikten Aneignungen, die jenseits der offiziellen religiösen Zielen lagen. Ein gesondertes Kapitel gilt Prozessionen im Zusammenhang mit innerstädtischen Konflikten, zum einen zwischen Bürgerschaft und Geistlichkeit, dargestellt am Braunschweiger Pfaffenkrieg von 1413, und zum anderen innerhalb der Bürgerschaft am Beispiel des „tollen Jahres" 1509/10 in Erfurt. Im Schlußkapitel wird zu zeigen sein, welche Bedeutung Prozessionen für die Reformation hatten und wie der Prozeß ihrer Abschaffung in protestantischen Städten verlief. In der abschießenden Zusammenfassung werden schließlich die für Nürnberg und Erfurt erarbeiteten Ergebnisse nochmals unter systematischen Gesichtspunkten rekapituliert.

II. Historische Voraussetzungen und theologische Deutungen spätmittelalterlicher Prozessionen

1. Das Prozessionswesen in Spätantike und Früh- und Hochmittelalter

Um städtische Prozessionen des Spätmittelalters verstehen, um Traditionen und Kontinuitäten, aber auch Brüche und Neuheiten einordnen zu können, ist ein Blick auf das Prozessionswesen notwendig, wie es sich bis 1300 entwickelt hatte. Leider steht diesem Wissensdurst die Forschungslage entgegen: Ein größerer Überblick oder auch nur Darstellungen zu einem begrenzten Zeitraum fehlen weitgehend. So kann an dieser Stelle nur der Versuch unternommen werden, aus der Sekundärliteratur zu einzelnen Aspekten gewisse Entwicklungslinien zu erschließen.

Eine der Wurzeln spätmittelalterlicher Prozessionen liegt im Stationswesen von Rom und anderen frühmittelalterlichen Bischofsstädten. Stationsgottesdienste waren die bischöfliche Liturgiefeier, die nach einer festgelegten zeitlichen Ordnung in verschiedenen Kirchen der Stadt stattfand und die Einheit der größer und differenzierter werdenden römischen Christengemeinde sichern sollte.[1] Sie entstanden in vorkonstantinischer Zeit; eine organisierte Form ist seit der Mitte des 5. Jahrhunderts belegt.[2] Der Einzug des römischen Bischofs in die Kirche, wo sich Volk und Klerus versammelt hatten, war „der feierliche Aufzug eines Fürsten, der einen fürstlichen Hof und einen entwickelten Beamtenapparat besitzt".[3] Eine Prozession im eigentlichen Sinn gehörte nicht zu den Stationsfeiern. Um diese Differenz deutlich zu machen, unterscheidet John Baldovin personenorientierte Prozessionen, deren Focus auf der Bewegung einer wichtigen Person von einen Platz zu einem anderen liegt, von partizipatorischen Prozessionen („participatory processions"), an denen sich eine größere Gruppe von Menschen geistlichen und weltlichen Standes beteiligte.[4] Im Gegensatz zu den häufigen Stationsfeiern mit bischöflichem Einzug gab es nur wenige Feiern mit einer Prozession der Gemeinde. Diese *collectae* genannten Umgänge führten von

---

1 Zum Stationswesen vgl. HIERZEGGER, Collecta; JUNGMANN, Missarium Solemnia, Bd. 1, 88-96; BALDOVIN, Urban Character; BRAKMANN, Synaxis.
2 Vgl. BALDOVIN, Urban Character, 166.
3 HIERZEGGER, Collecta, 516.
4 BALDOVIN, Urban Character, 234-237. Vgl. JUNGMANN, Missarium Solemnia, Bd. 1, 88.

einer Sammelkirche zur Stationskirche.[5] Das Sacramentarium Hadrianum
(um 790) erwähnt *collectae* für sechs Feste - Lichtmeß (2. Feb.), Aschermittwoch und Caesarius (1. Nov.) sowie die drei Marienfeste am 25. März, 15.
August und 8. September. Neben der Beteiligung von Laien war ihnen der
Bußcharakter und die kurze Wegstrecke gemeinsam. Im 9. Jahrhundert
erhöhte sich die Zahl der Prozessionen; der Codex Pad. D 47 (Mitte des 9.
Jahrhunderts) verzeichnet insgesamt zwölf *collectae*. Gegen Hierzegger, der
die *collectae* als Bußprozessionen an den Stationstagen der Quatember- und
Quadragesimawochen ansieht, argumentiert Baldovin, daß sich der Ursprung der Prozessionen nicht auf die spätantike römische Stationspraxis
zurückführen lasse, da vor dem 6. Jahrhundert zwar das Stationswesen,
nicht aber die Prozessionen belegt sind. Vielmehr seien Prozessionen durch
byzantinischen Einfluß nach Rom gelangt.[6]

Byzantinische Prozessionen lassen sich als eine weitere Wurzel mittelalterlicher Prozessionen bestimmen. Während in Rom die versammelte Gemeinde bei der Stationsmesse den einziehenden Papst erwartete, zogen in
Konstantinopel Bischof, Klerus und Volk gemeinsam von der Hauptkirche
zur Stationskirche oder zumindest vom Atrium in das Kirchengebäude.[7] In
Konstantinopel gab es bedeutend mehr Prozessionen als in Rom oder Jerusalem, da sie besonders im Streit zwischen Arianern und Nichtarianern propagandistisch genutzt wurden und als städtische Angelegenheiten herrschaftlichen Eingriffen unterlagen. Sie sind seit dem Ende des 4. Jahrhunderts, dem Episkopat von Johannes Chrystomos (398-404), greifbar und bis
zum Ende des 7. Jahrhunderts hatte sich die byzantinische Stationspraxis
voll herausgebildet, so daß liturgische Prozessionen einen wesentlichen Teil
des städtischen Gottesdienstlebens bildeten. Regelmäßige Bittprozessionen
wurden unter anderem nach den Erdbeben 437 und 447, nach Belagerungen
durch die Avaren 626, durch die Araber 717 und durch die Russen 860 und
als Erinnerung an die Niederlage der Bilderfeinde 843 eingerichtet. Mit der
Reliquienübertragung des Märtyrers Phokas von der Hagia Sophia zur
Thomas-Kirche im Jahre 398, die der Begräbnisfeier entlehnt war, liegt auch
der Ursprung von Reliquienprozessionen in Konstantinopel. Die erste

---

5 Zum folgenden vgl. HIERZEGGER, Collecta, 517-546; BALDOVIN, Urban Character, 160ff.;
  IRMGARD PAHL, Art. Collecta, in: LThK Bd. 2 (1994), 1257.
6 HIERZEGGER, Collecta, 553. Er räumt allerdings ein (549), daß Bußprozessionen im frühen
  Mittelalter auch an Nichtstationstagen stattfanden. BALDOVIN, Urban Character, 164ff.
7 Vgl. BRAKMANN, Muster, 31. Zu Prozessionen in Konstantinopel vgl. JANIN, Processions;
  BALDOVIN, Urban Character, 204-214; BRAKMANN, Synaxis; GERHART A.B. SCHNEEWEISS,
  Art. Stationsliturgie, in: Marienlexikon Bd. 4 (1994), 271-274.

christliche Prozession war ein Begräbniszug für den als Märtyrer gestorbenen Bischof Cyprian 258 in Karthago.[8]

Die Stationspraxis früh- und hochmittelalterlicher Bischofsstädte entstand in Anlehnung an stadtrömische Gebräuche.[9] Nach einem Metzer Stationsverzeichnis für die Fastenzeit und die Woche nach Ostern, das sich auf die Zeit zwischen 731 und 791 - der Wirkungszeit von Bischof Chrodegang - datieren läßt und auf das 5. Jahrhundert zurückgeht, zelebrierte der Bischof von Metz die Sonntagsgottesdienste in der Kathedrale St. Stephan oder in den nahegelegenen Kirchen St. Peter und St. Maria.[10] Die Wochentage der sechs Fastenwochen feierte er reihum in Kirchen der sechs Stadtquartiere, wobei der Samstag ohne Feier blieb, wenn in einem Stadtteil nur fünf Kirchen lagen. Die Stationsgottesdienste sollten die kirchliche Einheit in einer Zeit herstellen, als Metz mindestens 38 Kirchen beherbergte. Wie in Rom waren nicht alle Stationstage mit Prozessionen verbunden. Während der Osterzeit - und nur hierüber gibt die Liste Auskunft - fanden *collectae* am Aschermittwoch und am Palmsonntag statt.[11] Auch Köln kannte bereits im Frühmittelalter Stationsgottesdienste, wie Gregor von Tours belegt. Zum Todestag von Bischof Martin von Tour am 11. November 397 schreibt er, der Kölner Bischof Severin habe ihn erlebt,"als er am Sonntag, wie es seine Gewohnheit war (nach der Matutin), mit seinen Geistlichen auf dem Wege zu den Heiligen Stätten war".[12] Das kölnische Stationswesen, wie es Arnold Wolff für die Zeit um 1300 rekonstruiert, weist auffällige Parallelen mit den stadtrömischen Kirchen auf. Rom war auch Vorbild für Mainz, wo die Stationskirchen der Bittwoche die gleichen Titel wie die entsprechenden römischen führten.[13] *Collectae* fanden in Köln nur an wenigen Tagen statt: am Palmsonntag, zu den beiden großen Stadtprozessionen am Freitag der zweiten und der dritten Osterwoche sowie an den drei Bittagen vor Christi Himmelfahrt. Der Freitag hatte als Fasten- und Stationstag eine besondere Bedeutung: Im Kölner Stift St. Aposteln fanden an den Freitagen der Fastenzeit Prozessionen innerhalb der Kirche und an den Freitagen zwischen der Trinitätsoktav und Remigius (1.10) außerhalb der Stiftsimmu-

---

8 Vgl. BRAKMANN, Muster, 43-46.
9 Vgl. DORN, Stationsgottesdienst; BERLIÈRE, Stations; PFLEGER, Stationsgottesdienste; GOTTRON, Stationsfeiern; KLEIN, Prozessionsgesänge, 25-28.
10 Vgl. KLAUSER, Stationsordnung; WOLFF, Kirchenfamilie, 34f.
11 KLAUSER, Stationsordnung, 24ff. (Aschermittwoch), 36 (Palmsonntag).
12 GREGOR VON TOURS, De virtutibus Sancti Martini, 140, Übersetzung: WOLFF, Kirchenfamilie, 36. Zum Stationswesen in Köln vgl. TORSY, Bittprozessonen; WOLFF, Kirchenfamilie; ODENTHAL, Liber Ordinarius.
13 Vgl. GOTTRON, Stationsfeiern, 23.

nität statt. Die großen Stadtprozessionen entwickelten sich, so Andreas Odenthal, aus diesen von den Kollegiatstiften durchgeführten Stationen.[14] Das 10. und 11. Jahrhundert sieht Wolff als Blütezeit des Stationswesens in Köln an. Seit dem 12. Jahrhundert seien keine neuen *stationes* eingeführt worden; alte Bräuche wären allmählich abgestorben. Allerdings übersieht Wolff, daß die Stadtprozession am zweiten Freitag nach Ostern erst in späterer Zeit entstand.

Eine außergewöhnliche Erfolgsgeschichte unter den genannten *collectae* Roms und anderer Bischofsstädte hatten die *litania maior* oder Markusprozession am 25. April, die Bittprozessionen an den drei Tagen vor Christi Himmelfahrt - die *litaniae minores* oder Rogationen - und die Palmsonntagsprozession. Die im Mittelalter anerkannte Entstehungsgeschichte der Markusprozession und der Rogationen gibt Jacobus a Voragine in der „Legenda Aurea" wieder: Die *litania maior* habe ihren Namen, weil sie von Gregor dem Großen, in Rom - der Hauptstadt der Welt - und wegen eines großen Sterbens eingesetzt worden sei.[15] Jacobus spielt auf die Bittprozession an, die Papst Gregor I. 590 anordnete und über die bereits Gregor von Tours berichtete.[16] Angesichts der Pest rief Papst Gregor für den folgenden Mittwoch zu einer Prozession auf, „um einen siebenfachen Bittgang zu halten, auf daß der gestrenge Richter, wenn er sieht, daß wir uns selbst für unsere Sünden strafen, von dem Spruch der Verdammnis, der über uns verhängt ist, abstehe."[17] Nach der Anordnung Gregors versammelten sich die Teilnehmenden in sieben Gruppen: Geistlichkeit, Äbte und Mönche, Äbtissinnen und Nonnen, Kinder, Laien - gemeint sind die weltlichen Männer -, Witwen und Ehefrauen sollten sich mit den Priestern der verschiedenen

---

14 Vgl. ODENTHAL, Liber Ordinarius, 104ff.
15 JACOBUS A VORAGINE, 312f. - Zur Markusprozession vgl. GULIK, Formular; EISENHOFER/THALHOFER, Handbuch, Bd. 1, 555ff.; HIERZEGGER, Collecta, 528-533; HENRI LECLERQ, Art. Procession de Saint-Marc, in: DACL Bd. 10,2 (1932) 1740f.; HAIMERL, Prozessionswesen, 8-21; HENRI LECLERQ, Art. Rogations, in: DACL Bd. 14,2 (1948), 2459ff.; WOLFGANG PAX, Art. Bittprozession, in: RAC Bd. 2, (1954), 422-429; MAUR, Feiern, 121f.; BALDOVIN, Urban Character, 158f.; ANDREAS HEINZ, Art. Bittprozession, in: LThK Bd. 2, (1994), 512ff.
16 JACOBUS A VORAGINE, 131f.; GREGOR VON TOURS, Historiam Libri Decem, Bd.2, 320-329.
17 GREGOR VON TOURS, Historiam Libri Decem, Bd. 2, 327, 326: *ab ipso feriae quartae diluculo septiformis laetaniae iuxta distributionem inferius designatam devota ad lacrimas mente veniamus, ut districtus iudex, cum culpas nostras nos punire considerat, ipse a sententia propositae damnationis parcat.* Die Predigt ist auch abgedruckt in: MGH Ep. 2, 365ff. - Zu der Bittprozession 590 vgl. auch MOLLARET/BROSSOLET; Procession.

Bezirke in einer Kirche treffen und von dort zur Kirche Santa Maria Maggiore gehen. Der Bericht des fränkischen Historikers ist der erste Beleg für eine öffentliche liturgische Prozession in Rom.[18] Papst Gregor setzte mit ihr jedoch nicht, wie Jacobus annimmt, die Markusprozession ein. Der 25. April 590 war kein Mittwoch - an diesem Wochentag fand aber nach Gregor von Tours die Prozession statt. Auch wurde Gregor erst am 8. September als Papst inthronisiert. Zudem belegen Briefe Gregors, daß die *litania maior* am Ende des 6. Jahrhunderts bereits eine länger ausgeübte Praxis war.[19] Ebenfalls am 25. April und mit einer ähnlichem Route fand in vorchristlicher Zeit eine Prozession für die Göttin Rubigo zum Schutz des Getreides statt. Deshalb sieht die Forschung in der Markusprozession eine Verchristlichung der Robigalia. Die Prozession entstand wahrscheinlich im späten 5. Jahrhundert und wurde möglicherweise von Papst Gregor I. neu geordnet. Zum Evangelisten Markus, auf dessen Festtag sie zufällig fällt, hat sie keine Beziehung. Auch wenn die „Legenda Aurea" nicht der kritischen Überprüfung standhält, war diese Überlieferung wirkungsmächtig. Indem sie die Markusprozession in Verbindung zu einer Seuche stellte, boten sich Rezeptionsmöglichkeiten bei den Pestwellen seit der Mitte des 14. Jahrhunderts an.[20]

Die *litaniae minores*, die drei Bittage vor Christi Himmelfahrt, haben ihren Ursprung in Gallien.[21] Gregor von Tours erläutert, unter Bezug auf eine Predigt von Avitus (ca. 460-518, seit 490 Bischof von Vienne), daß Bischof Mamertus sie 470 eingeführt habe, als mehrere Unglücke, unter anderem Erdbeben und Blitzschlag, Vienne heimsuchten.[22] Es wird sich aber wohl - wie bei der *litania maior* - um die Ordnung und Aufwertung bestehender Prozessionen handeln. Die Synode von Orleans (511) setzte die Rogationen in ganz Gallien ein; unter Papst Leo III. (795-816) fanden sie Eingang in die römische Liturgie. Auch für die Bittage gibt es Hinweise auf eine vorchrist-

---

18 Vgl. BALDOVIN, Urban Character, 158.

19 MGH Ep. 1, 102 (Brief Gregors Sept. 591), MGH Ep. 2, 166 (Gregor an Castorius, 599).
   Vgl. EISENHOFER/THALHOFER, Handbuch, Bd. 1, 556; BALDOVIN, Urban Character, 159.

20 Der Mainzer Pfarrer Florentius Diel erklärt in seinen pfarramtlichen Aufzeichnungen (1491-1518) die Bedeutung der Markusprozession in Anlehnung an die „Legenda Aurea", spricht aber nicht von der Pest, sondern von *morbo gravissimo inguinario*. DIEL, Aufzeichnungen, 31, 58.

21 Zu den *litaniae minores* vgl. außer der in Anm. 15 genannten Literatur: BRUYNE, L'origine; VAUCHEZ, Liturgie; WALTER, Rogations. Zu Rogationen in einem französischen Dorf in der Mitte des 20. Jahrhunderts vgl. GUEUSQUIN-BARBICHON, Organisation.

22 GREGOR VON TOURS, Historiam Libri decem, 126-129; AVITUS, Homilia de rogationibus, 289-294.

liche Praxis, da die *ambarvalia* ungefähr zum gleichen Zeitpunkt und in ähnlicher Form stattfanden. Wichtig für eine genauere Erforschung der Markusprozession und der Rogationen wäre jedoch nicht nur die Suche nach vorchristlichen Ursprüngen, die bisher im Mittelpunkt des Forschungsinteresses standen, sondern es müßten die spezifischen Bedeutungen herausgearbeitet werden, die die Prozessionen im christlichen Umfeld erhielten und die ihre Attraktivität ausmachten. Ein Erfolgsfaktor war die aktive Beteiligung der Laienbevölkerung. Doch konnten Laien auch andere Interessen mit den Bittagen verbinden als der Klerus. Im 9. Jahrhundert klagte Hrabanus Maurus in einer Predigt, anstatt der Prozession des Klerus mit den Kreuzen und Reliquien nachzufolgen, würde die Bevölkerung auf Pferden umherreiten, durch die Felder spazierengehen und den Festschmaus vorbereiten.[23]

Ein Blick auf Markusprozession und Rogationen in spätmittelalterlichen Städten kann deren Erfolg und Attraktivität belegen. Für Köln geben ein Processionale des Doms vom Anfang des 14. Jahrhunderts sowie mehrere Ordinarien des Stiftes St. Aposteln von der Mitte des 13. bis zum Ende des 14. Jahrhunderts Auskunft über den liturgischen Ablauf und die Prozessionsrouten. Die Markusprozession zog vom Dom über Klein-St. Martin nach St. Maria im Kapitol. An jedem Tag der Rogationen wurden mehrere Kirchen besucht, beispielsweise am Mittwoch St. Andrea, St. Gereon, St. Ursula, St. Kunibert und St. Maria Graden; sie endete beim Dom. In der Ordnung für den Montag der Bittwoche heißt es, daß am Schluß der Prozession Bischof und Volk, *deinde episcopus et populus*, gingen. Das Stift St. Aposteln war bei den Rogationen bemüht, jeden Stadtteil zu berühren.[24] Nach den Angaben des Würzburger Dombreviers (Anfang 14. Jahrhundert) und des „Liber Ordinarius" des Stiftes Haug (kurz vor 1359) gingen an den drei Bittagen vor Christi Himmelfahrt Prozessionen mit Kreuzen, Fahnen und Reliquien vom Dom zum Stift Haug, zur Stephanskirche und zur Mari-

---

23 HRABANUS MAURUS, Homilia XIX. In Litaniis, 38: *Cum autem sanctae cruces et sanctorum reliquiae cum litaniis a clero exportantur, ipsi non insistunt precibus, neque sequuntur vexillum sanctae crucis cum laudibus, sed super phaleratos resiliunt equos, discurrunt per campos, ora dissolvunt risu, alterutrumque se praecurrere gestiunt, in altum clamorem cum cachinno extollunt, et non solum haec faciendo ipsi inutiles fiunt, sed etiam alios ab intentione precum impediunt: postquam autem domum veniunt, convocant ad convivium non pauperes, vel caecos aut debiles, secundum praeceptum Domini, sed vicinos ac sodales suos qui sint ejusdem voti atque ejusdem studii: vacant epulis studentque calicibus epotandis; acquirunt si possunt musicorum instrumenta, tympanum, citharam, tibiam et lyram. Inter quae nimia pocula, cantant carmina daemonum arte confecta, sicque diem totum cum nocte consumunt.*

24 Vgl. TORSY, Bittprozessionen, 86; AMBERG, Ceremoniale Coloniense, 33-36, 170f.,183-201; ODENTHAL, Liber Ordinarius, 80-89.

enkirche auf dem Berg. Beteiligt waren die Angehörigen des Domstifts und der beiden Nebenstifte Haug und Neumünster sowie die Pfarrer und das Pfarrvolk. Die Prozessionen hatten Bußcharakter, wie die schwarze Kleidung und das Barfußlaufen der Geistlichkeit kenntlich machen. Am Markustag fand vom Dom aus eine weiträumige Prozession statt, die wiederum das Stift Haug und die Kirche St. Stephan berührte.[25] Wie in vielen Städten führten in Essen die Markusprozession und die Rogationen zu Kirchen außerhalb der Stadt. Die Bevölkerung scheint nicht an allen Tagen beteiligt gewesen zu sein. Am Montag der Bittwoche zogen Konvent, Stiftsgeistliche und Scholaren mit dem Kreuz, der goldenen Marienstatue und Reliquien nach Bredeney, wo sie mit dem Konvent des Filialstiftes Rellinghausen und dem Werdener Konvent zusammentrafen. Nach der Messe fanden getrennte Festessen für die Stiftsdamen der beiden Konvente und für die männlichen Geistlichen statt. Für die Rückkehr nach Essen ordneten sich die Beteiligten erst kurz vor der Stadt wieder zu einem Prozessionszug. Am Dienstag zog die Prozession mit einer ähnlichen Liturgie nach Ehrenzell, einem Oberhof des Stiftes. Der Ablauf am Mittwoch wich dagegen von den Vortagen ab. Statt der goldenen Marienstatue wurde ein silbernes Bild mitgeführt, auf dem nach der Predigt die Kollekte gesammelt wurde. Die städtische Bevölkerung war demnach wohl nur an diesem Tag beteiligt.[26]

Für Nürnberg gibt es leider nur spärliche, erst aus dem 15. Jahrhundert stammende Informationen zur Markusprozession und zu den Bittagen.[27] Die Rogationsprozessionen von St. Sebald gingen zu den außerhalb der Mauern gelegenen Siechenhäusern St. Johannes und St. Jobst; an der Prozession am Mittwoch beteiligte sich das Heilig-Geist-Spital. Die Lorenzer Prozessionen zogen nach St. Peter und St. Leonhard, ebenfalls außerhalb der Stadt liegende Siechenkobel. Für die Frauenkirche sind auch Umgänge belegt, leider ohne Angabe der Zielorte. Die wenigen Auskünfte aus Nürnberg weisen jedoch ein typisches Merkmal der Rogationen auf: Sie führten fast immer zu Kirchen außerhalb der Stadt und stellten so Verbindungen zwischen Stadt und Land her. In den mittelalterlichen Quellen der Marienkirche in Erfurt fehlen Hinweise auf Prozessionen am Markustag und zu den Rogationen. Auch ein Rituale aus dem 15. Jahrhundert, jenem für Priester bestimmtem Buch, das unter anderem die liturgischen Texte für Pro-

---

25 Vgl. WEHNER, Gottesdienstordnung, 6-45 (Rogationen), 51-54 (Markustag). Wehner beschreibt eingehend die Prozessionswege und Gesänge.

26 Vgl. ARENS, Liber ordinarius, 44-48, zum Markustag: 44f.

27 Vgl. GÜMBEL, Sebald, 20f.; GÜMBEL, Lorenz, 25; SCHULER, Salbuch, 65, 103, 112. Vgl. auch HAIMERL, Prozessionswesen, 13f.; SCHLEMMER, Gottesdienst, 272f.

zessionen enthält, hat keine entsprechenden Eintragungen, obwohl an anderen Tagen - z.b. an Epiphanie oder zu verschiedenen Marienfesten - Prozessionen innerhalb des Stiftes erwähnt sind.[28] Erst nachreformatorische Quellen - wie das Gesangsbuch eines Kanonikers von St. Severi von 1649 - notieren Prozessionsgesänge für die Rogationen und den Markustag.[29] Es fällt jedoch schwer, aus der Nichterwähnung in liturgischen Quellen auf ein Fehlen dieser so beliebten Prozessionen zu schließen.

Bittprozessionen wie die *litania maior* oder die Rogationen fanden unter Beteiligung von Laien, also der städtischen oder ländlichen Bevölkerung, statt. Doch die Quellen geistlicher Provenienz geben nicht zu erkennen, nach welcher Ordnung diese sich den Prozessionen anschlossen, da der liturgische Ablauf und die Rangfolge der Geistlichkeit im Mittelpunkt stehen. Vereinzelt beleuchten Quellen des 15. Jahrhundert die Teilnahme von Laien, doch sollten diese Aussagen nicht auf frühere Jahrhunderte rückprojiziert werden. Beispielsweise berichtet Johannes Busch, daß in Halle/Saale, wo er von 1447 bis 1454 den Augustinerchorherren des Klosters Neuwerk vorstand, bei der Markusprozession der gesamte Klerus sowie die männliche und weibliche Bevölkerung der Stadt teilnahmen.[30] Geordnet war die Prozession nach Pfarreien: Der Pleban jeder der vier Pfarreien ging mit einer Monstranz seinen Pfarrkindern vorweg, so auch in der Gertrauden-Pfarrei: *Ibi plebanus ad Sanctam Gertrudem occurrit cum sua monstrantia et corpore dominico et suis parochianis.*[31] Ihre eucharistische Gestalt hatte die Markusprozession in Halle möglicherweise erst im 14. Jahrhundert erhalten. Allerdings führte auch das Kölner Stift St. Aposteln bereits in der Mitte des 13. Jahrhunderts das Sakrament bei der Markusprozession mit. Seit wann die Einteilung nach Pfarreien bestand, läßt sich nicht sagen; die genannten Pfarrkirchen existieren seit dem 12. Jahrhundert.[32] Der Bericht des Johannes Busch über Halle mag als letzter Hinweis für die Beliebtheit der Markusprozession - wie auch der Rogationen - im Spätmittelalter genügen.[33] Sie lieferten mit

---

28 BAEf Hs. liturg. 5.

29 BAEf Hs. liturg. 11, fol. 53-56; BAEf Hs. liturg. 16, fol. 1-4. Vgl. MEISNER, Frömmigkeitsformen, 199ff.

30 BUSCH, Chronicon, 444f.: *in die sancti Marci evangeliste foras muros per circuitum civitatis in magna processione totius cleri et populi circumferretur. (...) et omnis populus virorum et mulierum sequebatur hoc modo.*

31 BUSCH, Chronicon, 445. Zu dieser Prozession vgl. unten S. 124.

32 Vgl. MÄHL, Halle, 17-23, 97-100.

33 Zu Markusprozession und Rogationen in spätmittelalterlichen Städten vgl. HAIMERL, Prozessionswesen, 9-19 (Bamberg, Hof, sowie weitere Nachweise); HOEYNCK, Liturgie, 185 (Augsburg); ANGELE, Altbiberach, 69, 91 (Biberach, ca. 1530); REMLING, Brauchtum,

ihrer langen Tradition und weiten Verbreitung Formen für den liturgischen Ablauf - vor allem bei den Gesängen, auf die hier nicht näher eingegangen werden konnte - und für den Prozessionsweg, die bei Bittprozessionen zu außergewöhnlichen Anlässen als Vorbild genutzt werden konnten. So beschloß die Provinzialsynode in Magdeburg 1261 wegen der Kriegszüge der Mongolen, daß jeden Monat eine Prozession mit Fasten wie an den Rogationen abzuhalten sei, *in quolibet mense una processio generalis sicut in rogationibus cum jejuniis observetur.*[34]

Fast Volksfestcharakter hatte die Palmsonntagsprozession. Sie ahmte den triumphalen Einzug Christi in Jerusalem nach und war damit - in der Charakterisierung von John Baldovin - wie die Grablegung Christi am Karfreitag eine mimetische Prozession, die Ereignisse der Heilsgeschichte wiederholte, während der Markustag und die Rogationen zu den Bittprozessionen zählen.[35] Die Palmsonntagsprozession, aber auch ähnliche Prozessionen zu Weihnachten oder Lichtmeß am 2. Februar, entsprangen der Jerusalemer Liturgie, wo sich die heiligen Stätten mit ihrem direkten Bezug zum Leben Christi für Gedächtnisfeiern anboten. Bereits der Pilgerbericht der Aegeria aus dem 4. Jahrhundert erzählt, daß in Jerusalem eine Prozession am Palmsonntag vom Ölberg in die Stadt führte.[36] Die altrömische Feier dieses Tages kannte eine solche mimetische Prozession nicht. In der römischen Liturgie wurde zum Beginn der Karwoche die gesamte Leidensgeschichte gelesen und die *passio domini* stand im Mittelpunkt. Die Jerusalemer Liturgie aufgreifend, verbreitete sich die Dramatisierung des Einzuges als Prozession im 8. und 9. Jahrhundert im gallisch-fränkischen Raum. Das Pontificale Romanum-Germanum aus dem 10. Jahrhundert zeichnete den Ablauf auf: Die *collecta* fand in der Kirche St. Johannis im Lateran statt.

---

619 (Münster: nach Angaben von Remling beide Prozessionen erst im 14. und 15. Jahrhundert); LENGELING, Bittprozessionen, (Münster); LINDNER, Kirchenordnung, 219-222 (Hof, 1479); GOTTRON, Stationsfeiern; KLEIN, Prozessionsgesänge, 32f.; DIEL, Aufzeichnungen, 31f., 58 (Mainz); PETERS, Liturgische Feiern, 51ff. (Bonn); OEDIGER, Ordinarius, 128f. (Xanten).

34 MANSI, Bd. 24, 777. Vgl. HEFELE, Conciliengeschichte, Bd. 2, 77f.

35 BALDOVIN, Urban Rituals, 238. - Zum Palmsonntag vgl. EISENHOFER/THALHOFER, Handbuch, Bd. 1, 504-511; GRÄF, Palmenweihe; JOSEF ANDREAS JUNGMANN, Art. Karwoche, I. Liturgisch, A. Im lateinischen Ritus, in: LThK Bd. 6 (1961), 4-7; MAUR, Feiern, 98ff.; ROGER E. REYNOLDS, Art. Holy Week, in: Dictionnary of the Middle Ages, Bd. 6 (1985), 276-280. - Auf Prozessionen und Passionsspiele an den Osterfeiertagen kann hier nicht eingegangen werden. Vgl. BROOKS, Sepulcrum; BRINKMANN, Formen; FISCHER, Paschatis; YOUNG, Drama, Bd. 1; BERGER, Drame; MAUR, Feiern, 83-124.

36 Itinerarium Egeriae, 77.

Nach dem Wortgottesdienst wurden die Palmen gesegnet und ausgeteilt. Die Prozession zog anschließend, mit einer *statio* zur Begrüßung des Kreuzes, zu der Kirche, wo die Messe nach dem altrömischen Meßformular gefeiert wurde, *vadunt ad ecclesiam ubi missam debent celebrare*. Der Einzug Christi und die Passionsfeier als Beginn der Karwoche standen als unabhängige Blöcke nebeneinander; der Kleiderwechsel der Kleriker vor der Messe signalisierte den Bruch.[37]

Wie die Vorgaben des Pontificale in spätmittelalterliche Städte übertragen wurden, sollen einige Beispiele zeigen. Im Würzburg des 14. Jahrhunderts sammelte sich die Prozession in der Hauger Stiftskirche, die am Rande der Stadt lag. Die Stiftsherren des Doms und von Neumünster wurden mit Glockengeläut empfangen. Nach der Weihe der Palmenzweige im Stift Haug ging die Prozession zum Dom. Stationen wurden vor dem Kloster St. Afra und vor dem Pfarraltar im Dom gehalten. Beim Einzug in die Kirche trugen zwei jüngere Kanoniker (*domicelli*) ein bedecktes Kreuz, das vor dem Pfarraltar verehrt wurde. Nach feierlichen Gesängen begann die Messe.[38] Die Palmsonntagsprozession des Essener Stiftes zog nach der Palmweihe und der Verteilung der Zweige an die Stiftsdamen zur Stadtkirche St. Gertrudis, wohin am Vorabend der Palmesel gebracht worden war. Von dort kehrten die Kanoniker mit dem Volk und dem Palmesel zur Münsterkirche zurück. Stationen wurden ausschließlich in der Münsterkirche gehalten, wo auch der Konvent die Prozession erwartete.[39] Das ältestes Zeugnis für die Verwendung eines Esels mit Christusfigur ist die Vita des hl. Ulrich, Bischof von Augsburg, aus dem letzten Viertel des 10. Jahrhunderts. Der Palmesel war im Spätmittelalter nördlich der Alpen weit verbreitet. Den nach Jerusalem einziehenden Christus konnten aber auch Reliquien, ein Evangelienbuch oder der Offiziant symbolisierten. In England trat das Sakrament in der Pyxis an diese Stelle. Die eucharistische Form hatte Lanfranc von Bec (um 1010-1089, seit 1070 Erzbischof von Canterbury) eingeführt, wohl als Reaktion auf seine Eucharistiedebatte mit Berengar von Tours.[40] In Nürnberg finden wir einen Palmesel. Nach der Mesnerordnung von St. Sebald aus dem Jahr 1482 gingen die Priesterschaft und die Schüler mit einer Holzfigur, die Christus auf einer Eselin reitend darstellte, über den Kirchhof. Die Christusfigur hatte dabei eine goldene Krone auf dem Haupt und einen

---

37 VOGEL, Pontifical, Bd. 2, XCIX, Abschnitte 162-205 (S. 40-53), Zitat: 47, Abschnitt 185.
38 Vgl. WEHNER, Gottesdienstordnung, 57-65; WENDEHORST, Bistum Würzburg, Bd. 4, 227.
39 Vgl. ARENS, Liber ordinarius, 23-26.
40 GRÄF, Palmenweihe, 124-131. Zur Gestaltung in England vgl. DAVISON, Palm Sunday; ERLER, Palm Sunday.

Szepter in der Hand.[41] Eine ähnliche Prozession, ebenfalls mit Esel, wurde auf dem Lorenzer Pfarrhof abgehalten.[42] Die Nürnberger Prozessionen spielten sich im engen Bereich des Kirchhofes ab. In anderen Städten wurde dagegen die Route häufig so gewählt, daß die Prozession in die Stadt einzog. Nach dem zwischen 1261 und 1281 geschriebene „Liber Ordinarius" von Konrad von Mure ging die Palmsonntagsprozession in Zürich vom Großmünster über den Limmat-Fluß zum „Hof", der ehemaligen königlichen Pfalz. Wenn die Prozession verkürzt werden mußte, stand der Palmesel immer noch außerhalb der Friedhofsmauer, so daß der Durchgang durch das Friedhofstor, wie bei der langen Route durch die Tore der Pfalzummauerung, den Einzug nach Jerusalem symbolisierte.[43] Um diesen Gang nachzuahmen, wurden theatralische Elemente in die Prozession aufgenommen, die damit eine hohe Attraktivität für die städtische Bevölkerung als Teilnehmende und als Publikum erhielt. Sie wurde zum Vorbild für die Gestaltung von Herrschereinzügen.[44]

Auch wenn christliche Prozessionen vornehmlich im städtischen Umfeld entstanden, lassen sie sich doch auch im ländlichen Bereich und in der Verbindung von Stadt und Land finden. Als Beispiel hierfür mögen Pflichtprozessionen im Trierer Bistum dienen, die besonders gut untersucht sind.[45] Eine Verpflichtung zur Teilnahme an Prozessionen in westfränkischen Diözesen schrieben bereits Konzilsbestimmungen des 6. Jahrhunderts vor.[46] Im Trierer Raum entwickelten sich Pflichtprozessionen aus der *visitatio religiosa* von Geistlichkeit und Adel beim Bischof. Erste Nachrichten liegen aber erst für das 10. Jahrhundert vor, als sich die einheitliche Prozession zum Bischofssitz Trier bereits in Auflösung befand. Als religiöse Unterzentren im umliegenden Gebiet hatten Abteien eigene Prozessionsräume gebildet; im westlichen Teil des Bistums Trier waren dies Mettlach/Saar, Taben/Saar, die Münsterabtei in Luxemburg, Prüm und Echternach. Nach Mettlach zog eine Prozession zum Kirchweihfest und Fest des Klosterpa-

---

41 GÜMBEL, Sebald, 15f. Vgl. HAIMERL, Prozessionswesen, 117ff.

42 Vgl. GÜMBEL, Lorenz, 18ff., 51.

43 Vgl. LIPSMEYER, Liber, 143. Als weitere Beispiele vgl. HAIMERL, Prozessionswesen, 107-121 (Bamberg, Hof, Aschaffenburg); ANGELE, Altbiberach, 80f. (Biberach); LINDNER, Kirchenordnung, 215 (Hof); AMBERG, Ceremoniale Coloniense, 30, 100-113 (Köln).

44 Zu Herrschereinzügen vgl. PEYER, Empfang; TENFELDE, Adventus; LÖTHER, Inszenierung.

45 Vgl. KYLL, Pflichtprozessionen; HEINZ, Erzbischof (mit Literaturhinweisen zu weiteren Einzeluntersuchungen).

46 Vgl. BERLIÈRE, Processions; KYLL, Pflichtprozessionen, 17.

trons Dionysius am 9. Oktober. Verschiedene Orte waren nach Prüm am Markustag, am Vorabend von Christi Himmelfahrt, am folgenden Freitag sowie zu Pfingsten prozessionspflichtig. Nach Echternach schließlich fand die Prozession zur Pfingstzeit statt. Die Prozessionspflicht lag nicht in der kirchenrechtlichen Organisation des Bistums, sondern vielmehr im Grundbesitz und in grundherrschaftlichen Verpflichtungen begründet. Die Orte waren gegenüber den Abteien auch abgabenpflichtig. Bei den Prozessionen selbst wurde eine *oblatio*, eine Opferspende, gefordert. Daneben kamen auch seelsorgerliche Bindungen, wie der Gang von Filialkirchen zur Mutterkirche, zum Tragen. An den Bannfahrten und den Pflichtprozessionen nahmen nicht alle mündigen Personen teil, sondern die männlichen Oberhäupter vertraten ihre Familien. So wurden immer wieder Ermahnungen erlassen, daß nur Männer mitgehen sollten. Eine weitere, wieder bistumsweite Prozession führte Bischof Egbert von Trier (977-993) für den dritten Freitag nach Ostern ein.[47] Aufgefordert zur Bannfahrt nach Trier waren die Pfarreien des Westteils des Bistums, ein Raum, der sich mit der *parrochia episcopi* und der römerzeitlichen *civitas treverorum* deckte.[48] In Trier fand ein Umgang um die Stadt zu den verschiedenen Klöstern und zurück zum Dom statt. Bis 1128 waren 26 Ortschaften zur Teilnahme verpflichtet, doch konnte auch Bischof Egbert die Bindung an die ländlichen Abteien als Prozessionszentren nicht mehr aufbrechen. Ebenso verhinderten die Entfernungen eine durchgängige Befolgung der Prozession, so daß sich die Bannfahrt in dezentrale Prozessionen auflöste. Nach Trier zogen nur die Ortschaften des Burdekanats und der nahegelegenen Südeifel. Die übrigen Orte unternahmen am gleichen Tag Bannfahrten nach Taben, Metterich (bei Bitburg) und zur Münsterabtei in Luxemburg. Indem aber die fünf Archidiakone an der Trierer Prozession teilnahmen und abwechselnd die bedeutendste Reliquie - den Petrusstab - trugen, war die ganze Diözese symbolisch anwesend.

Aus den bisherigen Darlegungen ergibt sich, daß sich aus den *collectae* der Stationsfeiern - unter Einfluß der byzantinischen und Jerusalemer Liturgie - Prozessionen mit der Beteiligung der städtischen oder ländlichen Bevölkerung entwickelt hatten, von denen die Markusprozession, die Rogationen und die Palmsonntagsprozession die wichtigsten und populärsten waren. Die päpstliche Stationsliturgie und das Stationswesen frühmittelalterlicher Bischofsstädte schlugen sich jedoch auch in der Liturgie von Klöstern,

---

47 Zu dieser Bannfahrt vgl. HEINZ, Erzbischof.
48 Vgl. HEINEN, Trier, Bd. 1, Karte 1 und den einführenden Kommentar zur Karte von Hiltrud Merten, 425-428.

Stiftskirchen und Kathedralen nieder. Einen Einblick in die frühmittelalterliche Klosterliturgie erlaubt die „Institutio Angilberts" (um 800) für das Kloster St. Riquier.[49] Prozessionen waren zum einen Teil des täglichen Offiziums und führten regelmäßig am Morgen und Abend zu den Altären der Klosterkirche. Carol Heitz spricht von einer „choréographie processionelle", deren Fixpunkte Bilder und Altäre sowie die Teilung der Mönchsgemeinde in zwei Chöre waren.[50] Zum anderen gab es feierliche Prozessionen an Festtagen. Am Ostersonntag ging der Konvent von St. Riquier mit Laien des Dorfes - insgesamt 1.400-1.500 Männer und Frauen - durch das Kloster.[51] Außer am Ostersonntag waren Laien nur noch an den Rogationen oder zu außergewöhnlichen Anlässen beteiligt, wenn die Gläubigen in Sternprozessionen zum Kloster zogen.[52] Die Klöster nahmen die stadtrömische Stationsliturgie und die bischöflichen Stationskirchen zum Vorbild. So parallelisierte die Kapelle St. Sauveur des Klosters St. Riquier die Stellung der Metzer Kirche St. Peter im dortigen Stationswesen. Indem Klöster allerdings Prozessionen in das tägliche Offizium einbauten, gingen sie in der Häufigkeit der Umgänge weit über Rom hinaus. Mit der Prozession zum Opfergang, der Vesperprozession oder der sonntäglichen Weihwasserbesprengung entwickelten sie Umgänge, die der liturgischen Feier der Messe und der Tagzeiten zugeordnet waren.[53] Auch stand im Kontext des Klosters nicht Einheitstiftung im Vordergrund, sondern die Nachahmung des römischen Vorbildes im täglichen Offizium und die Feierlichkeit der Gottesdienste, die durch Umgänge gesteigert werden konnte. Die Vielzahl von Prozessionen war eines der prägenden Merkmale in der Liturgie von Cluny.[54] Prozessionen von der Basilika zur Kirche St. Maria fanden täglich nach der Matutin und der Vesper statt. Jeden Sonntag zog der Konvent durch das ganze Kloster, um die Räume mit Weihwasser zu besprengen. Schließlich kannte auch Cluny feierliche Prozessionen zu hohen Festen, aber auch zu Gelegenheiten wie *pro tribulatione; ad recipiendas personas; ad defunctos suscipiendos*.[55] Cluny mit seinen Prozessionen beeinflußte den liturgischen Ablauf in vielen Klöstern und Stiftskirchen und damit auch deren

---

49 Vgl. HÄUSSLING, Mönchskonvent, 54f.; HEITZ, Architecture.
50 HEITZ, Architecture, 35.
51 Der genaue Ablauf ist bei HEITZ, Architecture, 36f., beschrieben.
52 Vgl. HÄUSSLING, Mönchskonvent, 55.
53 Vgl. BRAKMANN, Muster. Zu Prozessionen mit Weihwasserbesprengung vgl. FRANZ, Benediktionen, 86-107; ODENTHAL, Liber Ordinarius, 94-103.
54 Zu Prozessionen in Cluny vgl. SCHMITZ, Liturgie, bes. 97; CONANT, Cluny, 59f.; LOUGNOT, Cluny, 191.
55 Zitiert nach SCHMITZ, Liturgie, 97.

Architektur. Möglicherweise tradierte im Früh- und Hochmittelalter gerade die Klosterliturgie Prozessionen für Städte oder den ländlichen Raum.

Zahlreiche Umgänge und Prozessionen bestimmten auch das gottesdienstliche Leben von Stiftskirchen. Im Züricher Großmünster fanden in der zweiten Hälfte des 13. Jahrhunderts an allen Duplexfesten Prozessionen statt, die jedoch nur um die Kirche und den Kirchhof führten. Lediglich die Prozessionen am Palmsonntag und zu Ehren der Stadtpatrone Felix und Regula am Donnerstag nach Pfingsten überquerten den Limmat-Fluß.[56] Ebenso führten in Essen die meisten Prozessionen, ähnlich dem sonntäglichen Umgang, nur zur nahegelegenen Johanniskirche, verließen dagegen am Markustag, zu den Rogationen und bei der Umtracht des Marienbildes die Stadt.[57] Würzburg mit dem Domstift und den beiden Nebenstiften Haug und Neumünster zeigt einen differenzierten Teilnehmerkreis der verschiedenen Prozessionen.[58] Zum einen fanden Prozessionen mit oder ohne *statio* innerhalb der Kirche und ohne Beteiligung von Stiftsfremden statt. Im Stift Neumünster gehörten hierzu insbesondere Feste von Heiligen, denen Altäre geweiht waren sowie die Prozession durch die Stadt am Georgstag (23. April). Zum anderen gab es Prozessionen, bei denen zwei oder drei Stifte zusammen, zum Teil auch mit den Mönchen des St. Burkardsklosters, zu den verschiedenen Kirchen der Stadt, meist jedoch zu den drei Stiften zogen. Insgesamt sind für ungefähr 50 Tage im Jahr Prozessionen solcher Art belegt. Schließlich gab es einige wenige Prozessionen, zu denen alle Stifte, Klöster und Pfarreien - und damit die städtische Bevölkerung - verpflichtet waren: Dies waren nach den liturgischen Quellen des 14. Jahrhunderts Markustag und Rogationen, Fronleichnam, Kilianstag (8. Juli) und Cyriakustag (8. August). An den zahlreichen Prozessionen der Geistlichkeit in Klöstern und Stiften, aber auch Pfarrkirchen,[59] waren Laien nicht beteiligt, und diese Umgänge sollen in der weiteren Untersuchung nicht näher interessieren. Festzuhalten bleibt aber: Prozessionen vorwiegend von Kanonikern und Mönchen gehörten zum fast alltäglichen Bild einer spätmittelalterlichen Stadt.

Wenig bekannt ist bis jetzt über die Prozessionsintensität im zeitlichen Verlauf. Wann waren Prozessionen besonders beliebt, wann wurden sie mit

---

56 Vgl. LIPSMEYER, Liber, 140.

57 Vgl. ARENS, Liber ordinarius, 16-80.

58 Zum folgenden vgl. WEHNER, Gottesdienstordnung, 1-89; WENDEHORST, Bistum Würzburg Bd. 4, 225-231.

59 Zu Prozessionen der Geistlichkeit an Pfarrkirchen vgl. LINDNER, Kirchenordnung, (Hof); DIEL, Aufzeichnungen, (Mainz); GÜMBEL, Sebald; GÜMBEL, Lorenz (Nürnberg).

weniger Engagement abgehalten? Für Konstantinopel stellt Baldovin im 7.
und 8. Jahrhundert einen Niedergang des Prozessionswesens fest, während
sich zu derselben Zeit aus der Vermehrung der *collectae* in Sakramentaren auf
ein wachsendes Bedürfnis in Westeuropa schließen läßt. Arnold Wolff
spricht für Köln von einer Blütezeit des Stationswesens im 10. und 11.
Jahrhundert.[60] Das Aufkommen neuer Prozessionen und der Wegfall bishe-
riger Umgänge läßt sich in Würzburg und Augsburg beobachten. Die
Würzburger Prozessionen des 13. Jahrhunderts werden in Urkunden aufgezählt, mit denen die seelsorgerische Tätigkeit der Würzburger Dominikaner
und Augustiner-Eremiten geregelt wurde. Die Prozessionen zu den Rogationen, am Markustag, am Palmsonntag, zu Ostern, zu Christi Himmelfahrt,
am Kilianstag oder zu anderen Gelegenheiten sollten nicht durch Predigten
behindert werden.[61] Bis zum Beginn des 14. Jahrhunderts scheinen einige
Prozessionen hinzugekommen zu sein. 1314 werden in einer Urkunde, die
die Prozessionen aufzählt, an denen Gefangene freigelassen wurden, zusätzlich folgende Tage genannt: die Vigil von Johannis (23. Juni), die Vigil der
Apostel Petrus und Paulus (28. Juni), die Vigil von Apostel Jakob (24. Juli),
der Cyriakustag (8. August) und die Vigil von Maria Himmelfahrt (14. August).[62] Belegbar ist die Einsetzung der Cyriakusprozession, die in Erinnerung an die Schlacht bei Kitzingen am 8. August 1266 gestiftet wurde, bei
der eine Koalition des Herren von Hohenlohe, der Würzburger Bürgerschaft und der trimbergisch-sternbergischen Kapitelsmehrheit im Domstift
den Grafen von Henneberg besiegte.[63] An der Prozession nahm auch die
städtische Bevölkerung teil und Gerd Zimmermann sieht in ihr eine „Manifestation des Miteinander von Stift und Stadt".[64] Die übrigen 1314 aufge-
zählten Prozessionen, die auch in dem wenig später verfaßten „Liber Ordinarius" des Stiftes Haug genannt werden, waren dagegen den Stiften vorbehalten.[65] Die Nichterwähnung in den Urkunden von 1231 und 1263 belegt
nicht notwendig ihr Fehlen im 13. Jahrhundert, sondern kann auf eine Dif-

---

60 BALDOVIN, Urban Character, 161, 213; WOLFF, Kirchenfamilie, 40f.

61 MB 45, Nr. 39, 66 (1231): *rogacionum, letanie maioris, processiones dierum sollempnium, palmarum, pasche, ascensionis, pentecostes, Kyliani et similes, vel alias, quas episcopus uel maior ecclesia specialibus de causis duxerit indicendas.* Ähnlich: MB 37, Nr. 356, 408 (1263). Vgl. WEHNER, Gottesdienstordnung, 4; SEHI, Bettelorden, 51-60, 175-181.

62 MB 46, Nr. 37, 66f. Ähnlich: MB 41, Nr. 67, 202 (1345). Vgl. TRÜDINGER, Würzburg,
131; WEHNER, Gottesdienstordnung, 1f.

63 Vgl. ZIMMERMANN, Cyriakus-Schlacht; WENDEHORST, Bistum Würzburg, Bd. 2, 13f.;
GRAF, Schlachtengedenken, 85.

64 ZIMMERMANN, Cyriakus-Schlacht, 425.

65 Vgl. WENDEHORST, Bistum Würzburg, Bd. 4, 227f.

ferenzierung der Teilnehmer hindeuten: Die Predigten der Mendikanten sollten nur die Prozessionen nicht stören, bei denen die städtische Bevölkerung beteiligt oder als Publikum erwünscht war. Als Prozession mit städtischer Beteiligung kam am Ende des 14. Jahrhunderts - wie in vielen Städten - die Fronleichnamsprozession hinzu. Den Wegfall einiger Prozessionen belegt das *Directorium* des Stiftes Neumünster aus der Mitte des 16. Jahrhunderts: Prozessionen zu Ostern tauchen nicht mehr auf.[66]

In Augsburg erwähnt ein Brevier des 13. Jahrhunderts eine Vesperprozession für die Samstage der Weihnachtszeit und zwischen Ostern und Pfingsten, für einige andere Tage der Weihnachtszeit und für wenige Heiligenfeste; eine sonntägliche Prozession kennt die Quelle nicht. Sie kam wohl erst im 14. Jahrhundert auf.[67] Als in dieser Zeit neue Altäre und Kapellen im Augsburger Dom gestiftet wurden, vervielfachte sich auch die Zahl der Heiligentagen mit Vesperprozession. 1495 waren es nach einem Prozessionale 35 Heiligenfeste.[68] Eindeutige Aussagen über die Häufung von Prozessionen zu bestimmten Zeiten lassen sich mit diesen Schlaglichtern nicht machen. Zwei Aspekte fallen jedoch auf, denen eine genauere Untersuchung nachgehen müßte. Zum einen läßt das Augsburger Beispiel vermuten, daß mit der Zunahme der Heiligenverehrung auch mehr Prozessionen stattfanden. Zum anderen müßten die Zäsuren des 13. und 14. Jahrhunderts deutlicher herausgearbeitet werden. In Würzburg wird 1266 eine Prozession gestiftet, die nach meinen Kenntnissen in dieser Form außerhalb von Byzanz bis dahin einmalig ist. Die Prozession am Cyriakustag entstand als regelmäßiges Gedenken an ein politisches Ereignis; sie wird schnell zu einer stadtweiten Prozession mit Beteiligung der städtischen Bevölkerung.[69]

Die Neuheit des Würzburger Gedenkens verweist auf ein wichtiges Charakteristikum von Prozessionen der Spätantike und des Hochmittelalters. Mit Ausnahme Konstantinopels, wo der Kaiser in die Gestaltung eingriff, war bis zum Beginn des 14. Jahrhunderts die Geistlichkeit Veranstalter und Organisator der Prozessionen.[70] Dies traf in herausragender Weise für die zahlreichen Umgänge innerhalb und außerhalb der Kirchen zu, die ausschließlich vom Klerus bestritten wurden. Aber auch bei den wenigen Pro-

---

66 Vgl. ebenda, 226f.
67 Vgl. HOEYNCK, Liturgie, 179.
68 Vgl. ebenda, 189-197.
69 Zu Prozessionen als politisches Gedenken vgl. GRAF, Schlachtengedenken. Die Würzburger Cyriakusprozession ist die früheste Prozession, die Graf nennt. Politisches Gedenken in Form von Jahrzeit- und Kapellenstiftungen findet sich schon 1200 in Braunschweig und 1245 in Reutlingen. Vgl. ebenda, 89, 92.
70 Vgl. CHIFFOLEAU, Processions, 41ff.; DELUMEAU, Rassurer, 121.

zessionen, an denen die städtische oder ländliche Bevölkerung beteiligt war, blieben geistliche Institutionen Träger und Veranstalter. Von den partizipatorischen Prozessionen waren als regelmäßige Bittprozessionen der Markustag und die Rogationen, als mimetische Prozession die Palmsonntagsprozession die wichtigsten und verbreitesten. Daneben gab es in einzelnen Städten eigene Prozessionen, wie die Trierer und Kölner Prozessionen am dritten Freitag nach Ostern oder die Würzburger Kiliansprozession und Cyriakusprozession. Mit letzterer entstand im 13. Jahrhundert eine Prozession, die - wenn auch noch auf Veranlassung der Geistlichkeit geschaffen - die Beteiligung der städtischen Bevölkerung in neuer Weise einschloß. Der Umbruch, der sich hier andeutet, wird im folgenden genauer zu betrachten sein. Außer diesen regelmäßigen Prozessionen gab es seit der Spätantike christliche Bittprozessionen zu außergewöhnlichen Anlässen; erwähnt wurden die Prozessionen anläßlich der Pest 590 und wegen der Mongolenkriege 1261. Als Vorbild für den liturgischen Ablauf solcher Prozessionen konnten die Markusprozession und die Bittage vor Christi Himmelfahrt dienen. Zu Beginn des 14. Jahrhunderts stand also ein Formenbestand - Gesänge, Prozessionswege, Mitführen von Reliquien, Fahnen oder Kreuzen, Kleidung und Rangfolge des Klerus - zur Verfügung, der sich über einen langen Zeitraum entwickelt hatte. Wenn auch für die Zeit vor 1300, jedenfalls für das Reich, keine Informationen über die Ordnung von Laien vorliegen, so konnte die Bittprozession Papst Gregors von 590 mit ihrer Trennung von Klerus und Laien, von Männern und Frauen Anhaltspunkte geben.

Die Unterscheidung von Bitt- und mimetischen Prozessionen beleuchtet die religiöse Zielsetzung. Doch trugen Prozessionen weitere Sinngebungen in sich, die an einigen Stellen aufscheinen: Einheit der christlichen Gemeinde bei Aufsplitterung in verschiedene Kirchen, grundherrschaftliche Bindungen und Abgabepflichten, Feierlichkeit des Gottesdienstes, Verbindung von Stadt und umliegenden Land. Eine weitere Bedeutung sollte jedoch nicht unterschlagen werden: Prozessionen konnten Bedürfnisse nach Schaulust und Unterhaltung befriedigen. Vorrangig ist dabei an die Palmsonntags- und andere österliche Prozessionen zu denken, die Anlaß für theatralische Darstellungen waren. Aber auch Bittprozessionen waren Ereignisse, die die Augen und Ohren mittelalterlicher Menschen beeindrucken sollten. An der Wende zum 14. Jahrhundert waren Prozessionen als angemessene Antwort für Probleme und Krisen, aber auch als Ausdruck von Festfreude allgemein bekannt.

2. Prozessionen in theologischer Deutung

Prozessionen waren nicht nur ein Element mittelalterlicher Frömmigkeits-praxis, sondern auch Gegenstand theologischen Denkens. Hier kann nicht der Ort sein, die Diskussionen von Liturgikern, Ordensleuten oder Re-formtheologen ausführlich nachzuzeichnen. Statt dessen sollen am Beispiel von vier Schriften einige Linien aufgezeigt werden, wie theologisch gebildete Männer Prozessionen sahen und deuteten. Untersucht werden zunächst drei Werke aus dem Hochmittelalter, bevor mit Dionyius Cartusianus ein Re-formtheologe aus dem 15. Jahrhundert zu Wort kommt.

Die Lichtmeßprozession und der Palmsonntag waren für Bernhard von Clairvaux (1090-1153) Anlaß, über Prozessionen zu predigen.[71] Bernhards Predigten über das Kirchenjahr entstanden wahrscheinlich zwischen 1138 und 1145 - Leclercq nimmt das Jahr 1139 an - für eine monastische Zuhö-rerschaft.[72] Lichtmeß war eine der wenigen Prozessionen, die die Zisterzi-enser neben dem Palmsonntag und Bittprozessionen nicht aufgegeben hat-ten, als sie die große Zahl der Klosterprozessionen verwarfen.[73] Die zweite Predigt zum Fest Mariä Reinigung „enthält eine schlichte Allegorese über die ‚Zeremonie der Prozession und ihre Bedeutung'."[74] Die ursprüngliche Prozession, so Bernhard, wurde von vier Menschen gefeiert: Josef und Ma-ria brachten Christus im Tempel dar, Simeon und Anna empfingen ihn. Da auch die Klostergemeinschaft die Prozession feiert, möchte Bernhard sie genauer betrachten und hebt drei Merkmale hervor: Die Mönche werden zu zweit mit Kerzen einherschreiten. Entzündet würden die Kerzen mit ge-weihtem Feuer. In der Prozession werden die Letzten die Ersten und die Ersten die Letzten sein (Mt 20,16).[75] Das paarweise Gehen verweise auf die Jünger, die in dieser Weise vom Heiland ausgesandt wurden. Zugleich ist es für Bernhard Ermahnung gegen Einzelgänger: Es wäre eine Störung der Prozession, wenn einer allein gehen wollte: *Turbat processionem, si quis solitarius incedere curat.*[76] Prozessionen sind kollektive Zeremonien. Danach kommt

71 BERNHARD VON CLAIRVAUX, In Purificatione Sanctae Mariae; DERS., In Ramis Palmarum.

72 LECLERCQ, 119, in der Einleitung zu Sancti Bernardi Opera, Bd. V., Sermones II. Zu den Predigten vgl. GASTALDELLI, Optimus Praedictor, bes. 366-383 und die Einleitung der Herausgebers Gerhard Winkler, BERNHARD VON CLAIRVAUX, Sämtliche Werke, Bd. VII, 23-54.

73 Vgl. LEKAI, Cistercienser, 189, und die Anmerkungen, 743, des Herausgebers Gerhard Winkler zu BERNHARD VON CLAIRVAUX, In Purifications Sanctae Mariae.

74 Einleitung, 41, des Herausgebers Winkler zu BERNHARD VON CLAIRVAUX, Sämtliche Werke, Bd. VII.

75 BERNHARD VON CLAIRVAUX, In Purificatione, 412ff.

76 Ebenda, 414.

Bernhard auf die guten Werke zu sprechen, die er als das von Gott stammende Feuer beschreibt. Die Prozessionsordnung schließlich deute auf die
größte Tugend, die Demut, hin. Seine Predigt beendet Bernhard mit der
Ermahnung zum ständigen geistigen Fortschreiten. Bernhard nennt den
historischen Hintergrund der Prozession, hier die Darbringung Christi im
Tempel, vor allem aber sieht er in den Charakteristika der Prozessionen
Ermahnungen für das Leben der Mönche.

In seinen Predigten zum Palmsonntag lotet Bernhard die Spannung dieses Festes zwischen dem Triumph der Prozession und dem kommenden
Leiden aus. Die Prozession stelle die Ehre des himmlischen Vaterlandes dar,
die Passionszeit zeige den Weg: *in processione quidem caelestis patriae repraesenta-
mus gloriam, in passione monstramus viam.*[77] An anderer Stelle schreibt Bernhard,
daß die Prozession die Demut lehre, die anschließende Trauer dagegen die
Geduld.[78] Zugleich ist ihm die Ordnung der Prozession Sinnbild für vier
Formen der Frömmigkeit. Er beschreibt zunächst die, die vorausgehen: Sie
bereiteten Gott den Weg. Die sich Anschließenden folgten den Erstgenannten im Bewußtsein ihrer eigenen Unwissenheit. Als nächstes geht er auf
die ein, die Christus als Schüler anhängen: Sie hätten den besten Teil gewählt und bei ihnen denkt er an die Ordensleute. Schließlich fehle nicht das
Lasttier, auf dem sich Christus niedergelassen hatte. Dies deutet Bernhard
als die Hartherzigen und wilden Seelen, *quod designat duros corde et animos quodammodo bestiales.*[79] Die von Bernhard beschriebene Ordnung orientiert sich
an den Gruppen der ursprünglichen Prozession, dem Einzug nach Jerusalem, und läßt sich auch in der zeitgenössischen Palmsonntagsprozession
wiederfinden. Bernhard beschreibt jedoch mehr eine moralische Ordnung
als eine nach den Funktionen der Prozession. Nachdem er die Teilnehmergruppen in dieser Weise differenziert hat, bindet er sie am Ende wieder zu
einer Einheit zusammen: Alle müßten sich mit großer Frömmigkeit in dieser
Prozession hingeben, wie beim großen Gang, soweit sie würdig sein mögen,
mit Gott in die heilige Stadt einzuziehen.[80] Bernhard gelingt es, die verschiedenen Ebenen der Prozession übereinander zu blenden: den histori-

---

77 BERNHARD VON CLAIRVAUX, In Ramis Palmarum, 43.
78 Ebenda, 48: *Unde et Dominus sicut in Passione patientiam ita et in processione humilitatem exhibere
    curavit.*
79 Ebenda, 49.
80 Ebenda, 51: *Ipse itaque magna pietate sua donet nobis sic in eius processione perseverare dum vivimus,
    ut in magna illa processione, qua cum suis omnibus a Patre suscipiendus est, et traditurus regnum Deo et
    Patri, sanctam civitatem cum ipso ingredi mereamur qui vivit et regnat per omnia saecula saeculorum.*

schen Einzug nach Jerusalem, die regelmäßige Palmsonntagsprozession und den Zug der Christen durch das Leben in ihr himmlisches Vaterland.

Nach dem Mönchstheologen Bernhard von Clairvaux werden mit Johannes Beleth und Wilhelm Durandus zwei einflußreiche Liturgiker aus dem 12. und 13. Jahrhundert vorgestellt: Von Beleths „Summa de ecclesiasticis officis" sind 180 Manuskripte erhalten. Johannes Beleth schrieb sein Werk zwischen 1160 und 1165 in einfachem Stil, um Weltgeistlichen die Geschichte, den Verlauf und die Bedeutung der Riten zu erklären und so gegen die Unkenntnis über den Gottesdienst zu wirken.[81] Andere Werke des Autors sind verschollen, so daß nur wenig über sein Leben bekannt ist.[82] Geboren wahrscheinlich in den zwanziger Jahren des 12. Jahrhunderts in Frankreich, erhielt er seine Ausbildung im Benediktinerkloster Tiron in der Diözese Chartres. Die „Summa" verfaßte er wahrscheinlich in Paris, wo sie ihm als Grundlage für Vorlesungen diente. Die knappe Kompilation liturgischer Gebräuche und die scholastische Methode begründeten den Erfolg des Werkes, das auch Wilhelm Durandus und Jacobus a Voragine nutzten.

Nach der Darlegung der Räume, der Zeit, der Festtage und der Festlichkeiten kommt Beleth auf Prozessionen zu sprechen. Er unterscheidet *statio*, *processio* und *letania*. *Stationes* sind für ihn die Dankprozessionen.[83] Als Ursprung gibt Beleth zum einen den Brauch von Juden und anderen Völkern in alttestamentlicher Zeit an, zur Oster- und Pfingstzeit in Jerusalem für Feierlichkeiten zusammenzukommen (Lk 2,41, Joh 2,13 und 11,55). Hieran lehne sich die christliche Gewohnheit an, sich in dieser Zeit in den Bischofskirchen zu versammeln. Beleth mag an Bannprozessionen gedacht haben, wie sie aus Metz, Köln oder Trier bekannt sind. Zum anderen nennt Beleth römische Quellen: Römer hätten zu verschiedenen Zeiten nach Belagerungen und anderen Gefahren den Heiligen mit Prozessionen Dank bezeugt. Die Gestaltung der *stationes* hebt Beleth deutlich von Bittprozessionen ab: Bei ihnen würde nicht gefastet oder gekniet; die Geistlichen trügen Chorkleidung; als Gesang erklängen Responsorien und Antiphone. Nicht systematisch dagegen grenzt Beleth die *processiones* ein.[84] Unter diesem Stichwort nennt er den Palmsonntag und die sonntäglichen Umgänge, die an biblische Geschehnisse erinnerten: Die Palmsonntagsprozession mache den Durchzug des Volkes Israel durch den Jordan (Jos 3,15-17) und den

---

81 BELETH, Summa, 1ff. Zur „Summa" vgl. FRANZ, Messe, 443f.; DOUTEIL, Johannes Beleth, 31-36*.
82 Zu Beleth vgl. DOUTEIL, Johannes Beleth, 29-31*; MASINI, Giovanni Beleth.
83 Zum folgenden BELETH, Summa, 17ff.
84 Ebenda, 19f.

Einzug Jesu nach Jerusalem lebendig.[85] Mit den Palmzweigen würden die Söhne der Hebräer nachgeahmt, die Zweige vor Christus warfen. In den Palmen und Blumen sieht Beleth die Tugend symbolisiert, die Christus dargebracht werden müsse.[86] Die sonntägliche Prozession schließlich stelle die Zusammenkunft der Jünger auf den Ölberg am Tag der Himmelfahrt Christi dar (Lk 25,51, Mk 16,19, Apg 1,4-12). Die Erinnerung wäre auf den Sonntag übertragen worden, damit das Volk in der Kirche zusammenkommen könne.[87]

Zwei gesonderte Kapitel widmet Johannes Beleth den *letania*, Bittprozessionen, mit denen in Gefahrensituationen Gebete vor Gott oder den Heiligen als Fürsprecher vorgebracht werden.[88] Beleth nennt hier die Markusprozession und die Rogationen, deren Entstehung er in Anlehnung an Petrus Diaconus und Gregor von Tours wiedergibt. Über die historischen Ursprünge hinaus nennt Beleth das anthropologische Motiv, daß in dieser Jahreszeit häufig Kriege begännen und die Feldfrüchte in der Zeit des Wachstums in Gefahr seien.[89] Bittprozessionen verlangen Fasten, Büßerkleidung und Arbeitsruhe, auch für das Gesinde. Die gesamte Bevölkerung soll an der Prozession teilnehmen. Große Kirchen können eine Ordnung in sieben Teilnehmergruppen halten. Beleth schreibt jedoch für Pfarrkirchen, die diese Aufstellung nicht einzuhalten vermögen und ermahnt sie deshalb, was sie nicht durch die Zahl der Personen leisten könnten, durch die Zahl der Gebete zu ersetzen, *septies enim letaniam dicere debemus*.[90] Neben diesen wichtigsten Prozessionen, denen Beleth eigene Kapitel widmet, geht er auf einige andere ein. Ausführlicher deutet er die Lichtmeßprozession zum Fest Mariä Reinigung, die er auf eine römische Prozession mit brennenden Kerzen zu Anfang Februar - die *amburvale* - zurückführt. Die kerzentragenden Priester - Beleth schließt sich in diese Gruppe ein, da er fast immer in der ersten Person Plural schreibt - ahmen die heiligen Jungfrauen nach, deren Haupt Maria ist. Die brennende Fackel deutet Beleth als Symbol der

---

85 Zur Palmsonntagsprozession vgl. ebenda, 165ff.

86 Ebenda, 166: *quia illa die rami palmarum in processionibus deportantur in representatione illorum, quos filii Hebreorum strauerunt in uia Christo ueniente et in figura ramorum et florum uirtutum, quos deportare debemus ad Christum tendentes.*

87 Ebenda, 20, 236.

88 Ebenda, 232-237.

89 Ebenda, 236: *Nos autem has letanias ideo in hoc tempore facimus, quoniam in hoc tempore bella maxime solent emergere et fructus terre, qui adhuc in teneritate sunt uel in flore, solent corrumpi per incommoditatem nebularum uel pluribus aliis modis.*

90 Ebenda, 235.

Keuschheit.[91] Weiter nennt Beleth Prozessionen am Aschermittwoch, die er als die größte im Jahr beschreibt, und die Prozession zur Grablege an Ostern.[92] Dem französischen Kleriker geht es um eine kurze Darlegung der Riten. Knapp beschreibt er dabei den Ursprung, die Bedeutung und den Ablauf von Prozessionen. Symbolische oder allegorische Ausdeutungen fehlen weitgehend.

Im Gegensatz zu Beleth breitet Wilhelm Durandus in seinem „Rationale divinorum officiorum" eine große Stofffülle aus und sucht verschiedene Deutungen für die Zeremonien. Durandus wurde um 1231 in der Nähe von Béziers geboren.[93] Nach dem Studium in Bologna trat er 1262/63 in päpstliche Dienste und wurde in die politischen Kämpfe Roms hineingerissen. 1285 setzte ihn Papst Honorius IV. als Bischof von Mende ein. Durandus starb 1296, nachdem er im Vorjahr an die Kurie zurückgerufen worden war. Die erste Fassung des „Rationale", einer systematischen Darlegung der Liturgie mit dem gleichen Ziel wie Beleth, „die Kenntnis der gottesdienstlichen Handlungen unter den Priestern zu verbreiten und zu fördern", entstand 1286.[94] Es ist in 250 Handschriften und 111 Drucken überliefert.

Anlaß, allgemeiner über Prozessionen und ihre Bedeutung nachzudenken, ist ihm der Einzug des Priesters, den Durandus im vierten Buch zur Messe beschreibt.[95] Während die Messe die Gesandtschaft Christi in der Welt versinnbildliche, sieht Durandus in den Prozessionen die Rückkehr der Christen in ihr Vaterland symbolisiert, *quod sicut in Missa legatio Christi pro nobis in mundum figuratur, et in processionibus nostris reversio nostra ad patriam nostram denotatur.*[96] In dieser Deutung gehen Prozessionen auf den Auszug des Volkes Israel aus Ägypten zurück. Deren Gesten und Heiltümer parallelisiert Durandus mit Handlungen bei Prozessionen: So wie die Israeliten

---

91 Ebenda, 149.
92 Ebenda, 158f., 213.
93 Zur Biographie von Wilhelm Durandus vgl. L. FALLETTI, Art. Guillaume Durand, in: Dictionnaire de droit canonique Bd. 5 (1953), 1014-1075. Grundlegend ist nun der Sammelband von GY (Hg.), Guillaume Durand.
94 FRANZ, Messe, 477. Zum Rationale vgl. FRANZ, Messe, 476-482; GY (Hg.), Guillaume Durand.
95 Das „Rationale" des Durandus ist bis jetzt leider nicht kritisch ediert. Den folgenden Ausführungen liegt die Ausgabe Venedig 1572, aus der Elizabeth Wainwright den entsprechenden Abschnitt in ihren „Studien zum deutschen Prozessionsspiel" im Anhang wiedergibt, und die von Buijssen edierte spätmittelhochdeutsche Übersetzung zugrunde. DURANDUS, Rationale (1572), fol. 66'-67'; WAINWRIGHT, Studien, 246-251; BUIJSSEN, Durandus Rationale, Viertes Buch, 47-54.
96 DURANDUS, Rationale (1572), fol. 66'.

durch Moses aus den Händen der Pharaonen entrissen wurden, entreißt
Christus das Volk Gottes aus dem Mund des bösen Geistes. Ging den Juden eine Feuersäule vorweg, so den Prozessionen das Licht der Kerzen.[97] In
dieser Analogie symbolisieren Prozessionen zu einer Kirche den Weg in das
gesegnete Land, Prozessionen um eine Kirche die Eroberung Jerichos. Durandus nennt darüber hinaus weitere alttestamentliche Auslegungen: Prozessionen verweisen auf David, der die Bundeslade nach Jerusalem überführte
(2. Sam 6) und auf Salomon, der sie in den Tempel brachte (1. Kön 8).
Schließlich erinnern sie an den Lebensweg Christi: an sein Kommen in die
Welt, seinen Weg von der Krippe zum Tempel, von Bethanien nach Jerusalem und von Jerusalem auf den Ölberg.[98] Hinter der historischen Deutung,
den Geschehnissen im Alten und Neuen Testament, findet Durandus immer wieder die Nachfolge Christi und den Kampf gegen die Begierden und
den bösen Geist allegorisiert.

Auch in einzelnen Gestaltungselementen der Prozessionen sucht Durandus nach Bedeutungen. So gibt er eine komplexe Interpretation der
Rangfolge, die aber nur wenige Kirchen einhalten konnten. Sieben Akolythen, die mit Kerzen vorangingen, deuten ihm auf die, die mit den sieben
Gnaden des heiligen Geistes den Gläubigen das Wissen gereicht hätten. Die
nachfolgenden sieben Subdiakone mit Reliquiaren verweisen auf die, die mit
denselben Gnaden gelehrt hätten, daß in Christus die Erfüllung der Gött-
lichkeit leibhaftig sein werde. So fährt Durandus mit dem gesamten Zug der
Teilnehmenden fort, um mit dem Volk zu enden, das Christus in den Himmel nachfolge.[99] Der Bischof oder Priester in der Mitte zwischen Klerus
und Volk verdeutlicht ihm die Mittlerrolle zwischen Gott und den Menschen. Im Kreuz vor der Prozession sieht er eine königliche Fahne, vor der
Dämonen fliehen müssen, und das Glockengeläut ist ihm das Kriegszeichen
eines Fürsten, verheißt aber gleichsam die Weissagungen Christi. Den Abschnitt beendet Durandus mit der Nennung der vier wichtigsten Prozessionen im Jahr, Lichtmeß, Palmsonntag, Ostern und Christi Himmelfahrt.
Außerdem führt er, wie Beleth, die sonntägliche Prozession auf die Versammlung der Jünger auf dem Ölberg zurück. Die genannten regelmäßigen
Prozessionen ebenso wie die Bittprozessionen am Markustag und zu den
Rogationen behandelt Durandus gesondert in den Abschnitten über das
Kirchenjahr und die Heiligenfeste. Auch ohne hierauf einzugehen, dürften
die Methode und die Deutungen von Durandus deutlich geworden sein:

---

97 Ebenda, fol. 66'.
98 Ebenda, fol. 66'.
99 Ebenda, fol. 66'-67.

Ausgehend vom Bezug auf biblische Ereignisse gelangt er zu allegorischen Deutungen; Prozessionen machen ihm die Nachfolge Christi lebendig.

Johannes Beleth, Wilhelm Durandus und Bernhard von Clairvaux ging es um die historische und allegorische Ausdeutung von Prozessionen. Sie hatten klerikale Prozessionen vor Augen, an denen sich die Laienbevölkerung nur zum Teil beteiligte, jedoch in keinem Fall initiativ war. Der Kartäuser Dionysius war am Ende des 15. Jahrhunderts dagegen mit einer anderen Situation konfrontiert. Auf Anfrage eines unbekannten Ratsherrn, der ihn um geeignetes Material gebeten hatte, um gegen Mißbräuche bei einer Reliquienprozession einer benachbarten Stadt eingreifen zu können, schrieb Dionysius den Traktat „De modo agendi processiones sanctorumque veneratione", ohne daß der Adressat und die Datierung genau zu ermitteln sind.[100] Dionysius der Kartäuser (1402/03-1471), auch Dionysius Rickel nach seinem Geburtsort Rijkel im heutigen belgischen Limburg genannt, trat nach dem Studium in Köln (1421-1424/25) in die Kartause Roermond ein. Aufgrund seines umfangreichen literarischen Werkes wurde er früh bekannt und begleitete Nikolaus von Kues 1451/52 auf seiner Legationsreise. 1466-49 war er als Prior in der neuen Kartause 's-Hertogenbosch tätig.[101] In seiner Antwort an den unbekannten Ratsherrn führt Dionysius zunächst aus, daß Prozessionen im Alten Testament ihre Entstehung und Vorbedeutung (praefiguratio) hätten. Er nennt neben den bereits von Beleth und Durandus erwähnten Ereignissen wie die Überführung der Bundeslade durch David und Salomon auch das Jubeljahr (Lev 25,10-13) und die Verehrung der Bundeslade, wie sie für die Leviten festgesetzt war (Lev 4,4-20). Ebenso wie Beleth und Durandus führt Dionysius die sonntägliche Prozession auf die Himmelfahrt Christi zurück. Schließlich erwähnt er die Einsetzung von Prozessionen durch Gregor und andere Kirchenväter.[102] Anders als den hochmittelalterlichen Liturgikern geht es Dionysius aber nicht um eine Auslegung von Prozessionen, sondern er sucht Argumente gegen Mißbräuche. An den genannten Beispielen aus dem Alten Testament zeigt er deshalb die würdevolle Gestaltung von Prozessionen. Nichtverehrung hätte zu Strafe geführt. Als Mißbräuche nennt er ungebührliches Verhalten, La-

---

100 DIONYSIUS, De modo agendi, 198f. Zu dem Traktat vgl. auch SCHELER, Inszenierte Wirklichkeit, 127.

101 Zu Dionysius Cartusianus vgl. MOUGEL, Dionysius; MARTIN ANTON SCHMIDT, Dionysius der Kartäuser, in: VL Bd. 2 (1980), Sp. 166-178; ANSELME STOELEN, Art. Dionysius a Ryckel, in: DSAM Bd. 3 (1954), 430-499. Zu seinem umfangreichen Werk vgl. EMERY, Dionyssi Cartusiensis.

102 DIONYSIUS, De modo agendi 199f.

chen, Umhergehen, Trinken, schamloses Herumstehen und unmäßige oder
nutzlose Handlungen.[103] Sein Ideal ist Mäßigung. Im Anschluß an Peter
d'Ailly (1351-1420) sieht er Prozessionen durch zwei Extreme bedroht, zum
einen durch häretische Verweigerung der Verehrung, zum anderen durch
abergläubischen, übermäßigen Reliquienkult. Unmäßig sind ihm unter anderem pompöser Prunk und Trinkgelage.[104] Diese Argumentation gegen Unmäßigkeit und Aberglauben wiederholt er mit Belegen der Dekretalen, der
Kirchenväter und des Aquinaten. Im Schlußabschnitt geht er auf zwei Argumente ein, die - gemäß dem anfragenden Ratsherrn - für die Beibehaltung
der Prozession vorgebracht würden: Die Prozession würde die Stadt berei-
chern, da sie eine große Menschenmenge anzöge, *quod ex modo processionis
suae urbs eorum ditetur, eo quod populus illo die ibi manens, cogitur sic et sic manducare
ac bibere, atque similia exercere.* Zum anderen führten die Befürworter die Gewohnheit (*consuetudo*) an.[105] Gegen das Argument der Gewohnheit stellt
Dionysius die Wahrheit. Wenn, so zitiert er Augustin, die Wahrheit festge-
stellt sei, müsse ihr die Tradition weichen.[106] Schlechte Gewohnheiten müssen abgeschafft werden, so folgert er aus einem Dekret von Papst Nikolaus.[107] Gegen das Argument der Bereicherung stellt Dionysius die Gefahr
späterer Strafe im Jenseits. Er will aber auch nicht ausschließen, daß die
Stadt im Diesseits reicher würde, wenn sie die Prozession nicht hielte, da
Gott den Guten Reichtum, Gesundheit und andere Güter gäbe. In jedem
Fall würde die Stadt, wenn sie die Prozession mit gebotener Würde abhielte,
wesentlich günstiger durch Gott belohnt, *istud omnino pie credendum est, quod si
processionem et deportationem corporis sui Sancti cum debita devotione, maturitate, sob-
rietate et ordinatione perageret, multo felicius praemiaretur a Deo.*[108] Die Mißbräuche
sollten jedoch nicht aus Furcht vor irdischer Strafe, sondern als Herzens-
wunsch abgeschafft werden. Zum Lob Gottes sollten gemäß der aufgezeig-

---

103 Ebenda, 201: *sed in processionibus illis dissolute se habent, fabulando, ridendo, undique circumspi-
   ciendo incedunt, potationi et petulantiae praestant locum, et insolenter, immorigerate ac vane se gerunt ?*
104 Ebenda, 203: *Quum ergo praefatae insolentiae, dissolutiones, pompatici apparatus, inordinatae
   potationes et consimiles abusiones nequaquam pertineant ad hoc.*
105 Ebenda, 199.
106 Ebenda, 206: *Insuper, Augustinus in libro de Unico Baptismo: Veritate (inquit) manifestata, cedat
   consuetudo mox veritati.* Das Zitat findet sich nicht in „De Unico Baptismo", sondern in
   der ebenfalls gegen die Donatisten gerichteten Schrift „De Baptismo". Vgl. AUGUSTIN,
   De baptismo, 203: *Dicit et Libosus Uagensis: In euangelio dominus ego sum, inquit, ueritas, non
   dixit: ego sum consuetudo. itaque ueritate manifestata cedat consuetudo ueritati.* Augustin zitiert hier
   CYPRIAN, Sententia episcoporum, Nr. 30, 448.
107 DECRETUM MAGISTRI GRATIANI, Decreti prima pars, dist. VIII, c. 3.
108 DIONYSIUS, De modo agendi, 208.

ten Lehre überall Prozessionen und Reliquienverehrung ohne Mißbräuche und Unmäßigkeit abgehalten werden.[109]

Auch wenn Dionysius auf biblische Ursprünge hinweist, sind Prozessionen für ihn von Menschen eingesetzte Zeremonien. Sie sind Traditionen, mit denen gebrochen werden kann, wenn sie sich als unpassend erweisen. Die Berechtigung zum Eingreifen gibt er der weltlichen Obrigkeit. Diese ist nicht nur für weltliche Angelegenheiten verantwortlich, sondern der um Auskunft suchende Ratsherr wird von Dionysius gelobt, weil er sich um eine gute Regierung in geistlichen Dingen bemüht, *sed bonam ejus gubernationem in spiritualibus affectuosissime cupis et pro posse procuras.*[110] Für Dionysius ist inzwischen Selbstverständlichkeit, was sich um 1300 zu entwickeln begann: Laien und vor allem die Magistrate übernahmen die Initiative im Prozessionswesen der mittelalterlichen Städte. Gegenüber den Prozessionen, wie sie Bernhard von Clairvaux, Johannes Beleth und Wilhelm Durandus kannten, waren Änderungen in der Gestaltung und in der Bedeutung eingetreten, die Anlaß für die Kritik und Reformbestrebungen Dionysius' gaben. In welcher Weise Laien Einfluß auf Prozessionen gewannen und wie sich dadurch deren Bedeutung in spätmittelalterlichen Städten änderte, soll Gegenstand dieser Arbeit sein.

---

109 Ebenda, 209.
110 Ebenda, 198.

III. Nürnberg: Entstehung und Strukturen von Fronleichnamsprozessionen

1. Sozial-, verfassungs- und kirchengeschichtliche Entwicklung Nürnbergs

Am Ende des 15. Jahrhunderts war Nürnberg mit fast 30.000 Einwohnern und Einwohnerinnen eine der größten deutschen Städte; 1450 lebten hier 20.000 Menschen.[1] Die Stadt beherbergte ein spezialisiertes Exportgewerbe und unterhielt weit gespannte Wirtschaftsbeziehungen. Als Reichsstadt bestanden enge Bindungen zum Kaiser; seit 1424 verwahrte das Heilig-Geist-Spital die Reichskleinodien. Regiert wurde Nürnberg von einem kleinen Kreis von Patriziern, die vor allem im Fernhandel, im Finanzgeschäft und in Montanunternehmen tätig waren. Zünfte waren in Nürnberg verboten; das patrizische Stadtregiment übte mit dem Rugamt eine strenge Kontrolle über das breit gefächerte Handwerk aus. Dem Rat unterstand mit einem ausgedehnten Landgebiet und vier Städten eine der größten Territorialherrschaften einer Reichsstadt.

Nur kurz soll hier die geschichtliche Entwicklung Nürnbergs skizziert werden. Erstmalig wird die Stadt an der Pegnitz 1050 erwähnt, als Heinrich III. Fürsten zu einem Hoftag versammelte.[2] Vom Königtum gefördert, entwickelte sich Nürnberg schnell zu einem wichtigen Handelsplatz; im 12. Jahrhundert wurde die Stadt Reichsmünz- und -zollstätte. 1138 wird erstmalig der Burggraf erwähnt, der die Verwaltung und die Gerichtsbarkeit in der Stadt und im umliegenden Reichsgut ausübte. Als sich das Burggrafenamt im 12. Jahrhundert zu einem Reichslehen entwickelte, wurde um 1200 ein Schultheiß als königlicher Vertreter in der Stadt eingesetzt. Die bisher einheitliche Verwaltung zerfiel. Einen wichtigen Schritt zu bürgerlicher Selbständigkeit stellt das Freiheitsprivileg Friedrichs II. von 1219 dar: Im besonderen Gerichtsbezirk der Stadt durften die Bürger nur vom Reichsschultheißen belangt werden. Zugleich tritt in diesem Dokument erstmalig die Gemeinschaft der Bürger als körperschaftlicher Verband auf. Ansätze einer städtischen Selbstverwaltung entwickelten sich seit der Mitte des 13.

---

1 Zur politischen Geschichte vgl. SCHULTHEISS, Kleine Geschichte; PFEIFFER (Hg.), Nürnberg; SCHLEMMER, Gottesdienst, 3-61; SCHINDLING, Nürnberg, 33f. Zur Einwohnerzahl vgl. ENDRES, Einwohnerzahl; PUCHNER, Register.
2 Zur Verfassungsgeschichte Nürnbergs vgl. PFEIFFER, Aufstieg; PITZ, Entstehung; PFEIFFER, Selbstverwaltung; SCHULTHEISS, Nürnberger Ortsrecht; ENDRES, Landgemeinde; ENDRES, Verfassung.

Jahrhunderts mit den Schöffen als Vertretung der Gemeinde im Gericht des Schultheißen und den *consules* als unabhängiges Gremium. Seit den 1240er Jahren verfügt die Stadt über ein Siegel. In den Jahrzehnten vor und nach 1300 gelang es den bürgerschaftlichen Gremien, in immer mehr Bereiche der Verwaltung und der Gerichtsbarkeit einzudringen und neu entstehende Aufgaben zu besetzen. 1302 begann mit dem ersten Satzungsbuch die Niederschrift der Stadtfriedens-, Rechts- und Gewerbepolizeisatzungen.[3] Königliche Rechtsverleihungen von 1320 und 1323 machten das Stadtgericht zum allein zuständigen Gericht. Die immer engere Verbindung von Schöffen und Rat fand ihren Abschluß, als die Schöffen ab 1323 zu kommunalen Angelegenheiten herangezogen wurden, und der Rat - nun ein Gremium aus 13 Schöffen und 13 *consules* - per Mehrheitsbeschluß entschied. Seit dem Anfang des 14. Jahrhunderts verfügte er über Exekutivbeamte und einen Vorsitz sowie über die Dienstämter des Büttels und des Stadtschreibers, die allmählich in seine ausschließliche Verfügung übergingen. In dieser Zeit bildete sich auch mit den Losungern - verantwortlich für die Eintreibung der direkten Vermögenssteuer, der Losung - sowie den Baumeistern und den Viertelsmeistern eine ausgefeilte Verfassung und Geschäftsordnung heraus. 1332 wurde ein Grundstück für das Rathaus erworben; in dieser Zeit gewann auch die Ratskanzlei festere Formen.

Als Rückschritt in diesen Bemühungen um städtische Selbstverwaltung mag es erscheinen, daß das Schultheißenamt 1323 als Reichspfand in die Hand des Burggrafen gelangte. Doch änderte die Pfandschaft nichts an der personellen Besetzung des Amtes. Stromer stellt fest: „Wie die Rats- und Schöffenämter war auch das Schultheißenamt (...) von Conrad Stromer anno 1265 ab fast ununterbrochen mit den Vätern, Brüdern, Schwägern der Consules und Scabini besetzt."[4] Weiter wurde der Stadt bis zum Rückfall des Schultheißenamtes die landfriedensrechtliche Blutgerichtsbarkeit verliehen, so daß die jurisdiktionalen Rechte des Burggrafen stark eingeschränkt waren. Freilich gewann die Stadt erheblich an Einfluß, als der Nürnberger Bürger und Ratsherr Konrad Groß das Amt 1336 in Pfand nahm. Die Stadt konnte in den folgenden Jahren ihre Befugnisse in Konkurrenz zum Burggrafen weiter ausbauen. 1385 erlangte Nürnberg dann mit dem Erwerb des Schultheißenamtes die unangefochtene Reichsfreiheit und städtische Selbständigkeit. Endgültig verlor der Burggraf seine städtischen Befugnisse 1427, als die Stadt die Burg und die entsprechenden Rechte kaufte.

---

3 Vgl. SCHULTHEISS, Satzungsbücher.
4 STROMER, Steinmal, 9. Vgl. WUNDER, Pfintzing, 57ff.

In diese Zeit der zunehmenden Selbständigkeit und der sich entwickelnden Ratsverfassung fällt der einzige Aufstand der Nürnberger Geschichte.[5] Im Gefolge des Thronstreits setzte sich im Juni 1348 die wittelsbachische Partei in Nürnberg gegen den Karl IV. unterstützenden Rat durch. Im aufständischen Rat saßen einige frühere Ratsmitglieder, aber auch Handwerker und nichtpatrizische Ehrbare. Als Konzession an die Gewerbetreibenden waren Zünfte erlaubt. Nachdem sich Karl IV. und die emigrierten Ratsmitglieder zunächst passiv verhalten hatten, erließ der König am 26. Juni 1349 Verordnungen gegen die Nürnberger Aufrührer: Er erlaubte den geflohenen Bürgern die Bildung eines Rates und verbot jede Unterstützung für die Aufständischen. Gleichzeitig versprach Karl dem Nürnberger Burggrafen und dem Bischof von Bamberg die Abgaben der Nürnberger Juden sowie - im Falle einer Vertreibung - ihre Güter. Die Gefahr burggräflicher oder bischöflicher Besitztümer in der Stadt ließ den Widerstand des aufständischen Rates bis zum Herbst 1349 dauern. Ende September oder Anfang Oktober zog Karl in die Stadt ein, die er durch ein Reichsheer zur Unterwerfung gezwungen hatte. Am 2. Oktober restituierte er den alten Rat und verbot die Zünfte.[6] Gleichzeitig gab Karl den Unterlegenen ein „Ventil" für nicht erfüllte Erwartungen: Am 19. November genehmigte er als Schutzherr der Juden den Abbruch des Ghettos, um dort Marktplätze zu errichten. Indem er zudem den Rat von jeglicher Verantwortung für das künftige Schicksal der Juden freisprach, ermöglichte er das Judenpogrom im Dezember 1349.

Wegen der Beteiligung von Handwerkern sieht die ältere Literatur den Konflikt von 1348/49 als „Zunftrevolution" an;[7] Schultheiß spricht von einem Handwerkeraufstand.[8] Dagegen zeigt Wolfgang von Stromer im Anschluß an eine Arbeit von Georg Wolfgang Lochner von 1873, daß der Aufstand ein Ereignis der Reichspolitik im Thronkampf zwischen Luxemburgern und Wittelsbachern war. Getragen wurde er von ehrbaren und ratsfähigen Geschlechtern sowie von Handwerkern und zum Stand der Handwerker gehörenden Unternehmern, „also keine Zunft-Herrschaft und noch nicht einmal ein Zunft-Aufstand, geschweige denn einer des Pöbel."[9] Gegen Stromer, der Kontinuitäten über 1348/49 betont, hebt Joachim

---

5 Zum Aufstand 1348/49 vgl. REICKE, Reichsstadt Nürnberg, 203-220; SCHULTHEISS, Kleine Geschichte, 39; SCHULTHEISS, Handwerkeraufstand; STROMER, Metropole; SCHNEIDER, Heinrich Deichsler, 173-196; DÖBEREINER, Ämterlisten, 378ff.
6 Zu Karls Eingreifen in anderen Städten vgl. LENTZE, Kaiser, 159-262.
7 So noch LENTZE, Gewerbeverfassung, 226.
8 SCHULTHEISS, Kleine Geschichte, 39.
9 STROMER, Metropole, 61. Vgl. LOCHNER, Reichsstadt Nürnberg, 232.

Schneider hervor: „Es traten im Zuge des Aufstandsregiments gesellschaftliche Gruppen mit einem Schlage und auf breiter Front nach vorn, denen zuvor und danach die Mitwirkung an den politischen Entscheidungen versagt war, die nur zum kleinen Teil später Genannte vom Rat wurden oder vereinzelt in die ratsfähigen Familien einrücken konnten." Beteiligt waren wohlhabende Handwerker im Übergang zu Handelstätigkeit, allen voran die Metallhandwerker. Der Rat von 1348/49 besaß eine breitere Basis als seine Vorgänger.[10]

Nach dem Aufstand 1348/49 und dem Erwerb der städtischen Selbständigkeit wurde die städtische Verwaltung reformiert und nach 1385 bildete sich die Ratsverfassung des 15. Jahrhunderts heraus.[11] Ratsämter wurden umorganisiert, wie die Losunger oder die Baumeister, oder neu geschaffen, wie die Rechenherren, die Ratsrichter oder die Kriegsherren. Anstelle der Unterscheidung zwischen Schöffen und *consules* setzte sich der Rat nun aus 13 jüngeren und 13 älteren Bürgermeistern zusammen. Von den 13 älteren Bürgermeistern waren sieben Ältere Herren als geheimer Rat ausgesondert, an dessen Spitze die zwei Losunger sowie der dritte oberste Hauptmann standen.[12] Zugang zum Rat hatten ausschließlich Mitglieder patrizischer Familien.[13] Zwar saßen seit 1370 acht Handwerker im Rat - einer von ihnen hatte als dritter Losunger gewisse Kontrollrechte über die Stadtfinanzen -, doch wurden sie vom Rat ernannt und hatten keinen Einfluß auf die Ratsgeschäfte. Zum Ausgleich für die Handwerker wurden ebenfalls acht patrizische Alte Genannte berufen, die keine Stellung innerhalb der Ratshierarchie hatten. Fünf Wahlmänner, von denen zwei durch die Genannten des Großen Rates, drei durch den abtretenden Rat benannt wurden, wählten jährlich den Rat.[14] Tatsächlich blieben einmal Gewählte meist auf Lebenszeit im Amt; einen Transitus gab es nicht. Neben dem Kleinen Rat existierte mit den Genannten - ursprünglich als Gerichtszeugen anerkannte Männer - ein Großer Rat mit mehr als 200 Personen, der bei der Ratswahl und bei besonderen Entscheidungen zusammenkam. Doch auch für dieses Gremium berief der Rat die Kandidaten. Gegen das Bild von Harmonie und Abgeschlossenheit des patrizischen Rates verweisen Jackson

---

10 SCHNEIDER, Heinrich Deichsler, 175ff., Zitat: 176.
11 Zur Ratsverfassung vgl. SCHEURL, Epistel; SCHALL, Genannten; ENDRES, Verfassung.
12 Zur Ratshierarchie vgl. die Skizze im Anhang S. 338.
13 Zum Nürnberger Patriziat vgl. MEYER, Entstehung; SCHULTHEISS, Herrentrinkstube; HOFMANN, Nobiles; HIRSCHMANN, Patriziat; SCHLUNK, Stadt ohne Bürger; HAUPTMEYER, Probleme; HAMM, Ethik; DIEFENBACHER, Stadt und Adel; GROEBNER, Ratsinteressen.
14 Zum Wahlmodus vgl. die Skizze im Anhang S. 339.

Spielvogel und Valentin Groebner auf Konflikte unter den Patriziern. Weiter zeigt Groebner, daß der Rat zumindest bis in die 1520er Jahre wirtschaftlich erfolgreiche Familien integrierte.[15]

Kirchlich lag Nürnberg im Schnittpunkt von drei Diözesen und war Teil des Bistums Bamberg.[16] St. Sebald war bereits vor der erstmaligen Erwähnung 1255 eine selbständige Pfarrei geworden. Die zweite Pfarrei Nürnbergs, St. Lorenz, gehörte bis Mitte des 13. Jahrhundert zu Fürth, bevor sie ebenfalls eigenständig wurde. Die Pfarrer der beiden Kirchen St. Sebald und St. Lorenz setzte der Bischof von Bamberg ein, meist waren es Bamberger Kanoniker.[17] 1388 erwirkte der Rat eine päpstliche Bulle, nach der die Pfarrstellen mit bewährten Geistlichen zu besetzen seien, die die Residenzpflicht beachten sollten. Seit 1448 mußte der Bamberger Bischof das Patronatsrecht mit dem Papst teilen; Papst Sixtus IV. vergab 1474 seine Rechte an den Nürnberger Rat. Wenige Jahre später, 1477, wurden die Pfarrer beider Kirchen zu Pröpsten erhoben und konnten somit die Jurisdiktion über untergebene Geistliche ausüben. 1513 bestätigte der Bischof von Bamberg in einem Vertrag mit dem Nürnberger Rat zum einen den Propsttitel, zum anderen übergab er dem Rat gegen die jährliche Zahlung einer bestimmten Geldsumme das Patronatsrecht auch in den bischöflichen Monaten. Bis in die zweite Hälfte des 15. Jahrhunderts hatte der Nürnberger Rat auf Patronatsrechte für die beiden Pfarrkirchen verzichten müssen, doch besaß er mit den städtischen Kirchenpflegern, die aus den Reihen des Rates kamen und 1309 erstmals für St. Sebald erwähnt sind, trotzdem Einfluß auf das kirchliche Geschehen.[18]

Die erste klösterliche Niederlassung Nürnbergs war die Egidienkirche am königlichen Bauhof, die 1140/42 an die Regensburger Schottenabtei St. Jakob gelangte.[19] 1209 erhielten die Deutschherren die Jakobskirche von König Otto IV. geschenkt. Sie übernahmen das nahegelegene Elisabethspital, das zum Hauptspital des Ordens wurde. 1224 ließen sich Franziskaner in Nürnberg nieder; um 1255 folgten Augustiner, um 1276 Dominikaner

---

15 SPIELVOGEL, Patricians; GROEBNER, Ratsinteressen.
16 Zur kirchlichen Entwicklung vgl. HÖSS, Leben; SCHNELBÖGL, Kirche; SCHLEMMER, Gottesdienst, 24-35.
17 Zum Patronatsrecht vgl. ENGELHARDT, Kirchenpatronat. Zu den Nürnberger Pfarreien vgl. REICKE, Stadtgemeinde; GUTTENBERG/WENDEHORST, Bistum Bamberg, 275-283; SCHLEMMER, Gottesdienst, 75-79.
18 Zu den Kirchenpflegern vgl. REICKE, Stadtgemeinde, 100-107; SCHLEMMER, Gottesdienst, 110ff.
19 Zu den Klöstern in Nürnberg vgl. SCHLEMMER, Gottesdienst, 29ff.

und nach 1287 Karmeliter. 1380 wurde eine Kartause gestiftet. An Frauenklöstern beherbergte Nürnberg seit 1240 den Magdalenenorden, aus dem das Kloster Engelthal entstand. 1270 erbauten die Reuerinnen ein neues Kloster, das 1279 dem Klarissenorden inkorporiert wurde. 1295 wurde das Katharinenkloster der Dominikanerinnen gegründet. 1332 stiftete Konrad Groß das Heilig-Geist-Spital, von dem weiter unten ausführlich die Rede sein wird. Karl IV. ließ 1352 an die Stelle der 1349 zerstörten Synagoge die Frauenkirche bauen. Mehrere bürgerliche Stiftungen sollten Arme und Kranke unterstützten, so das Zwölf-Brüder-Haus der Brüder Mendel von 1388. Außerhalb der Stadt lagen die Siechenhäuser St. Leonhard, St. Jobst, St. Peter und St. Johannis.

2. Die Entstehung von Fronleichnamsprozessionen im 14. Jahrhundert

Das Leben und Arbeiten der Menschen Nürnbergs wurde durch weltliche und kirchliche Feste strukturiert. Am Sonntag nach Fronleichnam erlebten sie eine Prozession des Heilig-Geist-Spitals, deren Ablauf durch das 1401/02 verfaßte Leitbuch des Spitals geregelt war.[20] Bereits am Vortag sollte der Küster die Kirche schmücken. Ebenfalls am Vorabend, nach Komplet, erschienen die zwölf Chorschüler im Chor, sechs von ihnen lasen den Psalter und sprachen anschließend vor dem Frauenaltar ein „Salve Regina". Die Prozession begann am Sonntag nach der Frühmesse. Der oberste Priester des Spitals trug das Sakrament in einer Monstranz aus Kristall, die der Spitalsgründer Konrad Groß für diesen Zweck gestiftet hatte. Der Priester ging unter einem seidenen Baldachin, geleitet von zwei ehrbaren Männern. Acht weitere Priester des Spitals und die zwölf Chorschüler, angetan in ihren besten Kappen und Chorröcken, hatten Reliquien und seidene Handwedel bei sich. Weiter wurden sechs Fahnen, zwölf kleine Glocken und vier Wandelkerzen mitgeführt; deren Träger erhielten 36 Haller Lohn. Diejenigen, die ihre Kerzen mittragen ließen, konnten einen Ablaß gewinnen. Besonders zur Teilnahme aufgefordert waren die Bäcker. Andere Handwerke sollten entlohnt werden, wenn sie ihre Kerzen selber trugen. Nach der Rückkehr im Spital sang der oberste Priester die Fronleichnamsmesse. Der Vers „Ecce panis angelorum" aus der Sequenz „Lauda sion

---

20 GNM Archiv, Reichsstadt Nürnberg, Nr. XIV 2/3, fol. 79'-82. Weitere Exemplare: StadtAN D2/II, Nr. 4-6. Das Leitbuch ist in vier Exemplaren erhalten, je eins war für den Spitalmeister, die Losungsstube, den Küster und den Kornschreiber bestimmt. Das Exemplar im GNM ist Vorlage der anderen Abschriften. Zur Beschreibung der Leitbücher vgl. RUF, Bibliothekskataloge, 734f.

salvatorem", die Thomas von Aquin für das Fronleichnamsfest verfaßt hatte, wurde in einer Predigt in deutsch gelesen und ausgelegt. Zur Elevation des Sakraments ließ der zelebrierende Priester die Besucher und Besucherinnen niederknien. Nicht im Spital wohnende, fremde Priester erhielten 1 Schilling Haller, wenn sie während der gesungenen Messe eigene Messen lasen. Der Gottesdienst endete mit dem „Miserere" und einer Kollekte. Weiter regelte das Leitbuch die Bezahlung für die teilnehmenden Priester, Schüler und Knechte in Geld und Naturalien. Darüber hinaus erhielten die Siechen, denen bei dieser Gelegenheit das Sakrament gereicht wurde, und die Gesunden im Spital Wein und Brot.

Fronleichnamsprozessionen wie diese entstanden im Laufe des 14. Jahrhunderts in zahlreichen Städten. Das Quellenmaterial des Nürnberger Heilig-Geist-Spitals ist besonders reichhaltig und erlaubt, die Einführung einer Fronleichnamsprozession im Detail zu verfolgen. In diesem Kapitel geht es um die Etablierung der Fronleichnamsprozessionen im 14. Jahrhundert: Wie verlief der Entstehungsprozeß? Von wem ging die Initiative aus? Wie verorten sich die Prozessionen in den stadtgeschichtlichen Kontext? Zunächst ist jedoch ein Blick auf die Sakramentsfrömmigkeit des Hoch- und Spätmittelalters und die Einsetzung des Fronleichnamsfestes im 13. Jahrhundert notwendig.

2.1   Die ersten Fronleichnamsprozessionen: Geschichtliche Anfänge und theologische Grundzüge

Das Fronleichnamsfest wurde erstmalig 1246 in der St. Martinskirche in Lüttich auf Anordnung des dortigen Bischofs gefeiert. 1264 schrieb Papst Urban IV. die Feier für die ganze Kirche vor, doch erst nach 1317 verbreitete sie sich allgemein. Das Fest gründete auf der Sakramentsverehrung und der Transsubstantionslehre, die hier ihren Kristallisationspunkt fand. Bereits in der Patristik vertraten Augustin und Ambrosius unterschiedliche Auffassungen, inwieweit der physische Körper Christi real in der Eucharistie präsent sei, doch brachen die Differenzen erst zu einer Zeit auf, als *figura* und *veritas* zu Gegensätzen wurden.[21] Paschasius Radbert (gest. 859), Abt von Corbie, betonte in Tradition von Ambrosius die physische, historische Präsenz in der Eucharistie, während Rathramnus (gest. 868), ebenfalls Mönch

---

21 Vgl. ERWIN ISERLOH, Art. Abendmahl III/2. Mittelalter, in: TRE Bd. 1 (1977), 90. Zur Entwicklung der Eucharistielehre vgl. DUMOUTET, Désir; BROWE, Verehrung; NEUNHEUSER, Eucharistie; MEGIVERN, Concomitance; DEVLIN, Corpus Christi; DUDLEY, Liturgy; JONES, Presence, 69-116.

in Corbie, in einem gegen Paschasius gerichteten Traktat in Anlehnung an Augustin den spirituellen Körper in den Vordergrund stellte.[22] Der Streit wurde zum Initial für die Eucharistiedebatte des 11. Jahrhundert, als scholastische Theologen die Schriften Radberts und Rathramnus aufgriffen und die Unterschiede, zum Teil aus Unverständnis für die Sprache der Karolingerzeit, verschärften. Die Debatte des 11. Jahrhunderts richtete sich gegen die Positionen Berengars (ca. 1000-1088), der in Weiterentwicklung der Ideen Augustins die physisch-reale Wandlung, nicht jedoch in gleicher Weise die eucharistische Realpräsenz ablehnte.[23] Die Bedeutung Berengars liegt allerdings nicht so sehr in seinen eigenen Ideen, sondern darin, daß er seine Gegner nötigte, ihre Positionen in der Eucharistielehre zu formulieren. Hauptgegner Berengars war der Erzbischof von Canterbury Lanfranc von Bec (ca. 1010-1089).[24] Nach seiner Vorstellung war Christus nicht der Form, sondern dem Wesen nach gegenwärtig. Die Wandlung wurde von Berengars Gegnern, bedingt auch durch den kirchlichen Kampf gegen die Simonie, in realistischen Begriffen beschrieben: Die Wirklichkeit von Brot und Wein verwandle sich in die Wirklichkeit von Christi Fleisch und Blut. Erst der Begriff der Transsubstantion, der seit der Mitte des 12. Jahrhunderts aufkam, ermöglichte es, diesen radikalen Realismus aufzugeben. Das 4. Laterankonzil sanktionierte 1215 in einer Entscheidung gegen die Albigenser und Waldenser die Transsubstantionslehre. Damit verfestigte sich die Lehre, daß der ganze Christus in jedem Teil des Sakraments gegenwärtig sei, doch standen über die Art der Verwandlung weiterhin mehrere Theorien nebeneinander.

Die theologische Debatte um die Realpräsenz ist nur ein Strang in der Vorgeschichte des Fronleichnamsfestes. Hinzu kamen Änderungen in der Frömmigkeit von Mönchen und Laien, damit einhergehende liturgische

---

22 Zum Streit zwischen Paschasius und Ratram vgl. NEUNHEUSER, Eucharistie, 15-18; DEVLIN, Corpus Christi, 29-36; ISERLOH, Art. Abendmahl, in: TRE Bd. 1 (1977), 90f.; JORISSEN, Wandlungen.

23 Berengar besuchte unter Fulbert die Schule von Chartres; seit 1030 Kanoniker, Grammaticus, Leiter der Schule und Kanzler von Tours, seit ca. 1040 Archidiakon von Angers, hier Ratgeber des Grafen Geofroy II. Martel, der ihm bis zu seinem Tod 1060 Rückhalt gab. Zu Berengar vgl. MACDONALD, Berengar; MONTCLOS, Lanfranc; OVIDIO CAPTIANI, Art. Berengar v. Tours, in: LdMA Bd. 1 (1980), 1937ff.; GRAZ (Hg.) Auctoritas.

24 Nach dem Studium an oberitalienischen Schulen wirkte Lanfranc als Lehrer im Burgund, im Loiretal und an der Kathedralschule von Avranches. 1042 trat er der Abtei Le Bec-Hellouin bei, der er von 1045-1063 als Prior vorstand. Nach der Eroberung Englands machte ihn Wilhelm 1070 zum Erzbischof von Canterbury. Zu Lanfranc vgl. GIBSON, Lanfranc.

Entwicklungen und die Abwehr gegen Häresien. In der monastischen Literatur und Liturgie ist seit dem 9. Jahrhundert eine zunehmende Beschäfti-
gung mit dem Menschsein Christi zu beobachten, während vorher die Verehrung des göttlichen Christus im Vordergrund stand.[25] Die Hinwendung
zur Menschlichkeit Christi zeigte sich vor allem in der Passionsfrömmigkeit
und der Verehrung des leidenden Christus, aber auch in der Feier der Geburt, in der Marienverehrung und in der Eucharistie. Hieraus entwickelte
sich in der monastischen Literatur eine gefühlsbetonte, auf den einzelnen
Gläubigen ausgerichtete Frömmigkeit, die Anselm von Bec (Erzbischof von
Canterbury, gest. 1109) in Verbindung mit abstrakt-theologischen Überlegungen setzte. Am Ende des 12. Jahrhundert hatte sich die monastische
Frömmigkeit und das Interesse für die Realpräsenz soweit entwickelt, daß in
der Eucharistie die Gegenwart Christi in den Vordergrund trat, erkennbar
beispielsweise in einer um 1178 entstandenen Sammlung von Eucharistie-
Mirakeln des zisterziensischen Bischofs Herbert von Sassori. Über die Zisterzienser fand die Verehrung des menschlichen Christus Eingang in die
Laienfrömmigkeit.

Trotz - oder gerade - wegen der gesteigerten Sakramentsverehrung ging
die Kommunionshäufigkeit zurück. Hintergrund dieses Phänomens, das seit
dem 4. Jahrhundert zu beobachten ist, sind zum einen Strafenkataloge, die
zu der Angst führten, unwürdig für die Kommunion zu sein.[26] Zum anderen bedingte gerade das Konzept der Realpräsenz eine Scheu, das Sakrament zu empfangen. Bedacht auf die Reinheit des Sakraments vollzogen
Kleriker die Kommunion, während Laien der direkte Zugang zur Eucharistie zunehmend verwehrt wurde. In der Mitte des 12. Jahrhunderts, so
nimmt Devlin an, kannte die Mehrheit der Christen die Bedeutung der Realpräsenz.[27] Die Lehre verbreitete sich nicht zuletzt durch Predigten gegen
Häresien. Da die Ablehnung der Realpräsenz zu einem Kennzeichen hete-
rodoxer Gemeinschaften geworden war, wurde sie von der Gegenliteratur
um so deutlicher statuiert. Die reale Kommunion praktizierten nur noch
wenige Laien - unter ihnen vor allem religiöse Frauen. Statt dessen stand die
spirituelle Kommunion - das Schauen - im Vordergrund. Dies hatte Auswirkungen auf die Liturgie: Seit dem Ende des 12. Jahrhunderts setzte sich

---

25 Vgl. DEVLIN, Corpus Christi, 101-134.
26 Zur Kommunionshäufigkeit vgl. BROWE, Pflichtkommunion; DEVLIN, Corpus Christi,
   139-151; RUBIN, Corpus Christi, 63-82.
27 DEVLIN, Corpus Christi, 155.

in der Messe die Elevation der Hostie durch. Die Eucharistie wurde immer stärker zu einem visuellen Phänomen.[28]

Die Sakramentsfrömmigkeit kumulierte in der Einsetzung des Fronleichnamsfestes.[29] Nach einer Vision 1208/09 setzte sich Juliana von Mont-Cornillon (1193-1258) seit 1222, als sie Priorin ihres Augustinerinnenkonventes bei Lüttich geworden war, für die Etablierung eines Festes ein, das die Eucharistie verehre. Einen Förderer fand sie in Bischof Robert von Turotte, der das Fest 1246 für die Diözese Lüttich auf den Donnerstag nach der Oktav von Sonntag Trinitatis terminierte. Als Gründe gab er die Erinnerung an die Einsetzung des Sakraments, die Widerlegung von Ketzern und die Sühne für mangelnde Verehrung an.[30] Die Diözese Lüttich war ein guter Nährboden für die Stiftung eines Festes, das der Verehrung des Sakraments galt. Hier lebten viele zisterziensische Nonnen und Beginen, unter denen die Eucharistieverehrung weit verbreitet war. Jacques de Vitry hatte mit der Lebensbeschreibung von Marie von Oignies, einer in der Diözese lebenden Begine, das Beginenleben als Modell der Orthodoxie gegen häretische Lehren gesetzt. Laienspiritualität und Frauenfrömmigkeit standen hier unter dem Einfluß und der Kontrolle kirchlicher Autoritäten, wie auch die Zusammenarbeit von Juliana und Bischof Robert bei der Stiftung des Fronleichnamsfestes zeigt.

Juliana und ihr Einsatz für das neue Fest waren jedoch nicht unumstritten. Nach dem Tod von Bischof Robert im Jahr der ersten Feier mußte Juliana ihr bisheriges Kloster verlassen und das Fronleichnamsfest erfuhr unter dem Nachfolger Roberts keine weitere Förderung. Allerdings hatte Hugo von Cher, seit 1251 Kardinallegat für Deutschland, das Fest kennengelernt und für seinen Legationsbereich institutionalisiert. Unterstützung in Rom fand es in Papst Urban IV., der als Jacques Pantaleon von 1243 bis 1248 Archidiakon in Campines (Diözese Lüttich) gewesen war. Persönliche Bindungen und der Versuch, die orthodoxe Eucharistielehre abzusichern, motivierten ihn, 1264 in der Bulle „Transiturus de hoc mundo" das Fronleichnamsfest für die gesamte Christenheit anzuordnen. Als Termin setzte er den Donnerstag nach der Pfingstoktav ein, also eine Woche vor dem Lütticher Brauch. Mit dem Tod Urbans im gleichen Jahr starb allerdings auch diese Initiative. Allgemeine Verbreitung fand das Fest erst, als Papst Clemens V. und das Konzil von Vienne 1311/12 die Bulle wiederholten,

---

28 Vgl. MEYER, Elevation.
29 Zur Entstehung des Fronleichnamsfestes vgl. BROWE, Ausbreitung; BROWE, Verehrung, 70-88; DEVLIN, Corpus Christi, 265-298; RUBIN, Corpus Christi, 164-211.
30 Vgl. BROWE, Textus, 21 ff.

und Johannes XXII. sie 1317 in die „Clementinen", die nach Clemens benannte kanonische Gesetzessammlung, aufnahm.

Vor 1300 wurde das Fronleichnamsfest in nur wenigen Diözesen gefeiert.[31] Neben der Diözese Lüttich und deren Nachbardiözese Cambrai war dies vor allem das Legationsgebiet Hugos von Cher. Nachrichten über die Feier finden sich für die Diözesen Verden, Minden, Hamburg, Münster, Osnabrück, Paderborn, Köln, Schwerin, Kammin und Siebenbürgen-Ungarn.[32] Frühe Belege existieren auch für einzelne Klöster, so in Benediktbeuren (Diözese Augsburg) 1273 oder in Reichenbach (Diözese Regensburg) 1293.[33] Die Zisterzienser etablierten das Fest 1277 in ihrem Orden, die Dominikaner 1304. Für die Feier in Lüttich 1246 hatte ein dortiger Kanoniker eine Messe geschrieben. Allgemeine Verbreitung fand das Meßoffizium, das Thomas von Aquin 1264 im Auftrag Papst Urbans schrieb.[34]

Mit der Feier des Fronleichnamsfestes war nicht notwendig eine Prozession verbunden. Weder bei der Einführung in Lüttich noch in der Bulle Papst Urbans IV. wird eine solche gefordert. Erst Papst Martin V. vergab 1429 in verschiedenen Städten Ablässe für die Teilnahme an einer Prozession, beispielsweise für Nürnberg oder Lübeck.[35] Eine allgemeine Regelung für die katholische Christenheit traf erst das Konzil von Trient.[36] Die Durchführung einer Fronleichnamsprozession hing im Mittelalter von den lokalen Begebenheiten ab. So stellte ein Beschluß der Diözesansynode von Sens 1320 ihre Durchführung in das Belieben des örtlichen Klerus und der Laien.[37]

Die erste quellenmäßig nachweisbare Prozession am Fronleichnamstag hielt das St. Gereon-Stift in Köln ab.[38] Zwischen 1264 und 1268, so datiert

---

31 Zur Verbreitung des Festes vgl. BROWE, Ausbreitung; RUBIN, Corpus Christi, 179f.

32 Vgl. die Tabelle bei BROWE, Ausbreitung, 141f.

33 FISCHER, Anfänge, 73f.

34 Zum Meßoffizium vgl. RUBIN, Corpus Christi, 186-196, mit weiterer Literatur.

35 Vgl. BROWE, Entstehung, 116; StAN Rep. 8, Nr. 42 (1429 Mai 26); UB Lübeck Bd. 7, Nr. 536 (1433 Mai 26). - Zur Entstehung der Fronleichnamsprozessionen vgl. BROWE, Entstehung, 109-117; BROWE, Verehrung, 91-111; MITTERWIESER, Fronleichnamsprozession, 9-26; HAIMERL, Prozessionswesen, 32-57; DEVLIN, Corpus Christi, 293ff.; RUBIN, Corpus Christi, 243-271.

36 SMETS, Concil von Trient, 13. Sitzung, 5. Hauptstück, 58f. Vgl. DUDLEY, Liturgy, 417.

37 MANSI Bd. 25, 649: *Circa vero processionem sollemnem quae dicta quinta feria sit a clero & populo in delatione dicti sacramenti his diebus, cum quodammodo Divina inspiratione introducta videatur, nihil quo ad praesens injungimus, devotioni cleri et populi relinquentes.*

38 Zur ersten Fronleichnamsprozession in Köln vgl. STAPPER, Gereonsaltar; SCHNITZLER, Fronleichnamsprozession; SCHLIERF, Gottestracht, 155f.

Richard Staper, stifteten die Kölner Kanoniker eine Fronleichnamsfeier mit Prozession. Als Termin wird, wie in der Bulle Urbans und anders als in Lüttich, der Donnerstag nach der Pfingstoktav festgelegt. Die Stiftung regelt zunächst die Meßfeierlichkeiten, Chorzeiten und Präsenzgelder. Nach der Messe sollte die Prozession stattfinden: Die Kanoniker gingen in Chormänteln mit den zwei Hauptreliquien des Stiftes - dem Haupt St. Gereons und der Krone von St. Helena - sowie mit dem Sakrament, das sich wohl in einer Pyxis befand, unter Gesängen und Lobliedern von der Kirche durch den Kreuzgang des Dormitoriums, um das Kloster, zu der inkorporierten Pfarrkirche St. Christoph und zurück zur Stiftskirche. Am Sonntag der Oktav wurde die Prozession wiederholt; Ziel war diesmal die Quintiuskapelle, die ebenfalls innerhalb der Immunität lag. Die Fronleichnamsprozession lehnte sich an die üblichen Umgänge des Stiftes an, *sicut decet ipsam sollempnitatem*, wie es in der Urkunde heißt.[39] Insbesondere der sonntägliche Umgang mit der Weihwasserbesprengung war Vorbild, und die Kanoniker mochten sich nicht bewußt sein, etwas Neues zu schaffen.[40] Fronleichnamsfeier und Prozession von St. Gereon waren Angelegenheiten des Stiftes; die Pfarrei war nicht beteiligt. So berührte der Umgang keine Straßen der Stadt, sondern blieb innerhalb der, allerdings recht weiträumigen Immunitätsgrenzen. Zweck der Prozession war, so die Stiftung, Schutz für das Stift zu erbeten, *ut dominus propter memoriam et reverenciam sui sanctissimi corporis omne malum et [a] nobis et a nostra ecclesia avertere dignetur, amen.*[41]

Der nächste Beleg für eine Fronleichnamsprozession stammt ebenfalls von einer kirchlichen Institution. Um 1301 ordnete Hildebrand, Abt des Hildesheimer Benediktinerklosters St. Godehard, die Feier des Fronleichnamsfestes und eine Prozession an. Anders als in Köln sind an der Hildesheimer Stiftung Laien beteiligt: Der Rat gab dem Kloster einen jährlichen Zins von einer Mark, von dem der Abt Wein erhalten sollte, wenn er die Messe persönlich zelebrierte, und von dem das Glockengeläut und die Kerzen finanziert wurden. Der Umgang verblieb zwar im Klosterbereich, doch wurde bei der Station in der Mitte des Klosters das Volk mit der Hostie gesegnet, *cum ipsa hostia sacratissima populum benedicens.*[42] Wie die Kölner Stiftsherren orientierten sich die Hildesheimer Benediktiner an bestehenden Umgängen; Vorbild für Feier und Prozession war der erste Pfingsttag.

---

39 STAPPER, Gereonsaltar, 140.
40 SCHNITZLER, Fronleichnamsprozession, 360.
41 STAPPER, Gereonsaltar, 140.
42 UB Hildesheim I, Nr. 558. Vgl. BROWE, Entstehung, 113.

Früh ist auch die Augsburger Fronleichnamsprozession belegt. 1305 vermachte Katharina Ilsung, unverheiratete Tochter des bedeutenden Augsburger Patrizier Siegfried I. Ilsung, ihr Vermögen *ad supplicationem Corporis Christi pro dignitate celebrandam*.[43] Ein Eintrag im Nekrolog des Domstiftes bestätigt, daß mit *supplicatio* eine Bittprozession gemeint ist. Im Monat Mai ist eingetragen: *Processio in die corporis Christi. Sciendum est quod in festo corporis Christi habetur sollempnis processio ad Monasterium sancti Petri In perlaico. Et ad monasterium sancte Crucis cum uexillis in cappis et cum omni ornatu. Ex ordinacione Katherine domicelle dicta Ilsungin*.[44] Mit Katharina Ilsung tritt zum ersten Mal eine Stifterin aus dem Laienstand auf. Der nächste sichere Beleg für eine Fronleichnamsprozession betrifft wieder eine geistliche Institution.[45] 1314 wurde eine Prozession im Stift Rheinau bei Straßburg eingeführt. In diesem Jahr erweiterte der Stiftsherr Johann Babest seine Stiftung von 1308, mit der er den Grundstein für die Feier des Fronleichnamsfestes gelegt hatte, und ordnete unter anderem eine Prozession an, an der Stiftsherren, Vikare und Chorkleriker teilnehmen sollten.[46] Für das Kanonissenstift Quedlinburg ist eine Stiftung aus dem Jahr 1317 überliefert, in der eine Prozession des Konvents mit den anwesenden Kanonikern und den Stiftsherren des Prä-

---

43 Zitiert nach MITTERWIESER, Fronleichnamsprozession, 11. Vgl. HOEYNCK, Liturgie, 229. Die Urkunde ist nicht im UB Augsburg ediert.

44 MB 35, 54. Vgl. MITTERWIESER, Fronleichnamsprozession, 11f.; BAUERREISS, Entstehung, 96.

45 HAIMERL, Prozessionswesen, 33, nennt als frühe Belege die Diözesen Würzburg und Köln, wo 1298 bzw. 1308 Fronleichnamsprozessionen angeordnet worden sein sollen. Seine Belegstellen halten einer Überprüfung allerdings nicht stand: EISENHOFER/THALHOFER, Handbuch, Bd.1, 562, geben für ihre Angabe zu Würzburg keinen Beleg; KELLNER, Heortology, 124, nennt die Synodalstatuten von 1298. In diesen (HARTZHEIM, Concilia IV, 29, Abschnitt: *de diebus festivis*) findet sich weder ein Hinweis auf das Fronleichnamsfest noch auf die Prozession. Die Edition der Kölner Synodalstatuten (HARTZHEIM, Concilia IV, 109) verzeichnet zwar für 1308 eine entsprechende Anordnung, jedoch konnte JÖRRES, Beiträge, 174, nachweisen, daß es sich hier um einen späteren Zusatz handelt.

46 BARTH, Einführung. – HAIMERL, Prozessionswesen, 33, nennt als Einführungsdatum für die Fronleichnamsprozession in Straßburg 1318. Sein Beleg, eine Stiftung des Fronleichnamsfestes für den Straßburger Dom, erwähnt jedoch keine Prozession, sondern bestimmt lediglich den Festordo (SDRALEK, Diözesansynoden, 121f.). Weiter wurde in diesem Jahr das Fest verbindlich für die Diözese Straßburg eingeführt (WÜRDTWEIN, Nova Subsidia, 302), nachdem verschiedene Klöster und Stifte in Straßburg es bereits seit dem Ende des 13. Jahrhundert gefeiert hatten. Wiederum wird eine Fronleichnamsprozession nicht genannt. Diese ist erst für 1344 belegt. Vgl. auch BARTH, Fronleichnamsfest; PFLEGER, Ratsgottesdienste, 43.

monstratenserklosters SS. Wigbert und Jakob, einem Eigenstift der Kanonissen, angeordnet wird.[47] 1325 ordnete der Wormser Bischof Kuno von Schöneck Feier und Prozession für Stadt und Diözese an. In den 1330er Jahren mehren sich die Belege, so für Warburg 1331, für Aachen 1334 und für Neuss 1336. 1340 vergab ein Trierer Bürger eine Stiftung für eine Fronleichnamsprozession; 1347 wurde sie in Osnabrück von zwei Geistlichen gestiftet.[48] Seit den zwanziger und dreißiger Jahren des 14. Jahrhunderts feierten also immer mehr Städte das Fronleichnamsfest mit einer Prozession. Allerdings waren dies nicht notwendig stadtweite Prozessionen. In Regensburg wurde die Fronleichnamsprozession der Stadt erst 1396 eingeführt, als bereits Umgänge der Stifte und Klöster bestanden.[49] In Erfurt fand keine stadtweite Prozession am Fronleichnamstag statt, obwohl mit der Weihe der Corpus-Christi-Kapelle 1304 und einem Ablaß von 1327 für die Servitenkirche, der unter anderem am Fronleichnamstag zu gewinnen war, die Feier des Festes früh belegt ist. Im Marienstift fand eine Prozession am Vorabend zu Fronleichnam statt. Die Rechnungsbücher der Erfurter St. Lorenzpfarrei erwähnen dagegen keine Fronleichnamsprozession; andere Pfarreien wären zu überprüfen.[50] In Köln wurden Fronleichnamsprozessionen nur in den Pfarreien, nicht stadtweit abgehalten. Auch in Nürnberg gab es keine gemeinsame Prozession der gesamten Stadt, sondern beide Pfarrkirchen führten im 15. Jahrhundert getrennt Prozessionen durch. Die früheste Fronleichnamsprozession dieser Stadt ist jedoch nicht bei den Pfarreien, sondern für das Heilig-Geist-Spital belegt. An ihrem Beispiel soll der Entstehungsprozeß einer Fronleichnamsprozession aufgezeigt werden.

---

47 Browe, Entstehung, 113.
48 Vgl. Jörres, Beiträge, 178; Fürstenberg, Fronleichnamsfeier, 321; Browe, Ausbreitung, 109; Browe, Entstehung, 113f.
49 Güntner, Fronleichnamsprozession, 9f.
50 BAEf Hs. liturg 5, fol. 35; BAEf Depositium St. Lorenz, unsigniert, Zinsbuch von 1311 und Einnahmen- und Ausgabenbuch von 1430, fol. 9-17' (eigene Folierung); BAEf Geistliches Gericht, VIk36, fol. 1-3 (eigene Folierung). In St. Lorenz fanden Prozessionen am Palmsonntag, an Himmelfahrt, zu Pfingsten und am Lorenztag statt. Zur Corpus-Christi-Kapelle und dem Ablaß vgl. Browe, Ausbreitung, 111, 117.

2.2 Stiftung und Ausgestaltung der Fronleichnamsprozession des Heilig-Geist-Spitals

Die Anfänge der Fronleichnamsprozession

Die Fronleichnamsprozession des Heilig-Geist-Spitals gilt in der Sekundärliteratur als die älteste Nürnbergs und des ganzen Bistums Bamberg. Haimerl datiert ihre Einsetzung auf 1343.[51] Mit dem Ablaßbuch des Spitals, einer Quelle, die bisher nicht beachtet wurde, ist eine Datierung auf 1336 möglich. In diesem Jahr gewährte der Erzbischof Wilhelm v. Bar/Antivari 40 Tage Ablaß für die Teilnahme an der Fronleichnamsprozession des Heilig-Geist-Spitals, weiter für den Jahrtag des Stifters und den Besuch der Spitalkirche an bestimmten Festtagen sowie für Almosen und Unterstützung des Spitals. Ausgestellt wurde der Ablaßbrief am 29. Dez. 1336 in Avignon. Abt Arnold von St. Egidien in Nürnberg bezeugte am 29. April 1337, daß er die Urkunde gelesen habe; Bischof Leopold von Bamberg bestätigte sie am 21. Sept. 1337.[52]

Die Ausstellung dieses Ablaßbriefes fällt in die Gründungszeit des Spitals. Konrad Groß hatte 1331 vom Nürnberger Burggrafen die Wiese erhalten, auf der das Spital errichtet wurde. Mit dem Kauf weiterer Grundstücke wurde der Bau von 1331 bis 1339 schnell vorangetrieben. Am 10. November 1332 bestätigte Bischof Werntho von Bamberg die Stiftung und erwähnt bereits die Spitalkapelle. Für 1334 ist die erste Stiftung von Eiern und Käse für die Siechen überliefert. Weitere Stiftungen und Übertragungen, unter anderem von Kaiser Ludwig dem Bayern, folgten in den Jahren 1336 und 1337. Erst 1339, nachdem die Gründung gefestigt war, und zwei Monate, bevor er am 16. März 1339 das Schultheißenamt als Pfand erwarb, ließ Konrad Groß den lateinischen Stiftungsbrief anfertigen, in dem er die Ordnung des Spitals festlegte.[53]

Gerade in der Gründungsphase erwirkte Groß mehrere Ablässe, die das Spital fördern sollten. Am 14. Juli 1332 stellte ein Bischof Thomas[54] in Rom den ersten Ablaßbrief für das Heilig-Geist-Spital aus, der am 11. November

---

51 HAIMERL, Prozessionswesen, 50. Vgl. BROWE, Verehrung, 105f.; BAUERREISS, Entstehung, 100; SCHLEMMER, Gottesdienst, 525.

52 StadtAN D2/II, Nr. 15, fol. 12'-13. Zu Ablaßbriefen für Fronleichnam vgl. RUBIN, Corpus Christi, 210f.

53 Zur Gründungsgeschichte des Spitals vgl. KNEFELKAMP, Heilig-Geist-Spital, 32-44.

54 Der Ort liest sich als *veniensis* (fol. 14) bzw. *veriensis*. Es ließ sich nicht ermitteln, welchen Sitz der Bischof hatte.

1332 von Bischof Werntho von Bamberg anerkannt wurde.[55] Für den Besuch der Spitalskirche an verschiedenen Festtagen sowie für Andachtsübungen und Almosen wurden 40 Tage Ablaß versprochen. Die Narratio der Urkunde erwähnt einen *arazkordes*[56] mit seiner Ehefrau, die auf dem Friedhof von St. Peter und Paul zu Rom begraben lägen, *die muticlich wart geflehet, daz wir allen den, die do komen zu dem spital vnd zu der kapellen des heiligen gaistes, daz man von newe pawet in der stat zu nurnberg bambergisch pistumes, aplasses geben wolten.*[57] Trotz dieses Vermerks ist davon auszugehen, daß Konrad Groß der Initiator der Ablässe für das im Bau befindliche und gerade bestätigte Spital war; das genannte Ehepaar mag für ihn als Bittsteller in Rom tätig gewesen sein. Weitere Ablässe erhielt das Spital 1334 und 1335. Am 6. Juni 1335 werden erstmalig die Festtage Fronleichnam und Sebald genannt.[58] Zeitlich folgt der erwähnte Ablaß von 1336 für die Fronleichnamsprozession und schließlich der „Große Ablaß" von 1348, der die bisherigen Ablässe zusammenfaßt.[59] All diese Urkunden sind in deutscher Abschrift im Ablaßbuch des Heilig-Geist-Spitals, einem Manuskript vom Beginn des 15. Jahrhunderts mit Nachträgen bis 1454, überliefert. Es wurde möglicherweise im Zusammenhang mit der Redaktion des Leitbuches 1401/02 erstellt.[60]

Die Ablässe belegen, daß das Fronleichnamsfest im Heilig-Geist-Spital seit 1334/35 gefeiert wurde. Seit spätestens 1336/37 fand am Sonntag der Fronleichnamsoktav eine Prozession statt. Eine Stiftung der Prozession durch Konrad Groß ist allerdings erst für 1340 bezeugt. In einer Urkunde vom 27. Dezember 1340, dessen Abschrift im Großen Stiftsbuch erhalten ist, heißt es: *Ich Cunrad Grozze Schultheizze ze Nuremberg, stifter dez nuewen spitals zu dem heyligen geyst daz selbest, veriche offenlich an disem brief, daz ich durch got vnd got ze lobe vnd zu eren gemacht vnd geaht han zu dem vorgenanten spital, daz alle iar an dem suntag nach gotes leichnams tag* eine Prozession stattfinden sollte.[61] Ähnlich wie bei der Gründung des Spitals bestand die Fronleichnamsprozession bereits einige Jahre - gefördert durch einen Ablaß -, bevor Konrad Groß sie

55 StadtAN D2/II, Nr. 15, fol. 14-15'.

56 Der Name ist schwer zu entziffern. Es könnte sich um ein Mitglied der Familie „Araz"
handeln, von denen Eberhardus, Ulricus und Vlin im Bürgerbuch der Stadt Nürnberg erwähnt sind. Nürnberger Bürgerbücher I, S. 5, Nr. 57, S. 37, Nr. 547, S. 43, Nr. 645, S. 47,
Nr. 713.

57 StadtAN D2/II, Nr. 15, fol. 14'.

58 Ebenda, fol. 9-9'.

59 Ebenda, fol. 7-8.

60 Die Ablässe bis 1401 (fol. 26') sind von der gleichen Hand geschrieben. Diese schrieb
auch den Ablaßkalender, eine neue Hand die Nachträge bis 1454.

61 StadtAN D2/II, Nr. 1, fol. 125'.

mit einem Stiftungsbrief institutionalisierte. Die Stiftung fixierte die Ordnung und regelte die finanziellen Aufwendungen und die Bezahlung der
Teilnehmenden. Kaum drei Jahre später, am 14. Februar 1343, erneuerte
Konrad Groß seine Stiftung und veranlaßte einige Änderungen in der Gestaltung der Prozession.[62] Die 1343 etablierte Ordnung wurde in den folgenden Jahrzehnten beibehalten. Als der Küster Friedrich 1345/47 im Auftrag von Konrad Groß das Registerbuch des Spitals anlegte, übernahm er
die Prozessionsordnung von 1343.[63] Auch die vier Exemplare des Leitbuches von 1401/02 geben in großen Teilen diesen Text wieder.[64] Änderungen werden erst gegen Ende des 15. Jahrhunderts faßbar. Das Mesnerpflichtbuch von St. Lorenz aus dem Jahr 1493 spricht von einer Prozession
des Spitals, die am Samstag nach Fronleichnam zur Lorenzkirche kam. Entsprechend erwähnt das Mesnerpflichtbuch von St. Sebald von 1482 eine
Prozession am Sonntag.[65]

Konrad Groß: Stifter der Fronleichnamsprozession und Reichsschultheiß

Ein einzelner Bürger, Konrad Groß, initiierte, finanzierte und ordnete die
Fronleichnamsprozession des Heilig-Geist-Spitals.[66] Er entstammte einer
ratsfähigen Familie - schon sein Großvater Henricus Magnus ist 1274 als
Mitglied des Rates bezeugt; die Vorfahren waren vermutlich Ministerialen.
Konrad Groß wurde um 1280 geboren, bereits 1299 tritt er als Zeuge auf
und 1319 wird er als Ratsherr erwähnt. Vor 1322 heiratete er Agnes Zollner,
deren Vater Schultheiß in Bamberg war. Der Reichtum von Konrad Groß
beruhte auf städtischem und ländlichem Grundbesitz, gewerblichen Unternehmen und nutzbaren Reichsämtern. Schwerpunkt seiner Tätigkeit war das
Darlehensgeschäft. Groß entwickelte gute Beziehungen zum Burggrafen

---

62 Ebenda, fol. 165-165'. Diese Quelle scheint HAIMERL, Prozessionswesen, 50, im Auge zu
   haben, wenn er die Prozession auf 1343 datiert. LENTZE, Gewerbefassung, 225, liest die
   Urkunde falsch als Stiftung einer Donnerstagsprozession. Er gibt als Quellenangabe an:
   StadtAN, A1 (Urkunden), 1343 Feb. 14. Diese Urkunde hat den gleichen Wortlaut wie die
   Abschrift im Stiftsbuch.

63 StadtAN D2/II, Nr. 3, fol. 39-40'. RUF, Bibliothekskataloge, 731f., datiert das Registerbuch auf 1345. Die Analyse der Ordnung für die Fronleichnamsprozession legt jedoch
   nahe, die Quelle auf nach 1347 zu datieren. Vgl. unten Anm. 107. SCHLEMMER, Gottesdienst, 525, bezieht sich bei der Datierung der Prozession auf das Spitalbuch, das, laut
   Schlemmer, nach 1350 angelegt wurde.

64 GNM Archiv, Reichsstadt Nürnberg, Nr. XIV 2/3, fol. 79'-82.

65 GÜMBEL, Lorenz, 55; GÜMBEL, Sebald, 25.

66 Zu Konrad Groß vgl. GEMPERLEIN, Konrad Groß; SCHULTHEISS, Konrad Groß;
   KNEFELKAMP, Heilig-Geist-Spital, 25-32 (mit weiterer Literatur); DIEFENBACHER, Hospital, 41-52; IMHOFF, Nürnberger, 19f.

und zu König Ludwig, der ihm 1332 wichtige Münzregale in Frankfurt verlieh und einen Teil der dortigen Reichssteuer gewährte. Dem König gegenüber trat Groß als Ratgeber und Finanzier auf; bei seinen häufigen Besuchen in Nürnberg nahm Ludwig meist in dessen Haus Quartier.[67] 1339 verpfändete Ludwig das Schultheißenamt in Nürnberg an Konrad Groß, der das Amt mit einer Unterbrechung 1348/49 bis zu seinem Tode 1356 innehatte. Ebenfalls im Jahr 1339 erwarb Groß die Nürnberger Reichsmünze und die Reichssteuer. Das Heilig-Geist-Spital war nicht seine einzige Stiftung. 1343 gründete er das Zisterzienserinnenkloster Himmelthron; 1345 entstand mit Hilfe von Ludwig die Frauenklause Pillenreuth. Stiftungen sind außerdem für das Spital in Kitzingen und das Kloster Ebrach belegt. Konrad Groß starb am 10. Mai 1356 in Bamberg.

Den Gründer des Heilig-Geist-Spitals und Initiator der Fronleichnamsprozession sehen wir eng in das Geflecht der Stadtpolitik verwoben. Als Ratsherr hatte er Anteil an der Ausweitung der städtischen Selbstverwaltung. Sein Erwerb des Schultheißenamtes war ein wichtiger Schritt hin zur Unabhängigkeit der Stadt. Die enge Bindung Nürnbergs an König Ludwig ging auch auf seine Kontakte zurück. Bei der Gründung des Spitals profitierte Konrad Groß von seinen Beziehungen zum Burggrafen und zum König. Wegen des guten Verhältnisses zu Ludwig stand er allerdings unter Kirchenbann, und so mag die große Zahl der für das Spital in Rom und Avignon ausgestellten Ablässe verwundern. Doch blieb die Nürnberger Geistlichkeit trotz Nichtbeachtung des Interdikts, das seit 1324 auf Nürnberg lag, und trotz Parteinahme für Ludwig, in Verbindung mit der Kurie.[68] Ebenso hielt Konrad Groß in den Jahren der Auseinandersetzung zwischen Kaiser und Papst die Beziehungen zur päpstlichen Kurie aufrecht. Werner Schultheiß vermutet, daß die vielen Stiftungen von Konrad Groß gerade nach 1332 „als das Streben gedeutet werden (dürfen), damit seine kirchliche Gesinnung zu bekunden."[69] Neben religiösen Motiven eröffnete die Spitalsgründung einem einzelnen Bürger - und längerfristig dem Rat - Einflußmöglichkeiten auf kirchlichem Gebiet, während entsprechende Rechte bei den beiden Pfarrkirchen angesichts der Patronatsverhältnisse noch nicht bestanden. Mit dem Spital besaß Groß die institutionellen Voraussetzungen, um eine Fronleichnamsprozession zu initiieren. Darüber hinaus verfügte er über die finanziellen Mittel für ihre dauerhafte Ausstattung und Sicherung.

---

67 Zu den Finanzgeschäften von Groß und anderen Nürnberger Bürgern vgl. SCHULTHEISS, Finanzgeschäfte; STROMER, Hochfinanz.

68 Vgl. KRAUS, Nürnberg, 5.

69 SCHULTHEISS, Konrad Groß, 78.

Er mochte hoffen, das Spital zu fördern, indem die neue Prozession Bürger und Bürgerinnen anzog und zu Spenden für das Spital ermunterte. Der früh erwirkte Ablaß für die Prozession spricht für eine solche Motivation. Schließlich konnte sich - vor dem Hintergrund wachsender Unabhängigkeit und dem Ausbau bürgerschaftlicher Selbstverwaltungsorgane gerade in dieser Zeit - in der Ausrichtung einer Prozession das Selbstbewußtsein und das Repräsentationsbedürfnis der Bürgerschaft und eines einzelnen Bürgers ausdrücken.

Die Prozession nimmt Gestalt an: Veränderungen im Teilnehmerkreis und Ablauf während der ersten Jahre der Prozession

Mit dem Ablaßbrief von 1336 und den beiden Stiftungsurkunden von 1340 und 1343 liegt eine dichte Quellenfolge vor, um die Fronleichnamsprozession des Heilig-Geist-Spitals in ihrer Entstehungszeit zu beobachten. Die Quelle von 1336 verspricht allen denen einen Ablaß ihrer Sündenstrafen, *die werlich rew vnd pechtig worden sein vnd den heiligen leichnam cristi enphahent oder parfus oder mit kerzen erwirdiclich nach folgent sein an dem nehsten suntag zwischen dem ahten tag kome, so man in mit processione umb den umbanck dez selben spitals vnd zu den pfarren vnd clostern vnd andern kirchen zu nurnberg tragend ist.*[70] Die Prozession ging also um das Spital und zu den Kirchen und Klöstern Nürnbergs. Terminiert war sie auf den Sonntag nach Fronleichnam. Ablaß wurde denen gewährt, die nach Empfang der Kommunion büßend mit bloßen Füßen oder Kerzen tragend teilnahmen. Die Kernelemente der Prozession, also der Tag und der Weg, sind mit diesem Ablaß festgelegt. Nur im „Großen Ablaß" vom 5. März 1348, der die bis dahin erlangten Ablässe zusammenfaßt, wird ein anderer Termin genannt. Hier wird Ablaß denen gewährt, *die an unsers heren leichnams tag in der processen do selbst gegenwertig sein.*[71] Da alle anderen Quellen dieser Zeit die Prozession auf den Sonntag der Fronleichnamsoktav legen, kann es sich bei der Angabe von 1348 nur um einen Fehler handeln. Über die Route der Prozession geben auch die späteren Quellen keine genaueren Auskünfte als bereits 1336. Nirgends wird angegeben, welche Klöster und Kirchen besucht wurden und es bleibt unklar, ob alle kirchlichen Einrichtungen Nürnbergs oder nur ein Teil beehrt wurden. Mit den Stiftungsbriefen institutionalisierte Groß nicht nur die Prozession, sondern regelte auch detailreich deren Gestaltung, behielt sich aber Änderungen vor: *Doch behalt ich mir vollen gewalt, ditz gescheft ze verendern vnd ze verkeren, wen*

---

70 StadtAN D2/II, Nr. 15, fol. 13.
71 Ebenda, fol. 8.

ich wil vnd wi ich wil.[72] Tatsächlich weisen die Urkunden von 1340 und 1343 erhebliche Unterschiede auf, die Veränderungen in einer kurzen Zeitspanne dokumentieren.

Die wichtigsten Änderungen betreffen die teilnehmenden Personen. Hauptperson der Prozession, wie sie 1340 geschildert wird, war der Abt von St. Egidien. Konrad Groß ordnete an, daß am Festtag nach der ersten Frühmesse *ain apbt von sant gyligen ... sol komen zu dem spital vnd sol gotz lichnam tragen.* Auf ihn ist die weitere Beschreibung bezogen: Er soll das Sakrament unter einem Himmel tragen, er soll zu allen Stiften Nürnbergs gehen, ihn sollen Schüler und zwei ehrbare Männer begleiten. Auch die Kleidung des Abtes legte Konrad Groß fest: Er sollte zum Spital kommen *mit seiner infeln vnd mit seinem stabe vnd mit seiner pesten ornat, die er antragen sol, die er hat.*[73] Schließlich sollte der Schottenabt die Fronleichnamsmesse im Anschluß an die Prozession halten. Der Stifter traf aber gleichzeitig Vorkehrungen, falls der Abt nicht teilnähme. In diesem Fall sollte der oberste Priester des Spitals an seine Stelle treten. Der Ausnahmefall wurde 1343 zur Regel. In der späteren Stiftung taucht der Abt von St. Egidien nicht mehr auf, sondern *der oberste briester in dem spital* trug nun das Sakrament bei der Prozession und sang die anschließende Messe.[74]

1340 wollte Konrad Groß neben dem Abt von St. Egidien weitere Priester der Nürnberger Klöster und Kirchen bei „seiner" Prozession anwesend wissen. Teilnehmen sollten die Pfarrer der beiden Pfarrkirchen mit einem Priester, ferner *von den vier orden di priore vnd der gardian etlicher mit einem priester.*[75] Gemeint sind die Klöster der vier in Nürnberg anwesenden Bettelorden - die Franziskaner, die Augustinereremiten, die Dominikaner und die Karmeliter -, die ebenso wie der Abt von St. Egidien mit jeweils zwei Fahnen erscheinen sollten. Schließlich waren ein Priester des Dominikanerinnenkloster St. Katharina und einer vom Alten Spital der Deutschherren zur Teilnahme aufgefordert. Angehörige des Spitals werden erst an zweiter Stelle genannt. Es scheint sogar, daß ein Teil der Schüler - das Heilig-Geist-Spital unterhielt eine eigene Schule - nicht in der Prozession mitging: *Ez sullen auch des selben tages der zwelf schuler in dem spital sehs da heim beleiben mit*

---

72 StadtAN D2/II, Nr. 1, fol. 126.

73 Ebenda, fol. 125'.

74 Ebenda, fol. 165. In der Stiftungsurkunde des Spitals hatte Groß bestimmt, daß einer der sechs Priester ein Ewigpriester sein sollte, dem als *custos* die Seelsorge über die Spitalinsassen und -angehörigen übertragen war und der als Leiter der Kapelle, des Friedhofs sowie der Priester und Kleriker fungierte. Vgl. KNEFELKAMP, Heilig-Geist-Spital, 109f.

75 StadtAN D2/II, Nr. 1, fol. 125'.

einem prister vnd sullen di weil di tagzeit halten vnd ein gesungne messe piz gotzleichnam wider kümmet.[76] Dies steht jedoch im Widerspruch zu einer anderen Anordnung: *Vnd do mit sullen auch gen der schulmeister zu dem spital mit allen seinen schulern.*[77] Die Aufforderung an die Pfarrer der beiden Pfarrkirchen sowie die Leiter oder männlichen Vertreter der Nürnberger Klöster wird 1343 - ebenso wie die Teilnahme des Abtes von St. Egidien - aufgegeben. Übrig bleibt eine Entlohnung von nicht zum Spital gehörenden Priestern, soweit sie Messen lasen. Schon 1340 waren die Priester aller Stifte gebeten worden, unter dem gesungenen Hochamt Stillmessen zu sprechen. 1343 heißt es nun: *auch welch fremder briester wil messe halten unter die gesunge tagmesse, die in dem spital niht gehort, dem sol man geben einen schilling haller.*[78]

Mit der Beteiligung der Nürnberger Kirchen und Klöster, wie sie 1340 vorgesehen war, wollte Konrad Groß offensichtlich das Ansehen der Fronleichnamsprozession des Heilig-Geist-Spitals heben. Die herausragende Rolle des Abtes von St. Egidien erklärt sich zum einen aus der Tatsache, daß er das älteste Kloster Nürnbergs vertrat; zum anderen unterhielt Konrad Groß selbst offizielle Beziehung mit St. Egidien. 1339 untersagte Kaiser Ludwig IV. dem Landvogt, gegen das Kloster vorzugehen und übertrug die Ausübung des königlichen Schutzes auf den Reichsschultheiß, Konrad Groß.[79] Die Würde dieses Abtes hatte sich Konrad Groß bereits 1332 zunutze gemacht, als Arnold, der damalige Abt, den ersten Ablaßbrief des Spitals gegenzeichnete. Auch war die Fronleichnamsprozession nicht die einzige Angelegenheit, bei der Konrad Groß versuchte, Angehörige aus den Nürnberger Klöstern und Kirchen einzubeziehen, sondern auch bei seiner Jahrzeitfeier, die 1343 gestiftet, allerdings schon in dem Ablaß von 1336 erwähnt wurde, sollten sie teilnehmen.[80] Doch ließ sich die Einbeziehung der Priester und Pfarrer nicht realisieren, wie die Änderungen von 1343 andeuten. Als Grund könnten eigene Fronleichnamsprozessionen der Pfarrkirchen oder Klöster vermutet werden, und die Terminierung auf den Sonntag verrät Rücksichtnahme insbesondere auf St. Sebald, in dessen

---

76 Ebenda, fol. 126. Aufgaben und Unterhalt der Schulmeister und Schüler hatte Konrad Groß 1339 im Stiftungsbrief des Spitals geregelt. Vgl. KNEFELKAMP, Heilig-Geist-Spital, 141-156.

77 StadtAN D2/II, Nr. 1, fol. 125'.

78 Ebenda, fol. 165'.

79 Zum Kloster St. Egidien vgl. PFEIFFER, Anfänge, 253-308; FLACHENECKER, Verstädterung, 234f., 239f.; FLACHENECKER, Schottenklöster, 180-197.

80 Jahrzeit des Stifters: StadtAN D2/II, Nr. 3, fol. 41'- 45'. KNEFELKAMP, Heilig-Geist-Spital, 265, paraphrasiert die Verfügung nach dem Leitbuch. Ablaßbrief: StadtAN D2/II, Nr. 15, fol. 13.

Pfarrbezirk das Heilig-Geist-Spital lag. Belegt sind Fronleichnamsprozessionen der beiden Pfarrkirchen allerdings erst seit dem Anfang des 15. Jahrhunderts; die Fronleichnamsprozession der Frauenkirche entstand in den 70er Jahren des 14. Jahrhunderts. Hinweise auf Prozessionen der Klöster fehlen gänzlich. Der Verzicht auf die Teilnahme der Pfarrkirchen und Klöster ist deshalb wohl wesentlich auf deren mangelndes Interesse zurückzuführen, wie auch in anderen Städten über unzureichende Beteiligung an Prozessionen seitens anderer Kirchen geklagt wurde.[81] 1343 griff Groß deshalb auf die Priester und Schüler des Spitals zurück, denen gegenüber er Weisungsgewalt hatte, und die fortan den Kern der Prozession stellten.

Während die Urkunde von 1340 zur Beteiligung von Laien lediglich einen Hinweis auf den zu erlangenden Ablaß gibt, *vnd swer auch kertzen da mit treit, der hat grozzen antlaz da von,*[82] forderte Groß 1343 Handwerker explizit zur Teilnahme auf. In der Urkunde heißt es jetzt: *swer auch dez tags sein kertze mit lazzet tragen, der hat grozze antlazz davon als die brif darüber sagent. Ez sullen auch die pekken dez tags ir kertzen mit tragen vnd sol man die andern hantwerk biten, daz si ir kertzen auch mit tragen vnd die sol man verlonen zergen, ob sie ez selb niht gern tun.*[83] Das Registerbuch und das Leitbuch übernahmen diese Formulierungen.[84] Die Ausführungen überraschen auf dem ersten Blick nicht, da die Präsenz von Zünften zur Normalität mittelalterlichen Prozessionen zu gehören scheint. Im Nürnberger Kontext sind diese Zeilen jedoch erklärungsbedürftig: Zünfte waren in dieser Stadt bekanntlich verboten und nur bei der Fronleichnamsprozession des Heilig-Geist-Spitals treten Handwerker explizit als Teilnehmer auf.

---

81 Beispielsweise gab es 1260 in Erfurt Streit über die Teilnahme des Severi-Stiftes an Prozessionen des Marienstiftes. 1464 mußten die Erfurter Pfarrer und Kapläne angehalten werden, an Prozessionen der Marienkirche teilzunehmen. BAEf St. Marien, Stift XV 27, fol. 101' (1260 Jan.), vgl. OVERMANN, Urkundenbuch I, Nr. 353; BAEf St. Marien, Stift, Urk. I 1117 (1464 Juni 3).

82 StadtAN D2/II, Nr. 1, fol. 126.

83 Ebenda, fol. 165.

84 StadtAN D2/II, Nr. 3, fol. 40: *Swer auch sein kertzen des selben tags lezt mit tragen der selb hat grozen antlaz da von als die brief dar uber sagen. Ez sullen auch des selben tags die pecken ir kertzen mit tragen. Vnd die andern antwerk sol man piten daz sie ir kertzen mit tragen und die sol man verlonen ob sie ez selber niht gern tun wollen.* GNM Archiv, Reichsstadt Nürnberg, Nr. XIV 2/3, fol. 80': *Swer auch seine kertzen des selben tages lest mittragen der selb hat groszen antlaz do von alz die brief dar uber sagen. Ez sullen auch des selben tags die pecken ir kertzen mit tragen. Vnd die andern hantwerk sol man piten daz sie ir kertzen mittragen und die sol man verlonen, ob sie es selb niht gern tun wollen.*

Einungen waren bereits nach dem ersten Satzungsbuch Nürnbergs, das zwischen 1302 und ca. 1315 angelegt wurde, untersagt.[85] Die Brotordnung aus dem zweiten Satzungsbuch (1315/30 - ca. 1360) verbot explizit Bäckern den Zusammenschluß: *die pecken suln auch niht ainunge haben.*[86] Während des Aufstandsrates 1348/49 bestanden Zünfte, heimliche Zusammenkünfte waren aber verboten: *Und wer di sind in den zunfte, di heimlichen rat haben on irr zunftmaister willen vnd wort vnd on dez ratz willen oder wizzen gemeinclich, diselben sullen di zunftmaister alle vnd der rat strafen an leib vnd an gut.*[87] Dies deutet auf eine Kontrolle der Zünfte durch den aufständischen Rat hin und war nicht, wie Bruno Schoenlank und Hans Lentze meinen, nur gegen patrizisch gesinnte Zünfte gerichtet.[88] Zünfte hatten auch 1348/49 keine politische Bedeutung; sie entsandten keine Vertreter in den Rat. Nach der Niederschlagung des Aufstandes verbot Karl IV. 1349 Zünfte: *vnd sol auch kein czunft noch kein verbuntnuzze noch keinerley sache da sein noch beliben, dann als diu stat von alter her komen ist.*[89] In den Jahrzehnten nach dem Aufstand setzte der - wieder patrizische - Rat seine alte Politik fort und ging hart gegen jegliche Zusammenschlüsse von Handwerkern vor. Auch war er nun bestrebt, die Handwerker unter seinen Gehorsam zu stellen und band die Ausübung des Meisterrechts an den Erwerb des Bürgerrechts. Bisher hatten aufgrund einer hohen Aufnahmegebühr weniger als 50% der Einwohner das Bürgerrecht erworben. Um einen größeren Teil zur Treue zu verpflichten, wurde diese Politik nach den Ereignissen von 1348/49 aufgegeben.[90] Seit 1390 wurde das Kollegium der Pfänder als Sicherheits-, Markt- und Gewerbepolizei eingerichtet, aus dem 1470 ein Fünferkollegium für die Friedensgerichtsbarkeit wurde, während die Gewerbepolizei auf das Rugamt überging. Das Nürnberger Handwerk unterstand der strengen Kontrolle eines ratsherrlichen Regiments.[91] Lediglich in der Zeit des aufrührerischen Rates - von Juni 1348 bis Oktober 1349 - waren Zünfte erlaubt. Die seit 1343 an der Fronleichnamsprozession des Heilig-Geist-Spitals teilnehmenden Bäcker und anderen Handwerke können deshalb keine zünftischen Vereinigungen gewesen sein.

---

85 SCHULTHEISS, Satzungsbücher, 58.
86 Ebenda, 82.
87 Ebenda, 212.
88 SCHOENLANK, Sociale Kämpfe, 6; LENTZE, Kaiser, 217f.
89 St.Chr. Bd. 3, 330.
90 Vgl. DÖBEREINER, Ämterlisten, 380f. Zum Bürgerrecht vgl. DÜLL, Bürgerrecht; SCHULTHEISS, Bürgerrecht.
91 Vgl. LENTZE, Gewerbeverfassung; ENDRES, Lage; LEHNERT, Nürnberg.

Die Form der Beteiligung von Bäckern und anderen Handwerke differenziert Groß genau. Die Bäcker werden angewiesen, ihre Kerzen mitzutragen: *Ez sullen auch die pekken dez tags ir kertzen mit tragen.* Andere Handwerke dagegen sollen dazu gebeten werden, *vnd sol man die andern hantwerk biten, daz si ir kertzen auch mit tragen.*[92] Diese Nuance in der Formulierung scheint mir nicht zufällig gewählt, sondern kann als ein Mehr an Weisungsgewalt gegenüber den Bäckern interpretiert werden. Weiter wird ein Unterschied gemacht zwischen dem eigenständigen Tragen der Kerzen und dem Tragenlassen. Ablaß wurde 1340 denjenigen gewährt, *swer auch kertzen da mit treit.*[93] 1343 ist die Bedingung für den Sündenerlaß weicher geworden, denn nun heißt es: *swer auch dez tags sein kertze mit lazzet tragen, der hat grozze antlaz.* Es war anscheinend möglich geworden, Kerzen für die Prozession zu stiften, ohne selbst mitzugehen. Um die Beteiligung zu fördern, sollten seit 1343 diejenigen Handwerke entlohnt werden, die ihre Kerzen selber tragen, *vnd die sol man verlonen zergen, ob sie ez selb niht gern tun.*[94] Die personelle Aufstockung und damit Aufwertung der Prozession war dem Stifter eine Bezahlung wert. Im Kern ging es Konrad Groß jedoch nicht um die teilnehmenden Personen und Handwerke, sondern um Kerzen. Dieser Umstand läßt aber im Ungewissen, ob alle Meister und Gesellen oder nur Delegierte der Handwerke, die Kerzenträger, beteiligt waren.

Die Bäcker sind das einzige namentlich genannte Handwerk; ihnen gegenüber sprach Groß die Aufforderung zur Teilnahme mit mehr Gewicht aus. Meine These ist, daß sich die herausgehobene Stellung der Bäcker aus deren besonderer Beziehung zum Schultheiß und zum Heilig-Geist-Spital erklärt. Bis 1385, als die Befugnisse des Reichsschultheißenamtes anläßlich des Erwerbs des Amtes durch die Stadt Nürnberg schriftlich fixiert wurden, hatte sich der Schultheiß die Gerichtsbarkeit über die Bäcker in Gewerbestrafsachen bewahrt.[95] Der Schultheiß rief dreimal im Jahr die Bäcker und deren geschworene Meister zum Bäckergericht zusammen und sollte Übertretungen, die die Brotschauer aufgezeichnet hatten, rügen. Im Anschluß fand ein Bäckermahl statt, dessen Kosten der Schultheiß und die Bäcker gemeinsam trugen. Mit diesem Gerichtsmahl wurde regelmäßig der Friede zwischen Bäckern und Gerichtsherrn symbolisch erneuert; es handelt sich nicht, wie Schultheiß betont, um ein „Festessen der Bäckergenossen-

---

92 StadtAN D2/II, Nr. 1, fol. 165.
93 Ebenda, fol. 126.
94 Ebenda, fol. 165.
95 Vgl. SCHULTHEISS, Weistum, 71f.; LENTZE, Gewerbeverfassung, 212f.

schaft".[96] Weiter wirkte der Schultheiß bei der Verleihung des Meisterrechts
der Bäcker mit, bei dem der Rat allerdings bereits Mitspracherechte wahrnahm, da er die Erlaubnis für das Meisterstück gab. Bis in die 1350er Jahre
besaß der Schultheiß auch gegenüber den anderen Gewerben größere
Kompetenzen; er dominierte die Markt- und Gewerbeämter. Solange die
Handwerksmeister noch nicht Bürger waren - und, wie erwähnt, änderte der
Rat erst nach 1348/49 seine Bürgerrechtspolitik -, erhielten sie von ihm ihre
Wohn- und Arbeitserlaubnis.[97] 1385 unterstanden der Gewerbegerichtsbar-
keit des Schultheißen auch die Fleischhauer, doch war diese Bindung weni-
ger eng, da das Weistum kein Festmahl erwähnt. Zu anderen Handwerken
waren die Beziehungen noch lockerer. Diese mußten zwar Abgaben des
Marktrechtes an den Schultheißen zahlen, befanden sich aber ansonsten
unter der Kontrolle des Rates. Ernst Pitz erklärt die enge Verbindung der
Bäcker zum Schultheißen damit, daß ihr „Handwerksrecht (...) bereits im 13.
Jh. ausgebildet" wurde, während das Recht anderer Gewerbe sich erst im
14. Jahrhundert formte und „so von vornherein unter Ratseinfluß geriet."[98]

Aus dem regelmäßig stattfindenden Bäckergericht, dem anschließenden
Mahl sowie der Mitwirkung beim Meisterrecht mögen enge Beziehungen
zwischen den Bäckern und dem Schultheißen Konrad Groß entstanden
sein. Diese waren zum einen rechtlicher Natur, da die Bäcker seiner Gewer-
begerichtsbarkeit unterstanden. Zum anderen waren es persönliche Bindungen, insbesondere durch die drei gemeinsamen Festmähler im Jahr. Der
Grund, weshalb Konrad Groß die Bäcker bei der von ihm gestifteten
Fronleichnamsprozession hinzuzog, scheint mir in diesen rechtlichen und
persönlichen Beziehungen zu liegen, die deutlich machen, daß die Bäcker
nicht als freie Berufsgenossenschaft handelten. Anders beurteilt Lentze die
Teilnahme von Handwerkern an der Fronleichnamsprozession des Heilig-
Geist-Spitals. Er argumentiert, „daß um 1350 in Nürnberg seitens der
Handwerke der korporativen Beteiligung an Prozessionen und der Reihen-
folge dabei noch wenig Bedeutung beigemessen wurde, sonst hätte man
nicht den Handwerken eine Entlohnung für die Beteiligung in Aussicht
stellen müssen." Dagegen setzt er die Situation im 15. Jahrhundert: „[D]ie
Rangfolge bei Prozessionen bestimmte das soziale Ansehen eines Hand-
werks, so daß erbitterte Kämpfe zwischen Handwerkerverbänden um den
Vorrang bei Prozessionen ausgefochten wurden."[99] Über Rangstreitigkeiten

---

96 SCHULTHEISS, Weistum 73.
97 Vgl. DÖBEREINER, Ämterlisten, 376, 381.
98 PITZ, Entstehung, 86.
99 LENTZE, Gewerbeverfassung, 225.

wird noch ausführlich zu sprechen sein, doch für Nürnberg gibt es keine Quellen zu solchen Querelen, und Lentze muß seine Behauptung mit Hinweisen aus München, Ingolstadt und Regensburg belegen. Ebenso wenig sagt eine Entlohnung über die Bedeutung aus, die die Teilnehmenden einer Prozession zumaßen, sondern war gängiges Mittel, um den Bestand einer Prozession zu garantieren. Auch die Priester und Schüler des Spitals wurden bezahlt. Schließlich verkennt Lentze den Charakter der korporativen Beteiligung an der Fronleichnamsprozession. Im Stiftungsbrief von 1343 tauchen nicht Begriffe wie Zunft oder Einung auf, sondern die Bäcker sind als „*hantwerke*" angesprochen. Sie nahmen nicht als rechtlich verfaßte Korporation teil - dies wäre in Nürnberg nicht möglich gewesen -, sondern beteiligten sich als Berufsgruppe, die durch obrigkeitliche Ordnungen zusammengeschlossen war. Ihre Teilnahme beruhte nicht auf eigener Beschlußkraft, zu der es keine institutionellen Voraussetzungen gab, sondern auf der Weisungsgewalt des Schultheißen.

Gleichzeitig oder später - eine genaue Chronologie ist leider nicht möglich - unterhielten die Bäcker weitere Beziehungen zum Spital. Nach dem Leitbuch besaßen sie ein Ewigbett, eine Stiftung, die ihnen die Belegung mit kranken Kollegen ermöglichte. Unter dem Punkt *pett* heißt es: *Nota die peken haben ir pett niht kauft vnd haben auch dheinen brief dar uber vnd haben auch allez ir pettgwant selber zu dem pett.* Als Gegenleistung sorgten sie für die Beleuchtung des Heilig-Geist-Altars an Sonn- und Feiertagen. Für die Donnerstagsprozession stellten sie vier Kerzen, *wenn man gotzleichnam umbtregt in der kirchen.* Außerdem gaben sie jeden Donnerstag den Priestern und Chorschülern jeweils 6 Haller.[100] Die Einrichtung des Ewigbettes läßt sich auf vor 1401/02 datieren, doch ist eine genauere Klärung aufgrund der fehlenden Urkunde nicht möglich. Für ähnliche Bindungen anderer Handwerke an das Spital gibt es erst 1443 für die Messingschläger und 1491 für die Bader Belege.[101] 1441 bis 1443 sind die Ewigbetten der Bäcker und Messingschläger sowie damit zusammenhängende Bruderschaften Gegenstand einer ratsherrlichen Untersuchung. Im Bürgermeistermanual von 1441 findet sich der Hinweis, daß über die Handwerkerbrüderschaft und die Siechenbetten im Heilig-Geist-Spital beraten wurde.[102] 1443 wird den Bäckermeistern und -

---

100 StadtAN D2/II, Nr. 4, fol. 10'.

101 Messingschläger: StAN Rep. 60b, Nr. 1b, fol. 115, vgl. SCHOENLANK, Sociale Kämpfe, 18f. Bader: StadtAN D2/II, Nr. 249, fol. 102', vgl. KNEFELKAMP, Heilig-Geist-Spital, 193. Knefelkamp erwähnt die Messingschläger nicht. Sie tauchen nicht in Spitalsquellen, sondern in den Ratsprotokollen auf.

102 StAN Rep. 60b, Nr. 1b, fol. 20, vgl. SCHOENLANK, Sociale Kämpfe, 17.

knechten vorgeworfen, Versammlungen im Kreuzgang der Barfüßer abzuhalten. Die Gesellen hätten dabei jährlich Oberste gewählt, die eine eigene Gerichtsbarkeit ausüben würden. In diesem Zusammenhang wurde der Pfleger des Heilig-Geist-Spitals, Matthes Ebner, angewiesen, er solle in Zukunft Zusammenkünfte im Spital nicht dulden. Auch die Betten im Spital wurden bei der Unterredung angesprochen.[103] Die Bäcker unterhielten also zu diesem Zeitpunkt weiterhin ein Krankenbett im Spital, das der Rat nun verbot. Er vermutete oder ermittelte im Zusammenhang mit der gemeinschaftlichen Krankenvorsorge Ansätze genossenschaftlichen Lebens mit geheimen Versammlungen, interner Gerichtsbarkeit, dem Erheben von Beiträgen und Zwangsmitgliedschaft. Während in anderen süddeutschen Städten, in denen Zünfte ebenfalls verboten waren, Handwerksbruderschaften mit religiösen Zielen geduldet wurden, verfolgte der Nürnberger Rat auch religiöse Zusammenschlüsse. Erst zu Beginn des 16. Jahrhunderts änderte Nürnberg zaghaft diese Politik und erkannte Bruderschaften unter strenger Kontrolle an.[104] In dieser Zeit akzeptierte er anscheinend auch die Bruderschaft der Bäcker. Nachrichten erhalten wir im Zusammenhang mit der Reformation, als der Rat am 23. Mai 1524 beschloß, die Bäcker sollten ihre Bruderschaft zum neuen Spital beenden.[105] Ähnliches mußten die Bruderschaften der Lodenmacher und Färber erfahren.

Zwischen Konrad Groß und den Bäckern bestand ein komplexes Beziehungsgeflecht: Zu Konrad Groß als Reichsschultheiß standen die Bäcker in rechtlicher Abhängigkeit und persönlicher Beziehung. Als Stifter des Heilig-Geist-Spitals forderte Groß die Bäcker 1343 zur Teilnahme an der Fronleichnamsprozession auf. Schließlich unterhielten die Bäcker beim Spital ein Krankenbett und eine Kerzenstiftung. Sowohl die Teilnahme an der Prozession als auch das Siechenbett scheinen mir in der engen Bindung der Bäcker zum Stifter zu wurzeln. Die Beteiligung an der Fronleichnamsprozession interpretiere ich als Aufforderung und Anweisung durch Konrad Groß: Dafür sprechen seine Stellung zu den Bäckern und die Formulierungen in der Urkunde von 1343. Doch ist es auch möglich, daß sich die Beteiligung aus dem bruderschaftlichen Zusammenschluß der Bäcker am Spital entwickelte. Am angemessensten erscheint es deshalb, die unterschiedlichen Beziehungsstränge als Wechselwirkungen zu sehen, die sich gegenseitig stärkten.

---

103 StAN Rep. 60b, Nr. 1b, fol. 98-98', vgl. SCHOENLANK, Sociale Kämpfe, 18.
104 Vgl. REMLING, Bruderschaften, 300-319, zu Nürnberg: 312f.
105 SCHOENLANK, Sociale Kämpfe, 24.

1343 waren an die Stelle von Klerikern anderer Nürnberger Kirchen und Klöster die Priester und Schüler des Heilig-Geist-Spitals sowie die Bäcker und andere Handwerke - oder Kerzenträger als deren Delegierte - getreten. Den Geistlichen des Spitals wurde dabei erhöhte Aufmerksamkeit geschenkt. Während Konrad Groß 1340 lediglich bestimmt hatte, daß *di selben priester alle* [die Priester anderer Kirchen und Klöster] *sullen mit den priestern in dem spital daz heiligtum vnd di gezirde in den spital tragen mit gotzleichnam,* legte er drei Jahre später die Zahl der Priester und Schüler genau fest: *Ez sullen auch die sehs brister vnd die zwelf chorschuler daz heyligtum tragen mit den besten stukken, ahtzehn, so man sie gehaben mag.*[106] Jeder Priester und Schüler trug eines der 18 Reliquienstücke. In der Abschrift im Registerbuch ist von acht Priestern die Rede, da das Heilig-Geist-Spital durch Bestätigung von Bischof Friedrich von Bamberg am 14. November 1347 zwei weitere Priesterstellen besetzen konnte.[107] Weiter werden in den Ordnungen der Schmuck der Kirche und die Fahnen genau beschrieben. Die Gewichtsangaben für das Wachs der Kerzen schwanken, wohl aus finanziellen Gründen: 1340 sollen sechs Kerzen à 18 Pfund, 1343 sechs Kerzen à 20 Pfund und nach dem Registerbuch vier Kerzen à 14 Pfund mitgetragen werden.

Um die Prozession zu sichern und festlich zu gestalten, hatte Konrad Groß auch das notwendige liturgische Gerät gestiftet. Er nennt in der Urkunde von 1340 insbesondere die Monstranz, Kerzen und zwölf kleine Glöcklein: *man sol auch gotzleichnam tragen in der puhsen mit den funf kristelleinen fenstern, die ich dar zu erzeugt han. auch sol man tragen sehs kerzen von ahtzehen pfunden wahsez, di ewiclichen dar zu ich gewident han. man sol auch do mit tragen zwelf kleinen glöglein, di ich auch dar zu gefrunnt han.*[108] Die Monstranz sollte die würdevolle Präsentation des Sakraments gewährleisten, *die der stifter darzu gemacht hat, daz gotz leichnam desterbaz bewahrt werde.* Demjenigen, der das Sakrament trug - 1340 der Abt von St. Egidien, nach 1343 der oberste Spitalpriester - gaben zwei ehrbare Männer Geleit. In der zeitgenössischen Sprache waren sie die „Führer": *vnd zwen erbaren man sullen den obristen briester furen vnd layten.*[109] Während für St. Sebald, St. Lorenz und die Frauenkirche durch die Ratsbücher seit 1485 bekannt ist, wer die Führer und Baldachinträger waren, wurden die Namen für das Heilig-Geist-Spital nicht aufgezeichnet.

---

106 StadtAN D2/II, Nr. 1, fol. 125' und fol. 165.

107 Vgl. KNEFELKAMP, Heilig-Geist-Spital, 112. Mit diesen beiden Angaben läßt sich die Abfassung des Registerbuches auf die Zeit nach 1347 datieren, während RUF, Bibliothekskataloge, 731f., auf nach 1345 datiert.

108 StadtAN D2/II, Nr. 1, fol. 125'-126.

109 Ebenda, fol. 165.

Möglicherweise übernahmen die fünf Ratswähler und der Spitalspfleger die Ehrenaufgaben, da diese Männer die Spitalsrechnung anhören sowie in ihrem Amtsjahr Spitalpfleger und Ewigpriester präsentieren mußten und somit qua Amt in enger Beziehung zum Spital standen.[110]

Seit 1343 sollte ein Teil der Schüler am Vorabend den Psalter lesen und ein „Salve Regina" vor dem Frauenaltar beten, um anschließend der Seele des Stifters zu gedenken.[111] 1345/47 wurde die Memoria auf alle Gläubigen erweitert.[112] Das Bedürfnis der 1343 stärker einbezogenen Laien nach deutscher Predigt und Elevation der Hostie bewirkte eine Änderung des anschließenden Gottesdienstes. In der neuen Ordnung weist Konrad Groß an, den Vers „Ecce panis angelorum" aus der Sequenz „Lauda sion salvatorem" in deutscher Übersetzung zu lesen und auszulegen sowie die Gläubigen zum Niederknien bei der Elevation aufzufordern.[113] Das „Lauda Sion" verfaßte Thomas von Aquin im Auftrag Papst Urbans IV. für die Fronleichnamsmesse als Lehrgedicht über die Eucharistie. Nicht nur in Nürnberg wurden die Worte in der Volkssprache bekannt gemacht, sondern die Sequenz wirkte im 14. Jahrhundert allgemein anregend auf das deutsche Kirchenlied. Der Vers „Ecce panis" wurde bei zahlreichen Fronleichnamsprozessionen gesungen, und während des Gesangs wurden die Segensworte gesprochen.[114] Rücksichtnahme auf die anwesenden Laien mag bei der Nürnberger Prozession auch zur Verkürzung des Gottesdienstes geführt haben. 1340 sollte zum Schluß der Messe das „Miserere" mit allen Kollekten, 1343 mit nur einer Kollekte gebetet werden. In all diesen Unterschieden bei der Gestaltung von Prozession und Gottesdienst zeigt sich 1343 eine Konzentration auf das geistliche Personal des Heilig-Geist-Spitals sowie eine Einbeziehung und stärkere Berücksichtigung von Laien.

---

110 Vgl. KNEFELKAMP, Stiftungen, 164f.
111 Das Heilig-Geist-Spital besaß in der Mitte des 14. Jahrhunderts fünf Psalter, doch ist nicht bekannt, ob sie in lateinisch oder deutsch geschrieben waren.
112 StadtAN D2/II, Nr. 3, fol. 39': *Vnd sullen gedenken des stifters und aller gelaubegen sel.*
113 Der Wortlaut des Verses lautet: *Ecce panis angelorum, factus cibus viatorum: vere panis filiorum, non mittendus canibus.* ADAM, Te Deum, 66. Zum „Lauda Sion" vgl. EISENHOFER/THALHOFER, Handbuch, Bd.2, 112f.; JUNGMANN, Missarium Solemnia I, 561, II, 560; BROWE, Verehrung, 149-152; ALTENBURG, Musik, 15f.; BELL, Eucharistic Theologies.
114 Der Vers wurde unter anderen bei den Fronleichnamsprozessionen in Aschaffenburg, Augsburg, Bamberg, Ingolstadt und Wittlaer gesungen. Vgl. HOFMANN, Fronleichnamsprozession, 116; HOEYNCK, Liturgie, 230; SCHNAPP, Fronleichnams-Oktavprozessionen, 50; HAIMERL, Prozessionswesen, 19; TORSY, Verehrung, 339.

Mit dem Stiftungsbrief von 1343 hatte sich die endgültige Teilnehmerstruktur der Fronleichnamsprozession herauskristallisiert. Kern der Prozession waren die Priester und Schüler des Spitals. Neben den zwölf Chorschülern mit ihrem Schulmeister waren dies zunächst sechs Priester, nach 1347 acht und zu Beginn des 15. Jahrhunderts schließlich zehn Priester und fünf Vikarier, 1401/02 insgesamt 28 Personen.[115] Mittel- und Angelpunkt der Prozession war der *custos*, der das Sakrament trug. Geführt wurde er von zwei ehrbaren Männern. Weiter waren die Bäcker und andere Handwerke an der Prozession beteiligt, ohne daß die Reihenfolge oder die Zahl und der Status der Personen bekannt sind. Die Teilnahme von Handwerkern war eine Besonderheit gegenüber den anderen Nürnberger Prozessionen. Es konnte aber gezeigt werden, daß insbesondere die Bäcker nicht als rechtlich verfaßte Korporation agierten, sondern ihre Teilnahme auf den rechtlichen und persönlichen Bindungen zum Stifter der Prozession, dem Schultheißen Konrad Groß, beruhte, und sie als obrigkeitlich kontrollierte Berufsgruppe und als bruderschaftlicher Zusammenschluß teilnahmen. Schließlich erfahren wir noch, daß Knechte die Fahnen des Spitals trugen und dafür bezahlt wurden.

Dieser kleine, ausschließlich männliche Teilnehmerkreis überrascht angesichts der Vorstellung, bei spätmittelalterlichen Prozessionen wäre eine große Menschenansammlung dem Sakrament gefolgt. Groß traf keine Vorkehrungen für eine Teilnahme breiter Bevölkerungskreise, gab aber Anweisungen, um den Gottesdienst für Laien attraktiver zu gestalten. Nun könnte vermutet werden, daß der zu gewinnende Ablaß Menschen anzog, doch stellte der Ablaß die Stiftung von Kerzen in den Vordergrund. Die Gesamtheit der Ablässe des Heilig-Geist-Spitals kann ein Hinweis sein, um die Fronleichnamsprozession in das religiöse Leben des Spitals einzuordnen. Nach dem Ablaßkalender vom Ende des 14. Jahrhunderts konnten am Fronleichnamstag 2440 Tage, bei der Prozession 800 Tage erlangt werden.[116] Bei einer Summe von insgesamt 230660 Tagen, die in einem Jahr zu erhalten waren, hat die Fronleichnamsprozession ein geringes Gewicht. Der höchste Einzelposten beträgt 3060 Tage für Almosen zugunsten der Siechen. Als einzelnes Fest ist der Kirchenbesuch am Fronleichnamstag hoch dotiert, nur an den Marientagen, Weihnachten, dem Neujahrstag, Epiphanie, Ostern, Himmelfahrt und Pfingsten waren mit je 2840 Tagen höhere Ablässe zu gewinnen.[117] Die Prozession war demnach nicht so attraktiv wie bei-

---

115 Vgl. KNEFELKAMP, Heilig-Geist-Spital, 129.
116 StadtAN D2/II, Nr. 15, fol. 28.
117 Vgl. KNEFELKAMP, Heilig-Geist-Spital, 272.

spielsweise der Kirchenbesuch am Fronleichnamstag. Aus der frühen Förderung der Prozession durch Ablässe läßt sich deshalb nicht notwendig auf eine große Beteiligung schließen.

Auch die Spendeneinnahmen können Auskünfte über die Attraktivität der Fronleichnamsprozession geben. Im Almosenbuch des Spitals sind die Einnahmen vermerkt, die auf den „Tafeln", einer Art Opferstock, gesammelt wurden. 1442 wurden am Fronleichnamstag 5 lb 8 d, am Sonntag danach 15 lb 19 d eingenommen. 1443 war der entsprechende Ertrag 4 lb 7 d bzw. 14 lb 28 d. Zum Vergleich: 1442 nahm das Heilig-Geist-Spital an Kirchweih 30 lb 21 d, am Gründonnerstag 10 lb 13 d und Pfingsten 20 lb 13 d ein.[118] Gegenüber Kirchweih oder Pfingsten fand sich am Fronleichnamstag und am darauf folgenden Sonntag weniger Publikum ein, wenn wir davon ausgehen, daß die Höhe der Almosen pro Besucher und Besucherin gleichblieb. Die hohe Summe, die am Sonntag nach Fronleichnam eingenommen wurde, zeigt jedoch, daß die Prozession zur Attraktivität des Heilig-Geist-Spital beitrug, während der Kirchenbesuch am Fronleichnamstag trotz eines hohen Ablasses weniger anziehend war. Anfang der 1440er Jahre mochten die inzwischen stattfindenden Prozessionen der Frauenkirche und der Pfarrkirchen zu einer Konkurrenz geworden sein. Dennoch ist nicht sicher, ob sich die Spender und Spenderinnen der Prozession anschlossen oder lediglich den Gottesdienst besuchten und bei der Prozession am Rande standen. Als gesichert kann deshalb nur die Beteiligung der Priester und Schüler des Spitals sowie der Vertreter einiger Handwerke gelten.

Die Prozession im 15. Jahrhundert

Bis auf geringfügige Änderungen war die Gestaltung der Fronleichnamsprozession des Heilig-Geist-Spitals 1343 festgelegt und wurde so nach 1347 in das Register- und 1401/02 in das Leitbuch übertragen. Wir können deshalb davon ausgehen, daß die Prozession zu Beginn des 15. Jahrhunderts in der beschriebenen Weise ablief. Weitere Nachrichten über die Fronleichnamsprozession des Heilig-Geist-Spitals geben erst wieder die Mesnerpflichtbücher für St. Sebald und St. Lorenz am Ende des 15. Jahrhunderts. Die Sebalder Quelle von 1482 beschreibt die Prozession des Spitals soweit, wie sie für den Küster der Sebaldskirche relevant war: *Item am suntag, wenn die spitaler kumen mit dem sacrament an den weinmarkt, so lesen sie ein collecten* (ein Gebet) *vor des gerichtsschreibers haus; wen man den himel wider aufhebt, so schlecht man zusamen mit der großen glocken aus und ein.*[119] Die Prozession zog nach der

---

118 StadtAN D2/II, Nr. 344, fol. 22', fol. 25'.
119 GÜMBEL, Sebald, 25.

Frühmesse und vor der Terz, also am Morgen gegen 8 - 9 Uhr, vom Spital bis zum Weinmarkt und mußte dabei am Hauptmarkt und an der Frauenkirche vorbei. Wahrscheinlich ging sie durch die Sebaldskirche, doch verrät Sebald Schreyer, der Verfasser des Mesnerbuches, dies ebenso wenig wie den Weg zurück zum Spital. Im entsprechenden Mesnerpflichtbuch von St. Lorenz (1493) wird eine Prozession des Spitals am Samstag nach Fronleichnam beschrieben: *Item am samstag noch corporis Christi so tu di* (Altar-) *tafel im chor auf und den sarch* (des hl. Deocarus*) auch und Johans, unser frauen altar auf von dens[elben] sakrament wegen von dem spital, (...) item di tur las al auftun, wan das sacrament aus dem spital get und, wan das sacrament kumet zu dem Peter Nuczel (kuemt), so las zusamenschlagen mit allen glochen, alslang bis si wider hinausgen, so hör auf und tu der tür ein teil zu, das si nit s[ch]oden tun.*[120] Die Prozession ging also über die Barfüßerbrücke zur Lorenzkirche, die sie durch das Hauptportal betrat. Der Küster sollte das Glockengeläut beenden, wenn die Prozession die Kirche verließ, doch interessierte ihn nicht, ob die Prozession auf dem gleichen Weg zum Spital zurückging oder andere Kirchen und Klöster besuchte.

Gegenüber der Prozession zu Beginn des Jahrhunderts hatte sich der Termin und der Weg verändert. Noch 1401/02 zog die Prozession am Sonntag nach Fronleichnam zu allen Kirchen, *nach gotz leichnam tag an dem nehsten suntag dor noch unsers hern leichnam tragen sol zu ter stat von ein kirchen zu der andern.*[121] Am Ende des 15. Jahrhunderts fand nun die Prozession an zwei Tagen statt: Am Samstag wurde die Lorenzseite, am Sonntag die Sebalderseite besucht. Die Terminierung des Besuchs der Pfarrkirche, zu dessen Sprengel das Heilig-Geist-Spital gehörte, auf Sonntag belegt die größere Würde, die der Sebaldskirche entgegengebracht wurde. Leider gibt es keine Informationen darüber, wann die Änderung erfolgte, die mit der Länge des Weges, aber auch mit den Fronleichnamsprozessionen der Pfarrkirchen - für St. Sebald liegt der erste Beleg für 1420 vor - zusammenhängen mag. Während noch zu Beginn des 15. Jahrhunderts das Heilig-Geist-Spital als einzige Prozession die verschiedenen Kirchen und Klöster Nürnbergs besuchte und damit miteinander in Beziehung setzte, zog sie im Laufe des 15. Jahrhunderts an zwei verschiedenen Tagen zu den beiden Pfarreien, die am Fronleichnamstag je eigene Prozessionen abhielten.

---

120 GÜMBEL, Lorenz, 55. Der Herausgeber Albert Gümbel identifiziert das Haus von Peter Nuczel als Königsstr. 14. Vgl. den beiliegenden Plan im Anhang S. 342.
121 GNM Archiv, Reichsstadt Nürnberg, Nr. XIV 2/3, fol. 79'.

Fazit: Die Etablierung der Fronleichnamsprozession des Heilig-Geist-Spitals

Fassen wir zusammen, was sich über die Entstehung der Fronleichnamsprozession des Heilig-Geist-Spitals ermitteln ließ. Die Initiative für diese Prozession ging von einem einzelnen Bürger aus, dem Gründer des Spitals und Reichsschultheißen Konrad Groß. Auf die Stiftung und Gestaltung hatten weder kirchliche Institutionen noch der Rat direkten Einfluß; allerdings sah Groß bereits 1341 vor, daß das Spital nach dem Tod seines ersten Sohnes in Ratsverwaltung gelangen sollte. Der Entstehungsprozeß zog sich über mehrere Jahre hin: Erste Erwähnung fand die Prozession in einem Ablaß von 1336; Stiftungsbriefe regelten 1340 und 1343 die genaue Gestaltung. In diesen Jahren veränderte sich vor allem die Teilnehmerstruktur der Prozession. Während Konrad Groß 1340 gewünscht hatte, Angehörige anderer Nürnberger Klöster und Kirchen, allen voran als Hauptperson den Abt von St. Egidien für die Teilnahme zu gewinnen, bildeten nach 1343 die Priester und Schüler des Spitals sowie Laien - Bäcker und andere Handwerke - den Kern der Prozession. Um eine Prozession zu etablieren, bedurfte es Beziehungen und finanzieller Mittel. Konrad Groß besaß beides: Sein Reichtum ermöglichte es ihm, für die Bezahlung der Teilnehmenden und für die Ausstattung der Prozession mit liturgischem Gerät Sorge zu tragen. Als Gründer des Spitals hatte er sich das Patronatsrecht vorbehalten und ihm oblag die Leitung, so daß er die notwendigen institutionellen Voraussetzungen - insbesondere Weisungskompetenzen gegenüber Klerikern - besaß, um die Gestaltung der Prozession regeln zu können, während dem Rat und der Bürgerschaft solche Möglichkeiten für die Pfarrkirchen bis ins 15. Jahrhundert verwehrt blieben. Um Handwerker und besonders die Bäcker zur Teilnahme an der Prozession zu veranlassen, kamen ihm rechtliche Abhängigkeitsverhältnisse und persönliche Beziehungen zugute, die aus dem Schultheißenamt erwachsen waren. Daneben bestanden bruderschaftliche Bindungen der Bäcker an das Spital über den Unterhalt eines Krankenbettes. Aus diesem Komplex an Verbindungen zwischen Konrad Groß, den Bäckern und dem Spital ist ihre Beteiligung an der Fronleichnamsprozession zu erklären. Mit der Stiftung und der Ausgestaltung der Prozession agierte Konrad Groß vor dem Hintergrund der zunehmenden politischen Unabhängigkeit seiner Heimatstadt, in die er als Ratsmitglied und durch den Erwerb des Schultheißenamtes verwoben war. Motive für die Stiftung mögen neben persönlicher Religiosität zum einen die Demonstration seiner sozialen Stellung und seines Reichtums, zum anderen die Betonung kirchlicher Orthodoxie angesichts des Interdikts gewesen sein: Gerade eine Fronleichnamsprozession belegte die Anerkennung der Transsubstantionslehre und der klerikalen Vermittlung der Sakramente. Die Fronleichnamsprozession des Heilig-Geist-Spitals ordnet sich in die Welle von Prozessionen ein, die in den 1330er und 1340er Jahre entstanden und an deren Stiftung häufiger als in den Jahrzehnten vorher Bürger beteiligt waren. Mehrere Gemeinsamkeiten fallen auf: Immer war eine Stiftung notwendig. Prozessionen entstanden nicht spontan, sondern bedurften des Anstoßes und der Förderung. Gemeinsam ist auch, daß die frühen Prozessionen bei einzelnen Institutionen - Stiften, Klöstern oder eben einem Spital - angesiedelt waren und nicht stadtweit abgehalten wurden. Schließlich verweisen die Stiftungsbriefe und Ordnungen häufig auf vorhandene Umgänge, die der neuen Prozession als Vorbild dienten. Obwohl Fronleichnamsprozessionen eine Neuerung im religiösen Leben waren, konnten ihre Initiatoren auf tradierte Formen zurückgreifen.

2.3 Die Fronleichnamsprozessionen der anderen Nürnberger Kirchen

Die Fronleichnamsprozession des Heilig-Geist-Spital ist die erste Prozession dieser Art in Nürnberg. Mit der Terminierung auf den Sonntag der Oktavwoche mochte Konrad Groß jedoch bereits die Möglichkeit vorausgesehen haben, daß die Pfarrkirchen den Festtag für eigene Prozessionen beanspruchen könnten. Bezeugt ist im 14. Jahrhundert jedoch lediglich der Umgang der Frauenkirche. Am 8. Juli 1355 hatte Karl IV. den Grundstein der Frauenkirche gelegt, indem er sie mit einem Vikarier und zwei Pfründen ausstattete und dem Sangmeister des Stiftes Unserer Lieben Frau in Prag unterstellte. Der Rohbau stand bereits 1358. Bei der Fertigstellung am 11. April 1361 wurden zur Taufe Wenzels die Reichskleinodien vom Umgang über dem Portal gezeigt.[122] Die Nürnberger Frauenkirche wurde im Bereich der früheren Synagoge errichtet, die bei den Ausschreitungen gegen die jüdische Bevölkerung im Dezember 1349 zusammen mit der jüdischen Siedlung zerstört worden war. Synagogen wurden auch anderenorts in Marienkirchen umgewandelt - das Phänomen läßt sich nach Hedwig Röckelein räumlich auf Bayern, Franken, Sachsen und Böhmen und zeitlich auf 1349 bis 1519 eingrenzen -, doch hob sich die Nürnberger Frauenkirche von anderen Umwandlungen ab: Der Bau dieser Kirche brachte „die erfolgreiche Herrschaftssicherung des luxemburgischen Kaisers Karl IV. im Deut-

---

122 Zur Geschichte der Frauenkirche vgl. MÜLLNER, Annalen II, 10-13; GUTTENBERG/WENDEHORST, Bistum Bamberg, 286ff.; SCHLEMMER, Gottesdienst, 310f.; BLOHM, Frauenkirche.

schen Reich zum Ausdruck" und machte Nürnberg „zum Ort des Triumphes für den erst nach massiven Widerständen anerkannten Herrscher Karl IV."[123]

An der Frauenkirche sollte es zunächst keine Prozessionen geben. Als Bischof Leopold II. von Bamberg am 11. Januar 1362 die Stiftung der Frauenkirche bestätigte, schränkte er ein, *daß zu ewigen Zeiten niemand solle darein begraben, auch keine Prozession dahin angestellet werden.*[124] Die Prozessionsbeschränkung währte aber nur wenige Jahre, denn Stephan Schuler erwähnt in seinem 1442 verfaßten Salbuch einen Brief des Kardinals Pyleus, *dorinn hat er bestetigt die processen corpus cristi vnd verlihen wurtz vnd kertzen weyhen.*[125] Pyleus war von 1379 bis 1381 als Legat in Böhmen tätig. Vom 12.-18. Juni 1379 urkundete er Nürnberg.[126]. Die engen Beziehungen der Frauenkirche zu Prag lassen aber auch die Möglichkeit zu, daß der Brief in Prag verfaßt wurde, wo sich der Kardinal bis 1381 aufhielt. Spätestens 1381 also hielt die Frauenkirche eine Fronleichnamsprozession ab, die 1362 noch nicht bestand.

Der früheste Quellenbeleg für die Fronleichnamsprozession der Sebaldskirche datiert auf 1420. In diesem Jahr nahm Konrad Herdegen als Engelknabe an dieser Prozession teil.[127] Das Fronleichnamsfest feierte die Sebaldskirche allerdings schon im 14. Jahrhundert, wie die Ablässe bekunden.[128] Die frühesten Briefe stammen aus der Mitte des 14. Jahrhunderts: Leopold, Bischof von Bamberg (1335-1344 oder 1353-1363)[129] vergab für den Besuch der Sebaldskirche zum Fronleichnamsfest einen Ablaß von 40 Tagen, Papst Innozenz VI. (1352-1367) erhöhte auf ein Jahr und 40 Tage. Bis zum Beginn des 15. Jahrhunderts sind weitere Ablässe für das Fronleichnamsfest

---

123 RÖCKELEIN, Marienverehrung, 280, 285.

124 Nach MÜLLNER, Annalen II, 11. Lateinisches Original: StAN, HSTA München, Nürnberg, Urkunden 1103.

125 SCHULER, Salbuch, 78. - Im Salbuch sind drei Ablässe und zwei weitere Briefe dieses Kardinals vermerkt. SCHULER, Salbuch, 4f., 78.

126 SOUCHON, Papstwahlen, 264f., 305; LINDNER Geschichte des deutschen Reiches, 399. Pyleus, der damalige Erzbischof von Ravenna, wurde am 18. Nov. 1378 von Urban VI. zum Kardinal und Presbyter von St. Praxedis ernannt.

127 HERDEGEN, Denkwürdigkeiten, 15f.

128 StadtAN A21, Nr. 214-2° (Ablaßkalender St. Sebald), fol. 13'.

129 Ob es sich bei Leopold, Bischof von Bamberg, um Leopold von Egloffstein (1335-1344), der mehrere Ablässe für das Fronleichnamsfest des Heilig-Geist-Spitals ausstellte, oder um Leopold von Bebenburg (1353-1363) handelt, ist dem Ablaßkalender nicht zu entnehmen. Vgl. GUTTENBERG, Bistum Bamberg, 208-211 (Leopold oder Leupold von Egloffstein), 216-223 (Leopold oder Leupold von Bebenburg).

von Papst Bonifaz IX. (1389-1404) und von drei Kardinälen bekannt.[130] Ob
in dieser Zeit jedoch das Fest mit einer Prozession begangen wurde, verschweigen die Quellen. Keiner der Ablässe erwähnt eine solche und es war,
wie gezeigt, durchaus üblich, daß das Fronleichnamsfest gefeiert, die Prozession aber erst Jahre später eingerichtet wurde. So bleibt die Notiz Konrad Herdegens zum Jahr 1420 die erste gesicherte Meldung. Für die zweite
Pfarrkirche Nürnbergs, St. Lorenz, datiert der erste Quellenbeleg noch später. Erst das Mesnerpflichtbuch aus dem Jahre 1493 erwähnt die Fronleichnamsprozession. Es ist jedoch wahrscheinlich, daß in beiden Pfarrkirchen
Prozessionen zur gleichen Zeit entstanden, also spätestens zu Beginn des
15. Jahrhunderts.

2.4 Die Entstehung von Fronleichnamsprozessionen im Städtevergleich

Neu im 14. Jahrhundert war, daß Laien bei der Stiftung und Gestaltung von
Prozessionen die Initiative ergriffen. Nicht nur Konrad Groß, sondern auch
die Bürgerin Katharina Ilsung in Augsburg oder der Ratsherr Matthäus
Runtinger in Regensburg stifteten Fronleichnamsprozessionen.[131] Auch
Ratskollegien wirkten bei der Ordnung von Prozessionen mit: 1350 erließ
der Göttinger Rat eine Prozessionsordnung; in Straßburg regelte der Rat
1472 die Fronleichnamsprozession neu. Gleichzeitig treffen wir auf Kleriker, die bei der Einrichtung einer Fronleichnamsprozession aktiv wurden,
wie in Köln, Quedlinburg oder Rheinau, oder auch 1347 in Osnabrück. Die
Bedeutung einer Fronleichnamsprozession im städtischen Leben wird weiter darin ablesbar, ob eine stadtweite Prozession oder mehrere Prozessionen
in der Fronleichnamszeit stattfanden. So hielt in Bamberg der Dom am
Festtag einen Umgang ab, während die Prozession der Bürgerschaft am
Oktavtag durch die Stadt zog. In Köln veranstalteten einzelne Pfarreien in
der Zeit zwischen Pfingsten und der Fronleichnamsoktav Prozessionen, wie
auch in Nürnberg die Pfarrkirchen, die Frauenkirche und das Spital eigene
Fronleichnamsprozessionen abhielten. Schließlich war nicht überall - wie
vielfach angenommen - die Fronleichnamsprozession die Hauptprozession
einer Stadt. In Lübeck stellte die 1416 eingesetzte Große Prozession am
Sonntag der Oktav die eigentliche Fronleichnamsprozession in den Schat-
ten. In Frankfurt galt die Maria-Magdalenen-Prozession als Hauptprozessi-

---

130 Bonifaz IX.: 3 Jahr 3 „quadragena", Kardinal Pyleus (1379-1381 Legat in Böhmen): 100
    Tage, Kardinal und Legat Philippus (1387-1390 Legat in Deutschland): 40 Tage, Kardi-
    nal und Legat Johannes (1418 Legat in Böhmen): 100 Tage.
131 Die Belege für die folgenden Beispiele sind unten gesammelt vermerkt.

on, obwohl am Fronleichnamstag ein stadtweiter Umgang stattfand.[132] Der berechtigte Wunsch nach Erklärungen für diese Unterschiede kann hier leider nicht erfüllt werden. Um plausible Begründungen und Zusammenhänge zu finden, bedarf jede Prozession einer genauen Kontextanalyse, wie sie für das Nürnberger Heilig-Geist-Spital versucht wurde. An dieser Stelle können deshalb nur aus einer willkürlich anmutenden Auswahl von Fronleichnamsprozessionen einiger deutschsprachiger Städte - die Auswahl begründet sich vorrangig aus der Zugänglichkeit über edierte Quellen und Sekundärliteratur - Muster und Tendenzen herausgearbeitet werden, die Arbeitshypothesen für weitere Untersuchungen bilden mögen. Um dem statischen Blick auf Stiftungsurkunden und Prozessionsordnungen eine zeitliche Dimension entgegenzusetzen, soll in einem zweiten Schritt am Beispiel der Kölner Gottestracht beleuchtet werden, wie eine ursprünglich klerikale Prozession zunehmend in städtische Regie überging.

Laien oder Kleriker als Initiatoren von Prozessionen

Eine bischöfliche Stadtherrschaft setzte den Möglichkeiten von Laien, bei Fronleichnamsprozessionen initiativ zu werden, deutliche Grenzen, wie das Beispiel Aschaffenburg zeigt. Stadtherr war der Mainzer Erzbischof, der die Stadt seit der Mitte des 13. Jahrhunderts als bevorzugte Residenz nutzte; die Bürgerschaft erhielt nie volle städtische Selbstverwaltung. In diese Situation fällt 1352 die Stiftung der Fronleichnamsprozession durch Heinrich Faber, Kanoniker am Stift St. Peter und Alexander. Nach seinen Vorstellungen sollte die Prozession zu beiden Pfarrkirchen und zurück zur Stiftskirche gehen, war also ein stadtweiter Umgang. Über die Teilnehmer sind wir nur unzureichend informiert, da sich die fünf Processionale aus dem 14. bis 16. Jahrhundert auf die Rangfolge der geistlichen Teilnehmer beschränken.[133] Auch in der Bischofsstadt Freising geht die Fronleichnamsprozession, die den städtischen Bereich einbezog, auf geistliche Urheber zurück; als Begründer gilt Bischof Berthold von Wehingen (1381-1410). Nach der ältesten

---

132 Augsburg: KIESSLING, Bürgerliche Gesellschaft, 237; Bamberg: SCHNAPP, FronleichnamsOktavprozessionen; Frankfurt: KRIEGK, Bürgertum, 365f.; Freising: FISCHER, Anfänge, 80-87; Göttingen: Göttinger Statuten, Nr. 29, 42f.; VOGELSANG, Göttingen, 21f.; Köln: HERBORN, Feiertage, 48; SCHLIERF, Gottestracht, 155ff.; Lübeck: JANNASCH, Reformationsgeschichte, 362; Osnabrück: STÜVE, Hochstift Osnabrück, 180; FÜRSTENBERG, Fronleichnamsfeier, 321ff.; Regensburg: BAUERREISS, Entstehung, 95; EIKENBERG, Handelshaus, 35; GÜNTNER, Fronleichnamsprozession, 9ff.; Straßburg: PFLEGER, Ratsgottesdienste, 43-50.

133 Vgl. HOFMANN, Fronleichnamsprozession. Zur politischen und verfassungsrechtlichen Geschichte Aschaffenburgs vgl. FISCHER, Aschaffenburg, 135-175, 329-356.

Beschreibung, einem Brevier des St. Andreas-Stiftes von 1407, nahmen an ihr die beiden Stifte St. Andreas und St. Veit, das Domkapitel sowie die Benediktiner von Weihenstephan und die Prämonstratenserchorherren teil. „Bessere Bürger" sollten den Baldachin tragen; über eine Beteiligung der übrigen städtischen Bevölkerung schweigt das Brevier.[134] Ebenso spiegelt sich in der Eichstätter Fronleichnamsprozession der Einfluß wider, den der Bischof auf das Stadtregiment behalten hatte. Um 1451 erließ Bischof Johann die Ordnung der Prozession. Anders als in Aschaffenburg und Freising regelte die bischöfliche Ordnung nicht nur die Teilnahme der Geistlichen, sondern griff mit der Rangfolge der Zünfte in sonst bürgerschaftliche Belange ein.[135]

Während sich die klerikalen Stiftungen und Ordnungen in Aschaffenburg, Freising und Eichstätt mit dem bischöflichen Stadtregiment und der nur rudimentären Ausbildung eigenständiger städtischer Selbstverwaltungsorgane begründen lassen, trägt diese Erklärung für Osnabrück nicht, das sich durch königliche Privilegien früh von der bischöflichen Stadtherrschaft hatte lösen können und bis ins 15. Jahrhundert hinein freie Stadt blieb.[136] Die Fronleichnamsprozession etablierten 1347 der Rektor des Hauptaltars und Dompastor Otto von Schüttorp und sein Bruder und Vikar Ludolph, indem sie den Ritus der Prozession vorgaben und eine Rente von 6 Mark für 64 Kerzen für die Kleriker stifteten.[137] Die Ordnung der Prozession und auch die Teilnahme der weltlichen Einwohner regelte ein Rituale des Doms: Die Zünfte gingen mit ihren Bannern vorweg; nach dem Sakrament, dem herausragende Laien Geleit gaben, folgten Adelige, Rat und Bürgerschaft.[138] In Osnabrück tritt mit dem Domstift eine Institution auf, die auch in anderen Städten eine wichtige Rolle bei Prozessionen spielte. Die Stadt zeigt aber auch die Grenzen dieses Überblicks: Eine genauere Analyse müßte nach der Einbettung des Stiftes in die Stadt und nach der Stellung der beiden Stifter fragen.

Als Gegenpol zu Aschaffenburg, Freising, Eichstätt und Osnabrück, wo ausschließlich Geistliche als Stifter und Organisatoren von Fronleich-

---

134 Vgl. FISCHER, Anfänge, 80-87.
135 Vgl. FPO Eich, 110. Zu Eichstätt vgl. FLACHENECKER, Eichstätt.
136 Zu Osnabrück vgl. HUYS, Verhältnis; WRIEDT, Ratsverfassung.
137 STÜVE, Hochstift Osnabrück, 180; FÜRSTENBERG, Fronleichnamsfeier, 321; BERNING, Bistum Osnabrück, 128f.; SINNER, Osnabrück, 45. Die Stiftung findet sich nicht im UB Osnabrück.
138 FÜRSTENBERG, Fronleichnamsfeier, 323. Ähnlich war in Colmar das Stift St. Martin für die Prozessionsordnung zuständig. Vgl. BEUCHOT, Fronleichnamsfest; SCHANZ, Gesellen-Verbände, 79.

namsprozessionen auftauchen, präsentieren sich Braunschweig und Göttingen. Begründer der Prozessionen waren hier bürgerschaftliche Organe, während kirchliche Institutionen kaum Erwähnung finden. In Braunschweig stifteten der Rat und die Herzöge Friedrich zu Lüneburg (gest. 1400) und Heinrich II. zu Braunschweig (gest. 1416) eine Prozession für den Oktavtag von Fronleichnam. Die Stiftung erinnerte an die siegreiche Schlacht bei Winsen an der Aller am Fronleichnamstag 1388 (11. Juni), bei der Braunschweig die beiden Herzöge gegen den Herzog von Lüneburg unterstützt hatte, als dieser Celle belagerte: *Hyrvmme dat god de gnade gaff vp den dach so worden de vorghenanten heren, alse hertoghe Frederik, vnde hertoghe Hinrik, vnde de rad to Brunswik, des enich dat se wolden to ewighen tyden dem hilligen lichame to loue vnde to eren alle iar eyne processien loffliken vnde erliken*, wie es im 1408 niedergeschriebenen „Ordinarius" heißt.[139] Obwohl Braunschweig im 13. und 14. Jahrhundert unter Ausnutzung von Erbstreitigkeiten und Teilungen und durch den Erwerb von stadtherrlichen Rechten faktisch die Unabhängigkeit erlangt hatte, wirkte der Rat bei der Stiftung mit den welfischen Stadtherren zusammen. Der mit der Prozession erinnerte Sieg von 1388 hatte die Stärke Braunschweigs gezeigt, als Herzog Friedrich Braunschweig um militärische Unterstützung bitten und der Stadt Mitsprache bei den Friedensverhandlungen zusagen mußte. Auch dem Einfluß der Bischöfe von Hildesheim und Halberstadt - die Diözesangrenze lief durch die Stadt - hatte sich die Stadt durch päpstliches Exemtionsprivileg 1256 entziehen können.[140] Für die Bestellung der geistlichen Teilnehmer bei der Prozession waren die Herzöge und die Stadträte der einzelnen Weichbilder verantwortlich. Die Stiftung der Fronleichnamsprozession beschwört ein Ideal des einträchtigen Zusammenwirkens von Stadt und Landesherren, beruht aber auf der faktischen Unabhängigkeit Braunschweigs. 1388 mag es aber nicht nur um das Verhältnis von Stadt und Stadtherren, sondern auch um interne Eintracht gegangen sein. Wenige Jahre vorher - 1374-1380 - hatten innere Unruhen Braunschweig erschüttert; 1386 war eine neue Verfassung erlassen worden.[141] Die Fronleichnamsprozession konnte ein Versuch sein, über die Erinnerung an einen gemeinsamen Sieg von Stadtherr und Bürgerschaft Eintracht zu stiften.

Auch in Göttingen hatte die Bürgerschaft den Einfluß der welfischen Herzöge bis zum Ende des 15. Jahrhunderts zurückdrängen können, doch

---

139 UB Braunschweig I, 176. Zur Schlacht bei Winsen/Aller vgl. DÜRRE, Braunschweig, 182. Zu Schlachtengedenken in Prozessionen vgl. GRAF, Schlachtengedenken.
140 Zu Braunschweig vgl. DÜRRE, Braunschweig; PATZE, Bürgertum.
141 Vgl. REIMANN, Unruhe; PUHLE, Braunschweiger „Schichten".

war die Situation dieser Stadt prekär: 1497 fiel Göttingen an den Stadtherrn zurück.[142] Um 1350, wahrscheinlich im Zusammenhang mit der Pest, erließ der Göttinger Rat eine Ordnung, nach der am Freitag nach Fronleichnam eine Prozession zu allen Pfarrkirchen gehen sollte: *Item omni anno feria sexta post corporis Christi feruntur cum corpore Christi reliquie ad omnes parrochias civitatis.*[143] Bereits in diesem Beschluß legte der Rat die Rangfolge der Zünfte fest. 1434 erneuerte er die Ordnung und regelte nun auch die Reihenfolge der geistlichen Teilnehmer. Das Sakrament sollte der Pfarrer von St. Johannis tragen, *vel alius ad placitum dominorum consulum, quem volunt petere et habere consules novi.*[144] Per Ratsbeschluß waren auch die Messe und die Gesänge im Anschluß an die Prozession sowie die Präsenzen für Teilnehmer geregelt. Ausgaben für die Fronleichnamsprozession finden sich bereits im Rechnungsbuch 1399/1400.[145] Die Ordnung der weltlichen und geistlichen Teilnehmer sowie die Finanzierung lagen in Göttingen seit ihrer ersten Erwähnung um 1350 in den Händen des Rates.

Auch wenn in Braunschweig und Göttingen die Magistrate die stadtweiten Fronleichnamsprozessionen ohne Mitwirkung von kirchlichen Institutionen regelten, warnt die Terminierung davor, den Einfluß kirchlicher Institutionen zu unterschätzen: In beiden Städten fanden die Prozessionen in der Oktavwoche statt, so daß Kirchen, Stifte oder Klöster am Fronleichnamstag eigene Umgänge abhalten konnten.[146] Ein Nebeneinander von kirchlichen und bürgerschaftlichen Prozessionen findet sich in einer Vielzahl von Städten. In Regensburg stiftete Matthäus Runtinger (gest. 1408), Großkaufmann, Ratsmitglied und Inhaber mehrerer städtischer Ämter, 1395/96 eine Prozession für den Sonntag nach Fronleichnam, als Umgänge des Domes, der Stifte und der Klöster am Fronleichnamstag bereits existierten. Motiv Runtingers war, so der Chronist Andreas von Regensburg, daß zu seinen Lebzeiten keine Fronleichnamsprozession durch die Stadt gehalten wurde.[147] Nach dem Vorbild der Umgänge am Fronleichnamstag

---

142 Zur Verfassungsgeschichte Göttingens vgl. MOHNHAUPT, Stadtverfassung.

143 Göttinger Statuten, Nr. 29, 42f. Zu Prozessionen in Göttingen vgl. VOGELSANG, Göttingen, 21f.

144 Göttinger Statuten, Nr. 225, 304. Weiter ist eine undatierte Ordnung aus dem 15. Jahrhundert überliefert, die ebenfalls die Reihenfolge der Zünfte, Orden und Pfarrer festhielt. Vgl. UB Göttingen II, 105, Anm. 1.

145 UB Göttingen II, 408, 428f.

146 In Braunschweig feierte das Cyriakusstift das Fronleichnamsfest. Ob es eine Prozession abhielt, konnte nicht ermittelt werden. Vgl. DÖLL, Kollegiatstifte, 224.

147 ANDREAS VON REGENSBURG, Bd. 1, 128: *De dicto autem Matheo Rantigär pie memorie sunt alia digne memorie commendanda. Dum enim tempore vite sue processio illa sollempnis in festo corporis*

schuf Runtinger eine stadtweite Prozession der Bürgerschaft, die er durch seine Stiftung vor allem finanziell sicherte; auch soll er selbst bei der Prozession Blüten und Rosen gestreut haben.[148] Tatsächlich vermelden seine Wechselrechnungen in der Zeit zwischen dem 6. und dem 14. Juni 1396 erstmals Ausgaben für Laub.[149] Im Laufe des 15. Jahrhunderts gingen Finanzierung und Gestaltung der Prozession auf den Rat über. 1465 und 1470 listen städtische Urkunden die Aufwendungen des Rates für die Fronleichnamsprozession auf, als deren Stifter weiterhin Matthäus Runtinger genannt wird.[150] Der Rat lud die Geistlichen ein, bestellte die Musiker und war für die Ordnung und die Reihenfolge des Prozessionszuges verantwortlich.[151] Hintergrund des Nebeneinanders von Umgängen der Stifte und Klöster und einer städtischen, auf die Initiative eines reichen Bürgers zurückgehenden Prozession war die weitgehende Unabhängigkeit der Stadt und das gleichzeitige Bestehen mächtiger Stifte und Klöster.[152]

Auch in Bamberg, Mainz und Speyer bedingte die Existenz eines Domstiftes das Nebeneinander von stiftischen und städtischen Prozessionen. 1390 stiftete Bischof Lamprecht von Brunn die Fronleichnamsprozession für den Bamberger Dom; 1391 vermachte er testamentarisch einen Zins für Präsenzen. Räumlich und personell blieb die Prozession auf den Dom beschränkt: Sie zog lediglich über den Domhof und zur Teilnahme verpflichtet waren das Domstift, die Nebenstifte und der Stadtklerus. Die Bürgerschaft war symbolisch durch die Kirchenfahnen der beiden Pfarrkirchen und die Zunftkerzen vertreten. Parallel zur Kathedralprozession entstanden im 15. Jahrhundert Fronleichnamsprozessionen der beiden Pfarrkirchen. Am Festtag selbst gingen diese lediglich über die Kirchhöfe und durften nicht zu lange dauern, damit der Klerus und die Fahnen an der Domprozession teilnehmen konnten. Die eigentliche Prozession der Bürgerschaft war diejenige der Pfarrkirche St. Martin am Oktavtag. Für sie erließ der Rat 1449

Christi per civitatem Ratisponam ex nomine non ageretur, ipse sollicitus fuit, ut non omitteretur. Zur Fronleichnamsprozession in Regensburg vgl. BAUERREISS, Entstehung, 95; EIKENBERG, Handelshaus, 35; GÜNTNER, Fronleichnamsprozession.

148 ANDREAS VON REGENSBURG, Bd. 1, 128: *ostendens die illa, qua agebatur, singularem voltus sui hylaritatem flores et rosas personaliter spargendo.*

149 BASTIAN, Bd. 2, 289. Vgl. dagegen GÜNTNER, Fronleichnamsprozession, 9, der diese Quellenangabe als Stadtrechnung liest und annimmt, die erste Prozession wurde 1395 abgehalten.

150 BASTIAN, Runtingerbuch Bd. 3, 71f. Vgl. EIKENBERG, Handelshaus 35.

151 BASTIAN, Runtingerbuch Bd. 3, 73f. Zu Ordnung und Gestaltung der Prozession vgl. GEMEINER, Chronik III, 372-375.

152 Vgl. KRAUS, Geschichte Bayerns, 60-69; ALOIS SCHMID, Regensburg.

und nach Rangstreitigkeiten erneut 1470 Ordnungen. Zur Teilnahme waren die zünftischen und nichtzünftischen Bürger verpflichtet. Der Prozessionszug bewegte sich auf städtischem Grund und führte über den Markt.[153] Politisch war die Bamberger Bürgerschaft dem Bischof untergeordnet: Die Stadtgemeinde wählte zwar seit der Mitte des 13. Jahrhunderts Bürgervertreter, doch mußte der Bischof diese bestätigen und konnte sie absetzen. Auch bestand der Stadtrat im 14. Jahrhundert nicht fortdauernd und erlangte gegenüber dem bischöflichen Schultheiß nie das Stadtregiment.[154] Mit der Fronleichnamsprozession am Oktavtag schuf sich die Bürgerschaft trotz dieser Abhängigkeit eigene Repräsentationsformen.

In Mainz und Speyer ließen sich die bürgerschaftlichen Prozessionen nicht in die Oktav verweisen, sondern diese Städte erlebten am Fronleichnamstag mehrere Prozessionen. Beide Gemeinden hatten gegenüber dem bischöflichen Stadtherrn weitgehende Unabhängigkeit erlangt und bürgerliche Selbstverwaltungsgremien herausgebildet, aber Konflikte mit dem Bischof und dem Domkapitel prägten in beiden Städten das politische Leben.[155] In Mainz hielt der Dom nach einer um 1400 datierten Ordnung eine Prozession am Fronleichnamstag ab, die entlang der Immunitätsgrenzen des Domes und der Nebenstifte zog. Zur Teilnahme verpflichtet waren die Kanoniker und Vikare dieser Stifte. Die Stadtpfarrer konnten sich ebenso wie die Bürgerschaft freiwillig beteiligen. Den Abschluß sollte das Volk „in demüthiger und geräuschloser Haltung" bilden.[156] Die Anweisungen bleiben aber so vage, daß die Prozession wohl im wesentlichen ein Umgang des Klerus war. Attraktiver für die Bürgerschaft waren Prozessionen der Pfarreien, die zeitgleich am Festtag stattfanden. In der Pfarrei St. Christoph war - gemäß den um 1500 entstandenen Aufzeichnungen des Pfarrers Florentius Diel - die Pfarrgemeinde zur Teilnahme aufgerufen; hierzu gehörten auch die Studenten und Magister der nahegelegenen Universität. Auf ihrem Weg traf die Pfarrgemeinde mit der Prozession von St. Quentin zusammen.[157] Der Umgang des Domes am Fronleichnamstag war in Mainz nicht die

---

153 Zu den Fronleichnamsprozessionen in Bamberg vgl. SCHNAPP, Fronleichnams-Oktavprozessionen. Ähnlich fand in Essen die Fronleichnamsprozession der Bürger unter Beteiligung des Kanonikus am Freitag statt, während das Stift am Festtag in Prozession über den Kirchhof ging. Vgl. ARENS, Liber ordinarius, 52f.
154 Vgl. SCHIMMELPFENNIG, Bamberg, 76-85.
155 Zu Mainz und Speyer vgl. FALK, Mainz; VOLTMER, Reichsstadt.
156 BRUDER, Fronleichnamsfeier, 503f. Das lateinische Original, ein Präsensbuch des Metropolitenstiftes, war mir leider nicht zugänglich. Vgl. KLEIN, Prozessionsgesänge, 34ff.
157 DIEL, Aufzeichnungen, 37 (deutsche Übersetzung), 63f. (lateinischer Text).

Hauptprozession, sondern fand parallel mit Prozessionen der Pfarreien statt, bei denen die jeweilige Pfarrgemeinde zur Teilnahme aufgerufen war. Während der Feier des Fronleichnamsfestes in Speyer eine Stiftung des Domprobstes Peter von Fleckenstein von 1307 zugrunde liegt, ist für die Prozession am gleichen Tag keine Stiftung bekannt.[158] Gesicherte Informationen liegen erst mit einer um 1500 geschriebenen Dienstanweisung für die Sakristane und Glöckner des Domes vor. Danach war das Domkapitel Veranstalter des auf die Domimmunität beschränkten Umganges, an dem die Priesterschaft des Domes und der drei anderen Stifte sowie die Pfarrer und die Klostergeistlichkeit teilnahmen. Die Bürgerschaft war wie in Bamberg symbolisch durch Zunftkerzen repräsentiert. Sie hatte ihre eigenen Prozessionen in den Pfarreien, die allerdings erst für das beginnende 16. Jahrhundert belegt sind.[159] Siben nimmt an, die Stiftsherren hätten sich aus Sorge um ihre Sicherheit nicht mit der Prozession in das Stadtgebiet begeben. Damit scheint er mir jedoch dem Konflikt zwischen Bürgerschaft und Stift zuviel Gewicht für den Ablauf der Prozession zu geben. Da sich die Fronleichnamsprozessionen an bestehenden Umgängen orientierten, blieben Stiftsprozessionen auch in anderen Städten meist im Bereich der Immunität, wenn nicht, wie in Freising oder Aschaffenburg das städtische Gebiet im Besitz des Bischofs war. In Speyer verweist vielmehr die Präsenz der Zunftkerzen auf ein Bemühen, Eintracht zwischen Stift und Bürgerschaft zu demonstrieren.

Um die Bedeutung von Prozessionen für die Bürgerschaft aufschlüsseln zu können, ist es wichtig zwischen klerikaler und bürgerlicher Initiative bei der Stiftung und Organisation von Fronleichnamsprozessionen zu unterscheiden. Trotzdem blieben bürgerschaftliche Prozessionen religiöse Angelegenheiten, zu deren Gelingen die Teilnahme von Bürgerschaft und Klerus notwendig war. Das einträchtige Zusammenwirken von Rat und Geistlichkeit bei der Stiftung einer Prozession bringt die Ordnung der Braunschweiger St. Auctorsprozession zum Ausdruck, die nach der Pest 1350 zu Ehren des Stadtpatrons eingesetzt wurde: *Dat hebben eyndrechtliken ghesat de papheyt vnde de rad dorch sunderlike gnade vnde beschirminghe willen de sunte Auctor.*[160] Die beschworene Eintracht beruhte auf einer Kompetenz- und Aufgabenverteilung, die im Falle Würzburgs Machtgefälle und Abhängigkeiten beinhaltete.

---

158 SIBEN, Fronleichnamsfest, 351f. Siben unterstellt, daß Papst Johannes XXII. Fronleichnamsprozessionen 1312 für die ganze Kirche eingeführt habe und folgert daraus, daß sie in Speyer kurz nach 1316 eingesetzt sei.

159 SIBEN, Fronleichnamsfest, 352ff.

160 UB Braunschweig I, 178.

Das Domkapitel dieser Stadt setzte am 7. Juli 1381 eine Fronleichnamsprozession ein und regelte - gemeinsam mit dem Dechanten - den Umgang um
die Stadt und die Gesänge.[161] Diese Quellen erwähnen nur die geistlichen
Teilnehmer, während aus einem Ratsbeschluß von 1476 hervorgeht, daß die
gesamte geistliche und weltliche Einwohnerschaft Würzburgs angesprochen
war, *mit einen hochwirdigen fursten und bischoff zu und mitsampt seiner gnaden erwirdi-*
gen und wirdigen ebbten, brobsten, techanden, capitteln, tumherrn, chorherrn, der hohen
und nidern stiften, ebtissin, praelaten, geordenten, geistlichen und werntlichen personen,
erbern und wolachtperen burgermeistern, rat und comunen (...) und auch sust dabei und
neben von hohem, mitteln und nidern stand geistlichen und werntlichen.[162] Für die Aufstellung der Bürgerschaft war der Rat zuständig: Die Prozessionsordnung
von 1447 ist in den städtischen Ratsbüchern überliefert.[163] Auch weitere
Ordnungsaufgaben, wie die Reinigung der Straßen, fielen in den Aufgabenbereich des Rates, der aber keine darüber hinausgehenden Zuständigkeiten
besaß. Nach Trüdinger fehlte ihm eigenes Vermögen, um Prozessionen
anzuordnen.[164] Die Finanz- und Wirtschaftskraft der Stadt war durch die
vernichtende Niederlage 1400 bei Bergheim gegen den Bischof und die
auferlegte Wiedergutmachungssumme geschwächt. Die Stellung des Rates
war bereits durch Verträge von 1261 und 1265 begrenzt, die dem Bischof
erlaubten, den Rat einzusetzen und die Zünfte einzuschränken oder aufzu-
lösen. Nach 1400 verlor der Rat weiter an politischer Bedeutung; an der
Spitze der Stadt stand ein Schultheiß.[165] Die Mitgestaltungsmöglichkeiten
des Rates stellen sich vor diesem Hintergrund als Aufgaben dar, für die sich
Domkapitel oder Bischof nicht zuständig fühlten und die sie deshalb dem
Rat übertrugen.

Die Eintracht zwischen Bürgerschaft und Klerus sowie zwischen verschiedenen geistlichen und bürgerlichen Gruppen, die bei der Ausrichtung
einer Prozession erwartet wurde, konnte durch Hierarchien und Konkurrenz, die in Prozessionen ihren Ausdruck fanden, gestört werden. Die Etablierung und Durchführung einer Prozession beinhaltete immer auch den
Zugriff auf das religiöse und rituelle Leben einer Stadt und konnte zu Konflikten führen. 1486 drohte die Regensburger Geistlichkeit, die Fronleich-

---

161 MB 45, Nr. 268, 383f. (Einsetzung der Prozession), vgl. MARTIN, Pest, 42; MB 43, Nr.
   168, 390ff. (1381 Juli 7, das Domkapitel ermächtigt den Dechanten und drei Domherren, Bestimmungen für die Prozession zu erlassen); MB 43, Nr. 169, 392-396 (1381 Juli
   7, der Domdechant legt den Ordo für das Fronleichnamsfest und die Prozession fest).
162 HOFFMANN, Polizeisätze, Nr. 363, 181.
163 Vgl. TRÜDINGER, Würzburg, 132.
164 TRÜDINGER, Würzburg, 132, Anm. 69.
165 Zur Verfassungsgeschichte Würzburgs vgl. TRÜDINGER, Würzburg, 23-34.

namsprozession ausfallen zu lassen, *aus Besorgnis, die jungen Bürgerssohne möchten während des Umgangs ihre Häuser aufpochen.*[166] Hintergrund war der Streit über die Wein- und Bierschenken des Klerus. Der Regensburger Rat wiederum sagte 1504 die Fronleichnamsprozession ab, weil er die Geistlichkeit im Krieg gegen den Pfalzgrafen Ruprecht für unzuverlässig hielt. Auch im folgenden Jahr fiel die Prozession aus; der Zug außerhalb der Mauern erschien dem Rat in Kriegszeiten zu gefährlich.[167] In Augsburg äußerten Laien aus der Pfarrgemeinde der hl. Kreuz-Kirche 1483 die Bitte, *vff den Tag Corporis Christi mitt ettlichen figuren antreffen daß leiden Christi zuo andacht deß volks dennende In der proceß vmzegon.* Zusätzlich wollten sie eine Bruderschaft gründen.[168] In dieser Stadt organisierten die Pfarreien neben der 1305 durch eine Stiftung von Katharina Ilsung begründeten Domprozession eigene Fronleichnamsprozessionen, auf die das Domkapitel Einwirkungsmöglichkeiten hatte.[169] Das Kapitel widersetzte sich der Bitte der Hl.-Kreuz-Gemeinde, da es fürchtete, Teilnehmer beim Hauptgottesdienst zu verlieren. Man einigte sich, daß die Prozession erst nach den Ämtern des Domes stattfinden sollte. Nicht die Figuren, mit denen die Pfarrleute eigene Vorstellungen in die Gestaltung einer Prozession einbrachten, waren der Streitpunkt, sondern die Konkurrenz zweier religiöser Veranstaltungen, von denen die Prozession der Pfarrgemeinde möglicherweise die attraktivere war. Auch bei Konflikten zwischen Bettelorden und Weltgeistlichen war die Organisation von Prozessionen ein Stein des Anstoßes. 1512/13 versuchte das Augsburger Domkapitel eine Prozession der Barfüßer in der Jakober-Vorstadt am Fronleichnamstag zu verhindern.[170] Ähnlich wurde in Straßburg der schon lange währende Streit zwischen Weltgeistlichkeit und Bettelorden 1517 mit der Forderung nach einer Prozession untermauert.[171] Die Durchführung einer regelmäßigen Prozession markierte Ansprüche auf die Gestaltung des religiösen Lebens und konnte als ein Eingriff in den Kompetenzbereich geistlicher Autoritäten Konflikte heraufbeschwören.

---

166 GEMEINER, Chronik III, 749. Vgl. GÜNTNER, Fronleichnamsprozession, 11. - Zur Situation Regensburgs am Ende des 15. Jahrhunderts vgl. STRIEDINGER, Kampf; SCHWAB, Regensburg; PANZER, Protest, 39-76; PETER SCHMID, Regensburg, 36f.
167 GEMEINER, Chronik IV, 82, 92. Vgl. GÜNTNER, Fronleichnamsprozession, 11.
168 KIESSLING, Bürgerliche Gesellschaft, 293.
169 Zur Domprozession vgl. HOEYNCK, Liturgie, 229-232. Nur zu besonderen Anlässen wie dem Reichstag 1500 vereinigten sich die Pfarreien zu einer gemeinsamen Prozession. Vgl. St.Chr. Bd. 23, 83.
170 Vgl. KIESSLING, Bürgerliche Gesellschaft, 159.
171 Vgl. DACHEUX, Annales, 39f.

Als Fazit läßt sich festhalten, daß Laien - einzelne Bürger und bürgerschaftliche Organe - mit den seit dem 14. Jahrhundert entstehenden Fronleichnamsprozessionen Einfluß auf die Ausrichtung und Gestaltung von Prozessionen gewannen. Die Unabhängigkeit vom Stadtherrn erwies sich als ein
Faktor, der die Einwirkungsmöglichkeiten von Laien begünstigte. In Städten, die sich nicht oder nur wenig aus der Abhängigkeit vom bischöflichen
Stadtherrn gelöst hatten, finden wir nur selten Laien als Stifter von Prozessionen. Doch war die verfassungsrechtliche Situation nicht allein bestim-
mend, sondern auch das Vorhandensein eines Domstiftes spielte eine wichtige Rolle: Stifte hielten eigene Fronleichnamsprozessionen ab oder hatten
starken Einfluß auf die Gestaltung einer stadtweiten Prozession, während in
Nürnberg ohne diese Konkurrenz ein einzelner Bürger oder der Rat Einfluß
auf die Prozessionen ausüben konnten. Ähnlich der Fronleichnamsprozessionen bei St. Gereon in Köln blieben die Umgänge der Stifte häufig auf
kirchliches Gebiet beschränkt. Im untersuchten Sample griffen nur die Prozessionen in Aschaffenburg und Freising auf städtischen Raum über. Diesen Raum nutzte dagegen häufig die Bürgerschaft, deren Prozessionen parallel zu und wohl in Anlehnung an die Umgänge von Stiften oder Klöstern
auf Initiative einzelner Bürger oder des Rates entstanden. Mit diesen städtischen Prozessionen - ihrer Ordnung nach Zünften, der exponierten Teilnahme des Rates und dem Prunk - schuf sich die Bürgerschaft eigene Repräsentationsmöglichkeiten. Sie erlaubten einen Zugriff auf das rituelle Leben einer Stadt; die Einmischung seitens der Bürgerschaft - oder der Bettelorden - in den Kompetenzbereich der Weltgeistlichkeit konnte dabei Konflikte wie in Regensburg, Augsburg oder Straßburg hervorrufen. Streitigkeiten konnten umgangen werden, indem städtische Prozessionen in der Ter-
minwahl Rücksicht auf die Domprozessionen nahmen; anderswo fanden
zeitgleich am Fronleichnamstag Umgänge der Pfarreien statt. Das Nebeneinander mehrerer Fronleichnamsprozessionen erweist sich durch den
Städtevergleich als Normalität, nicht als Besonderheit Nürnbergs. Häufig
wurde die Fronleichnamsprozession zur wichtigsten Prozession der Stadt.
Jedoch konnten auch Prozessionen an anderen Tagen diese Funktion übernehmen, wie beispielsweise die „Gottestracht" in Köln, die Große Prozession in Münster oder die Reinoldi-Prozession in Dortmund.[172] Es mochte
aber auch vorkommen, daß eine Stadt - zu denken wäre an Nürnberg oder

---

172 Vgl. SCHLIERF, Gottestracht, 157; REMLING, Prozession; BRANDT, Reinoldus. Vgl. hierzu auch RUBIN, Symbolwert, 317: „Wo es bereits ein bedeutenderes Ereignis gab, wurde
Fronleichnam zweitrangig, und wo man ein stärkeres Symbol aus der Stadtgeschichte besaß, wurde dieses zum Zentrum der Prozession."

Augsburg - keine regelmäßige Prozession der ganzen Stadt kannte. Diese Befunde warnen davor, gerade Fronleichnamsprozessionen wegen ihrer inhaltlichen Ausrichtung und Körpermetaphorik als notwendig integrativ für eine Stadt zu interpretieren.[173]

Von klerikalen Umgängen zu einer städtischen Prozession: Die „Große Gottestracht" in Köln

Nach diesem eher statischen Blick auf klerikale und bürgerliche Stiftungen soll nun am Beispiel der Kölner Gottestracht, die zwar keine Fronleichnamsprozession war, aber als Sakramentsprozession abgehalten wurde, verfolgt werden, wie eine zunächst klerikale Prozession in ratsherrliche Verantwortung überging.[174] Nach dem „Ceremoniale Coloniense", einer auf vor 1247 zurückgehenden Ordnung des Domes, die aber im 14. Jahrhundert und nach 1515 ergänzt wurde, legte das Domkapitel 1220 die Reihenfolge der Geistlichen und den Ablauf der Gottestracht fest.[175] Odenthal hält diese Datierung jedoch für eine nachträgliche Interpretation, da der Umgang am zweiten Freitag nach Ostern im ältesten „Liber Ordinarius" des Stiftes St. Aposteln fehlt und im zwischen 1370 und 1392 verfaßten zweiten Ordinarius nur spärlich erwähnt wird.[176] Die Argumente Odenthals sprechen für eine Entstehung der Gottestracht erst im 14. Jahrhundert. Bis zu diesem Zeitpunkt standen die Prozessionen Kölns unter klerikaler Führung. Wenn die spätere Große Gottestracht bereits zu Beginn des 13. Jahrhunderts als Prozession entlang der Stadterweiterung von 1180 stattfand, wurde sie von Geistlichen organisiert, wie die Notiz des „Ceremoniale" nahelegt. In dieser Zeit gab es mit der seit 1114/19 bestehenden Richerzeche, dem genossenschaftlichen Zusammenschluß der führenden Familien Kölns, bereits Ansätze einer städtischen Autonomie. Die Gemeinde war durch Amtleutekollegien in den Kirchspielen repräsentiert, von denen einige im ersten Drittel des 13. Jahrhunderts Einfluß auf die Pfarrerwahl gewannen. Neben der

---

173   Gegen JAMES, Ritual.

174   Zur Kölner Gottestracht vgl. KLERSCH, Volkstum, Bd. 1, 177-192; HERBORN, Feiertage, 46f.; WOLFF, Kirchenfamilie, 38; SCHLIERF, Gottestracht, 155-158; ODENTHAL, Liber Ordinarius, 76f. - Trotz einiger Artikel steht eine genauere Untersuchung der Kölner Gottestracht aus. Ungeklärt ist nicht nur das Verhältnis von klerikaler und ratsherrlicher Organisation, sondern auch die Teilnahme und Rangfolge der Gaffeln in ihrer zeitlichen Veränderung. Detailreiche Quellen liegen erst für das 15. und vor allem für das 16. Jahrhundert vor, doch nahm die Forschung bisher häufig Hermann Weinsbergs Schilderung als gültig auch für frühere Jahrhunderte.

175   AMBERG, Ceremoniale Coloniense, 174f.

176   ODENTHAL, Liber Ordinarius, 76.

Richerzeche und dem Schöffenkollegium bildete sich 1216 der Rat, der allerdings erst 1258 als Glied des Stadtregiments anerkannt wurde. Trotz dieser Gremien waren die städtischen Selbstverwaltungsorgane im beginnenden 13. Jahrhundert noch nicht so ausgebildet, daß sie eigenständig eine Prozession hätten initiieren können. Diese Bedingungen änderten sich in der zweiten Jahrhunderthälfte. 1271 mußte Erzbischof Engelbert die städtische Autonomie anerkennen, die mit der Schlacht bei Worringen 1288 endgültig gefestigt wurde.[177]

Eindeutig belegt ist die Gottestracht am zweiten Freitag nach Ostern durch die Stadtrechnungen der 1370er Jahre, die gleichzeitig die Ratsbeteiligung bezeugen. Am 23. April 1371 sind Ausgaben mit dem Eintrag *portantibus candelas dominorum in portacione sacramenti* notiert und eine Woche später, am 30. April, findet sich die Notiz: *pro exspensis factis per dominos nostros in portacione sacramenti circa civitatem.*[178] Die Prozession fand in diesem Jahr am 18. April statt. Gleichlautende Angaben finden sich in den folgenden Jahren.[179] Die Stadtkasse bezahlte also Kerzen und Präsenzgelder für die Ratsherren. Ähnliche Ausgaben machte der Rat auch für andere Prozessionen, so am 7. Mai 1371 für die Sylvesterprozession oder am 28. Mai des gleichen Jahres für eine Prozession am Pfingstdienstag von der Pantaleonskirche zur Kapelle in Sülz.[180] Die Eintragungen in den Stadtrechnungen sagen also noch nichts über eine ratsherrliche Organisation der Gottestracht aus. Für eine Organisation durch den Rat könnte die Klage der Dominikaner 1346 sprechen, sie würden wegen des Streites mit dem Kölner Rat um ihre Besitztümer seit zwei Jahren von den allgemeinen Prozessionen ausgeschlossen: *ipsosque priorem et fratres a generalibus processionibus biennio tunc elapso privaver-*

---

177 Zur Geschichte Kölns im 12.-15. Jahrhundert vgl. LAU, Entwicklung; HERBORN, Führungsschicht; MILITZER, Führungsschicht; MILITZER, Ursachen; SCHWERHOFF, Ratsherrschaft; GROTEN, Köln.

178 KNIPPING, Stadtrechnungen, 42. KLERSCH, Volkstum (Bd. 1, 177) datiert die erste Erwähnung in den Stadtrechnungen auf 1370 und gibt als Beleg zwei Einträge am 9. Oktober an: *pro exspensis factis per dominos nostros de consilio in portacione sacramenti* und *eidem* [dem Stellmacher Meister Johannes, A.L.] *et sociis suis pro bibalibus in portacione sacramenti* (KNIPPING, Stadtrechnungen, 24). Es erscheint mir jedoch nicht möglich, diese Angaben auf die Gottestracht am 26. April zu beziehen, da in den folgenden Jahren die Ausgaben für die Prozession immer am folgenden oder übernächsten Mittwoch verbucht wurden. 1370 finden sich keine entsprechenden Ausgaben am 24. April, 1. Mai oder 8. Mai. KNIPPING, Stadtrechnungen, 8ff.

179 KNIPPING, Stadtrechnungen, 79, 116, 149, 183.

180 KNIPPING, Stadtrechnungen, 43, 44.

ant.[181] Unklar bleibt jedoch zum einen, ob der Streit um die Große Gottestracht ging, zumal ungewiß ist, ob diese zu diesem Zeitpunkt bereits bestand. Nach den Darlegungen des Rates waren nicht allgemeine Prozessionen betroffen, sondern solche, die auf Bitten des Rates unregelmäßig durchgeführt wurden.[182] Dies läßt eher an Bittprozessionen denken. Zum anderen stellt der Rat in seiner Verteidigungsschrift genau dar, wie weltliche und geistliche Macht bei der Abhaltung von Prozessionen zusammenwirkten: Der Rat könne solche Prozessionen erbitten, doch die Zustimmung liege beim Domkapitel, *et consensus admissionis principaliter Maioris ecclesie quoad hoc quod instituatur processio.*[183] Der Rat kam für Kerzen und ähnliches auf und es lag in seinem Ermessen, welche geistlichen Institutionen er zur Teilnahme einlud. Der Streit zeigt, welchen Einfluß der Kölner Rat in den 1340er Jahren auf Prozessionen gewonnen hatte, belegt aber auch die grundsätzliche Zuständigkeit des Domstiftes. Ob diese Kompetenzaufteilung nur Bittprozessionen betraf, lassen die Quellen offen. Die Große Gottestracht entstand also bis spätestens 1371, möglicherweise als städtische Initiative in Anlehnung an klerikale Prozessionen insbesondere der Sylvesterprozession eine Woche später. Anstoß für einen regelmäßigen Umgang mochten auch die Einflußmöglichkeiten des Rates auf unregelmäßige Bittprozessionen gegeben haben.

Zeigen die Quellen des 14. Jahrhunderts die Mitwirkung des Rates noch in Abhängigkeit vom Domkapitel, läßt sich für das 15. Jahrhundert gesichert belegen, daß die Große Gottestracht zu einer städtischen Angelegenheit geworden war. 1445 beschloß der Rat, daß auch die nicht im Rat sitzenden Bürger- und Rentmeister in der Prozession und an der anschließenden Mahlzeit teilnehmen sollten. 1455 legte er die Reihenfolge der Gaffeln in Anlehnung an den Verbundbrief von 1396 fest.[184] Aus dem Jahr 1473

---

181 LÖHR, Kölner Dominikanerkloster, Bd. 2, 330. Zu dem Streit der Dominikaner mit dem Rat vgl. LÖHR, Kölner Dominikanerkloster, Bd. 1, 81-154; Bd. 2, 328-372 (Quellen). HELGA JOHAG, Beziehungen, 204f., bezieht die Angabe auf die Große Gottestracht.

182 LÖHR, Kölner Dominikanerkloster, Bd. 2, 345: *nulle tales sunt generales processiones, sed quedam facte sunt ad preces nostras quando hoc petivimus, et hoc aliquando cicius aliquando tardius, aliquando bis aliquando semel in anno, aliquando omnes postposite, ita quod huiusmodi processiones non possunt dici consuete.*

183 LÖHR, Kölner Dominikanerkloster, Bd. 2, 346.

184 STEIN, Akten II, 311, Nr. 194; STEIN, Akten I, 380; Nr. 184. Vgl. KLERSCH, Volkstum, Bd. 1, 181.

schließlich ist eine Prozessionsordnung des Rates überliefert.[185] Erhöhter städtischer Regelungsbedarf hatte sich 1396 mit der Gaffelverfassung ergeben, und bereits im folgenden Jahr schrieb der Amtsbrief der Wappenstikker fest, daß jährlich zwei Kerzen zu machen seien, *die man jairs dragen sal vur dem heilgen sacrament, as man id umb die stat drait.*[186] Wahrscheinlich nahmen die Gaffeln - als Gesamtheit oder vertreten durch ihre Kerzen - seit 1396 an der Prozession teil, so daß sich der Rat gezwungen sah, ihre Rangfolge zu regeln; die erste erhaltene schriftliche Ordnung datiert auf 1455. Die ratsherrlichen Anordnungen betrafen mit der Rangfolge der Gaffeln, dem Geleitschutz oder der Säuberung der Straßen die profanen Seiten einer Prozession, für die auch bei der vom Domkapitel organisierten Fronleichnamsprozession in Würzburg der Rat zuständig war. Der Kölner Rat beschränkte sich jedoch bei der Großen Gottestracht nicht auf Ordnungsaufgaben im weltlichen Bereich, sondern griff 1477 in Belange der Geistlichkeit ein, als er die Anzahl der Stationen und die Geistlichen bestimmte, die das Sakrament tragen durften.[187] Auch nutzte der Rat die Gottestracht, um in Morgensprachen am Tage der Gottestracht Ordnungsmaßnahmen zu verkünden.[188] Schließlich trat der Rat spätestens im 16. Jahrhundert als der eigentliche Veranstalter der Prozession auf: Bei der Palmsonntagsprozession bat er den Klerus um Teilnahme an der Großen Gottestracht. Die Prozession am zweiten Freitag nach Ostern hatte sich zum Pendant für die ältere, weiter unter klerikaler Leitung stehender Sylvesterprozession entwickelt. Im Gegenzug zur Zusage, an der Gottestracht teilzunehmen, lud der Klerus den Rat zu der Prozession entlang der römischen Stadtmauer ein.[189] Die Kölner Gottestracht belegt die Dynamik von Prozessionen. Bis in das 13. Jahrhundert vorwiegend klerikale Angelegenheit, wenn auch unter Beteiligung von Laien, wurden Prozessionen im 14. und 15. Jahrhundert zu einer Frömmigkeitsform, die von einzelnen Bürgern oder den bürgerschaftlichen Selbstverwaltungsorganen organisiert, gestaltet und finanziert wurden, wobei die spezifische Ausprägung dieser Einwirkungsmöglichkeiten von der jeweiligen politischen, verfassungsrechtlichen und kirchlichen Situation einer Stadt abhängig war.

---

185 HAStK Verfassung und Verwaltung V 126b, fol. 1-2. An dieser Stelle möchte ich mich bei Gerd Schwerhoff bedanken, der mir Kopien seines Archivmaterials zur Verfügung stellte.
186 LOESCH, Zunfturkunden I, 201.
187 KLERSCH, Volkstum, Bd. 1, 178.
188 Vgl. SCHWERHOFF, Köln.
189 WEINSBERG IV, 165. Vgl. KLERSCH, Volkstum, Bd. 1, 175f.

3. Strukturen von Fronleichnamsprozessionen im 15. Jahrhundert

Während des Reichstages 1487 wurde die Fronleichnamsprozession in Nürnberg in Anwesenheit von Kaisers Friedrich III. prächtig gefeiert: *Item am 14. tag junii, an unsers herrn fronleichnams tag, do macht man dem kaiser ein processen von aller briesterschaft.*[190] Der Bitte des Kaisers an den Rat, die Prozession mit allen Schülern und der Geistlichkeit auszurichten, wollten die Kartäuser und die beiden Frauenklöster nicht entsprechen, *weil solchig der regel ihrer örden und ihrer gewonheit zuwider were.*[191] So fand die Zeremonie ohne die in strenger Klausur lebenden Mönche und Nonnen statt: *und trug das heilig sacrament der abt von Melck und fürten in die zwen losunger Rupreht Haller und Niclas Gross. und giengen mit die vier schul, die heten ob den 600 schulern, und die vier örden und die teutschen herrn, und der abt zu sant Gilgen mit seiner priesterschaft ging zum letzten und die ped pfarrer ieder an einer seiten; darnach das heilig sacrament.*[192] Die Prozession zog vom Sebalder Pfarrhof über den Markt, wo der Kaiser sie von Sebald Rieters Haus aus betrachtete. Weiter ging es zur Frauenkirche, dann durch die Waaggasse und über den Weinmarkt zu St. Sebald zurück. Den Abschluß bildete eine Messe in der Sebaldskirche, die der Abt von Melk las. Außer den beiden höchsten Ratsherren, den Losungern Ruprecht Haller und Nikolaus Groß als Geleit des Sakraments nennt Müllner die sechs Baldachinträger namentlich.[193] Die Anwesenheit des Kaiser machte die Fronleichnamsprozession des Jahres 1487 zu einem besonderen Ereignis und nur zu solchen Gelegenheiten fand sich in Nürnberg die gesamte Geistlichkeit in einem gemeinsamen Zug ein. Der Ablauf entspricht dennoch den typischen Strukturen Nürnberger Fronleichnamsprozessionen.

Prozessionen waren im Laufe des 14. Jahrhunderts die übliche, wenn auch nicht kirchlich verbindliche und überall praktizierte Form geworden, das Fronleichnamsfest zu begehen. Stand im vorigen Kapitel der Entstehungsprozeß im Vordergrund, sollen nun Zeit, Raum, Akteure und liturgische Gestaltung der Prozessionen untersucht werden. Ausgangspunkt dieser Analyse sind die Fronleichnamsprozessionen der Nürnberger Pfarrkirchen

---

190 St.Chr. Bd. 11, 494.

191 MÜLLNER, Annalen III, fol. 1378'. Außer der in den Städtechroniken edierten Chronik ließen sich keine zeitgenössischen Quellen finden, die Müllner als Grundlage gedient haben können. Die Prozession wird weder in den Ratsverlässen (StAN Rep. 60a, Nr. 211 und 212) noch in den Ratsbüchern (StAN Rep. 60b, Nr. 4, fol. 248') oder in den Krönungsakten (StAN Rep. 67, Bd. 1, fol. 69 ff.) erwähnt.

192 St.Chr. Bd. 11, 494.

193 St.Chr. Bd. 11, 494f.; MÜLLNER, Annalen III, fol. 1378-1379. Zur Route vgl. den Plan im Anhang S. 343.

St. Sebald und St. Lorenz sowie der Frauenkirche. Die umfangreichen kirchenadministrativen Quellen - vor allem das Salbuch Stephan Schulers von 1442 für die Frauenkirche sowie die zahlreichen Bände, die in der Zeit entstanden, als Sebald Schreyer Kirchenpfleger der Sebaldskirche war - und die chronikalischen Aufzeichnungen zu den Fronleichnamsprozessionen 1487 und 1522 erlauben genaue Einblicke in den Ablauf und die Gestaltung der Prozessionen.[194] Das Fehlen einer Prozessionsordnung macht es allerdings schwer, den Teilnehmerkreis und die Reihenfolge umfassend zu rekonstruieren. Für diese Frage muß deshalb auf andere Städte zurückgegriffen werden. Dafür vermerken die Nürnberger Ratsprotokolle seit 1485 die Funktionsträger der drei zu untersuchenden Prozessionen sowie der Reliquienprozessionen der Pfarrkirchen und ermöglichen es, mittels einer prosopographischen Analyse die Prozessionen in soziale und topographische Strukturen einzubetten.

3.1 Die Zeit

Aus der Vielzahl an Vorbereitungen und Tätigkeiten für das Fronleichnamsfest, die Schreyer und andere Verfasser von Kirchenordnungen zu systematisieren suchten, schält sich die eigentliche Prozession nur mühsam heraus. Die acht Tage vom Fronleichnamsfest bis zum folgenden Donnerstag, die Fronleichnamsoktav, waren eine der wenigen Gelegenheiten im Jahr, das Sakrament unverhüllt zu sehen. Nicht nur am Festtag, sondern beispielsweise auch am Freitag wurde das Allerheiligste ausgestellt: *am freitag tregt man das sacrament heraus nach der predig.*[195] Allerdings erhielten die Prozessionen am Fest- und am Oktavtag eine besonders festliche Ausschmückung, wie aus dem jährlichem Eintrag im Rechnungsbuch hervorgeht: *Item umb gras umb die kirchen zu den zweyen processen corporis christi.*[196] Auch die Sebalder Mesnerordnung von 1450 konzentriert sich auf die Prozession am Fronleichnamstag, *auch sol man dasselb heiligtum des andern tages* [nach der Vesper am Vorabend]

---

194 Zu den Nürnberger Fronleichnamsprozessionen vgl. MITTERWIESER, Fronleichnamsprozession, 22; HAIMERL, Prozessionswesen, 44-54; SCHLEMMER, Gottesdienst, 262ff. Die bisherige Forschung stützt sich ausschließlich auf die edierten Mesnerordnungen von St. Sebald und St. Lorenz (GÜMBEL, Sebald, 24f.; GÜMBEL, Lorenz, 27f., 54-59) und das ebenfalls gedruckt vorliegende Salbuch Stephan Schulers (SCHULER, Salbuch, 53-56).

195 GÜMBEL, Sebald, 24. Die Bamberger Pfarrkirche St. Martin veranstaltete am Fronleichnamstag drei Umgänge. Vgl. SCHNAPP, Fronleichnams-Oktavprozessionen, 48.

196 LKAN PfA Nürnberg - St. Sebald, Nr. 463, fol. 14', vgl. fol. 5, 26, 36'.

tragen mit der processen über den kirchof.[197] Im Lorenzer Mesnerpflichtbuch machen es die zahlreichen Nachträge und Zusätze fast unmöglich, den Festtagsablauf zu rekonstruieren. Hier zeigt die Benutzung des Baldachins den Beginn der festlichen Prozession an: Zu Tagesbeginn, zum Stundengebet der Prim, wurde der Himmel herausgetragen. Die Tagmesse wurde im Anschluß an die Prozession gesungen.[198] Die Sebalder Prozession begann 1487 *do es zwai slug,* am Oktavtag *um drew.*[199] Die Messe wurde auch in St. Sebald und der Frauenkirche nach der Prozession gefeiert. Als allerdings 1522 der Reichstag und das Reichsregiment an der Prozession teilnahmen, wurde der Ablauf geändert. Der Erzbischof von Mainz und der Dompropst von Regensburg zelebrierten die Messe, bevor die Prozession aus der Kirche zog.[200] Im Normalfall begannen die Fronleichnamsprozessionen der Nürnberger Kirchen also gegen 8 - 9 Uhr; sie endeten mit der Tagmesse. Die zeitliche Planung der Nürnberger Prozessionen entspricht dem üblichen Ablauf, für den hier nur wenige Beispiele genannt seien: In Biberach wurde die Prozession nach der Frühmesse und den Chorzeiten gehalten; ein Hochamt schloß sie ab. Um 6 Uhr morgens begannen die Fronleichnamsprozessionen des Mainzer Domes und der Pfarrkirche St. Christoph. In Speyer verließ die Prozession den Dom nach der Terz. Anders als in Nürnberg eröffnete in Straßburg eine Messe die Fronleichnamsprozession. Ebenso begann in Hof der Festtag mit einer Frühmesse und Predigt, bevor nach der Sext die Prozession durch die Stadt zog, um mit dem „Te Deum" und ohne Messe zu schließen.[201]

Am Ende des 15. Jahrhunderts erlebte die Nürnberger Bevölkerung zwischen Pfingsten und dem Oktavtag von Fronleichnam zahlreiche Prozessionen. Am Fest- und Oktavtag veranstalteten die beiden Pfarrkirchen und die Frauenkirche Prozessionen, am Samstag und Sonntag nach Fronleichnam zog das Heilig-Geist-Spital nach St. Lorenz und St. Sebald. Wenige Tage vorher, am Mittwoch nach Pfingsten, wurden auf der Lorenzer Seite die Reliquien des heiligen Deocarus umgetragen. Eine weitere Prozession mit Beteiligung des Rates fand am 19. August zu Ehren des Stadtpatrons St.

---

197 GÜMBEL, Sebald, 43.
198 Vgl. GÜMBEL, Lorenz, 55.
199 St.Chr. Bd. 11, 494; GÜMBEL, Sebald, 25. Zur Nürnberger Stundenrechnung vgl. BILFINGER, Horen, 230-233.
200 MÜLLNER, Annalen III, fol. 1709.
201 ANGELE, Altbiberach, 95; BRUDER, Fronleichnamsfeier, 502; DIEL, Aufzeichnungen, 37, 63; SIBEN, Fronleichnamsfest, 357f.; PFLEGER, Ratsgottesdienste, 47; LINDNER, Kirchenordnung, 223ff.

Sebald statt. Neben der Zeit um Pfingsten und Fronleichnam war die Osterzeit mit der Palmsonntagsprozession, der theatralischen Gestaltung des Ostergeschehens und der Weisung der Reichsreliquien am zweiten Freitag nach Ostern ein an Zeremonien und Prozessionen reicher Höhepunkt im kirchlichen Leben.[202] Nach Sebald Schreyers Mesnerpflichtbuch fanden an folgenden Festtagen weitere Prozessionen: Cathedra Petri (22. Feb.), Mariä Verkündigung (25. März), Karfreitag und Osterabend, Markustag (25. April), die Rogationstage vor Christi Himmelfahrt, Peter und Paul (29. Juni), Petri Kettenfeier (1. Aug.), Laurentius (10. Aug.), Allerseelen (2. Nov.) und Mariä Opferung (21. Nov.). Meist waren dies Umgänge der Priesterschaft um die Kirche; am Markustag und zu den Rogationen wurden das Heilig-Geist-Spital sowie die Siechenkobel St. Johannis und St. Jobst besucht. Prozessionen mit Laienbeteiligung wurden zwischen Palmsonntag und dem 19. August abgehalten. Innerhalb der kaum mehr als zwei Wochen zwischen dem Mittwoch nach Pfingsten und dem Oktavtag von Fronleichnam erlebte Nürnberg sieben Prozessionen.[203]

Die „Prozessionssaison" Nürnbergs zwischen Ostern und August deckt sich mit anderen Städten. In Köln begann eine erste Phase zu Ostern mit der Palmsonntagsprozession, vor allem aber der Großen Gottestracht und der Sylvesterprozession am zweiten und dritten Freitag nach Ostern.[204] Um Pfingsten und Fronleichnam begingen die Pfarreien ihre Prozessionen, fünf von achtzehn veranstalteten diese am Fronleichnamstag. Herborn bilanziert: „Die Zeit vor und nach Pfingsten war also regelrecht mit Prozessionen übersät. Fast kein Sonn- oder Feiertag verging, an dem nicht eine oder mehrere festlich geschmückte Prozessionen durch die Straßen der Stadt zogen."[205] Weiter fand am 5. Juni die Bonifatiusprozession statt, die allerdings im 16. Jahrhundert nicht mehr belegt ist. Die letzte größere Prozession des Jahres wurde am 28. Juni veranstaltet. Diese wurde ebenso wie die Prozession am Fastnachtsdienstag, die 1513 auf den 5. Januar verlegt wurde und aus der üblichen Saison herausfällt, erst 1482 eingesetzt. Ähnliche Verdichtungen zu Ostern und zu Pfingsten gab es in vielen Städten. Außerdem fanden in einigen Städten am Markustag und zu den Rogationen Prozessionen unter Beteiligung der städtischen Bevölkerung statt. Nicht im Oster-

---

202 Zu Zeremonien und Prozessionen im Laufe des Jahres vgl. SCHLEMMER, Gottesdienst, 171-226, 261-273.
203 St. Sebald und Frauenkirche bildeten eine gemeinsame Fronleichnamsprozession.
204 Zu den Kölner Prozessionen vgl. KLERSCH, Volkstum, Bd. 1, 174-193, Bd. 3, 70f.; HERBORN, Feiertage, 46-50.
205 HERBORN, Feiertage, 50.

festkreis eingereiht, sondern an Heiligentagen orientierten sich Gedenkprozessionen wie die Maria-Magdalenen-Prozession am 22. Juli in Frankfurt oder die Große Prozession in Münster am Montag vor Margaretha (13. Juli). Auffällig ist die Straßburger Lukasprozession am 18. Oktober, da ansonsten regelmäßige Prozessionen vorrangig im Frühling und Sommer abgehalten wurden.[206] Sicher begünstigte das Wetter die großen Veranstaltungen im Freien; Regen störte die Würde und Andacht einer Prozession. Vor allem aber waren auch städtische Prozessionen in der weitgehend agrarischen Gesellschaft des Mittelalters an den landwirtschaftlichen Wachstumsperioden orientiert. Die religiöse Sinngebung erfolgte über die Einbindung in den Osterfestkreis. Gedenken an Ereignisse der Stadtgeschichte konnte aber auch eine Terminierung bedingen, die aus klimatischen Gründen eher ungünstig war, wie die Kölner und Straßburger Prozessionen am Faschingsdienstag oder am 18. Oktober.

Den Festrhythmus im Coventry des 15. Jahrhunderts beschreibt Charles Phythian-Adams als Zweiteilung des Jahres.[207] In einer rituellen Hälfte von Weihnachten bis zum 24. Juni wurden alle wichtigen Feste im Zusammenhang mit dem Leben Christi gefeiert. In dieser Jahreshälfte fanden Prozessionen, aber auch die Einführung der städtischen Amtsinhaber statt. Auffällig ist für Phythian-Adams, daß „the ritualistic half embraced every major public ceremony (St Peter's eve excepted) which formally interrelated separate whole groups or groupings of the social structure."[208] In der, wie Phythian-Adams sie nennt, weltlichen („secular") Hälfte dagegen hielten diese Gruppen getrennte und private Feiern ab. Dies sei eine Zeit normaler Wirtschaftsaktivitäten gewesen und habe keine institutionalisierten Verhaltensextreme beinhaltet, die in der ersten Jahreshälfte mit Fasten- und Erlaubniszeiten gegeben waren. Diese Thesen lassen sich mit dem vorliegenden Material für Nürnberg nicht überprüfen. Trotzdem läßt sich feststellen, daß auch in Nürnberg wichtige Momente des rituellen Lebens in die erste Jahreshälfte fallen: neben den erwähnten Prozessionen der Schembartlauf in der Karnevalszeit und die Ratswahl am dritten Ostertag.[209] Eine Strukturierung des Jahres ist auch in Nürnberg erkennbar, doch scheint mir die Charakterisierung in rituell und weltlich fragwürdig. Nach Akteuren und Sinn-

---

206 Vgl. KRIEGK, Bürgertum, 365f.; REMLING, Prozession; PFLEGER, Ratsgottesdienste, 50-54.

207 Zum folgenden vgl. PHYTHIAN-ADAMS, Ceremony, 70-78.

208 PHYTHIAN-ADAMS, Ceremony, 74.

209 Zum Schembartlauf vgl. GOLDMANN, Pfalzgraf Friedrich II.; ROLLER, Schembartlauf; MOSER, Hölle. Zur Ratswahl vgl. SCHEURL, Epistel, 786ff.

gebungen gefragt, werden sich wahrscheinlich feinere Gliederungen ergeben, wie sie Richard C. Trexler für die Karnevalszeit und den ersten Mai
oder für die Ereignisse um den Johannistag in Florenz herausarbeiten
konnte.[210]

3.2 Der Raum

Um die Prozessionsrouten zu rekonstruieren, folgen wir zunächst Stephan
Schuler in seinen Anweisungen für die Frauenkirche.[211] Am Morgen des
Fronleichnamstages zogen die Priester der Frauenkirche zur Sebaldskirche
vnd gen mit der procession zu Sant Sebolt vmb. Auch durch die Kirche führte die
Prozession, um wieder zur Frauenkirche zu gehen und diese, durch das
Portal hinausgehend, zu umrunden. Die Sebalder Prozession kehrte anschließend zu ihrer Kirche zurück, während in der Frauenkirche die Messe
begann.[212] An anderer Stelle schreibt Schuler, die Prozession am Fronleichnamstag ginge um Markt und Kirche, nennt hier aber als Aus- und Eingang
die südliche Kirchentür.[213] Diese Angabe mag ein Schreibfehler oder eine
Verwechslung mit der Prozession am Oktavtag sein. An diesem Tag war die
Route ähnlich wie am Festtag, jedoch abweichend ging es *zu der kirchthur
gegen dem Schuhhaus aus vnd ein vnd nit durch das portall.*[214] Die Unstimmigkeit,
welche Kirchentür am Fronleichnamstag benutzt wurde, mag auch von der
Schwierigkeit herrühren, das Hin und Her zwischen Frauenkirche und St.
Sebald in Worte zu fassen. Deutlich erkennbar ist aber, daß sich beide Kir-
chen zu einer gemeinsamen Prozession vereinigten.

Die Sebalder Quellen sind wortkarger bezüglich der Route. Die Mesnerordnung von 1450 sagt lediglich aus, daß die Prozession *über den kirchof*

---

210 TREXLER, Public Life, 216-263.

211 Zu den Routen vgl. die Pläne im Anhang S. 342 und S. 343.

212 SCHULER, Salbuch, 54: *Item des morgens an vnnsers herren leichnams tag so gend die priester zu
vnnser frawen herauff gen Sant sebolt (...) vnd gen mit der procession zu Sant Sebolt vmb vnd wann die
processen zu Sant Sebolt hin vmb kumbt wider in die kirchen so gen dann vnnser prister an vnnser frawen wider hinab gen vnnserer frawen, auch gen die schuler von Sant Sebolt mit der gantzen prozessen
mit engeln vnd rosenstrewern auch hinab gen vnnser frawen so get man dann erst zu vnnser frawen mit
dem sacrament mit der gantzen processen von Sant Sebolt vnd mit den priestnern zu vnnser frawen vmb
vnnser frawen kirchen vnd get durch das portall hinaus das thut man gantz auff vnd get gerings vmb die
kirchen und get zu dem portall hinwider ein so get dann die processen von Sebolt wider heym so hebt
man dann das ambt zu vnnser frawen an.*

213 Ebenda, 56: *vnd an vnnsers herren leichnams tag frue get man furpas mit der processen gerings vmb
den marckt herumb vnd auch vmb die kirchen vnd get zu der kirchthur bei dem schuchhaus hinaus vnd
get mit der processen doselbst hinwider eyn.*

214 Ebenda, 54. Vgl. ebenda, 56: *vnd get auch zu der thur bey dem schuchhaus aus vnd ein.*

ging.[215] Schreyer macht im Mesnerpflichtbuch keinerlei Angaben über den Weg. Genauer beschreiben die chronikalischen Berichte. 1487 wurde folgender Weg gewählt: *und ging (...) zu sant Sebolt für den pfarrhof her auf und die Platnergassen für des Grunthern haus herfür, den Markt her ab piß zum Schönprunnen und zu unser liben frawen kapellen durch und unten umb den Markt wider herauf zu Hanns Pirckamers haus, die Waggassen hin hinter, und wider her an Weinmarkt vor des Hanns Stracken haus die stieg herauf gen sant Sebolt in kirchen.*[216] Der Weg über den Markt zur Frauenkirche und zurück entspricht der Route, wie sie bereits durch Stephan Schuler bekannt ist. 1522 dagegen nahm die Prozession einen anderen Kurs. Das Sakrament wurde *uber den markt hinab, bey den flaischbruken herumb und den Weinmarkt wider herauff, bey dem guldenen creuz über die füll wider zu S. Sebaldskirch getragen.*[217] Diese Prozession ging nicht nur um den Marktplatz herum, sondern bis zur Pegnitz hinunter und im größeren Bogen zur Sebaldskirche zurück, ohne daß die Frauenkirche betreten wurde. Aber auch diese längere Prozession blieb auf einen Umfang von ungefähr einem Kilometer beschränkt. Die Prozession der Pfarrkirche St. Lorenz war ähnlich kleinräumig. Im Lorenzer Mesnerpflichtbuch werden als Markierungspunkte das Eckhaus von Contz Lindner - wenige Schritte in die Straße gegenüber dem Hauptportal hinein - und die Nikolaikapelle nördlich von St. Lorenz genannt.[218] Im wesentlichen ist damit ein etwas größerer Umgang um die Kirche gekennzeichnet.

Die Kürze und die Kleinräumigkeit der Nürnberger Fronleichnamsprozessionen erstaunt angesichts stadtweiter Umgänge in anderen Städten. In Biberach ebenso wie in Regensburg ging die Fronleichnamsprozession entlang der Mauern um die Stadt. In Göttingen wurden alle Kirchen der Stadt besucht. Allerdings war auch bereits die Rede von Fronleichnamsprozessionen der Domkapitel in Speyer, Bamberg oder Mainz, die lediglich die kirchliche Immunität umrundeten. Ebenso verharrte die Prozession der Mainzer Kirche St. Christoph innerhalb der Pfarrgrenzen.[219] Prozessionen und städ-

---

215 GÜMBEL, Sebald, 43.

216 St.Chr. Bd. 11, 494f., Zitat: 495. Vgl. den gleichen Weg bei MÜLLNER, Annalen III, fol. 1378'.

217 MÜLLNER, Annalen III, fol. 1709.

218 GÜMBEL, Lorenz, 55, identifiziert das Haus auf den Stadtplan des 20. Jahrhunderts als Karolinenstraße 6. Konrad LINDNER zahlte 1497 seine Reichssteuer in der Hauptmannschaft Am Fischbach (nördliche Karolinenstraße). Vgl. FLEISCHMANN, Reichssteuerregister, 40, Nr. 1427.

219 ANGELE, Altbiberach, 95f.; GÜNTNER, Fronleichnamsprozession, 10; SIBEN, Fronleichnamsfest, 358; SCHWAB, Regensburg, 47; BRUDER, Fronleichnamsfeier, 504; KLEIN, Prozessionsgesänge, 35; DIEL, Aufzeichnungen, 36, 63. - Besonders die französische For-

tischer (aber auch ländlicher) Raum wirkten wechselseitig aufeinander ein. Indem bestimmte Anlaufpunkte ausgewählt wurden, nutzten Prozessionen die Sinngebungen dieser Orte. Gleichzeitig schuf der regelmäßige Umgang Bedeutung: Prozessionen sakralisierten den gesamten städtischen Raum oder einzelne Bereiche der Stadt. Bestimmte Orte, Plätze, Kirchen oder Stadtteile wurden hervorgehoben, andere vernachlässigt. Eine kleinräumige, im Stadtkern verbleibende Prozession definierte die Stadt über das Zentrum, ein Umgang um die Mauern dagegen über die Abgrenzung zum Umland. Eine Prozession entlang von Immunitätsgrenzen eines Stiftes zeigt auf kirchliche Institutionen gerichtete Aneignungen und Wahrnehmungen.

Die Prozessionswege der südfranzösischen Städte Aix-en-Provence, Montpellier und Avignon beschreiben Noël Coulet und Marc Vénard als archaisch. In Avignon blieben die Prozessionen bis auf wenige Ausnahmen innerhalb der Befestigungen des 13. Jahrhunderts, der Stadt vor den Päpsten. Auch die Fronleichnamsprozession in Aix verließ die Mauern des 13. Jahrhunderts nur, um das Dominikanerkloster zu besuchen.[220] Miri Rubin interpretiert solche anachronistischen Routen, die sie auch in Neapel und Marseille beobachtet, als bewußte Ablehnung aktueller Status- und Machtverhältnisse; die kollektiv erinnerte Vergangenheit diente der Identitätsbildung.[221] Im deutschsprachigen Gebiet finden sich Prozessionen innerhalb einer längs überholten Stadtbegrenzung oder entlang alter Stadtmauern in Straßburg und Köln. In der elsässischen Stadt verharrte die Fronleichnamsprozession in den Stadtmauern von 1202/20, ja, sie verließ auch die noch engere frühmittelalterliche Stadt nur, um am 1031 gegründeten Stift Jung-St. Peter vorbeizuziehen.[222] Entgegen Rubin möchte ich die Straßburger Route nicht ausschließlich als Identitätsstiftung interpretieren, sondern sie konnte sich auch aus der Anlehnung an bestehende klerikale Umgänge ergeben haben. Eindeutig auf Vergangenheit ausgerichtet war die Kölner Sylvesterprozession am dritten Freitag nach Ostern: Bis zu ihrer Einstellung

---

schung nimmt Prozessionsrouten in den Blick, aber auch Richard C. Trexler und Miri Rubin schenken der räumlichen Dimension von Prozessionen Beachtung. Vgl. GUEUSQUIN-BARBICHON, Organisation; OZOUF, Innovations; VÉNARD, Itinéraire; COULET, Processions; DELUMEAU, Rassurer, 105ff., 136-145; CHIFFOLEAU, Processions, 53-61; TREXLER, Public Life, 48-54; RUBIN, Corpus Christi, 267f. Wichtige Anregungen für die Verbindung von Ritualen und städtischem Raum kommen auch aus der neueren Kunst- und Architekturgeschichte. Vgl. BREIDECKER, Florenz; MARE/VOS (Hg.), Urban Rituals.

220 Vgl. VÉNARD, Itinéraire; COULET, Processions, 385-391.
221 RUBIN, Corpus Christi, 268; DIES., Symbolwert, 315f.
222 Vgl. WALTER, Processions, 113.; SIGNORI, Ritual, 3.

1596 führte sie entlang der römischen Stadtmauer und erinnerte an die Ursprünge der Stadt.[223] In ihrem Bezug auf jahrhundertealte Grenzen und in ihrer Langlebigkeit erscheinen Prozessionswege als unwandelbar, und so verschob der Kölner Rat 1477 eher den Termin der Kölner Gottestracht, als daß er die Route wegen Hochwasser ändern wollte. Dies galt aber nicht immer. 1588 und 1780 verlegten die Kölner den Umgang von der gefährdeten Uferstraße in das Innere der Stadt.[224] Der Mainzer Pfarrer Florentius Diel traf für Regenwetter die Vorkehrung, den Weg abzukürzen, „damit wir nicht wie Anno 1495 unversehens beim Weitergehen übergossen und zerstreut werden zum Schaden für uns und die Sachen der Kirche."[225] Ebenfalls wegen Regen wurden 1525 die Stationen der Lübecker Prozession am Sonntag nach Fronleichnam innerhalb von Kirchen gehalten.[226]

Wichtige Aussagen machten Prozessionen mittels ihrer geometrischen Figuren: Linien verbinden Orte miteinander, Kreise grenzen einen Raum ein. Indem einige Prozessionen die Stadtmauern verließen, stellten sie Verbindungen zum umliegenden Land her und erneuerten bestehende oder ehemalige Abhängigkeiten. Die Prozession der Essener Bürgerschaft am Freitag nach Fronleichnam zog aus der Stadt heraus nach Stoppenberg, einer Filiale des Stiftes. Eine Filialkirche besuchten auch die Kanoniker der Stiftskirche St. Castor in Karden (Erzbistum Trier) am Oktavtag von Fronleichnam. Ebenso ging die Neusser Gottestracht, eingerichtet nach der burgundischen Belagerung, am Freitag vor Pfingsten in die Flur vor der Stadt.[227] Häufiger als das Überschreiten von Stadtgrenzen, ein typisches Merkmal der Rogationen, scheint bei den Fronleichnamsprozessionen deren Betonung und die symbolische Abgrenzung des städtischen Raums zu sein. Das Umschreiten entlang der Mauern zielte - wie häufig argumentiert wird - auf den Schutz der Stadt.[228] Kreise um Kirchen oder Pfarreien bezogen

---

223 KLERSCH, Volkstum, Bd. 1, 175f.

224 Ebenda, 184.

225 DIEL, Aufzeichnungen, 36f. nach der Übersetzung des Herausgebers Franz Falk. Vgl. DIEL, Aufzeichnungen, 63: *ne ut anno 1495 improvidi ultra progredientes perfunderemur et dispergeremur cum damnificatione rerum Ecclesiae et nostrarum.*

226 Vgl. WEHRMANN, Memorienkalender, 123.

227 Vgl. ARENS, Liber ordinarius, 53; HEINZ, Fronleichnamsfeier, 104; LANGE, Schützenwesen, 267.

228 Vgl. CHIFFOLEAU, Processions, 53; SIGNORI, Ritual, 3. Um die Mauern zogen beispielsweise Prozessionen in Biberach, Halle/Saale - bei der theophorischen Markusprozession -, Hof, Minden, Regensburg oder Würzburg. Vgl. ANGELE, Altbiberach, 95f.; BUSCH, Chronicon, 445; PIEL, Chronicon Domesticum, 125; LINDNER, Kirchenordnung, 226; GÜNTNER, Fronleichnamsprozession, 10; TRÜDINGER, Würzburg, 132.

diesen Schutz auf kleinere Einheiten; nach Chiffoleau stärkten sie Solidarität in der Nachbarschaft oder im Stadtteil.[229] Das Umkreisen einer Stadt, Pfarrei oder Immunität stellte Identität über den Mechanismus der Ausgrenzung her; es wurde eine Binarität von Innen und Außen geschaffen. Auch das Anlaufen von Punkten nahe der Mauer markierte die Stadtgrenze.[230] Mit vier Stationen in den vier Himmelsrichtungen - davon zwei bei Toren, die beiden anderen nahe der Stadtmauer - beschrieb die Göttinger Fronleichnamsprozession den Umfang Stadt. Ähnlich markierte die Lübecker Stadtprozession die Grenzen der Stadt, indem an vier Punkten, die nahe der Mauer lagen, die Evangelien gelesen wurden.[231] Zwar mag die Lesung der vier Evangelienanfänge auf Wettersegen bei Flurumgängen zurückzuführen sein, wie Browe meint, doch lag die Bedeutung dieses Rituals in Lübeck mehr in der Kennzeichnung der Außengrenzen.[232]

Mit ihren Routen grenzten Prozessionen die Stadt nicht nur nach außen ab, sondern Einschluß- und Ausgrenzungsmechanismen wirkten auch innerhalb der Stadt. Bestimmte Stadtteile oder Kirchen erfuhren durch die Berührung mit dem Sakrament oder den Reliquien eine Heiligung, andere lagen abseits des Weges. Trexler beobachtet für Florenz, wie sich die gesellschaftliche Absonderung der Nonnenklöster in den Prozessionswegen widerspiegelte.[233] In Straßburg blieben die Frauen- und Mendikantenklöster wegen der „Anciennität der Itinerarien" ausgeschlossen.[234] Auch wenn tatsächlich häufig die ältesten Klöster und Stifte einer Stadt besucht wurden, lassen sich diese Beobachtungen nicht verallgemeinern. In Avignon und Aix wurden die alten Stadtbegrenzungen verlassen, um zu den Klöstern der Bettelorden zu gehen. In Colmar zog die Fronleichnamsprozession am Dominikanerinnenkloster St. Katharina vorbei, wo die Klosterfrauen im Chor den Segen des Zelebranten erhielten.[235] Prozessionen schlossen aber nicht nur bestimmte Kirchen und Ordensgemeinschaften ein oder aus, sondern auch Stadtteile, Pfarreien oder Bevölkerungsgruppen. Interessant ist

---

229 CHIFFOLEAU, Processions, 53.
230 Vgl. GUEUSQUIN-BARBICHON, Organisation, 40, für ein französisches Dorf des 20. Jahrhunderts, in dem die Rogationen zu den Grenzen des religiösen Raumes zogen.
231 Vgl. UB Göttingen II, 105; VOGELSANG, Göttingen, 21f.; WEHRMANN, Memorienkalender, 123.
232 Die Evangelientexte wurden beispielsweise in Naumburg gelesen. Vgl. WIESSNER, Bistum Naumburg, 363. Zu Evangelienlesung und Flurumgängen vgl. BROWE, Verehrung, 108f.; ANDREAS HEINZ, Art. Fronleichnamsprozession, in: LThK Bd. 4 (1995), 173.
233 TREXLER, Public Life, 51.
234 SIGNORI, Ritual, 6.
235 Vgl. VÉNARD, Itinéraire, 58f.; 61; COULET, Jeux, 316; BEUCHOT, Fronleichnamsfest, 6.

insbesondere die Haltung zur jüdischen Einwohnerschaft: Das Durch-
schreiten jüdischer Wohngebiete mit dem Sakrament konnte eine Provokation sein, aber auch bewußt vermieden werden. In Aix-en-Provence wurde
vor 1361/68 der Weg so geändert, daß die Judenstraße nicht mehr passiert
wurde, weil es den Organisatoren nicht angemessen erschien, das Sakrament
durch einen Stadtteil zu tragen, „où résident ceux qui méprisent ‚notre sacrifice'."[236] Die Göttinger Fronleichnamsprozession vermied die Ausgrenzung
bestimmter kirchlicher Gemeinschaften oder Stadtteile und besuchte statt
dessen alle Kirchen der Stadt. Ähnlich wie die früh- und hochmittelalterlichen Stationsgottesdienste stellte dieser Umgang die Einheit der Kirche
(und der Stadt) dar, barg aber auch Gefahren. 1529 sah sich eine Bittprozession, die den gleichen Weg nahm, Verspottung ausgesetzt, als sie durch das
Viertel der reformatorisch gesinnten Wollenweber kam.[237] Bei all den unterschiedlichen Aus- und Eingrenzungsmechanismen unterscheiden sich die
Routen der vorgestellten Beispiele in einem Punkt wesentlich von den Prozessionen der Domstifte in Mainz, Speyer oder Bamberg: Sie verließen den
kirchlichen Bereich und nahmen städtischen Raum ein.

In diese Schemata der rituellen Aneignung und Strukturierung städtischen Raums, wie sie die Forschung diskutiert, lassen sich die Nürnberger
Umgänge nur schwer einordnen. Die Fronleichnamsprozessionen waren auf
das Stadtzentrum ausgerichtet. Mit St. Sebald und St. Lorenz gab es in der
fränkischen Metropole zwei Zentren und die Trennung der Pfarreien wurde
auch in den Prozessionen nicht aufgehoben. Zwar sollte das Heilig-Geist-
Spital noch zu Anfang des 15. Jahrhunderts alle Kirchen und Klöster Nürnbergs besuchen, doch fehlt eine konkrete Ausformung dieser Anweisung.
Gegen Ende des Jahrhunderts hatte auch das Spital die Pfarreinteilung
übernommen. Dabei standen die beiden Pfarrkirchen nicht gleichberechtigt
nebeneinander, sondern der Vorrang von St. Sebald spiegelte sich im Prozessionswesen wider: Die gemeinsamen Prozessionen aller Nürnberger
Kirchen 1487 und 1522 übernahmen die Sebalder Route. Weiter erhielt die
Fronleichnamsprozession St. Sebalds dadurch eine gesteigerte Bedeutung,
daß sich ihr die Prozession der Frauenkirche anschloß und so die Zugehörigkeit zum Sebalder Pfarrsprengel aufzeigte und eine Verbindung zwischen
Stadt und Kaiser, zwischen der Kirche des Stadtpatrons und der Gründung
Kaiser Karls IV. herstellte.

---

236 COULET, Jeux, 315.
237 Vgl. LUBECUS, Bericht, 15f. Zu den Störungen der Göttinger Prozession vgl. unten S.
   300

Die Fronleichnamsprozessionen von St. Sebald, St. Lorenz und Frauenkirche waren kleinräumige Umgänge um die Kirche und lehnten sich damit wahrscheinlich an ältere Formen an. Der gemeinsame Zug von St. Sebald und Frauenkirche griff auf städtischen Raum aus, ohne allerdings zu einer stadtweiten Prozession zu werden. Die Prozession ging am seit 1332 gebauten Rathaus vorbei und über dem Marktplatz, der erst durch die Zerstörung des jüdischen Viertels nach dem Pogrom 1349 entstanden war.[238] Anders als in anderen Städten folgte der Weg der Sebalder Fronleichnamsprozession nicht alten Itinerarien. Vielmehr kann in der Prozession ein Versuch gesehen werden, einen erst in der Mitte des 14. Jahrhunderts geschaffenen Raum zu sakralisieren. Die Route wich aktuellen Machtverhältnisse nicht aus, sondern akzentuierte sie. Mit den Pfarrkirchen St. Sebald und St. Lorenz, der Frauenkirche, dem Rathaus und dem Marktplatz konzentrierten sich die Nürnberger Fronleichnamsprozessionen - und damit das rituelle Geschehen - auf das kirchliche, politische, wirtschaftliche und soziale Zentrum der Stadt.[239] Weite Teile und die meisten Kapellen und Klöster der Stadt wurden nicht berührt. Wenn Prozessionen, wie die bisherige Forschung darlegt, die Identität einer Stadt herstellten, geschah dies in Nürnberg durch die Gleichsetzung mit dem Zentrum, nicht durch Bezug auf die gesamte Stadt.

3.3 Die Akteure

Nachdem nun Zeit und Raum der Nürnberger Fronleichnamsprozessionen des 15. Jahrhunderts abgesteckt sind, sollen die Teilnehmer vorgestellt werden. Aus dem Blickwinkel der Frauenkirche vermittelt Stephan Schuler einen Eindruck des Prozessionszuges: Den Anfang machten zwei Wandelkerzen, denen Engelknaben und Musikanten sowie die Geistlichen folgten. Vor letzteren wurden Fahnen getragen. Das Zentrum der Prozession bildete der Priester mit dem Sakrament, dem zwei Ratsherren Geleit gaben. Sechs Männer trugen einen Baldachin über dem Sakrament. Außerdem waren städtische Bedienstete mit Ordnungsaufgaben betraut. Doch betrachten wir die Gruppen im Einzelnen

---

238 Zur Topographie Nürnbergs und zum Nürnberger Rathaus vgl. LOCHNER, Tafeln; MUMMENHOFF, Studien; SCHNELBÖGL, Topographische Entwicklung; MENDE, Rathaus.

239 In Venedig erlebte das wirtschaftliche Zentrum, der Rialto, nur wenig rituelle Aktivität. Diese fand vor allem auf dem Markusplatz als sakralem und bürgerlichem Zentrum statt. Vgl. MUIR, Civic ritual, 209; BURKE, Cities, 30.

Musikanten

Die Vorbereitungen des Fronleichnamsfestes begannen für den Kirchenpfleger der Frauenkirche mit der Anwerbung von Musikanten: *Item so muß
ein pfleger alle jar bestellen zu vnnsers herren leichnams tage hofirer die vor dem Sacrament hofiren von ettlichen jungen purgern vnd von hantwerckleuten die das kunnen.*[240]
Über die Prozession hinaus waren die genannten „Hofierer" während der
Fronleichnamsoktav auch bei anderen Umgängen innerhalb und außerhalb
der Kirche tätig. Bereits am Sonntag vor Fronleichnam kamen sie zur Probe
zusammen, *das sie sich mit dem seytenspill gleich zu samen richten.* Der Pfleger
sollte ihnen an diesem Tag *ein zech hallten.* Auch an anderen Tagen der
Fronleichnamsoktav wurden sie beköstigt.[241]

Musikanten nahmen auch an den Prozessionen der Sebalds- und der Lorenzkirche teil. In St. Sebald waren sie bereits zur ersten Tagzeit, der Matutin, anwesend: *zu der metten furt man nit; [...] man hofirt aber, darum gibt der pfarrer
den hofirern ein colatzen.*[242] Ähnlich war es bei der Lorenzkirche, wo die Hofierer zum Umgang nach der Mette erwähnt werden: *In die corporis Christi, wan
di metten aus ist, so tregt der her das sacrament um, und di heren furen und di hofirer sin
auch do.*[243] Daß Musikanten an der Prozession teilnahmen, belegt bereits das
Sebalder Inventar von 1450, nach dem ein Portatif - eine kleine Handorgel -
zur Fronleichnamsprozession benutzt wurde: *das klein portatiff, das man umbtregt in der processen an unsers herren leichnamstag.*[244] Außer dem Portatifspieler
waren an der Sebalder Prozession ein Sänger und drei Instrumentalisten
beteiligt: Am Sonntag Trinitatis sollte der Kirchenmeister *den herrn, der mit
den hofirern sing* und *die vier hofirer corporis cristi* zum Festmahl einladen.[245]
Weitere Verköstigung erhielten sie am Vorabend von Fronleichnam, am
Festtag morgens und abends und schließlich am Oktavtag in der Frühe.[246]
Über die Mahlzeiten hinaus stattete der Sebalder Kirchenmeister die Musi-

---

240 SCHULER, Salbuch, 53. „Hofieren" bedeutet Musik machen, musizieren sowie gewerbs-
mäßig musizieren. Vgl. Art. Hofieren, in: Deutsches Wörterbuch, Bd. 4, 2 (1877),
1681ff.; Art. Hofieren, in: SCHMELLER, 1061f.
241 SCHULER, Salbuch, 53f.
242 GÜMBEL, Sebald, 24.
243 GÜMBEL, Lorenz, 56.
244 StAN Rep. 59, Nr. 1, fol. 99. - Das Portatif war eine kleine tragbare Orgel, bei der die
linke Hand den Blasebalg bediente und die rechte Hand auf Tasten oder Knöpfen spielte. Es hatte sechs bis zwölf Pfeifen mit einem Tonumfang von ein bis zwei Oktaven. Die
tiefsten Töne waren oft als Bordune angelegt. Vgl. HANS HICKMANN, Art. Orgel III. Die
weltliche Orgel bis in die Barockzeit, in: MGG Bd. 10 (1962), 263f.
245 GNM Merkel-Hss., Nr. 100, fol. 7'.
246 GNM Archiv, Reichsstadt Nürnberg, Nr. XV, ZR 7115, fol. 19-23.

kanten mit Blumenschmuck aus: *Item auch krentz den hofirern,* so Schreyers Anweisung.[247]

Wer waren diese Musikanten? In Nürnberg sind seit 1377 drei Pfeifer nachweisbar, die aus der Stadtkasse bezahlt wurden. Im 15. Jahrhundert bestand die Stadtpfeiferei aus sechs bis sieben Musikern, die beispielsweise bei Herrschereinzügen mitwirkten.[248] Bei Verlobungen und Tänzen traten Stadtpfeifer zusammen mit Nebenerwerbsmusikern auf.[249] Für die Fronleichnamsprozessionen wurden aber nicht die hauptamtlichen Musiker angefragt, sondern Handwerker und Bürgersöhne, möglicherweise aus patrizischen oder ehrbaren Familien. Als Entschädigung erhielten sie bei St. Sebald und bei der Frauenkirche Mahlzeiten, die nicht nur Naturalentlohnung waren, sondern auch eine soziale Bedeutung hatten: Die Musiker der Frauenkirche aßen zusammen mit kirchlichen Bediensteten - dem Orgelspieler, dem Mesner und dessen Knecht - sowie dem Propst, den der Pfleger nach Belieben laden konnte. Auch die Musikanten der Sebalder Prozession kamen meist mit kirchlichen Bediensteten zusammen; geladen waren der Schaffer, der Küster und der Schulmeister sowie zwei Heiltumswärter. Am Sonntag Trinitatis und am Oktavtag nahmen zusätzlich der Pfarrer und der Pfleger von St. Sebald sowie ein bis zwei Ratsherren bzw. die beiden Führer teil, so daß sich eine heterogene Tischgemeinschaft aus unteren Schichten, ehrbaren Bürgern und Mitgliedern der politischen und sozialen Spitze Nürnbergs zusammenfand.[250] Anders als bei der Frauenkirche eröffnete sich den Musikanten der Sebaldskirche also der Zugang zu patrizischen Kreisen.

Musikbegleitung - Sänger und Instrumentalisten - war bei Prozessionen üblich.[251] Bei der Prozession zu Ehren des Braunschweiger Stadtpatrons St. Auctor musizierten beispielsweise seit dem Ende des 14. Jahrhunderts vom Rat entlohnte Spielleute. Etliche Saitenspieler gingen 1530 bei der Bibera-

247 GNM Merkel-Hss., Nr. 100, fol. 8.

248 Vgl. RAYNA, Social History of Music, 58ff.; HEINRICH SCHWAB, Art. Stadtpfeifer, in: MGG Bd. 16 (1979), 1731-1743; ŽAK, Musik, 123. Zu Nürnberg vgl. ZIRNBAUER, Musik; KRAUTWURST, Musik.

249 Vgl. BAADER, Polizeiordnungen, 75f., 91; JEGEL, Hochzeitsbrauch, 246. Während es einige Untersuchungen zu Berufsmusikern gibt, die in städtischen Diensten standen, fehlt Sekundärliteratur zu Laienmusikern. Zu Berufsmusikern vgl. ŽAK, Musik; GREVE, Braunschweiger Stadtmusikanten.

250 GNM Merkel-Hss., Nr. 100, fol. 7'.

251 Zu Gesang und Instrumentalisten bei Fronleichnamsprozessionen vgl. ALTENBURG, Musik.

cher Fronleichnamsprozession mit.[252] In Köln und Regensburg wurden die Musikanten aus der Stadtkasse bezahlt.[253] Ob die Musikanten in den Diensten der Stadt oder einer anderen Obrigkeit standen oder ob Bürger für diese Aufgabe herangezogen wurden, verraten die Quellen meist nicht. Außer Stephan Schuler gibt nur das „Liber gestorum" des Frankfurters Bernhard Rorbach genauer Auskunft. Neben dem Stadttrompeter musizierten hier junge Patrizier. Rorbach berichtet über die Maria-Magdalenen-Prozession 1467: *so giengen vor dem sacrament der statt drompter Peter mit einer gedempten drompten und sin son Hensie mit einer luten zu discantiren und unser dri mit luten zu tenoriren mit namen Peter Marpurg Henn Cämmerer und ich Bernhard Rorbach.*[254] Diese drei waren junge Frankfurter Patrizier, die den Stadttrompeter auch bei der Fronleichnamsprozession 1468 begleiteten; als Lautenschläger diskantierte bei dieser Gelegenheit der Pate Rorbachs, Hans Kapp.[255] Rorbach hebt seine Stellung in der Prozession stolz hervor. Zusammen mit den Baldachinträgern gingen er und seine Freunde im Zentrum des Zuges.[256] Für den Frankfurter Patrizier Rorbach war die Teilnahme als Musikant eine ehrenvolle Aufgabe und eine Möglichkeit der Selbstdarstellung.

Bezüglich der Instrumentierung bildet Frankfurt eine Ausnahme. Trompeten wurden nur selten bei Prozessionen benutzt. Belegt sind sie noch in Köln und in Braunschweig, wo jeweils ein Trompeter oder Posaunist und ein Pfeifer beteiligt waren.[257] Häufiger kam ein Instrumentenkanon vor, wie er für die Nürnberger Frauenkirche überliefert ist. Stephan Schuler wünschte Laute, Portatif, Quintern und einen Sänger, wenn vorhanden auch eine Harfe, also zwei bis drei Saiteninstrumente sowie eine tragbare Orgel und Gesang.[258] Ähnlich war es bei St. Sebald, wo vier Instrumentalisten und ein Sänger mitwirkten. Blasinstrumente traten nicht auf, die Musik war eher leise. So wie in Nürnberg waren in vielen Städten drei bis fünf Musiker mit

---

252　GREVE, Braunschweiger Stadtmusikanten, 34f.; ANGELE, Altbiberach, 95. Für weitere Beispiele vgl. BOWLES, Processions, 157-160; BOWLES, Musikleben, 122-128; ŽAK, 121-125, 128-133; ALTENBURG, Musik, 20-23.

253　ŽAK, Musik, 124; GÜNTNER, Fronleichnamsprozession, 11.

254　FRONING, Chroniken, 216. Vgl. ŽAK, Musik, 129.

255　FRONING, Chroniken, 216f.

256　Vgl. SIGNORI, Mysteries, 2f.

257　KNIPPING, Stadtrechnungen, 42, 79, 116, 147, 183; GREVE, Braunschweiger Stadtmusikanten, 35.

258　Als Quinterne wurde bis in das 16. Jahrhundert hinein eine verkleinerte Laute, die Mandola oder Mandora, bezeichnet. Es war ein Zupfinstrument mit flachen, halbbirnenförmigen Holzkorpus. Vgl. GEIRINGER, Instrumentenname.

Saiteninstrumenten und einem Portatif beteiligt.[259] Ebensowenig wie einen festen Instrumentenkanon gab es einen verbindlichen Platz der Musikanten. Häufig musizierten sie den Zug anführend oder unmittelbar vor dem Sakrament. Gleichwohl gibt es auch Beispiele, wo sie dem Sakrament folgten.[260] Meist befanden sie sich aber im Zentrum der Prozession, nahe dem Sakrament. So sollte in Eichstätt *zwischen der prozeß vnd dem heiligen sakrament nyemands geen,* [... außer Engelknaben] *auch ettliche mit saittenspil und etlich knaben mit kerzen.*[261]

Die Beteiligung von Instrumentalisten diente nicht nur der Gesangsbegleitung, sondern Musik hatte bei mittelalterlichen Zeremonien und Festen weitergehende Bedeutung. Nach Sabine Žak besaß Musik „Ausdruckskraft für rechtliche Verhältnisse und für soziales Ansehen; sie war Bestandteil der Präsentation von Herrschaft und notwendig bei der Darstellung von Reichtum und Pracht oder von Bildung und Gesittung (...). Sie diente der Selbstdarstellung wie der Ehrung eines anderen; sie war aber auch zweckfreies Spiel und Trost in Bedrängnis."[262] Bei Fronleichnamsprozessionen begleiteten die Instrumente den geistlichen Gesang und die Musiker kündigten das Sakrament an. Weiter war Musik auch eine Form, die Hostie zu verehren, und trug zur Feierlichkeit und zum Prunk der Prozession bei. Der Instrumentenkanon stellte einen symbolischen Bezug zur himmlischen Musik her.[263] Schließlich konnte die Instrumentierung - mit oder ohne Trompeten - Nähe oder Absetzung zu weltlichen Anlässen, insbesondere zu Herrschereinzügen, ausdrücken.

Engelknaben

Ein typisches Element mittelalterlicher Fronleichnamsprozessionen waren Kinder, meist Knaben, die vor dem Sakrament gingen und Kerzen trugen, kleine Glocken läuteten oder Blumen streuten.[264] In der Prozession der

---

259 Vgl. SCHNAPP, Fronleichnams-Oktavprozessionen, 50 (Bamberg); ANGELE, Altbiberach, 95 (Biberach); FPO Eich, 110 (Eichstätt); PIEL, Chronicon Domesticum, 124, (Minden).

260 Vgl. BOWLES, Musikleben, 122-128. In Paderborn gingen zwei Fidelspieler hinter der Monstranz. Vgl. FÜRSTENBERG, Fronleichnamsfeier, 323.

261 FPO Eich, 110.

262 ŽAK, Musik, 271.

263 Vgl. ALTENBURG, Musik, 21.

264 Beispiele außerhalb Nürnbergs: Aschaffenburg: Knaben mit Schellen, vgl. HOFMANN, Fronleichnamsprozession, 123; Biberach: sechs bis acht Knaben, die Kerzenhalter in Engelsgestalt, Fähnlein und Laternen mit Lichtern trugen und vor dem Sakrament sangen; zwei Knaben, die Rosenblätter streuten, vgl. ANGELE, Altbiberach, 95; Bozen: Nach einer Prozessionsordnung für das Fronleichnamsfest (1543) sangen zwei Engelknaben

Nürnberger Frauenkirche sollten *zwen knaben erberger leut* am Fronleichnamstag und am Oktavtag Rosen vor dem Sakrament streuen, *als offt man
damit umb get.*[265] Die Knaben waren als Engel verkleidet, wie das Inventar
ausweist: *Item VIII vergult flügell die die rosen streuer tragen zu vnnser herren leichnams tage vnd IIII lidrein prustlein gehoren dartzu.*[266] An anderer Stelle heißt es:
Item IIII auffgedruckte plabe [leinene] *engelgewant mit golde vnd mit seyden gefrensen
vnd VIII guldein flugell dartzu die man zu vnnsers heren leichnams tag nützt vnd vier
lidreine futer dorzu.*[267] Das leinene Engelsgewand mit goldenen und seidenen
Fransen, das wohl einem Kleid oder einer Tunika ähnelte, die vergoldeten
Flügel und ein lederner Brustpanzer entsprachen gängigen Vorstellungen
der Engelsgestalt; der Brustpanzer verweist auf das Bild des wehrhaften
Erzengels.

Auch an der Sebalder Prozession waren Engel und Rosenstreuer betei-
ligt: *auch gen die schuler von Sant Sebolt mit der gantzen prozessen mit engeln vnd rosenstrewern auch hinab gen vnnser frauen.*[268] Für ihre Teilnahme wurde ihnen
morgens am Fronleichnamstag und am Oktavtag *suppen und flaisch, 1 hennen,
wein und brot* gegeben.[269] Als einer dieser rosenstreuenden Engelknaben notierte der spätere Benediktinermönch Konrad Herdegen in seinen „Denkwürdigkeiten": *Anno 1420 in festo corporis Christi ego Conradus Herdegen portavi
vestimenta et ornamenta angelica spargendo rosas ante sacramentum.*[270] Zweiter Engelknabe war Sebald Kress, *socio meo;* zusammen sangen sie nach dem Ein-

---

das „Ecce panis", vgl. DÖRRER, Umgangsspiele, 196; Coburg: 1481, Ausgaben für Rosen, die vor dem Sakrament gestreut wurden; Chormäntel und Röcke für die Knaben,
die vor dem Sakrament gingen, vgl. KRAMER, Volksleben, 110; Eichstätt: Knaben als Ro-
sen- und Blumenstreuer; Knaben mit Kerzen, vgl. FPO Eich, 110; MITTERWIESER,
Fronleichnamsprozession, 13; Hall, Translationsprozession 1590: Schulknaben trugen
frische Rosen, 50 Mädchen aus vornehmen Familien bildeten eine Engelschar, die mit
Rosenkränzen im Haar, Palmzweigen und brennenden Kerzen ausgestattet war, vgl.
DÖRRER, Umgangsspiele, 365; Mainz, Domprozession: zwei kleine Schüler mit Engel-
flügeln und brennenden Kerzen, vgl. BRUDER, Fronleichnamsfeier 504; Minden: Knaben
mit Cimbeln, vgl. PIEL, Chronicon Domesticum, 124f; Osnabrück: Knaben in Engel-
stracht, die die Leidenswerkzeuge tragen oder Blumen streuen, vgl. FÜRSTENBERG,
Fronleichnamsfeier, 323. - Vgl. weitere Hinweise bei DOSTAL-MELCHINGER, Blumenteppiche, 233ff.
265 SCHULER, Salbuch, 55.
266 Ebenda, 37.
267 Ebenda, 25f.
268 Ebenda, 54.
269 GNM Merkel-Hss., Nr. 100, fol. 9 und 10'. Vgl. auch GNM Archiv, Reichsstadt Nürn-
    berg, Nr. XV, ZR 7115, fol. 20, 22.
270 HERDEGEN, Denkwürdigkeiten, 15f.

zug in die Kirche vor dem Sebaldsaltar, auf dem das Sakrament ausgestellt war, die Antiphon „Media vita in morte sumus".[271] Für St. Lorenz sind Engelknaben lediglich bei der Vesper und Mette am Samstag nach Fronleichnam, dem Tag der Prozession des Heilig-Geist-Spitals zur Lorenzkirche, erwähnt.[272] Ob sie auch an der Prozession am Festtag beteiligt waren, bleibt unklar.

Mit den Engelknaben ist die Altersgruppe der Kinder in den Prozessionen vertreten. Alter als Kriterium für die Analyse von Ritualen führte insbesondere Richard C. Trexler in die Forschung ein. Er zeigt auf, wie Knaben im Florenz des 15. Jahrhunderts von einer marginalen Gruppe zum Zentrum des rituellen Lebens wurden. Unter Savonarola traten Jungen von zehn bis elf Jahren als Retter der Stadt auf; sie repräsentierten Unschuld und Erneuerung der Moral.[273] Trexler stellt seine Beobachtungen in einen konkreten historischen Kontext, das Florenz der aufsteigenden Medicis und des Savonarola. Weitergehend interpretiert Miri Rubin die Beteiligung von Kindern: „In some places the procession was announced by the purest of the pure, by children, who by virtue of their pre-political being symbolised that which was virtuous within the community."[274] Diese positive Bewertung von Kindern ergab sich nicht per se, da die theologische Literatur auch die Position kannte, daß Kinder bereits in Sünde geboren seien. Ebenso konnte der vorpolitische Status als Mangel an Ordnung und moralischen Qualitäten gesehen werden, wie Trexler für die florentinische Gerontokratie zeigt.[275] Um deshalb der Interpretation Rubins zustimmen zu können, wären Aussagen notwendig, welche Bedeutung Chronisten oder Prozessionsteilnehmer den Kindern zumaßen. Aus Mangel an solchen Informationen sollen hier Aussehen, Handlungen sowie Alter und soziale Herkunft der Engelknaben ermittelt werden.

---

271 Die Antiphon wird Notker dem Älteren zugeschrieben und war ein beliebtes Prozessionslied. Vgl. MONE, Hymnen, Nr. 289; ROTH, Hymnen, 59; CHEVALIER, Repertorium hymnologicum, 11419; FRANZ, Messe, 185; BERLIÈRE, Media Vita. Die Antiphon wurde auch bei den Fronleichnamsprozessionen in Aschaffenburg und Bamberg sowie bei der Göttinger Bittprozession 1494 gesungen. In Mainz gehörte sie zum Formular für außerordentliche Prozessionen. In Straßburg schloß sie während der Burgunderkriege jede Fronmesse ab. Vgl. HOFMANN, Fronleichnamsprozession, 120; SCHNAPP, Fronleichnams-Oktavprozessionen, 50; KLEIN, Prozessionsgesänge, 39; SIGNORI, Ritual, 23.

272 GÜMBEL, Lorenz, 55.

273 TREXLER, Public Life, 367-387, 471-482. Vgl. auch DERS., Adolescence.

274 RUBIN, Corpus Christi, 250f.

275 TREXLER, Public Life, 387.

Zeitgenössische Engelsvorstellungen waren Vorbild für die Verkleidung der Knaben. Zum einen erinnerten sie an Engel als himmlische Liturgen, die als Akolythen Lichter entzündeten und Leuchter trugen, wie die Engelknaben mit ihren Kerzen.[276] Das Auftreten bei theophorischen Prozessionen konnte sich weiter mit der bildlichen Darstellung von Engeln verbinden, die als Diakone den eucharistischen Christus begleiteten. Diese liturgischen Funktionen rückten die Engelknaben in die Nähe von Ministranten. Zum anderen findet sich in ihnen die Idee des kindlichen oder jugendlichen Engels. Schon die ältesten Darstellungen aus dem 3. und 4. Jahrhundert zeigen Engel als Jünglinge in Tunika und Pallium. Im Spätmittelalter werden sie zunehmend als Kinder dargestellt: in Italien als antike Putten und Genien, in Frankreich und Deutschland als klassischer, gotischer Typ in kleiner und jugendlicher Darstellung. Auch Berthold von Regensburg bezeugt die Vorstellung vom kindlichen Engel: *Ir seht wol, daz sie alle samt sint alse junclîche gemâlet als ein kint, daz dâ fünf jâr alt ist, swâ man sie mâlet.*[277] Während für die liturgischen Funktionen von Engeln und ihre jugendliche Gestalt bildliche Darstellungen als Vorlagen dienen konnten, scheint das Motiv des rosenstreuenden Engels nur bei Prozessionen und bei geistlichen Spielen genutzt worden zu sein.[278] Mit ihrer Verkleidung als Engel dramatisierten die Knaben biblische und theologische Inhalte, erfüllten dabei aber zugleich ministrierende Aufgaben. Ihr Aussehen und ihre Funktion rückten die Knaben vom theologischen Tatbestand der Erbsünde ab, so daß sie tatsächlich Unschuld symbolisieren konnten.

Stephan Schuler legte Alter, ehrbare Herkunft und Geschlecht der Engelknaben fest: Es sollten *zwen knaben erberger leut* sein. Während bei der theatralischen Darstellung des Ostergeschehens in der Frauenkirche Mädchen und Jungen auftraten, war die Aufgabe der Engel bei der Fronleichnamsprozession auf Kinder männlichen Geschlechts beschränkt, möglicherweise wegen der ministrierenden Funktionen.[279] Genauere Angaben über Alter und soziale Herkunft erlaubt die Notiz Konrad Herdegens. Als Herdegen (1406-1479) 1420 bei der Sebalder Prozession mitwirkte, war er 14 Jahre alt. Ein Jahr später trat er in das Benediktinerkloster St. Egidien

---

276 Zu Vorstellungen von Engeln vgl. TAVARD, Engel; KARL-AUGUST WIRTH, Art. Engel, in: RdK Bd. 5 (1967), 341-469; Art. Engel, -lehre, -sturz, in: LdMa Bd. 3 (1980), 1905-1914; ROSENBERG, Engel.

277 Berthold von Regensburg, Predigten Bd. 1, 95.

278 Vgl. Young, Drama, u.a. 284, 291, 295, 299, 335. Der ausführliche und materialreiche Artikel von Wirth in der Realenzyklopädie der Kunst bringt kein Beispiel eines rosen- oder blumenstreuenden Engels.

279 Zum Ostergeschehen vgl. SCHULER, Salbuch, 52, 98.

ein. Sein Vater Herdegen Schreiber gehörte nicht zu den ehrbaren Geschlechtern.[280] Sebald Kress, der zweite Engelknabe, entstammte einer patrizischen Familie, sein Vater war Ratsherr. Er war zehn Jahre alt - 1410 geboren -, als er als Engelknabe auftrat. 1432 wurde er Genannter im Großen Rat, 1442 Amtmann der Reichsveste[281]. Müllner erwähnt ihn 1446 bei dem Gesellenstechen anläßlich der Hochzeit von Wilhelm Löffelholz.[282] Anders als Theodor Kern annimmt, war ein Auftritt als Engelknabe also kein Indiz für eine frühzeitige Festlegung auf den geistlichen Beruf.[283] Wahrscheinlich ist vielmehr, daß Kress und Herdegen Schüler der Sebalder Pfarrschule waren. Auch die Lorenzkirche und das Heilig-Geist-Spital hatten eigene Lateinschulen. Ob sich die *zwen knaben erberger leut* der Frauenkirche aus einer dieser Schulen oder der nahegelegenen Lateinschule des Egidienklosters rekrutierten, läßt sich nicht sagen.[284] Soweit sich die vereinzelte Angabe Herdegens verallgemeinern läßt, waren die Engelknaben Schüler der Lateinschulen zwischen zehn und vierzehn Jahren aus patrizischen, aber auch nicht ehrbaren Familien. Als Symbol für Unschuld und Sündenlosigkeit kündigten sie das Sakrament an. Gleichzeitig wirkten sie als Sänger bei der anschließenden Messe sowie bei weiteren Umgängen innerhalb der Fronleichnamsoktav mit.

Schüler, Geistliche und das Sakrament

Auch die übrigen Schüler der Nürnberger Lateinschulen bildeten einen festen Bestandteil der Prozessionen. Der liturgische Dienst gehörte für die älteren Schüler zu den Schulpflichten, auch wenn nicht alle von ihnen später die geistliche Laufbahn einschlugen. Laienbildung war in Nürnberg, wie auch anderswo, nur als Teilnahme an klerikaler Bildung möglich.[285] Während ihrer Ausbildungszeit zählten die Schüler zur Geistlichkeit, so auch bei den Prozessionen: Überall gingen sie unmittelbar vor der Geistlichkeit. Bei der Fronleichnamsprozession 1487 zu Ehren Kaiser Friedrichs III. waren

280 Vgl. zu Herdegen die Einleitung des Herausgebers Theodor Kern, HERDEGEN, Denkwürdigkeiten, 2. Herdegen Schreiber machte erst später seinen Vornamen zum Familiennamen.
281 MÜLLNER, Annalen I, 34.
282 MÜLLNER, Annalen II, 378f.
283 Vgl. die Einleitung des Herausgeber Kern, HERDEGEN, Denkwürdigkeiten, 2.
284 Zu den Schulen vgl. LEDER, Kirche, 18.
285 Vgl. MINER, Change, 9. Zu den Nürnberger Schulen vgl. HEERWAGEN, Gelehrtenschulen; LEDER, Schulwesen; LEDER, Kirche; ENDRES, Bildungswesen; MINER, Change; REINHARD, Schulen. Als neuere Untersuchung zum mittelalterlichen Schulwesen vgl. auch KINTZINGER, Bildungswesen.

die Lateinschüler vor den Orden und der weltlichen Priesterschaft zu finden.[286] Der Blick auf andere Städte bestätigt die Zuordnung zu den Geistlichen. In Frankfurt befanden sich die Schüler der drei Stiftsschulen zwischen den Zünften bzw. Bruderschaften und der Ordens- und Weltgeistlichkeit. Ebenso gingen in Eichstätt die Domschüler zwischen den Zünften und den Priestern. Bei der Großen Prozession in Münster führten die Schüler den Zug an; auch hier folgte ihnen die Geistlichkeit.[287]

Das Lorenzer Mesnerpflichtbuch erwähnt Schüler für den Freitag nach Fronleichnam: *und wan man elefiert hat, so gen die schuler eyer.*[288] Dagegen erwähnt der Kirchenpfleger der Frauenkirche keine Schüler, wohl weil diese Kirche keine eigene Schule unterhielt. Er berichtet aber über die Sebalder Schüler: *auch gen die schuler von Sant Sebolt mit der gantzen prozessen mit engeln vnd rosenstrewern auch hinab gen vnnser frauen.*[289] 1450 sollten *dreizehen gewachsen schuler, die der zwelfpoten kerzen tragen,* bei der Sebalder Fronleichnamsprozession mitgehen. Jedem dieser Schüler lieh der Pfleger einen Chorrock.[290] Auch beim Heilig-Geist-Spital war mit zwölf Chorschülern nur eine kleine Gruppe von wahrscheinlich älteren Schülern beteiligt.[291] Die gesamte Schülerschaft wurde nur bei außergewöhnlichen Prozessionen aufgeboten, wie 1487, als 600 Schüler der vier Schulen beteiligt gewesen sein sollen.[292] Zu dieser Zeit gab es am Spital 60 zahlende Schüler; bei den Schulen der beiden Pfarrkirchen waren es 70 und bei St. Egidien 45. Hinzu kamen nichtzahlende Schüler, so daß Leder davon ausgeht, daß jede Schule 200 bis 250 Schüler hatte.[293] Nach Endres lassen sich „für Nürnberg und seine 4 Lateinschulen am Vorabend der Reformation etwa 850 Schüler erschließen".[294] Angesichts dieser Zahlen sind Müllners Angaben zu den Schülern, die 1487 die Altersgruppe der Jugendlichen vertraten, nicht unrealistisch.

---

286 St.Chr. Bd. 11, 494.

287 Vgl. KRIEGK, Bürgertum, 369; FPO Eich, 110; REMLING, Prozession, 201. Vgl. auch die Prozessionen in Biberach, Göttingen, Mainz und Minden.

288 GÜMBEL, Lorenz, 57.

289 SCHULER, Salbuch, 54.

290 GÜMBEL, Sebald, 43.

291 GNM Archiv, Reichsstadt Nürnberg, Nr. XIV 2/3, fol. 80'. Zum Chordienst der älteren Schüler vgl. MINER, Change, 11. Miner folgt einer Beschreibung des Unterrichts an der Schule des Heilig-Geist-Spitals durch den *baccalaureus clercolorum* Georg Altenstein in den 1480er Jahren.

292 St.Chr. Bd. 11, 494. Vgl. MÜLLNER, Annalen III, fol. 1378'.

293 LEDER, Kirche, 18; MINER, Change, 9. Die Zahlen beziehen sich auf 1485.

294 ENDRES, Bildungswesen, 118.

In den Mittelpunkt des Prozessionsgeschehens stellt Stephan Schuler die Geistlichen: *Item des morgens an vnnsers herren leichnams tag so gend die priester zu vnnser frawen herauff gen Sant sebolt vnd hat ytlicher ein Casawn [eine Kasel] an vnd ein kelch in der hant.* Bei der Prozession am Oktavtag beteiligten sich die Priester nicht am Gang zur Sebaldskirche, sondern begleiteten die Prozession lediglich um die Frauenkirche.[295] Um 1445 verrichteten in der Frauenkirche sieben Pfründner ihren Dienst; sie unterstanden dem obersten Priester - nun Propst genannt.[296] Für diese sieben sollte der Pfleger Kerzen machen lassen: *so mer lassen machen siben wanndel kertzen ye eine von einem pfunde wachs gelb vnd grun die die priester die acht tag in den hennden tragen vor dem sacrament.*[297] Bekleidet waren sie mit der Kasel, also mit dem Meßgewand. Die beste Kasel, die Stephan Schuler mit dem Einverständnis von Kaiser Sigmund, also vor 1437, *von fritzen vichperger, dez haintz Rumels diener dem es zu pfand gestanden ist von kaiser sigmund seligen* gekauft hatte, trug wahrscheinlich der ranghöchste Priester.[298] Die Verwendung einer Kasel war unüblich, da das eigentliche feierliche Gewand bei Prozessionen der Chormantel, das Pluviale, war, wie ihn die Priester des Heilig-Geist-Spitals, der Lorenz- und der Sebaldskirche trugen.[299] Als liturgische Objekte führten die Priester der Frauenkirche neben den großen Kerzen auch Kelche mit, ein Verweis auf den theologischen Inhalt der Prozession, die Eucharistie. Eine solche Praxis war jedoch selten, da die Verehrung mehr der Hostie als dem Wein galt.[300] Häufiger hatten die Geistlichen Reliquien dabei, wie beispielsweise bei der Fronleichnamsprozession des Heilig-Geist-Spitals.

Anders als Schuler richten die entsprechenden Quellen der Sebaldskirche ihr Augenmerk ausschließlich auf das Sakrament, so daß nirgends die Teilnahme der Sebalder Geistlichkeit - Prediger, Kapläne und Vikare - an der Prozession explizit erwähnt wird. Für sie gibt Sebald Schreyer lediglich Anweisungen zum Chordienst: *es steen die hern im hof zu der non newer zu kor, vesper und metten, vicarier net.*[301] Dem Pfarrer bzw. Propst, dem Prediger, den acht bis neun Kaplänen und den bis zu neunzehn Vikaren von St. Sebald war die Teilnahme an der Fronleichnamsprozession eine Selbstverständlichkeit.[302]

---

295 SCHULER, Salbuch, 54.
296 MÜLLNER, Annalen II, 12.
297 SCHULER, Salbuch, 55. Vgl. SCHULER, Salbuch, 101: *Auch macht man Siben pfundig wandel kertzen gelb vnd grün die die priester vor dem Sacrament tragen.*
298 SCHULER, Salbuch, 22.
299 Vgl. REINLE, Ausstattung, 155f.
300 Vgl. BROWE, Verehrung, 110f.
301 GÜMBEL, Sebald, 24, ähnlich: 25.
302 Zur Sebalder Geistlichkeit vgl. SCHLEMMER, Gottesdienst, 91.

Außergewöhnlich war dagegen der Wunsch Friedrichs III., *das am fronleich-namstag die schuler und schulmeister aus allen vier schulen, desgleichen die ganze clerisey und geistlichkeit, von pfaffen, münchen, und nunnen* mitgehen sollten.[303] Wie bereits erwähnt, baten die Kartäuser und die beiden Frauenklöster der Prozession fernbleiben zu dürfen, so daß sich die vier Bettelorden - Franziskaner, Dominikaner, Augustinereremiten und Karmeliten -, weiter die Deutschherren und die Benediktiner von St. Egidien und schließlich die Geistlichen der Kirchen einfanden.[304] Müllner schreibt, es seien insgesamt *der münchen und pfaffen ob dreihundert gewest*.[305] Bei einer Zahl von ca. 400 Klerikern, die in Nürnberg lebten, war also 1487 ein Großteil der Geistlichkeit in einer gemeinsamen Fronleichnamsprozession vereinigt.[306]

Die Geistlichen - gleich ob der gesamte Nürnberger Klerus oder gewöhnlich nur die Priester und Vikare einer der Kirchen - gingen dem Sakrament vorweg. Wer das Sakrament trug, scheint durch die Hierarchie zu selbstverständlich gewesen zu sein, als daß die Kirchenordnungen davon hätten sprechen müssen. In der Mesnerordnung von 1450 heißt es: *auch sol man dasselb heiligtum des andern tages tragen mit der processen über den kirchof*.[307] Die gleiche unpersönliche Form wählte Sebald Schreyer: *man tregt das sacrament zu der andern minister meß heraus*.[308] „Hauptperson" ist das Sakrament; der Geistliche, der die Monstranz trägt, tritt in den Hintergrund. Gegenüber den kirchenadministrativen Quellen legten Chronisten mehr Wert auf Namen. 1487 trug der Abt von Melk - Wolfgang Schaffenrat, Gesandter der ober- und niederösterreichischen Landstände beim Reichstag - das Sakrament. Er sang auch die Messe in St. Sebald. Wahrscheinlich war Schaffenrat nach der Abreise der Bischöfe von Mainz, Köln und Trier der ranghöchste anwesende Geistliche.[309] Zur Fronleichnamsprozession 1522 sang Albert von Brandenburg, Kardinal und Erzbischof von Mainz, Magdeburg und Halberstadt die Messe in der Sebaldskirche *und hat nach mals in der prozession die monstranzen mit dem vermeinten sacrament selbst getragen*.[310] Die Prozessionen von 1487 und 1522 waren jedoch außergewöhnliche Ereignisse, bei denen die höch-

---

303 MÜLLNER, Annalen III, fol. 1378.
304 St.Chr. Bd. 11, 494.
305 MÜLLNER, Annalen III, fol. 1378'. Vgl. St.Chr. Bd. 11, 495.
306 Zur Gesamtzahl der Kleriker vgl. SCHLEMMER, Gottesdienst, 90.
307 GÜMBEL, Sebald, 43.
308 Ebenda, 24.
309 Der chronikalische Bericht erwähnt allerdings nur die Abreise des Bischofs von Triers zwei Tage vor der Prozession. Vgl. St.Chr. Bd. 11, 493ff. Für eine genauere Festlegung müßten die noch nicht edierten Reichstagsakten von 1487 untersucht werden.
310 MÜLLNER, Relationen, fol. 140'.

sten auswärtigen Würdenträger mit der ehrenvollen Aufgabe betraut wurden. Im Normalfall trug der oberste ortsansässige Geistliche das Sakrament.

Im Zentrum der Prozession stand das Sakrament, dessen Verehrung Sinn und Inhalt des Rituals war. Die Nähe oder Ferne zum Allerheiligsten bestimmte die Hierarchie und machte Positionen im sozialen Gefüge sichtbar.[311] Die Sakramentsverehrung brachte auch in Nürnberg prachtvolle Monstranzen hervor, die die Kirchenschätze speziell für die Fronleichnamsprozession bereithielten. Zu Sebald Schreyers Zeiten besaß St. Sebald noch die gleiche Monstranz, die schon 1446 für den Fronleichnamstag verwendet wurde: *Item ein silberen vergulte kostperliche monstrantzen mit einem silberen und unnergulten fuß die man an unnsers herrn leichnams tag und auch an dem achten tag mit dem heiligen sacrament umb treg mit einer kostperlichen parillen und hat gewegen on die parillen und mit den eisen so daran sind 57 marck 7 lot.*[312] Auch kostbare Tücher für den Priester und die Monstranz drückten die Achtung vor dem Sakrament aus. So vermachte Hans Steyber 1497 der Kirche *ein seiden nesseltuch so man den briester der das sacrament corporis christi tregt umbgibt.*[313] Es mag sich dabei um ein Schultertuch oder ein Schultervelum handeln; im Inventar ist es nicht weiter spezifiziert.[314] Weiter verzeichnet das Inventar von 1446 ein *weiß seydeins tuch das man nützt über die monstranzen corporis cristi.*[315] Sebald Schreyer hatte 1487 zusätzlich *ein weiß heidnisch dimthuch* gekauft, *zu dem sacrament corporis cristi.*[316] Solche Tücher konnten auch verwendet werden, um die Hände beim Tragen der Monstranz, ähnlich wie bei Reliquienbehältern, zu bedecken.[317]

Über die Bedeutung des Sakramentes für die Prozessionen und die städtische Gesellschaft wird in der Sekundärliteratur lebhaft debattiert. Während Mervyn James und Charles Zika in Anschluß an Mary Douglas meinen, daß die Körpermetaphorik des Sakraments ein Konzept bereitstellte, in dem das Gegensatzpaar von sozialer Einheit und sozialer Differenzierung ausge-

---

311 Vgl. ZIKA, Processions, 41 f.
312 GNM Merkel-Hss., Nr. 100, fol. 47. Vgl. StAN Rep. 59, Nr. 1, fol. 101.
313 StAN Rep. 59, Nr. 1, fol. 133. Der Eintrag nennt *hans steyberin* als Stifter. Die Endung „in" deutet auf seine Ehefrau, der Vorname auf den Mann. Hans Steyber versteuerte 1497 1 fl. für sieben Personen im Frauenbrüderviertel der Lorenzpfarrei; er besaß damit ein Vermögen von über 1000 Gulden. Fleischmann, Reichssteuerregister, 36. Vgl. GNM Merkel-Hss., Nr. 100, fol. 59: *Item ein seyden din tuch so man dem prister der das sacrament corporis christi tregt umbgibt.*
314 Vgl. BRAUN, Paramente, 67-73, 228-231.
315 StAN Rep. 59, Nr. 1, fol. 134'.
316 GNM Merkel-Hss., Nr. 100, fol. 59.
317 Vgl. BOCK, Geschichte, 157 ff.

drückt und damit städtische Identität beschrieben werden konnte, hebt Miri Rubin Brüche und Konflikte hervor.[318] Auch Menschen, wie die englische Sekte der Lollarden, die den dogmatischen Inhalt des Sakraments bezweifelten, konnten als Mitglieder einer Fronleichnamsbruderschaft Nähe zum Sakrament suchen, um ihre soziale Stellung zu zeigen. In einigen Städten waren Reliquien- oder andere Prozessionen wichtigere Ereignisse als das Fronleichnamsfest.[319] Gegen die Schlußfolgerungen von James, die er aus dem theologischen Konzept des Sakraments und weitgehend ohne Bezug auf konkrete Prozessionen zieht, möchte ich im Anschluß an Rubin den Blick auf unterschiedliche Wahrnehmungen legen. Die beschriebene Pracht und Kostbarkeit der Monstranzen hilft in dieser Frage nicht weiter, da auch andere liturgische Objekte ähnlich ausgestattet waren. Sinngebungen können am ehesten erkannt werden, wenn es zu Konflikten kam, wie in der Mitte des 15. Jahrhunderts in Halle/Saale.

In der Salzstadt war es seit Menschengedenken, *ultra hominum memoriam*,[320] - wahrscheinlich aber seit dem Aufkommen von Sakramentsprozessionen zu Beginn des 14. Jahrhunderts - üblich, daß am Markustag die gesamte geistliche und weltliche Bevölkerung mit dem Sakrament um die Mauern der Stadt zog. Dazu kamen die Pfarrer der fünf Pfarreien, jeder mit seiner Gemeinde, seinen Geistlichen und seinem Sakrament in einer kostbaren Monstranz, *cum suo conventu canonicorum regularium venerabile sacramentum suum in magna et mirifice facta monstrantia cum parochianis suis*, auf dem Marktplatz zusammen.[321] In der Neuwerks-Kirche der Augustinerchorherren wurde eine Messe gesungen, bevor die Prozession mit den fünf Monstranzen die Stadt zum Umgang verließ. Nach der Rückkehr gingen die Plebane mit ihrem Sakrament und den Pfarrleuten in ihre jeweilige Kirche zurück. Als Johannes Busch (1399-1479/80) von 1447 bis 1454 im Zuge der dem Augustinerstift Windesheim übertragenen Klosterreform als Propst des Klosters Neuwerk tätig war, wandte er gegen die Häufung von Monstranzen ein, sie sei schädlich und entgegen dem katholischen Glauben, *fidei catholice multum esset nociva imo et contraria*.[322] Wenn nämlich jeder Pfarrer eine Monstranz habe, sei es, als ob jeder seinen eigenen Gott habe, und in den vielen

---

318 JAMES, Ritual, 4-12; ZIKA, Processions, 37-48; RUBIN, Corpus Christi, 266ff.; RUBIN, Symbolwert, 316f.

319 RUBIN, Symbolwert, 317.

320 BUSCH, Chronicon, 444.

321 Ebenda, 445.

322 Ebenda, 445. Zu Johannes Busch vgl. GRUBE, Johannes Busch; MEYER, Busch. Zur Klosterreform der Windesheimer Kongregation vgl. KOHL, Windesheimer Kongregation.

Monstranzen würde nicht der eine Körper des Herrn getragen, *tanquam singuli plebani, sicut singulas habent monstrantias, sic etiam singuli proprium haberent deum, et unum non esset corpus dominicum, quod in diversis monstrantiis portaretur.*[323] Busch ordnete deshalb an, daß nur ein Sakrament in einer Monstranz um die Stadt getragen werden dürfe. Dadurch entbrannte jedoch Streit, welche Monstranz dies sein solle. Der Pleban des Moritzstiftes forderte das Recht für seinen Konvent, doch Busch setzte mit dem Hinweis auf seine archidiakonale Befehlsgewalt durch, daß die gesamte Stadt der Monstranz der Frauenkirche folgen solle, die kostbarer sei als alle anderen. Der Rat und die städtische Bevölkerung waren jedoch unzufrieden mit dem Bruch der Tradition, die sie als lobenswert und nicht falsch empfanden. Der Rat bat Busch deshalb zu einer persönlichen Erklärung auf das Rathaus, nicht ohne auf mögliche Unruhen infolge der Entscheidung hinzuweisen, die auch das Kloster treffen könnten. Nach Darstellung von Busch einigte er sich mit dem Rat, daß die Monstranz der Frauenkirche abwechselnd von allen Pfarrern um die Stadt getragen werden sollte. Gleichzeitig erinnerte Busch daran, daß die Hostie nur innerhalb der Fronleichnamsoktav unverhüllt gezeigt werden dürfe.

Mit seinen Entscheidungen in Halle reiht sich Busch in die Reformbemühungen der Mitte des 15. Jahrhunderts ein, die versuchten, das Sakrament in die Kirche zu holen und die Vielzahl eucharistischer Prozessionen einzuschränken. Synoden in Mainz und Köln 1451 und 1452 befürchteten beispielsweise, die Ehrfurcht gegenüber dem Sakrament könne durch zu häufiges Schauen schwinden, und schränkten aus Respekt vor dem Sakrament, *[p]ropter reverentiam divinissimo eucharistie sacramento exhibendam*, und im Anschluß an Forderungen des Kardinallegaten Nikolaus von Kues Sakramentsprozessionen und die Aussetzung auf die Fronleichnamszeit ein.[324] Im Widerspruch zu den theologischen Überlegungen stand jedoch die Bedeutung, die die Bevölkerung Halles dem Sakrament und den Monstranzen gab. Innerhalb der Gesamtprozession waren die verschiedenen Monstranzen die identitätsstiftenden Mittelpunkte der einzelnen Pfarreien. Bindungen und Zugehörigkeiten lagen bei der Pfarrkirche, nicht bei der gesamten Stadt. Die Vielzahl an Monstranzen konnte zudem besser das Bedürfnis befriedigen, die Hostie zu schauen. Auch hatte die bisherige Praxis die nun hervorbrechenden Rangstreitigkeiten vermieden. Dagegen konnte der Rat möglicherweise auch deshalb in die Entscheidung von Busch einwilligen, weil eine

---

323 BUSCH, Chronicon, 445.
324 MANSI, Bd. 32, 140 (Mainz 1451). Vgl. BROWE, Verehrung, 166-177; RUBIN, Corpus, 292f.

einzige Monstranz besser die Einheit der Stadt repräsentierte. Die Auseinandersetzungen machen verschiedene Wahrnehmungen und Aneignungen des Sakraments sichtbar. Busch betrachtete die Prozession mit den Augen des Theologen, der die religiöse Aussage zu bewahren suchte. Bei der weltlichen, aber auch der geistlichen Bevölkerung Halles dagegen standen die Kostbarkeit der Monstranz als Zeichen für die eigene Pfarrei und das Schauen der Hostie im Mittelpunkt. Das Sakrament verwies auf Trennlinien innerhalb der Stadt und provozierte Streit über die Rangordnung der geistlichen Institutionen. Identitätsstiftend wirkte es vorwiegend für die Pfarreien.

Geleit des Sakraments und Baldachinträger

Links und rechts neben dem Sakrament gingen zwei Ratsherren als Geleit; die Quellen sprechen von „Führern" oder „führen": *am tag zu der vesper furt man den pfarrer.*[325] Für die Auswahl der Personen gab Stephan Schuler die Anweisung, der Pfleger solle *zwen Bitten des rats oder annder erberg die den priester furen.*[326] Das Lorenzer Mesnerpflichtbuch nennt die beiden Führer namentlich: *vor der vesper zu umgan[g] furen di heren Nutzel, Hans Innhoff das sacrament vor der vesper und noch der vesper.* Die Verfasser hatten die Fronleichnamsprozessionen der vorangegangenen Jahre vor Augen, bei denen nachweislich seit 1485 Gabriel Nützel und Hans Imhof dem Lorenzer Pfarrer Geleit gaben.[327] Der erwähnte Nützel (gest. 1501) war erster Losunger; Imhof (1419-1499) hatte den Rang eines Alten Bürgermeister inne und war seit 1470 Pfleger der Lorenzkirche. Aus der Nennung dieser beiden Männer erschloß sich für die Nutzer und Leser des Mesnerpflichtbuches, daß Ratsherren die Aufgabe des Geleits übernahmen. Die gleiche politische Stellung hatten die Führer der Sebalder Fronleichnamsprozession inne.

Das Geleit des Priesters war ein typisches Element von Fronleichnamsprozessionen und anderen theophorischen Umgängen. Waren in Nürnberg die Führer durchgängig Ratsherren, konnten es anderswo auch Männer in anderen Positionen sein. Vor allem bei Prozessionen, auf die geistliche Institutionen entscheidenden Einfluß hatten, übernahmen Geistliche das Geleit. Bei der Fronleichnamsprozession des Mainzer Doms führten zwei Prälaten, Äbte oder Kanoniker, beim Speyerer Dom zwei Kanoniker oder Sechspfründner - Kanoniker ohne Sitz und Stimme im Domkapi-

---

325 GÜMBEL, Sebald, 24.

326 SCHULER, Salbuch, 54.

327 StAN Rep. 60b, Nr. 4, fol. 109. Vgl. unten Kapitel 5 „Politische und soziale Verortung der Funktionsträger".

tel.[328] Anderenorts waren es Ministranten oder Geistliche in bestimmten Weihegraden: in Aschaffenburg ein Diakon und ein Subdiakon, bei der Großen Prozession in Münster zwei Leviten.[329] Bei eher bürgerschaftlichen Prozessionen gaben städtische Amtsträger, meist ältere Ratsherren in Führungspositionen, dem Sakrament Geleit. In Frankfurt waren es die ältesten Schöffen, in Biberach die beiden Bürgermeister.[330]

Die beiden Führer schritten rechts und links vom Priester, ähnlich wie beim Herrschereinzug. Eine weitere Parallele ist die Verwendung eines Baldachins, auch Himmel genannt, der über dem König oder Kaiser, bei der Fronleichnamsprozession über dem Sakrament getragen wurde. Baldachine als Throndach waren schon im Altertum bekannt.[331] Im Christentum wurden seit dem 4. Jahrhundert Altäre mit festen Baldachinen geschmückt. Zeugnisse für den Gebrauch eines beweglichen Baldachins beim herrschaftlichen Zeremoniell gibt es im Westen seit dem 12. Jahrhundert. In England wurde 1189 einigen Baronen das Recht bestätigt, bei Krönungen den Baldachin zu tragen. Diese Insignien herrschaftlicher Würde übernahm auch das Papsttum. Die „Ordines Romani" erwähnen um 1140 eine *mappula*, einen Baldachin, die über dem Haupt des Papstes getragen wurde. Der Gebrauch eines Baldachins beim feierlichen Amt war ein Vorrecht des Papstes, vor allem bei Stationsfeiern. Um 1200 trat der Baldachin erstmals in Verbindung mit der Eucharistie auf, als er bei der Osterfeier der Kathedrale von Laon genutzt wurde. Seine wichtigste Funktion erhielt er seit der Mitte des 14. Jahrhunderts mit den Fronleichnamsprozessionen. Der Baldachin sollte die Würde und Heiligkeit des Sakraments hervorheben. „Er ist geradezu zum Kennzeichen der theophorischen Prozession geworden", so Adolf Reinle.[332] Ebenfalls im 14. Jahrhundert übernahmen ihn französische Herrscher

---

328 BRUDER, Fronleichnamsfeier, 502f.; SIBEN, Fronleichnamsfest, 357. Ähnlich war es in Eichstätt, FPO Eich, 110: *Item bey vnd neben dem heyligen Sakrament sullen geen zuchtiglichen eins Herrn erber Hofgesind vnd am nagsten nach einem Bischoff sein Capplän von sannd Wilbolt.*
329 HOFMANN, Fronleichnamsprozession, 123; REMLING, Prozession, 201. Vgl. auch die Bamberger Pfarrkirche St. Martin (zwei geistliche Ministranten), SCHNAPP, Fronleichnams-Oktavprozessionen, 48, und die Fronleichnamsprozession in Minden (zwei Priester), PIEL, Chronicon Domesticum, 124.
330 FRONING, Chroniken, 216; ANGELE, Altbiberach, 95. Vgl. KRIEGK, Bürgertum, 369; STIEVERMANN, Biberach, 241.
331 Zum folgenden vgl. BRAUN, Paramente, 239-242; O. TREITINGER, Art. Baldachin, in: RAC Bd. 1 (1937), 1150-1153; JOSEPH BRAUN, Art. Baldachin, I. tragbare Baldachine, in: RdK Bd. 1 (1937), 1390-1394; SCHRAMM, Herrschaftszeichen, Bd. 3, 716f., 723-727; REINLE, Zeichensprache, 337-344.
332 REINLE, Zeichensprache, 338.

bei Einzügen.[333] Auch wenn Baldachine schon länger beim Herrscherzeremoniell genutzt wurden, weckte ihr Gebrauch bei Fronleichnamsprozessionen nun neue Assoziationen. Die Ähnlichkeit von Fronleichnamsprozession und Herrschereinzug ermöglichte es, zwischen dem Herrscher und dem Sakrament Parallelen zu ziehen.

Der Baldachin fehlt in kaum einer Beschreibung oder Ordnung einer Fronleichnamsprozession. Von den gesichteten Quellen im deutschsprachigen Raum erwähnen lediglich die Eichstätter Prozessionsordnung von 1451 und die zur Fronleichnamsprozession unvollständigen Aufzeichnungen des Florentius Diel über die Mainzer Pfarrkirche St. Christoph ihn nicht.[334] In Nürnberg wurde bereits 1340 bei der Fronleichnamsprozession des Heilig-Geist-Spitals ein Baldachin mitgeführt. Stephan Schuler berichtet ausführlich über den Himmel der Frauenkirche und hebt seine Rolle bei der Anschaffung hervor: *Item ich Steffan schuler hab lassen machen ein newen himell mit sechs stangen den man an vnnsers herren leichnams tag fruee ob dem Sacrament tregt.*[335] Laut Inventar kostete der Baldachin *mit allen sachen XLIII guldein.*[336] Er wurde nur bei den Prozessionen außerhalb der Kirche getragen, nicht bei Umgängen zu den verschiedenen Messen und Tagzeiten. Über den Baldachin der Sebalder Prozession erfahren wir aus Schreyers Kirchenordnung. Die Baldachinträger erhielten wie die Engelknaben am Fronleichnamstag und am Oktavtag Nahrungsmittel, jeweils *suppen und flaisch, zwei hennen, wein und brot.*[337] Von den zwei Baldachinen, die durch das Inventar von 1446 belegt sind - *ein grossen gültein hymel* und *ein schlechten roten seydein hymel* - wurde für die Fronleichnamsprozession sicherlich der große Himmel verwendet.[338] Im Lorenzer Mesnerpflichtbuch schließlich ist die Fronleichnamsprozession gerade durch den Baldachin von den anderen Umgängen unterscheidbar: *Item alspald man di preim anhewt, so schau, das man den himel hinaustregt fur di tur.*[339]

Wie bei den Engelknaben und beim Geleit macht Stephan Schuler Angaben, welche Personen den Baldachin der Frauenkirche tragen sollten: *so sol ein kirchenpfleger piten sechs ratheren sün die den himel tragen.*[340] Eine Notiz in

---

333 Vgl. GUENÉE/LEHOUX, Entrées royales, 14-18. Bei Nürnberger Herrschereinzügen zog beispielsweise Friedrich III. 1471 unter einem Baldachin ein. Vgl. St.Chr. Bd. 11, 459.
334 FPO Eich, 110; DIEL, Aufzeichnungen, 37.
335 SCHULER, Salbuch, 55f.
336 Ebenda, 29.
337 GNM Archiv, Reichsstadt Nürnberg, Nr. XV, ZR 7115, fol. 20.
338 StAN Rep. 59, Nr. 1, fol. 136.
339 GÜMBEL, Lorenz, 55.
340 SCHULER, Salbuch, 56.

Sebald Schreyers Kirchenordnung informiert, wie die Auswahl der Führer und Baldachinträger erfolgte. Am Montag nach Trinitatis sollte dem Rat schriftlich Auskunft gegeben werden, wer im letzten Jahr *den herrn, der zu der proceß zu unnsers herrn leichnams tag das heilig sacrament getragen hat, gefurt haben und auch welch den himmel getragen haben.*[341] Der Rat bestimmte in der Woche vor Fronleichnam die entsprechenden Personen und vermerkte sie seit 1485 im Ratsprotokoll. Die Geistlichen der Kirchen hatten keinen Einfluß auf die Auswahl der Führer und Baldachinträger. Aber auch der Rat mußte bei besonderen Anlässen seine Entscheidungskompetenz abgeben. 1522 hatte er zunächst, wie im Vorjahr, den Losunger Hieronymus Ebner und den dritten obersten Hauptmann Martin Geuder als Führer für die Fronleichnamsprozession der Sebaldskirche bestimmt. Da der Reichstag in Nürnberg tagte, wurde dies jedoch geändert. Eine Randnotiz des Ratsprotokolls besagt, daß Friedrich II., Kurfürst von der Pfalz und 1521-1523 Statthalter Karls V. beim Nürnberger Reichsregiment, und Herzog Wilhelm IV. von Bayern das Sakrament führten.[342] Auch den Baldachin trugen nicht die zuvor bestimmten Ratsherren, sondern Fürsten, die zum Reichstag in Nürnberg anwesend waren, ohne jedoch im Ratsprotokoll namentlich zu erscheinen.[343] Der Rat konnte in diesem Jahr die Ehrenämter nicht aus seinen Reihen besetzen und nahm, entgegen sonstiger Gepflogenheiten, geschlossen an der Prozession teil. Dem Sakrament folgten *die anderen fürsten und herrn des Reichsregiments sambt den Cammerrichtern und beysitzern (...), und nach denselben auch der rath zu Nürnberg.*[344]

In allen Städten des deutschen Reichs, aus denen Material zu spätmittelalterlichen Fronleichnamsprozessionen herangezogen wurde, trugen Laien den Himmel. In Regensburg und bei der Pfarrkirche St. Martin in Bamberg sollten es Ratsherren, in Hildesheim die Ratsherren der Neustadt sein. In Biberach hatte zunächst die Schneiderzunft das Privileg, vier Träger und zwei Ersatzleute zu stellen. Anfang des 16. Jahrhunderts wurde diese Zunft jedoch verdrängt und bis zur Reformation trugen vier Zunftmeister aus dem sogenannten Elfer-Ausschuß den Himmel. In einigen Orten war das Alter das entscheidende Kriterium für die Wahl der Baldachinträger. In Minden und Lübeck trugen die jüngsten Ratsherren den Baldachin, bei der

---

341 GNM Merkel-Hss., Nr. 100, fol. 8.
342 Zum Reichsregiment 1521-1524 in Nürnberg vgl. SEYBOTH, Reichsinstitutionen, 108-120.
343 StAN Rep. 60b, Nr. 12, fol. 80'.
344 MÜLLNER, Annalen III, fol. 1709'. Vgl. MÜLLNER, Relationen, fol. 140'. Müllner bezog diese Information aus dem Ratsprotokoll, vgl. StAN Rep. 60b, Nr. 12, fol. 80'.

Großen Prozession in Münster sollten es vier junge Männer sein. Die Ordnung für den Speyerer Dom forderte sechs starke Schüler, als Ersatz konnten ungeweihte Benefiziaten genommen werden. Während in diesen Städten Jugendliche oder junge Ratsherren den Baldachin trugen, sollten es in Würzburg die ältesten Ratsherren sein. Für diese Stadt ist leider nicht bekannt, wer dem Sakrament Geleit gab. Möglicherweise waren es Geistliche, denn häufig wurde zwischen Führern und Baldachinträgern nach Alter, Ratsrang oder Stand differenziert. So führten bei der Neusser Gottestracht zwei Ratssenioren, während Mitglieder des Vierundzwanziger-Ausschusses - der aus den 24 Kirchspielen gewählten Vertretung der Gemeinde - den Himmel trugen. In den meisten Städten waren die Baldachinträger Männer der städtischen Elite, aber bei der Fronleichnamsprozession des Mainzer Doms sollten Arbeiter der Domfabrik den Himmel tragen. Die Wahl von Lohnabhängigen ist eine Ausnahme. Lediglich noch in Frankfurt konnten, alternativ zu Schülern oder vornehmen Männern, städtische Diener als Baldachinträger auftreten.[345] Die normativen Angaben der Ordnungen lassen sich für Nürnberg mit Hilfe der Ratsprotokolle verifizieren und durch eine prosopographische Analyse in das soziale und politische Gefüge der Stadt einordnen. Zuvor ist jedoch die Untersuchung der Teilnehmer und der Gestaltung der Nürnberger Fronleichnamsprozessionen abzuschließen.

Weitere Teilnehmer: Kerzen- und Fahnenträger sowie städtische Bedienstete

Neben der Geistlichkeit, dem Geleit und den Baldachinträgern waren zur festlichen Gestaltung des Fronleichnamsfestes und der Prozession sowie zu deren ordnungsgemäßem Ablauf Aufgaben zu verrichten, die städtische und kirchliche Bedienstete oder Tagelöhner übernahmen. Eine dieser Aufgaben war das Tragen der schweren Kerzen. Neben den sieben Kerzen für die Priester sollte der Pfleger der Frauenkirche *zwo lang wanndel kertzen die beyd haben funffthalb pfunt wachs gelb vnd grun die man vor dem Sacrament tregt* machen lassen.[346] An anderer Stelle spricht Schuler von zwei großen Wandelkerzen *zu foderst vor der processen vmb traget.*[347] Wahrscheinlich trugen Bedienstete diese Kerzen. Bei Umgängen in der Kirche ging der Mesner in deren Nähe,

---

345 Vgl.   GÜNTNER,   Fronleichnamsprozession,   11;   SCHNAPP,   Fronleichnams-Oktavprozessionen, 48; STIEVERMANN, Biberach, 241; PIEL, Chronicon Domesticum, 125; WEHRMANN, Memorienkalender, 123; REMLING, Prozession, 201; MITTERWIESER, Fronleichnamsprozession, 14; TRÜDINGER, Würzburg, 132; BRUDER, Fronleichnamsfeier, 503; LANGE, Schützenwesen, 267, Anm. 10. Vgl. WESPLINGHOFF, Neuss, 576; KRIEGK, Bürgertum, 369.
346 SCHULER, Salbuch, 55
347 Ebenda, 101.

zu sehen das man mit den kertzen in der kirchen kein schaden thue. Vor den Priestern wurden zwei große Fahnen getragen. Der Pfleger sollte dafür die Träger bestellen: *wenn man an vnnsers herren leichnams tage frue mit der processen gen
Sant Sebolt get so sol der mesner bestellen zwen die die grossen fannen vor den priestern
tragen.*[348] Fahnen- und Kerzenträger gingen auch bei der Sebalder Prozession mit. 1492 waren es insgesamt 20 Männer, die in diesem Jahr 4 Pfennig
Lohn anstatt der üblichen Suppe erhielten. Auch im folgenden Jahr vermerkt Sebald Schreyers Rechnungsbuch am Fronleichnamstag und der Oktav Ausgaben für Kerzen- und Fahnenträger.[349] Neben Fahnen führt das
Sebalder Inventar Prozessionsstäbe auf, *syben gewunten steb, die man mit den
processen tregt.*[350] Sie konnten nicht nur bei der Fronleichnams-, sondern auch
bei der Sebaldsprozession Verwendung finden. Auch bei der Fronleichnamsprozession des Heilig-Geist-Spitals wurden die Fahnenträger entlohnt;
in der Mitte des 14. Jahrhunderts waren für sie 36 hl. veranschlagt.[351]

Über weitere Personen, die beim Sebalder Fronleichnamsfest und bei der
Prozession Aufgaben erfüllten, erfahren wir schließlich aus den Auflistun-
gen der an diesen Tagen zu Beköstigenden.[352] Allerdings sind hier auch
Bedienstete wie die Schreiber, die Türmer, die Totengräber oder die Sakramentsknaben aufgeführt, die zu Fronleichnam eine Lohnzulage in Form
von Naturalien erhielten.[353] Die Tafelträger - wahrscheinlich Tafeln für die
Opfergaben -, die Orgelspieler und -bläser, der Kirchner und ihre Knechte
verrichteten während der Fronleichnamsoktav ihre üblichen Aufgaben. Nur
zu hohen Festtagen dagegen *waren die zwen heiltumwartter* beschäftigt, die beim
St. Sebalder Mahl am Sonntag Trinitatis und am Oktavtag festlich tafel-
ten.[354] Sie erhielten außerdem *ein viertel weins.*[355] Die Aufsicht über das Sa-

---

348 Ebenda, 102. Im Inventar der Frauenkirche, SCHULER, Salbuch, 28f., werden zwei Posten mit Fahnen genannt: *Item siben par fannen poser vnd guter* und weiter unten: *Item zwen
new fannen gut kostenlich mit allen sachen LXVIII gulden.*

349 LKAN PfA Nürnberg - St. Sebald, Nr. 463, fol. 132: *Item so hab ich am achten tag corp. xpi
20 kertzen und fannen tragern nach dem ich in auf den tag ken suppen geben hab, yden zu lon geben 4
d facit 2 lb 20 d.* 1493: fol. 144'.

350 StAN Rep. 59, Nr. 1, fol. 134 (Fahnen), fol. 134' (Prozessionsstangen).

351 StadtAN D2/II, Nr. 1, fol. 165'.

352 Zum folgenden vgl. GNM Archiv, Reichsstadt Nürnberg, Nr. XV, ZR 7115, fol. 20 und
GNM, Merkel-Hss., Nr. 100, fol. 10'.

353 Die Sakramentsknaben sollten nach einer Stiftung Friedrichs III. 1475 (Wohnung und
Verpflegung für vier Knaben) dem Priester auf seinem Weg zu Sterbenden vorangehen.
Vgl. SCHLEMMER, Gottesdienst, 244. Zu Lebensmitteln als Lohnzulage vgl. GROEBNER,
Ökonomie, 141-152.

354 GNM Merkel-Hss., Nr. 100, fol. 7', 14.

355 GÜMBEL, Sebald, 23.

krament übernahmen in der Frauenkirche am Fronleichnamstag der Mesner und sein Knecht. Darüber hinaus war der Pfleger aufgefordert, an Feier- und Heiligentagen zwei ehrbare Handwerker zu bestellen, um die Reliquien zu bewachen.[356] Bei St. Sebald erhielten weiter Personen Naturalien, die an den Vorbereitungen beteiligt waren. Der *grasman*, der das Gras lieferte und am Fronleichnams- und Oktavtag um die Sebaldskirche streute, erhielt nach der Kirchenordnung Sebald Schreyers *2 stück flaisch 2 weklein 1 mas wein*.[357] Außerdem bekam eine *krentzlmacherin ein halbe hennen, gepratens, 1 viertl wein, 1 hochzeit brot und 2 wecklein*.[358] Sie, die einzige Frau, die im Zusammenhang mit den Nürnberger Fronleichnamsprozessionen in Erscheinung tritt, fertigte die Blumenkränze an, die die Hofierer und Führer bei der Prozession trugen.

Schließlich verköstigte der Kirchenpfleger von St. Sebald am Fronleichnamstag Stadtknechte mit Suppe, Fleisch, Geflügel, Wein und Brot. Auch die Frauenkirche beschäftigte städtische Bedienstete, die am Rande des eigentlichen Zuges für Ordnung sorgten: *Item auch gen die statknecht vnd die putell vnd der lebe an vnnsers herren leichnams tag vnd an dem achten tag des morgens mit der processen vmd die kirchen vnd machen der processen ein gerawn*.[359] Der Stadt-knecht, der Gerichts- und Gemeindediener und der Gehilfe des Scharfrich-ters - der *lebe* - nahmen bei der Fronleichnamsprozession Gerichts- und Polizeifunktionen wahr. Die beiden ersten erhielten dafür 14 Pfennig, der *lebe* 7 Pfennig Trinkgeld. Bereits vor Beginn der Prozession sollte der Gehil-fe für Platz um die Kirche sorgen, *auch sol man mit dem leben albegen reden das er gedenck das an vnnsers herren leichnams tag vnd an der octave vmd die kirchen geraumbt sey*.[360] Das war notwendig, da der Raum zwischen den Pfeilern der Frauen-kirche für Geschäfte und Marktstände benutzt wurde.[361] Es ging jedoch nicht nur um die Behinderung durch Marktstände, sondern während der Prozession sollten die städtischen Bediensteten den Zug durch die Menge der Schaulustigen führen. Eine vergleichbare Situation gab es bei Herr-schereinzügen. Beim Einzug Friedrichs III. 1442 hatten städtische Bedien-stete wie der Pfänder oder der Wegmeister die Aufgabe, der Gruppe mit

---

356 Vgl. SCHULER, Salbuch, 52f., 55.
357 GNM Merkel-Hss., Nr. 100, fol. 9.
358 GNM Archiv, Reichsstadt Nürnberg, Nr. XV, ZR 7115, fol. 22.
359 SCHULER, Salbuch, 55.
360 Ebenda, 55.
361 Vgl. SCHULER, Salbuch 40ff. Hier (40) sind 18 Stände unter der Überschrift aufgezählt: *die krem die vmb vnnser frawen kirchen steen zwischen den pfeylern die dem gotzhaus zinsen die sten da hernach geschriben.*

Stäben Platz zu schaffen.[362] Großen Kirchenandrang an Festtagen dokumentiert auch ein Ratsbeschluß, der im St. Lorenzer Salbuch von 1460 nie-
dergeschrieben ist. Danach sollten am Palmsonntag, am Gründonnerstag,
am Ostertag sowie an anderen Tagen, an denen es notwendig erschien, vier
Leute mit der Aufgabe angestellt werden, *bey zweyen altären in gemelten kirchen
zu stenn; bey welchem der zugang zu dem hochwirdigen sacrament von dem gemeynen
volck am grosten ist und zu vermeydung getrengs und ungefür dy leut ordnen und in ge-
raume ab und zugang machen.*[363] Wahrscheinlich war dies auch beim Fronleichnamstag notwendig.

Bedienstete und sonstige Personen mit Ordnungsfunktionen wurden
auch bei Prozessionen in anderen Städten bestellt. In Münster sollten sechs
Ratbedienstete im vorderen Teil der Prozession bei Behinderungen das
Volk zurückdrängen. Am Schluß des Zuges ging zwei Bedienstete des Domes und der Türwärter des Rates mit Stäben gegen Störungen vor.[364] Ordnung halten sollten bei der Eichstätter Fronleichnamsprozession der bischöfliche Stadtrichter und der Gerichtsamtmann, *darzue mugen vnser Burger
des innern raths zwen aus In beschaiden.* Alle vier sollten weiße Stäbe tragen und
*mit vleiß darob sein, daz die obgeschriben ordnung gehalten werde vnd auch dye straffen,
dy solich ordnung verprachen.*[365] Bei der Mainzer Domprozession schließlich
gingen zwei Handwerker der Domkirche mit, „um einen Zwischenraum
zwischen dem nachfolgenden Volke und dem Sacramente zu bilden."[366]
Kirchliche und städtische Bedienstete wirkten bei all diesen Prozessionen
mit, um für die Einhaltung der Prozessionsordnung zu sorgen und dem Zug
Platz im Gedränge der Zuschauenden zu schaffen.

3.4 Ein Fest zum Zuschauen: Schmuck der Kirchen während der Fronleichnamsoktav und festliche Gestaltung der Prozession

Den Bedürfnissen nach Verehrung und Schauen des Sakraments wurde mit
einer prunkvollen Gestaltung der Kirchen und Prozessionen Rechnung
getragen. Da der Schmuck der Kirche zu den vordringlichen Aufgaben von
Kirchenpflegern und Mesnern gehörte, nehmen entsprechende Anweisungen großen Raum in den Amtsbüchern ein. Die Vorbereitungen für das
Fronleichnamsfest begannen mit dem Aufhängen der Wandbehänge; *am*

---

362 St.Chr. Bd. 3, 362. Vgl. MUMMENHOFF, Kettenstöcke.
363 StAN Rep. 59, Nr. 3, fol. 90.
364 REMLING, Prozession, 201f.
365 FPO Eich, 110.
366 BRUDER, Fronleichnamsfeier, 504. Vgl. auch PFLEGER, Ratsgottesdienste, 48.

montag vor corpus Christi hengt man debich auf, ordnete Sebald Schreyer an.[367] Am Vorabend wurden in St. Sebald und St. Lorenz die Altartücher, von denen die Kirchen eine Vielzahl aus Stiftungen und durch Kauf besaß, ausgelegt: *on unsers herren fronleichnams abend so werait all alter mit den pesten düchern und auf s. Lorentzen altar so henkt man das gülden stück für des Hanns Imhoffs.* Für St. Sebald heißt es entsprechend: *an der mitwoch die altertucher, Sebaldi [das] mit den vier lerern und sunst die pesten und die panklach.*[368] Bereits am Freitag nach Fronleichnam wurden die Altartücher und Wandteppiche in St. Sebald und St. Lorenz wieder entfernt, *man legt die schlechten den achten tag auf,* um durch Variationen im Kirchenschmuck den Festtag um so prunkvoller hervorzuheben.[369].

Auch Stephan Schuler ordnete für die Frauenkirche an, Altartücher und Wandteppiche aufzuhängen. Allerdings besaß die Kirche keine Textilien, die speziell für das Fronleichnamsfest bestimmt waren. Statt dessen wurde der Frauenaltar wahrscheinlich mit dem im Inventar an erster Stelle von sechs Tüchern genannnten *swartz altar tuch von damasto mit untz guldein fürspangen mit einem geneten maria pild mit seckendorfer vnd hohenfelser schilt* geschmückt. Die meisten Wandbehänge der Frauenkirche waren für den Karfreitag bestimmt, so daß für die übrigen Festtage vier gewirkte Teppiche, davon drei mit Marienthemen, zur Verfügung standen. Während die Frauenkirche aus dem eigenen Bestand fast nur Kirchenschmuck besaß, mit dem die Kirchenpatronin Maria verehrt wurde, konnten andere Motive mit Textilien in die Kirche kommen, die der Mesner für Fronleichnam ausleihen sollte.[370] Auch mit der Messe nach der Fronleichnamsprozession brachte die Frauenkirche Maria ihre Reverenz entgegen. Gegenüber den zur gleichen Zeit stattfindenden Fronleichnamsmessen in den Pfarrkirchen machte die Frauenkirche den Gläubigen ein alternatives Angebot; allerdings war auch in St. Lorenz eine der Messen an diesem Tag der Gottesmutter gewidmet. In Straßburg

---

367 GÜMBEL, Sebald, 23.

368 GÜMBEL, Lorenz, 27; GÜMBEL, Sebald, 23. *Panklach* - ein Banklaken - war ein ca. 1 m schmales und bis zu 10 m langes mit Bildern oder Ornamenten verziertes Tuch, das oberhalb von Holzbänken, Truhen, Kirchen- oder Chorstühlen aufgehängt wurde. Vgl. BETTY KURTH, Banklaken, in: RdK Bd. 1 (1937), 1442. - Zu den Teppichen und Altartüchern im Sebalder Inventar vgl. StAN Rep. 59, Nr. 1, fol. 133; WILCKENS, Schätze; WILCKENS, Teppiche. Allgemein vgl. BRAUN, Paramente, 184-202, 218-225; REINLE, Ausstattung, 15ff.

369 GÜMBEL, Sebald, 24. Vgl. GÜMBEL, Lorenz, 56.

370 SCHULER, Salbuch, 26ff., 101. Zitat: 26.

begann die Fronleichnamsprozession mit einer Messe zu Ehren der Stadt-
patronin.[371]

Die Prozession brachte das Sakrament in die Straßen der Stadt. Darüber
hinaus war es während der Oktavwoche zur Verehrung unverhüllt zugänglich. Die Monstranz der Frauenkirche stand auf dem Marienaltar in einem
sacrament kallter unter einem kleinen Himmel, [a]*uch sol er* [der Mesner] *das
clein himelein auf unnserer frawen alltar setzn dorein man das Sacrament auff den alltar
setzt.*[372] Für die Aussetzung des Sakraments am Fronleichnamstag besaß die
Frauenkirche einen besonderen Altarbaldachin: *Item ein seydein himelein mit
seinem zugehoren auff den altar zu dem sacrament an vnnsers herren leichnams tag.* An
den übrigen Tagen konnte ein anderer Baldachin genutzt werden: *Item ein
plobs himelein von schetter* [feine Leinwand bzw. Glanz- oder Steifleinwand] *mit
guldein sternen vber den sacrament kallter.*[373] Neben dem Sakrament sollten *zwen
engell vnd vier cleine zyneine leuchterlein* stehen.[374] An anderer Stelle spricht
Schuler von sechs Zinnleuchtern, in denen Kerzen à 6½ Pfund Wachs
brannten, und von vier Engeln - also Kerzenhaltern in Engelsgestalt[375] - mit
Kerzen zu ¼ Pfund Wachs. Ähnliche Arrangements lassen sich auch für die
beiden Pfarrkirchen nachweisen. Der Mesner von St. Lorenz sollte am Vorabend den Altar mit einem Altartuch und einer silbernen Tafel sowie dem
große[n] himel und oben von dem ko[r]lein 2 schon engel neben den himel herrich-
ten.[376] In St. Sebald wurden am Dienstag vor Fronleichnam Baldachin und
anglomorphe Kerzenhalter aufgestellt. Für diese Kirche hatte die Witwe
Dorothea Endres 1475 sechs Engel gestiftet, die am Vorabend, am Fronleichnamstag und in der nachfolgenden Oktav auf beiden Seiten des Sakraments stehen sollten und mit Wachskerzen beleuchtet waren. Der Kirchenmeister Martin Baumgärtner hatte zu dieser Stiftung 80 rheinische
Gulden gegeben.[377] Während Altartücher und Wandteppiche bereits am
Freitag nach dem Fest durch weniger kostbare ersetzt wurden, blieben die
Kerzen und der Himmel bis zur Vesper am Oktavtag stehen. Mit dem Baldachin über der Monstranz und den anglomorphen Kerzenhaltern wiesen

---

371 Vgl. PFLEGER, Ratsgottesdienste, 47.
372 SCHULER, Salbuch, 101.
373 Ebenda, 29.
374 Ebenda, 101.
375 Zu anglomorphen Kerzenhaltern vgl. REINLE, Ausstattung, 117.
376 GÜMBEL, Lorenz, 54.
377 StAN Rep. 59, Nr. 2, fol. 111. Weitere Engel im Inventar: StAN Rep. 59, Nr. 1, fol. 124.
Im Sebalder Inventar gab es außer den Prozessionsbaldachinen keinen Himmel. Folgen-
des Tuch wird als Verhüllung gedient haben: *Item ein weiss seydeins tuch das man nützt über
die monstranzen corporis xpi.* StAN Rep. 59, Nr. 1, fol. 134'.

die Arrangements zur Aussetzung des Sakraments in den Kirchen auffällige Parallelen zu den Prozessionen auf, wo ebenfalls Kerzen, Engelknaben und Himmel das Sakrament umrahmten.

Die Fronleichnamsprozessionen selbst boten mit ihren Kerzen, Fahnen, Prozessionsstangen und der festlichen Kleidung der geistlichen und weltlichen Teilnehmer ein prächtiges Bild. Mittelpunkt war das Sakrament in einer Monstranz, das beim Umgang durch die Stadt der Bevölkerung unverhüllt dargeboten wurde und damit der auf Schauen ausgerichteten spätmittelalterlichen Eucharistiefrömmigkeit entgegenkam. Außerhalb und innerhalb der Kirche war der Prozessionsweg festlich geschmückt. In Nürnberg wurde um die jeweilige Kirche und im Kircheninneren Gras gestreut. Der Mesner der Frauenkirche sollte für den Fronleichnamstag und den Oktavtag Gras bestellen, *ein gute notdurfft in der kirchen vnd das man auch des morgens gras vmb die kirchen außwendigs strew so man mit der processen vmb die kirchen will gen.*[378] Entsprechende Hinweise gibt es auch für die Sebaldskirche, wo ebenfalls am Fronleichnamstag und am Oktavtag Gras um die Kirche gestreut wurde. 1483 gab Sebald Schreyer dafür 6 lb, 1493 4 lb aus. Auch in der Kirche wurde an den beiden Tagen Gras gestreut. Gras konnte symbolisch gedeutet werden: Es stand für frisches, aufblühendes Leben wie für Vergänglichkeit. Das Streuen von Gras hatte aber auch praktische Gründe und war aus dem weltlichen Bereich bekannt.[379] Im 14. und 15. Jahrhundert wurde in öffentlichen Gebäuden wie Rathäusern Gras für festliche Anlässe gestreut. Der Nürnberger Dichter Hans Sachs assoziierte Grasstreuen mit Sauberkeit, wenn er in einem Theaterstück Adam zu Eva sagen läßt:

Kere das hauß und strew ein graß,
Auff das es hierinn schmeck dest baß.[380]

Vor dem Sakrament wurden vorzugsweise Rosen gestreut. 1487 mußte Sebald Schreyer in sein Rechnungsbuch eintragen: *Item fur kunsthrosen und kornblumen die jar zustreuwen, weil kein rosen vorhanden warn, 1 lb 20 d.*[381] Rosen

---

378 SCHULER, Salbuch, 55. Zum Grasstreuen bei Fronleichnamsprozessionen vgl. RUBIN, Corpus Christi, 248. Zu pflanzlichen Schmuck vgl. die Arbeit von IRIS DOSTAL-MELCHINGER, Blumenteppiche, die sich allerdings auf die nachmittelalterliche Zeit konzentriert.

379 Zur christlichen Symbolik vgl. H. BARDTKE, Art. Gras, Heu, in: Biblisch-Historisches Wörterbuch Bd. 1 (1962), 607f.; H. FREHEN, Art. Gras, in: Bibel-Lexikon (1968), 642. - Zum Grasstreuen im weltlichen Bereich vgl. Art. Gras, in: Deutsches Wörterbuch, Bd. 4,1,5 (1958), 1907.

380 SACHS, Werke, Bd. 1, 56.

381 LKAN PfA Nürnberg - St. Sebald, Nr. 463, fol. 61.

waren im christlichen Kontext reich an symbolischen Bedeutungen: Sie konnten das Paradies, wegen ihrer roten Farbe Märtyrer, Christus und vor allem den auferstandenen Christus - mittelalterliche Autoren bezogen sich bei dieser Deutung auf das Hohelied - symbolisieren. Bernhard von Clairvaux sah in der Rose ein Symbol für die Gottesmutter.[382] Vor allem Pfingstrosen schienen auf Maria zu deuten, da sie Rosen ohne Dornen waren. Mit den *maria roslein* - vielleicht Pfingstrosen - spielte die Frauenkirche auf mariologische Deutungen an. Die vor dem Sakrament gestreuten Rosenblätter konnten theologisch gebildete Teilnehmer und Zuschauer mit christlicher Symbolik in Verbindung bringen, doch sprachen sie mit ihrem Geruch und ihren Farben ebenso die Sinne an und vermittelten ein Bild von Festlichkeit. Feststimmung durch Blumenstreuen kannte die Nürnberger Bevölkerung von anderen Gelegenheiten; für das 16. Jahrhunderts ist der Brauch überliefert, daß im Sommer Gras und Blumen vor der Tür des Hochzeitshauses gestreut wurden.[383] Mit Blumen wurden auch die Teilnehmer geschmückt. In seiner Kirchenordnung wies Sebald Schreyer im Zusammenhang mit der Bestellung von Gras und Rosen an: *Item auch krentz den hofirern*.[384] Die Blumenkränze finden sich im Rechnungsbuch als jährliche Ausgaben wieder. So gab Schreyer beispielsweise 1503 6 lb 19 d *fur 90 polan krentz* und *28 maseron krentz zu 3 lb und 6 d* aus.[385] Verwendet wurden Majoran und Flöhkraut *(polei* abgeleitet von lateinisch *pulegium*). Die 118 Kränze wurden nicht nur für die Musikanten, sondern auch für die Sebalder Geistlichen und die Schüler verwendet. Bei der Frauenkirche erhielten nur die Hofierer Blumenkränze vom Kirchenpfleger, die Führer mußten diese selbst besorgen. Zu ihrer Beschaffenheit vermerkt Schuler: *kreutz von rosen oder maria roslein oder sunst kreutzlein*.[386] Pracht und Pflanzenschmuck waren keine Nürnberger Besonderheit, sondern zahlreiche Ordnungen und Beschreibungen erwähnen Gras, Bäume und Blumen. Beispielhaft sei hier die Ausschmückung der Mindener Fronleichnamsprozession beschrieben, die selbst den lutherischen Chronisten Heinrich Piel von *solcher herlichen procession*

---

382   Zur Symbolik der Rose vgl. H. LECLERCQ, Art. Fleurs, in: DACL 5,2 (1922), 1693-1699; H. LECLERCQ, Art. Rose, in: DACL 15,1 (1950), 9-14; CORNIDES, Rose, 26f.

383   JEGEL, Hochzeitsbrauch, 225, schreibt, das Blumenstreuen zur Hochzeit geschehe „wie bei den Fronleichnamsprozessionen und in der Gegenwart." Da an dieser Stelle ein Quellennachweis fehlt, kann nicht nachgeprüft werden, ob sich der Verweis auf die Prozession auch in der Quelle selbst findet und damit das Blumenstreuen bei Hochzeiten in Anlehnung an Prozessionen geschah.

384   GNM Merkel-Hss., Nr. 100, fol. 8.

385   StadtAN A21, Nr. 74-2°, fol. 150.

386   SCHULER, Salbuch, 55. Vgl. SCHLEMMER, Gottesdienst, 263.

sprechen läßt: Die Bürger hatten den Prozessionsweg mit Gras und Rosen
bestreut, die Häuser mit Maien und wohlriechenden Kräutern besteckt sowie Rauchwerk entzündet. Vor den Türen hingen die besten Teppiche und
Textilien. Die Frauen schmückten sich mit silbernen Spangen. Der Rat, die
Kaufmannschaft, die Zünfte und die Bruderschaftsmitglieder hatten Kränze
auf den bloßen Häuptern. Die Vornehmsten gingen im Harnisch, *und also
fort, en jeder pest becledet.*[387]

Der Schmuck der Kirche mit Wandteppichen und Tüchern, das Ornat
der Geistlichen und der Schmuck des Prozessionsweges galten der Verehrung des Sakraments. Diese fand ihren Höhepunkt in der Aussetzung des
Sakraments mit einem Altarbaldachin und (anglomorphen) Kerzenhaltern
und in der Prozession, bei der die Monstranz unter einem Himmel den
Mittelpunkt eines prachtvollen Zuges bildete. Die einzelnen Elemente
konnten theologisch gedeutet werden, doch waren sie für die Teilnehmenden und Zuschauenden auch eine sinnliche Erfahrung, die das Fest und die
Prozession gegenüber dem Alltag abhoben. Die Festfreude der meisten
Fronleichnamsprozessionen stand im Kontrast zu Prozessionen, die Buße
in den Vordergrund stellten. Während bei der Frankfurter Fronleichnamsprozession die Teilnehmer Maien und Blumenkränze trugen, wurde
dieser Schmuck bei der Maria-Magdalenen-Prozession nicht mitgeführt. Die
Ratsmitglieder und Geistlichen waren mit schwarzen Kopfbedeckungen
bekleidet. Bis 1477 blieb bei dieser Prozession das Sakrament verhüllt.[388]
Die Maria-Magdalenen-Prozession war nach der Überschwemmung 1342
eingesetzt worden; Buße und Trauer standen im Vordergrund. Ähnlich
verhielt es sich mit der Straßburger Lukasprozession. Sie erinnerte an die
Erdbeben 1356 und 1357 und die Ratsherren sollten barfuß und in grauen
Kapuzenmäntel gehen.[389] Der Bitt- und Bußcharakter dieser Prozessionen
läßt den Prunk und die Festfreude der Fronleichnamsprozessionen um so

---

387 PIEL, Chronicon Domesticum, 124f., Zitate: 125. Vgl. auch folgende Fronleichnamspro-
    zessionen: Bamberg: Blumenkränze der Teilnehmer auf Kosten der Pfarrkirche aus
    Kornblumen und Polei, Kranz um die Monstranz, SCHNAPP, Fronleich-
    nams-Oktavprozessionen, 50; Biberach: Blumenkränze für die Teilnehmer und die Mon-
    stranz sowie Maien, ANGELE, Altbiberach, 95; Frankfurt/Main: Maien und Blumenkrän-
    ze, KRIEGK, Bürgertum, 371; Ingolstadt: Gras und Schilf auf dem Weg, MITTERWIESER,
    Fronleichnamsprozession, 19; Mainz: Frauen mit Kränzen, Rosen zum Streuen,
    BRUDER, Fronleichnamsfeier, 503; Regensburg: Laub, Gras und Rosen, BASTIAN, Run-
    tingerbuch Bd.3, 71f.
388 Vgl. KRIEGK, Bürgertum, 371.
389 Vgl. PFLEGER, Erdbebenprozession; DERS., Ratsgottesdienste, 50ff.

deutlicher hervortreten; hier präsentierte sich eine Stadt nicht demütig und bittend, sondern prachtvoll und festlich gestimmt.

3.5 Handlungsträger und Beteiligung der Bevölkerung

Exklusiver Teilnehmerkreis der Nürnberger Fronleichnamsprozessionen

Aus der Analyse der einzelnen Teilnehmergruppen zeichnet sich ein eingeschränkter Kreis von Akteuren der Nürnberger Fronleichnamsprozessionen ab: Musikanten, Schüler - einige von ihnen als Engelknaben oder Rosenstreuer -, Geistliche, Ratsherren und andere Mitglieder der Nürnberger Ehrbarkeit als „Führer" und Baldachinträger sowie lohnabhängige Bedienstete als Kerzen- und Fahnenträger. Die Quellen machen jedoch keine Aussagen darüber, ob und in welcher Weise sich Personen, die keine Aufgaben erfüllten, den Prozessionen anschlossen. Dagegen geht die Forschung davon aus, daß stets die gesamte Bevölkerung teilgenommen hätte. So schreibt Schlemmer: „Auch in den beiden Nürnberger Pfarreien glichen die verschiedenen Prozessionen am Fronleichnamstag wahren Triumphzügen, an denen sich alle beteiligten, angefangen von den höchsten Repräsentanten bis zum einfachen Volk."[390] Beleg ist ihm ein Ablaß von Papst Martin V. aus dem Jahre 1429, der den Teilnehmenden 100 Tage Ablaß gewährte.[391] Diese Urkunde ist m.E. untauglich, eine breite Beteiligung zu beweisen. Sie ist zum einen nicht für eine bestimmte Kirche Nürnbergs ausgestellt, sondern 1429 und in den folgenden Jahren erhielt eine Vielzahl von Städten gleichlautende Ablässe, mit denen Papst Martin V. die Fronleichnamsprozessionen fördern wollte. Die Umsetzung dieser Bestrebungen lag im Ermessen der einzelnen Städte.[392] Zum anderen steht die Prozession in diesem Ablaß, im Gegensatz beispielsweise zu den Ablässen für die Fronleichnamsprozession des Heilig-Geist-Spitals, an nachgeordneter Stelle nach dem Besuch der Kirchen und der Anwesenheit bei Stundengebeten. Die kirchenadministrativen und chronikalischen Quellen Nürnbergs sprechen gegen eine breite Beteiligung an den Fronleichnamsprozessionen. Während die Kirchenpfleger in Mesnerpflichtbüchern oder Kirchenordnungen genaue Anweisungen gaben, wie die Kirche geschmückt wurde, welches Ornat die Geistlichen zu

---

390 SCHLEMMER, Gottesdienst, 261.
391 StAN Rep. 8, Nr. 42 (1429 Mai 26): *illis preterea, qui processiones, in quibus ipsum vivificum sacramentum dicto festo iuxta prefatarum ritus ecclesiarum deferretur, continuo secuti fuerint.*
392 Einen fast wörtlich übereinstimmenden Ablaß erhielt Lübeck am 26. Mai 1433. UB Lübeck, Bd. 7, Nr. 536. Zu dem Ablaß vgl. PAULUS, Ablaß, Bd. 3, 428; BROWE, Entstehung, 116; RUBIN, Corpus Christi, 210f.

tragen hatten oder wann Glocken geläutet wurden, trafen sie keine Vorsorge
für die geordnete Eingliederung der Stadtbevölkerung in die Prozession.
Ordnung war jedoch ein zentrales Anliegen von Prozessionen, und so läßt
sich aus dem Schweigen Schulers und Schreyers sowie dem Fehlen einer
Prozessionsordnung schließen, daß die städtische Bevölkerung keine aktive
Rolle im Ablauf der Prozession spielte. Vielmehr deuten die Ordnungsaufgaben der städtischen Bediensteten darauf hin, daß die Bevölkerung vorrangig als Publikum am Rande der Prozession stand. Die Nürnberger Fronleichnamsprozessionen ebenso wie die gesamte Gestaltung der Fronleichnamsoktav waren auf Zusehen (und Zuhören), nicht aber auf eine aktive
Teilnahme der Bürgerschaft ausgerichtet.

*Aktive Beteiligung der gesamten Stadt und Exklusivität als zwei Typen von
Prozessionen*

Gegenpol zu Nürnberg sind Fronleichnamsprozessionen in Straßburg oder
Eichstätt, wo die gesamte männliche und weibliche Einwohnerschaft zur
Teilnahme aufgefordert war. In Würzburg oder Braunschweig, wie in vielen
anderen Städten, regelten Prozessionsordnungen die Teilnahme der städtischen Bevölkerung.[393] Für viele Städte ist die Beteiligung der gesamten Bevölkerung belegt, doch stellt der exklusive Teilnehmerkreis Nürnbergs keinen Einzelfall dar. Wie bereits erwähnt, blieben Prozessionen von Stiften
oder Domkapiteln häufig auf Kleriker beschränkt. Bei der Fronleichnamsprozession des Bamberger Doms nahmen Domstift, Nebenstifte und
Stadtklerus teil, während die Bürgerschaft lediglich durch die Kirchenfahnen
der Pfarrkirchen und die Zunftkerzen vertreten war. Für die Prozession der
Pfarrkirche St. Martin am Oktavtag bestand dagegen Teilnahmepflicht für
alle zünftischen und nichtzünftischen Bürger.[394] Ein eingeschränkter Teilnehmerkreis findet sich auch bei Prozessionen in städtischer Regie. Für die
Erfurter Adolar- und Eoban-Prozession, von der weiter unten ausführlicher
die Rede sein wird, war die Beteiligung der Ratsmitglieder genau geregelt.
Hinweise, in welcher Weise sich die übrige städtische Bevölkerung anschließen sollte, fehlen dagegen.[395] Auch die Kölner Bonifatiusprozession zum
Gedenken an die Schlacht bei Worringen und zwei Gedenkprozessionen
der gleichen Stadt, die 1482 nach der Belagerung von Neuss und der Niederschlagung eines Aufstandes eingesetzt wurden, waren Ratsprozessio-

---

393 Vgl. PFLEGER, Ratsgottesdienste, 43-50; FPO Eich, 110; HOFFMANN, Polizeisätze, 147;
    UB Braunschweig I, 177.
394 Vgl. SCHNAPP, Fronleichnams-Oktavprozessionen, 47ff.
395 MICHELSEN, Ratsverfassung, 46.

nen.[396] Fehlende Informationen über die Teilnahme der Bevölkerung sind unter anderem durch die Provenienz der Quellen bedingt: Quellen klerikaler Herkunft wie Processionale oder andere liturgische Bücher interessierten sich nur am Rande für die Laien, da die Rangfolge der weltlichen Teilnehmer meist in den Aufgabenbereich der bürgerschaftlichen Selbstverwaltungsorgane fiel. In den Aschaffenburger Processionalen des 14. bis 16. Jahrhunderts fehlt jeder Hinweis auf weltliche Teilnehmer. Im „Ordo divinorum officiorum" des Mainzer Domstiftes heißt es lediglich, das Volk bilde den Schluß in demütiger und geräuschloser Haltung.[397] Aus dem Schweigen der Quellen kann sicher nicht zweifelsfrei geschlossen werden, daß sich die Bevölkerung den Prozessionen nicht anschloß. Statt nach Teilnahme möchte ich deshalb genauer nach aktiver Beteiligung und Handlungsträgern fragen, um die Quellen - oder gerade ihre Schweigen - interpretieren zu können. Die Tatsache, daß die Teilnahme und Rangfolge der städtischen Bevölkerung in den Quellen zu den Nürnberger Fronleichnamsprozessionen nicht geregelt ist, belegt m.E., daß ihre aktive Beteiligung für den Ablauf und den Erfolg der Prozessionen keine Bedeutung hatte. Die Einwohnerschaft mochte anwesend sein, war aber kein Handlungsträger der Prozession. Anders sind dagegen Prozessionsordnungen zu werten, die eine geordnete Teilnahme der Bevölkerung organisierten und so die gegliederte Einwohnerschaft zu Handlungsträgern der Prozessionen machten. Mit dem Kriterium der aktiven Beteiligung zeichnen sich damit zwei Typen ab: Prozessionen, bei dem die städtische Bevölkerung zur Teilnahme aufgefordert oder gar verpflichtet war, stehen solche gegenüber, bei denen nur für einen exklusiven Kreis die aktive Beteiligung geordnet war und die übrige Bevölkerung nicht oder nur unspezifisch erwähnt wird.

Das Nürnberger Beispiel ließe vermuten, daß die Prozessionstypen abhängig von den Verfassungsstrukturen wären. Tatsächlich war in dieser Stadt wohl das strenge Vorgehen des Rates gegen Zünfte oder andere Einungen verantwortlich für die Gestaltung der Prozessionen: Es fehlten anerkannte und institutionalisierte Gruppenzugehörigkeiten, nach denen geordnet die städtische Bevölkerung als Akteure einer Prozession hätte auftreten können. Aber auch in Köln und Erfurt mit zünftischen Verfassungen nutzte der Rat exklusive Prozessionen, um seine Stellung herauszuheben. Andererseits nahm an den Prozessionen in Frankfurt trotz patrizischer Verfassung die gesamte Bürgerschaft nach Geschlecht, Zünften und Bruderschaften gegliedert teil. Die Differenzierung nach Handlungsträgern

---

396 Vgl. KLERSCH, Volkstum, Bd. 3, 70f.; HERBORN, Feiertage, 49.
397 Vgl. HOFMANN, Fronleichnamsprozession, 123; BRUDER, Fronleichnamsfeier, 504.

und aktiver Beteiligung zeigt, daß Prozessionen nicht notwendigerweise über die Beteiligung der gesamten Bevölkerung Konsens und Integration erzeugten. Ja, bei exklusiven Prozessionen konnte die Selbstdarstellung gegenüber einem Publikum und die Abgrenzung in den Vordergrund treten.[398]

Rangordnungen und Rangstreitigkeiten

Mittelalterliche Gesellschaften regelten Integration über Stratifikation: Menschen waren Mitglieder der Stadt, wenn sie einer Gruppe im Ranggefüge angehörten.[399] Deshalb verlangte die aktive Beteiligung der gesamten Bevölkerung an Prozessionen deren Gliederung in Gruppen, die als Akteure auftreten konnten. In einer Prozession zeigte sich eine Stadt als geordnetes Gemeinwesen entlang der Unterscheidung von Laien und Klerikern, der Geschlechterordnung, der politischen Gliederung und der Hierarchie von Berufsständen. Die Rangfolge in Prozessionen interessierte vereinzelt bereits die ältere Stadtgeschichtsforschung als Quelle für soziale Schichtung. Karl Frölich meinte für Goslar nachweisen zu können, „daß die hier vorgeschriebene Rangordnung ein getreues Abbild der sozialen und verfassungsmäßigen Gliederung der städtischen Einwohnerschaft ist", ohne diese These allerdings mit einer Analyse der Prozessionsordnung zu untermauern.[400] Hier setzt Werner Spieß an, der durch den Vergleich der Braunschweiger Fronleichnams- und Auctorsprozession mit der Ratsverfassung die Schichtung der Bürgerschaft und ihre Veränderungen zu ermitteln versucht. In der Prozessionsordnung, die einen älteren Rechtszustand widerspiegele, stände die aus der Fernhändlerschicht hervorgegangene Oberschicht an herausragenden Plätzen, während die Ratsverfassung die Rangfolge nach der wirtschaftlichen Bedeutung von 1386 festlege.[401] Die anregende Arbeit, die auf die Möglichkeiten hinweist, wie Prozessionsordnungen für die Analyse städtischer Strukturen genutzt werden können, krankt aber an zwei Mängeln. Zum einen ist Spieß zu stark abhängig von Rörigs Thesen über „Gründungsstädte". Zum anderen beruht seine Argumentation auf einer

---

398 Vgl. auch RUBIN, Symbolwert; MCREE, Unity. Konsens stellen ZIKA, Processions, JAMES, Ritual, und PHYTHIAN-ADAMS, Ceremony, in den Vordergrund, auch wenn sie soziale Differenzierungen aufzeigen. Die ältere deutschsprachige Forschung (BROWE, Verehrung; MITTERWIESER, Fronleichnamsprozession; HAIMERL, Prozessionswesen) geht generell von einer Beteiligung der gesamten Bevölkerung aus. Auch DELUMEAU, Rassurer, beachtet unterschiedliche Formen der Teilnahme nicht.
399 Als anregend vgl. LUHMANN, Gesellschaft, 678-706.
400 FRÖLICH, Kirche, 267. Vgl. DERS., Ratsverfassung, 65, Anm. 6; DERS., Verfassung, 39.
401 SPIESS, Fernhändlerschicht.

zeitlichen Einordnung der beiden Ordnungen. Aber selbst wenn die Prozessionsordnung auf einen älteren Zustand zurückginge - was nicht zwingend ist, da die Auctorsprozession nach 1350, die Fronleichnamsprozession 1388 eingesetzt wurde -, muß sie bis zu Beginn des 16. Jahrhundert bedeutungsvolle Aussagen über die Stadt gemacht haben, da ihr weiterhin gefolgt wurde. Gerd Schwerhoff urteilt: „Bei aller Originalität des methodischen Ansatzes bleibt das Interesse an der Prozession nur Mittel zum Zweck der sozialen Schichtungsanalyse, das Ritual selbst interessiert nicht weiter."[402]

Gegen die Vorstellung, Prozessionen seien das Spiegelbild der sozialen Schichtung, stellt die neuere anglo-amerikanische Forschung die Konstruktion sozialer Realität durch die Rituale selbst. Trexler formuliert: „The procession was a social order."[403] In seiner Arbeit zu Coventry kommt Charles Phythian-Adams zu dem Ergebnis, daß Zeremonien - er denkt neben Prozessionen auch an Schwörtage - für die Teilnehmer ein sichtbares Mittel waren, um Individuen in Beziehung zur sozialen Struktur zu setzen. Einteilungen nach Geschlecht, Alter oder Wohlstand konnten im Ritual mit der Struktur der Gemeinde in Verbindung gebracht werden.[404] Gegen die letzte Überlegung möchte ich allerdings einwenden, daß Prozessionsordnungen nicht einfach vorhandene Einteilungen aufgriffen, sondern aus der Vielzahl von Gliederungen bestimmte Kriterien übernahmen und mit Sinn besetzten. Dabei wurde, so Rubin, ein Netz sozialer Beziehungen - Freundschaften oder nachbarliche Solidaritäten - zugunsten einer klar entwickelten und hierarchischen Prozessionsordnung geopfert.[405]

Prozessionsordnungen folgten einer eigenen Logik. Nicht nach ökonomischer Stärke, sondern nach dem Beitrag der einzelnen Berufsgruppen zu städtischen Ämtern war die Rangfolge in Coventry organisiert. Der soziale Vorrang bei Zeremonien war eine Belohnung für die Übernahme unpopulärer Ämter, so daß die Prozession einen aktiven Beitrag für das politische Leben der Stadt leistete.[406] Gegen die Gleichsetzung von sozialem Gefüge und Rangfolge in einer Prozession ist auch eine Beobachtung von Martin Alioth für Straßburg anzuführen. Ratshierarchie, Prozessionsordnung und militärische Auszüge zeigten jeweils unterschiedliche Reihungen der Zünfte, auch wenn sich die Spitzengruppe deckte. Die religiöse und militärische

---

402 SCHWERHOFF, Leben, 50.
403 TREXLER, Public Life, 340.
404 PHYTHIAN-ADAMS, Ceremony, 59, 64.
405 RUBIN, Corpus Christi, 265f.; DIES., Symbolwert, 317.
406 PHYTHIAN-ADAMS, Ceremony, 62f.

Gliederung folgte anderen Kriterien als die Ratshierarchie.[407] Prozessionen
waren eine Wahrnehmung der Stadt und ihres sozialen Gefüges, meist die
Wahrnehmung der städtischen Obrigkeit, deren Deutung nicht notwendig
den Vorstellungen anderer sozialer Gruppen entsprechen mußte. Gleichzeitig setzten Umgänge aber soziale Realität, so daß es immer wieder zu Konflikten über die Rangfolge kam.[408]

Rangordnungen von Prozessionen lassen sich also als eine Wahrnehmung
der Stadt interpretieren, die mit anderen Sichtweisen und Informationen zu
konfrontieren ist.[409] Da eine weitergehende Analyse umfassende Einblicke
in die jeweilige Stadt erfordert und weder für Nürnberg noch für Erfurt
entsprechende Prozessionsordnungen vorliegen, soll dieser Weg nicht be-
schritten werden. Statt dessen kann ein Beispiel, der Streit der Colmarer
Bäckerknechte, beleuchten, wie es zu Konflikten um die Rangfolge kommen konnte.[410] Bei der Colmarer Fronleichnamsprozession hatten die Bäk-
kerknechte wegen der Kostbarkeit ihrer Kerzen den vornehmsten Platz
direkt vor und hinter dem Sakrament inne, den sie als Recht ansahen, das
ihnen - der ältesten Bruderschaft - seit Menschengedenken zustände.[411]
Trotz der Wichtigkeit der Bäcker im städtischen Wirtschaftsleben spiegelt
der Rang in der Prozession nicht die soziale, wirtschaftliche oder politische

---

407 ALIOTH, Gruppen, 318-329.
408 Zu Konflikten um die Rangfolge vgl. BROWE, Verehrung, 117; EHBRECHT, Ordnung,
     93f.; JOHNSTON, Guild, 382; EHBRECHT, Verlaufsformen, 27ff.; JAMES, Ritual, 18f.;
     RUBIN, Corpus Christi, 261-266; RUBIN, Symbolwert, 314.
409 Rangordnungen sind mir für folgende Städte bekannt: Bamberg 1470 (nicht ediert): vgl.
     SCHNAPP, Fronleichnams-Oktavprozessionen, 49; Biberach 1489: LUZ, Reichsstadt Bi-
     berach, 81; Braunschweig 1388/1408: UB Braunscheig I, 177; Eichstätt um 1451: FPO
     Eich, 110; Freiburg (Fronleichnamsspiel) 15. Jahrhundert und 1516: MARMON, Unserer
     lieben Frauen Münster, 200-205; Goslar: FRÖLICH, Ratsverfassung, 65, Anm. 6, vgl.
     DERS., Verfassung, 35-39; Göttingen: 1350 und 1434, Göttinger Statuten, Nr. 29 und Nr.
     225; Ingolstadt (Fronleichnamsspiel) 1507: BROOKS, Ingolstadt; Köln 1445 (Reihenfolge
     nach Verbundbrief): vgl. KLERSCH, Volkstum, Bd. 1, 181; Regensburg 1470: BASTIAN,
     Runtingerbuch, Bd. 3, Nr. 87, GEMEINER, Chronik III, 374; Straßburg 1472: PFLEGER,
     Ratsgottesdienste, 46-50; Würzburg 1447: HOFFMANN, Polizeisätze, 147.
410 Auf den Konflikt wurde in der Literatur immer wieder hingewiesen. Vgl. EHBRECHT,
     Ordnung, 94; SCHWERHOFF, Leben, 49. Als Quellenmaterial liegen die Prozesse vor den
     verschiedenen Gerichten mit Stellungnahmen der Bäcker und des Rates vor. MERCKLEN,
     Boulangers, brachte das Material 1871 in einer französischen Übersetzung heraus. Als
     Sekundärliteratur vgl. SCHANZ, Gesellen-Verbände; WALDNER, Konflikt; SCHULZ,
     Handwerksgesellen, 109-116.
411 Zur Darstellung der Geschehnisse durch Rat und Bäcker vgl. MERCKLEN, Boulangers, 7-
     18.

Stellung der Gesellen wider. Ihnen wurde der Platz in den 1490er Jahren streitig gemacht, als die Stiftsherren von St. Martin, die Organisatoren der Prozession, den Tuchmachern, Kutschern und Badern aufgrund neu erworbener Kerzen bessere Ränge gewährten. Auch mit dem Kauf weiterer vier Kerzen im Wert von 120 Gulden konnten die Bäckergesellen den Ehrenplatz nicht zurückerlangen. Im Colmarer Fall gründete die Rangfolge auf Tradition und manifestierte sich in Kerzen, die die wirtschaftliche Potenz einer Zunft oder Bruderschaft anzeigten. Letzteres barg aber - gegen das Herkommen - die Möglichkeit der Veränderung.[412] Der Rat intervenierte erfolglos für die Bäckerknechte und 1494 kam es zum Eklat. Die Knechte verweigerten die Teilnahme, da diese einer Anerkennung der Prozessionsordnung gleichgekommen wäre; Nichtteilnahme signalisierte Widerspruch.[413] Sie flohen aus der Stadt, worauf der Rat sie verhaften ließ, um den Frieden wiederherzustellen. 1495 versuchte der Colmarer Rat erneut zu vermitteln und machte verschiedene Vorschläge zur Rangfolge. Die Bäckerknechte entschlossen sich aber, die Kerzen zu verkaufen und an der Prozession nicht mehr teilzunehmen. Doch der Verzicht verhinderte nicht die Geschehnisse am Fronleichnamstag 1495, über die die Darstellungen des Rates und der Bäcker auseinandergehen. Nach der Version des Rates hätten die Bäckerknechte trotz ihres Versprechens, sich ruhig zu verhalten, die Stadt unerlaubt verlassen und so den Treueeid gegenüber dem Rat gebrochen. Die Bäckerknechte klagten dagegen, nach der Prozession wäre es zu Gerede gekommen, durch das sie sich angegriffen fühlten. Aus Furcht vor erneuten Verhaftungen hätten sie die Stadt verlassen, nach ihrer Darstellung am hellichten Tag und ohne die Rechte ihrer Meister zu beeinträchtigen. Anschließend hätte der Rat ihnen Schaden zugefügt, da er die Korporation und Einzelne öffentlich ausrufen ließ.

Die Bäckerknechte sahen sich in mehrfacher Weise in ihrer Ehre verletzt. Der Platz in einer Prozession war ein sichtbares Zeichen für gesellschaftlichen Rang, das von den Teilnehmenden und Zuschauenden gelesen und im „Gerede" kommentiert wurde. Die Colmarer Quellen verraten nicht, welche Worte dabei gebraucht wurden. Es können Beleidigungen wie in Bamberg gewesen sein: 1470 sollen die Bamberger Färberknechte den

---

412 Konkurrenz und Rangstreitigkeiten infolge der Größe und der Anzahl von Kerzen sind auch in Bamberg, Eichstätt und Köln belegt. Vgl. SCHNAPP, Fronleichnams-Oktavprozessionen, 49; FPO Eich, 110; KLERSCH, Volkstum, Bd. 1, 181.
413 Fernbleiben war auch bei Rangkonflikten in Bamberg und Freiburg ein Druckmittel. Vgl. SCHNAPP, Fronleichnams-Oktavprozessionen 49; MAYER, Freiburger Fronleichnamsprozession, 343f.; KIMMINICH, Prozessionsteufel, 10ff.

Lodenwebern zugerufen haben: *Ihr Altreussen, zcihet hin, es wirt euch das Schrapffen an den Schinpein gar wee thun.*[414] Gegen ähnliche Vorfälle mußte die Straßburger Prozessionsordung mahnen, *daz nyeman den andern, er gang vorn oder hynden, verahten oder bereden sol, ich bin des antwercks oder ich bin besser oder anders dann dar, ich sol vorgon.*[415] Solche Ermahnungen schienen auch deshalb notwendig, da die Konflikte nicht bei Worten blieben, sondern bis zu Gewalttätigkeiten wie in Dortmund führen konnten. Die Gilden und Ämter dieser Stadt waren seit längerem uneins über die Rangfolge ihrer Kerzen bei der Sakramentsprozession, als der Streit 1496 eskalierte: Die Zunftmitglieder brachten *ein groet ufruer mit stechen, houwen, slaen to wege (...), derwelchen etliche ouch angegrepen und derhalven to torn gelacht, aver tolest gedaelt worden.*[416]

In Colmar kam Streit vor den Rat von Oberbergheim, wohin die Gesellen geflohen waren. Dieser verurteilte sie am 6. November 1495 zu einer Geldstrafe; der Rat sollte die Gesellen im Gegenzug in ihre Ehre wieder einsetzen und die öffentliche Ausrufung zurücknehmen.[417] Gegen das Urteil appellierten die Bäcker vor dem Landvogt von Ensisberg und vor dem Reichskammergericht, die jedoch beide den ersten Spruch bestätigten. Die Bäckerknechte unterwarfen sich aber diesen Urteilen nicht und riefen zum Streik in Colmar auf. Sie handelten dabei wohl im Einverständnis mit den Meistern, die sich weigerten, ohne Knechte zu backen. Allerdings erklärte sich ein gewisser Michel von Worms bereit, die Stadt mit Brot zu versorgen.[418] Eine Einigung wurde erst 1505 gefunden. Die Bäckerknechte wurden zu einer Geldstrafe verurteilt, für die jedoch die Bäckerzunft als Bürge aufkam. Beide Parteien versprachen, die Geschichte zu vergessen. Die Ursache, der Rang bei der Fronleichnamsprozession, wurde nicht geklärt, da dies eine stiftische Angelegenheit war, in die der Rat nicht eingreifen konnte. Bei den gerichtlichen Auseinandersetzungen ging es vielmehr um das Verlassen der Stadt und die öffentliche Verrufung der Bäckerknechte, um Treue gegenüber dem Rat und um Ehrverletzung durch die Obrigkeit. Prestige und Ehre waren den Colmarer Bäckergesellen so wichtig, daß sie einen zehnjährigen Streit in Kauf nahmen.

Prozessionen waren ein Ort der Repräsentation; sie machten öffentliche Aussagen über das soziale Gefüge einer Stadt. Der neue Platz der Colmarer Tuchmacher, Kutscher und Bader verdeutlichte allen sichtbar gesellschaftli-

---

414 SCHNAPP, Fronleichnams-Oktavprozessionen, 49.
415 PFLEGER, Ratsgottesdienste, 48.
416 St.Chr. Bd. 20, 363.
417 MERCKLEN, Boulangers, 18f.
418 Vgl. WALDNER, Konflikt, 317.

che Veränderungen. Die Bäckerknechte als älteste Bruderschaft konnten gegenüber neu aufstrebenden Wirtschaftszweigen ihre Vorrangstellung nicht behaupten. Ihren Widerstand leisteten sie stellvertretend für das gesamte Bäckerhandwerk; sie konnten - wie die spätere Zahlung der Geldstrafe zeigt - auf Unterstützung durch die Meister hoffen. Kaspar von Greyerz interpretiert so den Streit der Bäckergesellen als erste Reaktion gegen den Aufstieg eines neuen Patriziats zu Beginn des 16. Jahrhunderts.[419] Der Streit deutet aber auch auf eine „selbstbewußte und wirkungsvolle Gesellenorganisation" hin, die über beachtliche Geldmittel verfügte und der es gelang, die Bäckergesellen anderer oberrheinischer Städte zum solidarischen Handeln zu bewegen.[420] Im Ehrenplatz bei der Fronleichnamsprozession manifestierte sich diese Stärke der Bäckergesellen; ihre Verdrängung stellte auch die Stellung in der Stadt in Frage. Die Schärfe des Streits erklärt sich aus der Dialektik, daß die Prozession eine bestimmte Sicht des sozialen Gefüges widerspiegelte und gleichzeitig soziale Realität mitgestaltete.

4. Reliquienprozessionen: Sebalds- und Deocarusprozession

4.1 Sebaldsprozession

Aus der großen Zahl an Umgängen im Laufe des Kirchenjahres erwähnt die Sebalder Mesnerordnung von 1450 nur zwei: *Auch sol der mesner die zwei fest, an unsers herren leichnam tag und an s. Sebolts tag, sunderlich mit allen des gotshaus zeug ziren und eren (...); auch sol man dasselb heiligtum des andern tages tragen mit der processen über den kirchof.*[421] In einem Atemzug mit der Fronleichnamsprozession wird die Sebaldsprozession behandelt. Der Blick auf diese Reliquienprozession und ihr Pendant, die Deocarusprozession von St. Lorenz, soll das Bild der regelmäßigen Umgänge in Nürnberg vervollständigen.

Es ist hier nicht der Ort, die Geschichte der Sebaldsverehrung und die Bedeutung des Nürnberger Stadtpatrons auszubreiten, zumal einschlägige Arbeiten von Arno Borst und Elisabeth Roth vorliegen.[422] Einige Grundlinien sind jedoch notwendig, um die Prozession zu Ehren des Heiligen einordnen zu können. Auch wenn die Existenz Sebalds gesichert ist, gibt es zu seiner Person nur wenig biographische Angaben. Er lebte im 11. Jahrhun-

---

419 GREYERZ, City, 18f.
420 SCHULZ, Handwerksgesellen, 116.
421 GÜMBEL, Sebald, 43.
422 BORST, Sebaldslegenden; ROTH, Stadtpatron. Zur Sebaldsverehrung vgl. auch HAMMERBACH, St. Sebald; KRAFT, St. Sebald; SCHNELBÖGL, Sebald; SCHÜTZ, Sankt Sebalds Name; SCHWARZ, Sebald.

dert als Eremit in der Gegend von Nürnberg und stand wohl mit der religiösen Reformbewegung seiner Zeit in Verbindung. Lambert von Hersfeld berichtet 1072 von Krankenheilungen an seinem Grab.[423] Ihren eigentlichen Aufschwung erlebte die Sebaldsverehrung im 13. Jahrhundert. Bereits bei der ersten urkundlichen Erwähnung 1255 trägt die Sebaldspfarrei den Namen des Heiligen. Ein Jahr später vergab der Bamberger Bischof Heinrich einen Ablaß für den Besuch der Sebaldskirche am Kirchweihtag, am Peter- und Paulstag und am Sebaldstag.[424] Ebenfalls in der Mitte des 13. Jahrhunderts wurde die Sebaldsmesse „Os iusti" zusammengestellt. Die Verehrung Sebalds als Kirchen- und Stadtpatron nahm in einer Zeit ihren Anfang, als Nürnberg Rat und Stadtrecht erhielt. Nach Borst wurde Sebald in dieser Zeit weniger als Schutzherr von einzelnen Gläubigen, sondern als Repräsentant der Nürnberger Stadtfreiheit verehrt.[425] Der Heiligenkult wurde zunächst vor allem durch Kleriker gefördert. Am Ende des 14. Jahrhunderts entdeckte dann das Patriziat zunehmend Sebald und trieb die Verehrung voran. Nach 1350 tauften Patrizierfamilien immer häufiger ihre Söhne auf seinen Namen und es mehrten sich die ihm gewidmeten Altarpfründen. Die Sebaldsverehrung blieb jedoch nicht unwidersprochen. Sein Festtag, der 19. August, taucht in Meß- und Brevierbüchern des 14. Jahrhunderts nur selten auf. Die Zurückhaltung von Geistlichen war liturgisch begründet, da der Sebaldstag auf die Oktav von Maria Himmelfahrt fiel und das marianische Offizium bevorzugt wurde. Für eine breitere Rezeption Sebalds in der Laienschaft schuf wahrscheinlich der Eichstätter Kanoniker, Sebalder Pfarrer und Stadtschreiber Konrad Sauer (gest. 1394) um 1380-85 die deutschsprachige Sebaldslegende „es war ain kunek". 1397 wurde ein neuer Sebaldsschrein hergestellt. In dieser Zeit entstand wohl auch ein Kopfreliquiar, das an hohen Festtagen auf dem Sebaldsaltar stand und Herrschern bei ihren Einzügen aufgesetzt wurde.[426]

Die Bemühungen um die offizielle Anerkennung Sebalds begannen mit dem Sebalder Pfarrer Albrecht Krauter (Pfarrer von 1355-1372), der auch den Ostchor errichten ließ. Doch erst die Verhandlungen des Ratskonsulenten Konrad Konhofer mit der Kurie führten am 26. März 1425 zur Heiligsprechung Sebalds. Hauptargument für die Kanonisation war, so Borst, die wirtschaftliche und politische Bedeutung Nürnbergs: „Sebald muß heilig

---

423 Zur Biographie Sebalds vgl. BORST, Sebaldslegenden, 23-28; SCHLEMMER, Gottesdienst, 25.
424 NUB 1, 224, Nr. 367.
425 BORST, Sebaldslegenden, 30, 37.
426 Zum Kopfreliquiar vgl. SPRUSANSKY, Haupt.

gewesen sein, weil Nürnberg groß geworden ist."[427] Gebilligt wurde die lateinische Legende „Si dominum", eine Überarbeitung des deutschen Lebensbildes. In der Sebaldskirche lag die wohl nach 1451 verfaßte, modernere und lesbarere Darstellung „Czu den zeiten" aus. Die durch die Heiligsprechung institutionalisierte Sebaldsverehrung fand ihren Niederschlag im Taufnamen, in Statuen, Altarbildern, Altären und Münzen, nicht jedoch im Nürnberger Stadtsiegel. Im ländlichen Territorium verkörperte der Stadtpatron die Macht Nürnbergs. Außerhalb der Stadtmauern pflegten vor allem Nürnberger Bürger die Sebaldsverehrung, während die bäuerliche Umgebung dem städtischen Heiligen mit Mißachtung und Ablehnung begegnete, gegen die sich ein strafender Sebald gemäß den Wundergeschichten des 15. Jahrhunderts wehrte.

Am Ende des 15. Jahrhunderts wurde Sebald in den unteren Schichten Nürnbergs immer populärer, während Borst bei den führenden Schichten Zweifel an dem Heiligen feststellte. Der Rat versuchte als Gegenreaktion den Ruhm Sebalds zu stärken und veranlaßte unter anderem eine lateinische Neubearbeitung der Legende durch Sigismund Meisterlin. Doch blieb, so Borst, die Neubelebung der Sebaldsliteratur auf den Kreis um den Kirchenpfleger Sebald Schreyer begrenzt.[428] Den künstlerischen Höhepunkt der Verehrung bildet das Sebaldsgrab Peter Vischers, das am 19. Juli 1519 aufgestellt wurde. In der Reformation wurde zwar die Prozession abgeschafft, doch blieben die Nürnberger ihrem Stadtpatron treu: Am Sebaldstag fand weiterhin ein feierlicher Gottesdienst statt. Das Sebaldsgrab kontrollierte der Rat, der regelmäßig den Schrein und die Gebeine besichtigen ließ.[429]

Die Sebaldsverehrung der Stadt Nürnberg fand ihren sichtbarsten Ausdruck in der jährlichen Prozession am 19. August, bei der die Reliquien umgetragen wurden. Die Anfänge dieser Prozession liegen im Dunkeln. Eine Urkunde von 1371 gibt an, daß Pfarrer Krauter mit seinen Vikaren an Festtagen Prozessionen um die Sebaldskirche abhielt.[430] Da Krauter ein Förderer des Sebaldkultes war, fand eine solche klerikale Prozession ohne größere Beteiligung von Laien möglicherweise auch am Tag des Stadtpatrons statt. Als der Rat 1377 die Sebaldslegende niederschreiben und an die Klöster verteilen ließ, forderte er diese auf, den Tag wie in den Pfarreien zu bege-

427 BORST, Sebaldslegenden, 81.
428 Ebenda, 121-128.
429 Die letzte Öffnung und denkmalpflegerische Visitation des Sebaldusschreines fand am 19. August 1993 statt. Vgl. SEBALDER HÜTTENBRIEF 6, 19. Aug. 1993.
430 Vgl. BORST, Sebaldslegenden, 76, Anm. 221.

hen: *daʒ man alle jar an seinen tag die mit gesang bege als in der pfarre*.[431] Von einer Prozession ist nicht die Rede. Der neue Silberschrein für die Gebeine des Heiligen, der 1397 im Hochchor aufgestellt wurde, konnte einen möglicherweise bestehenden Umgang der Kleriker aufwerten; später wurde der Schrein bei Prozessionen mitgeführt. In diese Zeit an der Wende zum 15. Jahrhundert fällt der älteste gesicherte Beleg für die Sebaldsprozession. Im 1401/02 verfaßten Leitbuch des Heilig-Geist-Spitals findet sich folgende Notiz für den Sebaldstag: *dor nach an sant seboltstag sol man gen mit ein pressen ʒu sant sebalts pfarr mit ʒwayen prennente kerʒen von sechs pfunt wachs und die sullen ter unter tag mette prinnen und sullen auch ter prister von tem spital ʒwey mess so haben*.[432] Auch die Priester der Frauenkirche gingen an diesem Tag zur Prozession nach St. Sebald, wie Stephan Schuler 1442 belegt: *Auch an Sandt Sebolts tag, wenn die prister mit der processen herauff gen Sant Sebolt geen*.[433] 1448 vergab Kardinallegat Johannes einen Ablaßbrief für die Sebaldskirche und versprach unter anderem 100 Tage Sündenablaß für die Teilnahme an der Prozession am Sebaldstag: *ac die festi sancti Sebaldi predicti in processione presentes fuerint*.[434] Dieser Ablaß mag eine Folge der Heiligsprechung von 1425 gewesen sein, die in Nürnberg mit achttägigen Prozessionen gefeiert wurde: *Item 1425 jar wart sant Sebolt erhaben und wol 8 tag mit heyligen processen begangen und besungen; all tag ye in einer kirchen ein meß, des andern tags in einer andern kirchen*.[435] In der Mesnerordnung von 1450 schließlich erscheint die Sebaldsprozession als wichtigste Prozession der Sebaldskirche neben der am Fronleichnamstag.

Trotz der unsicheren Anfänge läßt sich vermuten, daß sich die städtische Sebaldsprozession seit der zweiten Hälfte des 14. Jahrhunderts aus einem klerikalen Umgang entwickelte. Zu Beginn des 15. Jahrhunderts war sie nicht mehr ausschließlich eine Angelegenheit der Sebaldskirche, sondern die Priester der zweiten Nürnberger Pfarrkirche St. Lorenz sowie des Heilig-Geist-Spitals und der Frauenkirche zogen zur Sebaldskirche, um sich am

---

431 StAN Rep. 54, Nr. 1, fol. 111. Zitiert nach St.Chr. Bd. 3, 64, Anm. 7.

432 GNM Archiv, Reichsstadt Nürnberg, Nr. XIV 2/3, fol. 70'. Im 1347 verfaßten Registerbuch findet sich eine fast gleichlautende Angabe als Nachtrag zum Sebaldstag. Die Hand ist auf den Beginn des 15. Jahrhunderts zu datieren. StadtAN D2/II, Nr. 3, fol. 50'. Die bisherige Forschung beachtete diese Quelle ebensowenig wie den unten angeführten, edierten Beleg aus dem Salbuch Stephan Schulers von 1442. BORST, Sebaldslegenden, 76, 92, hält eine Notiz in der Legende „Czu den zeiten", die nach 1451 entstand, für den ältesten Beleg der Prozession. SCHLEMMER, Gottesdienst, 269, gibt als ältesten Beleg einen Ablaß für die Prozession von 1448 an.

433 SCHULER, Salbuch, 104.

434 StAN Rep. 8, Nr. 75 (1448 Okt. 26).

435 St.Chr. Bd. 10, 16.

Umgang zu beteiligen. Der Rat nahm im 15. Jahrhundert offiziell an der Prozession teil. Seit 1485 sind die Namen von zwölf bis vierzehn Ratsherren, die den Schrein trugen, im Ratsprotokoll vermerkt. Müllner erwähnt die Ratsbeteiligung in seiner Beschreibung der vorreformatorischen Zeremonien: *in solcher procession trugen die alten Ratsherren St. Sebaldi Sarg um.*[436] Schließlich nahm die Bevölkerung Anteil an der Prozession. Die Sebaldslegende „Czu den zeiten" aus der Mitte des 15. Jahrhunderts berichtet, daß „am 19. August der Silbersarg *durch die burger des Rats vnd der erwirdigen briesterschafft mit nachvolgung einer grossen meng volks* öffentlich umhergetragen wird."[437] Der Ablaß von 1448 scheint auch für eine größere Teilnahme der Bevölkerung zu sprechen. Es ist jedoch zu bedenken, daß dieser nicht nur für die Prozession galt, sondern an erster Stelle den Besuch der Sebaldskirche an verschiedenen Festtagen förderte. Schließlich deutet eine Anmerkung Müllners zur Sebaldsprozession auf andere Formen der Beteiligung hin. Er berichtet: *unter demselben* [den Reliquienschrein] *schloff das volck für und wieder, dann die glaubten es solte einen hernach weder rücken noch köpft wehe thun.*[438] Diese Erwartungen an den Heiligen ließen die Bevölkerung eher am Rande auf den Schrein warten. Das Verhalten zeigt aber auch eine gegenüber den Geistlichen oder den Ratsmitgliedern eigene Aneignung der Prozession. Denjenigen, die unter den Schrein krochen, ging es weder um eine geordnete Prozession, die die soziale Position der Teilnehmer im städtische Gefüge demonstrierte, noch um Ehrerweisung gegenüber dem Stadtpatron, dem die Unabhängigkeit und der Aufschwung der Stadt zugeschrieben wurde. Sie nutzten die dem Heiligen und dem Schrein nachgesagten Wunderkräfte für persönliche Anliegen.

Über die Gestaltung und den Weg der Sebaldsprozession liegen wenig Quellen vor. Das Mesnerpflichtbuch Sebald Schreyers erwähnt die Prozession kaum; auch der chronikalische Bericht über die Prozession von 1489, die im Beisein Maximilians stattfand, gibt keine weiteren Informationen.[439] Die Sebaldsprozession war wohl ähnlich gestaltet wie die Fronleichnamsprozession, wie die Mesnerordnung von 1450 andeutet. Die Notizen Schulers legen nahe, daß die Prozession wie am Fronleichnamstag zur Frauenkirche zog und wohl auch das Innere dieser Kirche einschloß: *Auch wenn die proceß in vnnser frawen kirchen gett so sol der mesner auff ytlichen alltar zwo kertzen*

---

436 MÜLLNER, Relationen, fol. 241'.
437 BORST, Sebaldslegenden, 92.
438 MÜLLNER, Relationen, fol. 241'. Müllners Quelle für diese Information ließ sich leider nicht ermitteln.
439 GÜMBEL, Sebald, 31; St.Chr. Bd. 11, 501. Vgl. MÜLLNER, Annalen III, fol. 1396'.

stecken als vorn geschriben stet an dem XCVII plat vnd sol auch zu den creutzen leuten als vorn geschrieben stet am CXXXV plat.[440]. Neben dem Sarg gingen zwei Engelknaben mit Kerzen. Die Schreinträger bestimmte der Rat; der Kirchenmeister sollte ihm vorher schriftlich mitteilen, welche Männer die Aufgabe im Vorjahr innehatten.[441] Sebald Schreyer notiert in seinem Ausgabenbuch 1482-1494 wie bei der Fronleichnamsprozession Kosten für das Abstauben des Reliquienschreins, für Gras und für drei Mahlzeiten. Zu den Mahlzeiten am Sebaldstag wurden jedoch keine Ratsherren, sondern diejenigen geladen, die beim Reliquienschrein wachten: *Item an sannd sebalds abend zum nachtmal ladet ein kirchenmaister zu tisch die so des heilthumbs warten und der sind 3, wann man nach ein heylthumbstul auf macht bey unser lieben frauen thur und man gibt in zu essen nach gemeiner gewonhait.*[442] Kirchliche Bedienstete und Tagelöhner wie die Türmer, eine Kerzenmacherin und andere erhielten wie am Fronleichnamstag Nahrungsmittel.[443] Wie die Bewirtung der Heiltumswärter zeigt, galt die besondere Sorge am Sebaldstag dem Reliquienschrein: Ein Heiltumsstuhl wurde bei der Frauentür aufgestellt, der Schrein sollte abgestaubt werden und *mit dicken pappelrosen* besteckt werden.[444]

Im Vergleich mit anderen Reliquienprozessionen war die Sebaldsprozession erstaunlich kleinräumig angelegt. Nichts deutet daraufhin, daß die Reliquien durch die gesamte Stadt getragen wurden oder sie gar entlang der Mauern umrundeten. Bei der Braunschweiger Prozession zu Ehren des Stadtpatrons St. Auctor, die seit 1350 jährlich am Freitag vor Johannis stattfand, zogen dagegen Gilden, Zünfte und Bruderschaften im Sternmarsch zum Ägidienkloster, von wo Vertreter der Altstadt den Auctorschrein um die Stadt trugen. Am Auctorstag (20. August) selbst zog eine Prozession vom Ulrichstor nach St. Ägidien, um dort Kerzen zu opfern und den Schrein zu erbitten. Der weitere Weg dieser Prozession ist unbekannt.[445] Die jährliche Prozession mit den Reliquien des Dortmund Stadtpatrons St. Reinoldi ging nach einem Bericht aus dem Jahre 1506 nicht entlang der Stadtmauern, jedoch wurden mit den sieben Stationskirchen alle wichtigen

---

440 SCHULER, Salbuch, 104.
441 Vgl. SCHULER, Salbuch, 104; GNM Archiv, Reichsstadt Nürnberg, Nr. XV, ZR 7115, fol. 27.
442 GNM Archiv, Reichsstadt Nürnberg, Nr. XV, ZR 7115, fol. 27.
443 Ebenda, fol. 28'.
444 Ebenda, fol. 27.
445 UB Braunschweig I, 178; St.Chr. Bd. 16, 28f., 44f., 54. Vgl. HERGEMÖLLER, Pfaffenkriege, 53-56; NASS, Auctorskult, 197ff.

Kirchen Dortmunds besucht und ein größerer Raum als in Nürnberg umschritten.[446]

4.2 Deocarusprozession

Auch die zweite Pfarrkirche Nürnbergs, St. Lorenz, veranstaltete eine Reliquienprozession: Am Mittwoch nach Pfingsten wurden die Reliquien des heiligen Deocarus, dessen Fest am 7. Juni gefeiert wurde, umgetragen. Über diese Prozession ist kaum etwas bekannt. Sie scheint in Anlehnung an die - vielleicht auch in Konkurrenz zur - Prozession der Sebaldskirche entstanden zu sein. Deocar (gest. vor 829) war zunächst Mönch in Fulda, wurde dann der erste Abt des bei Ansbach gelegenen Benediktinerklosters Herrieden und ist um 800/805 als „missus regis" in Regensburg und Fulda nachweisbar. Im November 816 war er einer der Schreinträger bei der Hebung der Gebeine des hl. Bonifatius. 1316 verschenkte König Ludwig der Bayer 36 Reliquienstücke des Heiligen an Nürnberg, nachdem er den Ort Herrieden, der von einem Gefolgsmann des Gegenkönigs Friedrich von Österreich gehalten wurde, erobert hatte.[447] Am 26. Dezember 1316, dem Stephanstag, wurden die Deocarreliquien in einem silbernen Sarg auf dem Zwölfbotenaltar der Lorenzkirche beigesetzt. 1406 kamen die übrigen Reliquienstücke nach Nürnberg und wurden am 5. Juni in einem Altar, der unter anderem Deocarus geweiht war, in einer neu errichteten Kapelle bestattet. Da Deocar der Legende nach Beichtvater Karls d. Großen war, konnte die Lorenzpfarrei versucht sein, ihn als Reichsheiligen und damit zweiten Stadtpatron aufzubauen. Einen neuen silbernen Sarg stiftete 1437 Andreas Volkamer. Schlemmer vermutet, daß die Prozession ihren Anfang mit der Fertigstellung dieses Schreins nahm.[448] Nachrichten über eine Prozession liegen für diese Zeit jedoch nicht vor. Der erste Beleg ist ein Eintrag im Ratsprotokoll 1492. Am 9. Juni diesen Jahres, einen Tag vor Pfingsten, bestimmte der Rat erstmalig die Schreinträger für die Deocarusprozession: *Item es ist erteilt, das hewr und auch kunftiglich zu dem sarch sancti Deocarj uff mitwoch in der pfingstfeiern ze tragen zu sant Lorentzen, von rats wegen personen sollen geordnet, und seind hewr dazu beschiden (...).*[449] Die vom Rat ernannten Schreinträger bat der Mesner von St.

---

446 Vgl. HEIMANN, Feste, 172f.
447 Zu Deocar und zur Deocarusverehrung in Nürnberg vgl. MUMMENHOFF, Reliquien, 251f.; ADAMSKI, Herrieden; F. GELDNER, Art. Deoc(h)ar, in: LThk Bd. 3 (1959), 234; SCHLEMMER, Gottesdienst, 72; SCHLEIF, Schriftquellen; DORMEIER, Almosengefällbuch, 25-29.
448 SCHLEMMER, Gottesdienst, 528, Anm. 790.
449 StAN Rep. 60b, Nr. 5, fol. 225'.

Lorenz am Pfingstmontag zu sich, so das 1493 fertiggestellte Mesner-pflichtbuch: *und on dem andern pfingstag so pit ich di, di den sarch tragen.* Außer dem Schmuck des Prozessionsweges mit Bäumen und Gras - *mon soll päumen stecken und gras streien* - verraten die Anordnungen kaum etwas über die Prozession. Ein Nachtrag vermerkt noch: *man rach den sarch und get gar um den sarch und wider in chor und nit Deocari.*[450] Die Prozession fand wohl vor der Tagmesse statt und endete im Chor. Welchen Weg sie nahm, verschweigen die Quellen; vielleicht umrundete sie wie die Fronleichnamsprozession die Lorenzkirche. Der Prozession voran gingen Stadtpfeifer.[451] Auffällig ist die Terminierung. Es wurde nicht der Festtag am 7. Juni, der regelmäßig mit den Fronleichnamsprozessionen kollidiert hätte, sondern mit dem Mittwoch nach Pfingsten der Fastentag der Quatemberwoche gewählt, der der Prozession einen Bußcharakter gab und zugleich die Pfingstfeierlichkeiten abschloß. Diese wenigen Angaben belegen: Die Deocarusprozession entstand in Konkurrenz zur Sebaldsprozession. In der Lorenzkirche wurde Deocar allerdings in den letzten Jahrzehnten des 15. Jahrhunderts recht populär, wie das Almosengefällbuch bestätigt: Nach dem Fest des Kirchenpatrons St. Laurentius und dem Kirchweihtag nahm der Tag der Deocarusprozession den dritten Rang bei den Festen mit besonders hohen Almosen ein.[452] Die Verehrung des Deocarus erscheint als ein nur mäßig gelungener Versuch der Lorenzkirche, in Rivalität zu St. Sebald die Stellung als gleichberechtigte Pfarrkirche zu behaupten.

5. Politische und soziale Verortung der Funktionsträger

Die Nähe zu den Kultobjekten - dem Sakrament oder den Reliquien - erhoben das Tragen des Baldachins oder Reliquienschreins sowie das Geleit zu Ehrenaufgaben. Wer waren die Männer, die diese Aufgaben erfüllten? Gehörten sie dem Rat oder den ehrbaren Geschlechtern an? Welchen Platz nahmen sie innerhalb der Ratshierarchie ein? Wie standen sie zu den Kirchen, in deren Prozession sie mitgingen? In welcher Pfarrei wohnten sie? Die Nürnberger Quellenlage ermöglicht es, Antworten auf diese Fragen zu finden. Da der Rat die Funktionsträger seit 1485 in den Ratsprotokollen vermerken ließ, können der politische Status, die soziale Herkunft, die Kirchen- und Klosterpflegschaften sowie das Alter und der Wohnort der an den Fronleichnamsprozessionen von St. Sebald, St. Lorenz und der Frauen-

---

450 GÜMBEL, Lorenz, 26.
451 MÜLLNER, Relationen, fol. 239'. Vgl. MUMMENHOFF, Reliquien, 252.
452 DORMEIER, Almosengefällbuch, 25.

kirche sowie an der Sebalds- und Deocarusprozession beteiligten Männer untersucht werden.[453] Die Auswertung erfolgt stichprobenartig für die Jahrgänge 1485-1495 (bzw. von 1492-1497 für die Deocarusprozession) und 1516-1523, dem Jahr der letzten Prozession mit Ratsbeteiligung.[454] Es soll die Logik ermittelt werden, nach der die Aufgaben verteilt wurden, um damit die Bedeutung der Prozessionen im politischen und sozialen Gefüge Nürnbergs erkennen zu können.

Zuvor sind einige allgemeine Informationen zur Nürnberger Sozialtopographie notwendig, um die Differenzierung der Pfarreien St. Sebald und St. Lorenz verstehen zu können. An der Wende zum 16. Jahrhundert lebten in Nürnberg 12.780 Einwohner in der Lorenzer und 15.000 in der Sebalder Stadthälfte, wobei die Steuererhebung von 1497, auf die sich die Berechnung der Einwohnerzahl stützt, die eigentliche Unterschicht - Bettler, Kranke und Obdachlose - nicht erfaßte.[455] Prägend für Nürnberg war die Einteilung in die beiden Pfarreien St. Sebald und St. Lorenz sowie die Unterscheidung von Altstadt und Vorstadt. Die Trennung in zwei durch die Pegnitz getrennte Stadthälften bestand schon in der Frühzeit Nürnbergs, als die spätere Sebalder Hälfte zur Pfarrei Poppenreuth und die Lorenzer

---

453 Die entsprechenden Informationen wurden nach folgenden Quellen ermittelt: Ratszugehörigkeit und Ratsrang: StadtAN B11, Nr. 71, Nr. 75; Zugehörigkeit zum Großen Rat (Genannte): ROTH, Genannte; familiäre Daten: BIEDERMANN, Geschlechtsregister; Kirchen- und Klosterpflegschaften: MÜLLNER, Annalen I, 21-22, 58, 73, 116, 159f., 275, 410; Annalen II, 13, 27ff., 81f., 149-150; Wohnort: FLEISCHMANN, Reichssteuerregister.

454 STAN Rep. 60b, Nr. 4 (1483-1487), fol. 109, 176', 248'. Nr. 5 (1488-1493), fol. 19, 84', 139', 183, 226'-227. Nr. 6 (1493-1498), fol. 18-18', 63-63', 110'-111. Nr. 11 (1516-1521), fol. 10-10', 88', 139, 222, 289-289'. Nr. 12 (1521-1525), fol. 7-7', 80', 172. Folgende Jahrgänge konnten ausgewertet werden: St. Sebald, Führer: 1485-1495, 1516-1523 (19 Jahrgänge), St. Sebald, Baldachinträger: 1485-1495, 1516-1523 (19 Jahrgänge), St. Lorenz, Führer: 1485-1493, 1516-1523 (17 Jahrgänge), St. Lorenz, Baldachinträger: 1489-1493, 1495, 1516-1523 (14 Jahrgänge). 1495 wurden die Baldachinträger der Frauenkirche aufgeführt. Da die Namen jedoch weitgehend identisch mit denen von St. Lorenz 1493 sind, wurde dieser Eintrag als Fehler gewertet und der Lorenzkirche zugeschlagen. Die Angabe der Führer bei der Frauenkirche in diesem Jahr wurde jedoch als richtig angesehen. Frauenkirche, Führer: 1485-1492, 1495, 1516-1523 (17 Jahrgänge), Frauenkirche, Baldachinträger: 1516-1523 (8 Jahrgänge). Sebaldsprozession: 1485-1486, 1488-1492, 1516-1522 (14 Jahrgänge mit insgesamt 177 Namensangaben, meist 12 Träger, aber 1485: 11 Träger, 1516-1520: 14 Träger). Deocarusprozession: 1492-1497, 1516-1523 (13 Jahrgänge). Für die Fronleichnamsprozession 1522 wurden die vorgesehenen Funktionsträger ausgewertet, die jedoch ihren Ehrenplatz an Mitglieder des Reichstages abgeben mußten.

455 ENDRES, Einwohnerzahl; PUCHNER, Register, 928-930; FLEISCHMANN, Reichssteuerregister, XXVIII-XXIX.

Hälfte zu Fürth gehörte. Beide Pfarreien wurden in der Mitte des 13. Jahrhunderts selbständig. Sie hatten nicht nur kirchenadministrative Bedeutung, sondern bildeten mit der Einteilung in Stadtviertel, die seit der ersten Hälfte des 14. Jahrhunderts nachweisbar sind, die räumliche Grundlage für das Verwaltungshandeln des Rates.[456] St. Sebald bestand in dieser Zeit bereits aus vier Vierteln; St. Lorenz - hier siedelten zunächst finanziell schwächere Familien - war anfangs in zwei, nach dem Ausbau des Lorenzer Stadtgebietes zwischen 1346 und 1452 ebenfalls in vier Viertel gegliedert. Die Viertel wiederum waren nach Hauptmannschaften organisiert, denen Gassenhauptleute vorstanden. In den Hauptmannschaften - 61 auf der Sebalder Hälfte und 69 auf der Lorenzer Seite - erfolgte die Steuererhebung von1497.[457] Altstadt und Vorstadt waren durch die Stadtbefestigung von 1320/25 getrennt, die auch nach dem Bau der letzten Stadtumwallung von 1346, der Schließung des Mauerringes um 1400 und dem bis 1452 dauernden Grabenausbau bis zum Ende des 15. Jahrhunderts intakt blieb. Bis 1467 schrieb das Bürgerrecht die Unterscheidung fest, indem für den Zuzug in die Innenstadt und den Erwerb des Vollbürgerrechts ein Mindestvermögen von 200 Gulden, für die Vorstadt dagegen ein niedrigeres Vermögen und eine geringere Aufnahmegebühr notwendig waren.[458]

Die unterschiedliche Entwicklung von Sebalder und Lorenzer Hälfte und die Bürgerrechtspolitik des Rates bis 1467 spiegelten sich noch an der Wende zum 16. Jahrhundert in der Sozial- und Vermögensstruktur Nürnbergs wider. Von insgesamt 712 Personen mit einem Vermögen von über 1000 Gulden wohnten 500 (fast 70%) in der Sebalder und 212 in der Lorenzer Pfarrei. Noch deutlicher ist das Gefälle zwischen Altstadt und Vorstadt: Nur 45 reiche Bürger lebten in der Vorstadt, davon 17 in der Sebalder und 28 in der Lorenzer Vorstadt.[459] Die meisten vermögenden Sebalder Bürger wohnten im zentralen Salzmarktviertel um den Markt und die Frauenkirche;

---

456 Zur Viertelsstruktur vgl. FLEISCHMANN, Reichssteuerregister, XXIII-XXIV. Zur Bedeutung von Stadtvierteln vgl. JÜTTE, Stadtviertel.

457 Die Lokalisierung der Hauptmannschaften ist nicht immer eindeutig. Vgl. LOCHNER, Tafeln; PUCHNER, Register. Zur räumlichen Entwicklung und Sozialtopographie vgl. SCHNELBÖGL, Topographische Entwicklung.

458 SCHULTHEISS, Bürgerrecht, 189; FLEISCHMANN, Reichssteuerregister, XXIII.

459 Vgl. FLEISCHMANN, Reichssteuerregister, XXXI-XXXIII, 333, 336, Tafel 3. Vermögende waren nach der Beschlußlage für den Gemeinen Pfennig Personen mit einem Gesamtvermögen von 500 fl., die 1/2 fl., und Personen mit einem Gesamtvermögen von 1000 fl., die 1 fl. zahlen mußten. Da für die Sebalder Seite nur Angaben mit 1 fl. Steuerleistung vorliegen, nahm Fleischmann in seine Vermögensauswertung nur diesen Personenkreis auf.

die restlichen verteilten sich gleichmäßig auf die drei übrigen Sebalder Stadtviertel. Auf der Lorenzer Seite konzentrierte sich der Reichtum auf das alte Frauenbrüderviertel. Die räumliche Verteilung der Ratsmitglieder und Genannten folgt der Vermögenstopograhie.[460] Die Ratsherren verteilten sich 60 zu 40% auf St. Sebald und St. Lorenz (Tab. 32). Von den patrizischen Ratsherren kam ein noch größerer Prozentsatz aus der Sebalder Stadthälfte, während von den acht Handwerkern, die im Rat saßen, die meisten (75%) auf der Lorenzer Hälfte wohnten. Die Verteilung zwischen Altstadt und Vorstadt fällt ebenso wie die Vermögensverteilung mit hohen Anteilen zugunsten der Altstadt aus, wobei wiederum eher Handwerker in der Vorstadt, jedoch nur drei patrizische Ratsherren der Jahrgänge 1496-1498 in der Vorstadt zu finden sind (Tab. 33). Ähnlich verteilten sich auch die Genannten, die zwischen 1490 und 1498 in den Großen Rat gewählt wurden, auf die Stadtviertel. Fast 70% derjenigen, deren Wohnort ermittelt werden konnte, lebte in der Sebaldpfarrei (Tab. 34). Dieser Anteil ist eher noch höher zu veranschlagen, da für die Sebalder Hälfte nur die Personen mit einem Vermögen über 1000 Gulden bekannt sind, aber unter den Lorenzer Genannten auch drei Männer waren, die ein niedrigeres Vermögen besaßen. Keiner der Genannten dieses Zeitraums kam aus der Vorstadt.

Nach den Mesnerbüchern oder Prozessionsordnungen bestand ein deutlicher Rangunterschied zwischen Führern und Baldachinträgern. Dieser Befund bestätigt sich in der prosopographischen Analyse. Die Führer aller drei Fronleichnamsprozessionen bildeten eine weitgehend homogene Gruppe. Abstufungen zwischen den drei Kirchen lassen die Sebaldkirche als Hauptkirche Nürnbergs und deren Prozession am Fronleichnamstag als ehrenvollste erscheinen. Die Führer dieser Kirche - insgesamt acht im Stichprobenzeitraum - hatten von allen Beteiligten die höchsten Ratswürden inne. Sie waren fast durchgängig Losunger oder Oberster Hauptmann.[461] Lediglich 1495 wurde der Losunger Paulus Volkamer (um 1440-1505) nicht von einem Mann in den höchsten Würden der Stadt, sondern von Ulrich Grundherr (1434/35-1500), einem Ratsherr im Rang eines Älteren Herren, begleitet. Von 1485 bis 1489 hatten mit dem ersten und dem zweiten Losunger Ruprecht Haller (1419-1489) und Nikolaus Groß (gest. 1491) die beiden mächtigsten Männer der Stadt die Aufgabe des Geleits übernommen. Die Kirchenpflegschaft für St. Sebald hatte meist einer der Losunger

---

460 Ausgewertet wurden als Stichprobe die Ratsjahrgänge 1496-1498 im zeitlichen Umfeld der Steuererhebung.

461 Zu den Ratsämtern vgl. die Skizze zur Verfassungsstruktur Nürnbergs im Anhang S. 338.

inne, so daß in der Person von Ruprecht Haller, Paulus Volkamer oder Anthoni Tucher auch der jeweilige Sebalder Kirchenpfleger mitging. Das Arrangement, daß der erste Losunger und Kirchenpfleger von St. Sebald qua Amt als Führer bei der Sebalder Fronleichnamsprozession fungierte, trat beim Tod eines Amtsinhabers besonders zu Tage. Ruprecht Haller, seit 1473 Losunger und seit 1474 Kirchenpfleger von St. Sebald, führte den Priester von St. Sebald bis 1489. Nach seinem Tod wurde Paulus Volkamer, der bis dahin den Priester der Frauenkirche geführt hatte, Losunger und Kirchenpfleger von St. Sebald und übernahm zugleich Hallers Funktion in der Sebalder Prozession. Einen Bruch mit dieser Logik gab es in den Jahren vor der Reformation. Anthoni Tucher (1458-1524), seit 1505 Losunger und Pfleger von St. Sebald, mußte nach 1517 den Ehrenplatz aus gesundheitlichen Gründen abgeben. Er übte zwar bis 1523, ein Jahr vor seinem Tod, seine politischen Ämter aus, doch nach 1516/17 konnte er an keiner Prozession mehr teilnehmen. Seinen Platz bei der Sebalder Fronleichnamsprozession übernahm Martin Geuder (1455-1532), der seit 1516 Oberster Hauptmann und Pfleger des Schottenklosters St. Egidien war und 1523 Tucher als Pfleger von St. Sebald nachfolgte.[462]

Auch als Führer des Lorenzer Priesters waren Ratsherren in hohen Rängen, doch seltener die Losunger eingesetzt. Im ersten Untersuchungszeitraum, 1485 bis 1493, übten durchgängig Hans Imhof (1419-1499) und Gabriel Nützel (gest. 1501) diese Funktion aus. Hans Imhof war Alter Bürgermeister und seit 1470 Pfleger von St. Lorenz. Seine Verbundenheit mit der Lorenzkirche und seine Sakramentsfrömmigkeit zeigte er auch durch die Stiftung des Lorenzer Sakramentshauses.[463] Gabriel Nützel wurde 1485 Oberster Hauptmann, 1489 Losunger, 1491 erster Losunger und war seit 1476 Pfleger des Nonnenklosters St. Klara. In den Jahren 1516 bis 1523 gab es häufigere Wechsel. Leonhard Groland (gest. 1521), Endres Tucher (1453-1530) und Hans Ebner (1473/77-1553) übernahmen die Aufgabe nur jeweils ein Jahr. Ebenso wie bei St. Sebald nahm auch bei St. Lorenz zu Beginn des 16. Jahrhunderts der Kirchenpfleger nicht mehr durchgängig teil. Bis 1519 hatte das Amt Jacob Groland (um 1448-1515) inne, der jedoch in den untersuchten Jahren nicht bei der Fronleichnamsprozession führte. Das Geleit gab Caspar Nützel (gest. 1529); er wurde aber erst 1519 Lorenzer

---

462 Nach Mummenhoff litt Tucher seit 1518 an Altersgebrechen, unter anderem an einem Fußleiden. Zur Biographie Tuchers vgl. ERNST MUMMENHOFF, Art. Anton Tucher, in: ADB 38 (1894), 756-764; IMHOFF, Nürnberger, 68f.
463 Vgl. STOLZ, „Gott dem almectingen zw lob".

Pfleger.[464] Nützel zählte zu den frühen Befürwortern der Reformation und gab seine Teilnahme an der Fronleichnamsprozession wohl aus diesem Grund nach 1522 auf. Gegenüber dem ersten Untersuchungszeitraum, als ein Losunger und der Oberste Hauptmann beteiligt waren, hatten die Führer des 16. Jahrhunderts niedrigere Ratsränge inne: ein Alter Genannter, drei Alte Bürgermeister und drei Ältere Herren. Mit diesen niedrigeren Ratsrängen war verbunden, daß nun Männer beteiligt waren, die keine oder weniger prestigeträchtige Kirchen- und Klosterpflegschaften innehatten als die Führer am Ende des 15. Jahrhunderts; sie wirkten als Pfleger des Pilgrimspitals St. Martha, der Zwölfbrüderstiftung und der Kapelle St. Peter und Paul. Diese Verschiebung zu niedrigeren Ratsämtern ist allerdings nur bei den Führern der Lorenzkirche zu beobachten und läßt sich deshalb nicht als Indiz interpretieren, daß die Fronleichnamsprozessionen insgesamt an Repräsentationswert verloren hätten.

Die Führer bei der Fronleichnamsprozession der Frauenkirche waren ebenfalls durchgängig Ratsherren - Stephan Schuler wünschte 1442 Ratsherren oder ehrbare Männer -, jedoch im Vergleich mit den beiden Pfarrkirchen in niedrigeren Ratsrängen. Bei zehn ermittelten Personen[465] gab es den Rang des Obersten Hauptmannes einmal, sechsmal den Rang des Älteren Herren und dreimal den des Alten Bürgermeisters. Die Führer für die Frauenkirche wurden also vorrangig unter den Älteren Herren rekrutiert. Auffällig ist, daß in keinem der untersuchten Jahre der Kirchenpfleger der Frauenkirche - von 1484 bis 1515 Peter Harßdörffer (gest. 1518), danach Hans Stromer (1467-1526) - teilnahm. Die meisten Führer der Frauenkirche hatten aber Pflegschaften für andere Kirchen oder Klöster übernommen. Lediglich Endres Tucher - Führer des Jahre 1523 und bereits 1518 Führer bei St. Lorenz - war nie mit Pflegschaften betraut; Hieronymus Schürstab (gest. 1507), der 1495 den Priester der Frauenkirche führte, wurde 1500 Pfleger der Lorenzkirche.

Die Aufgabe des Geleits bei der Frauenkirche war für einige Ratsherren eine Durchgangsphase, bevor sie Führer - oder auch Baldachinträger - für die Kirche des Stadtpatrons wurden. Wie bereits berichtet, wechselte Paulus

---

464 Zu Caspar Nützel vgl. ERNST MUMMENHOFF, Art. Kaspar Nützel, in: ADB 24 (1887), 66-70; MENDE, Dürers Bildnis; IMHOFF, Nürnberger, 86f.

465 Für das Jahr 1516 konnte nur eine Person identifiziert werden. Neben Martin Geuder lese ich L. *Pfintzing* als Führer für die Frauenkirche. 1516 saß nur ein Mitglied der Familie Pfintzing im Rat - Sebald Pfintzing -, der in diesem Jahr als Baldachinträger bei der Fronleichnamsprozession der Sebaldskirche mitwirkte. Wegen dieser Schwierigkeiten wird „L. Pfintzing" im folgenden nicht aufgeführt.

Volkamer 1490 zur Sebaldskirche, als er in Nachfolge Ruprecht Hallers Losunger und Sebalder Kirchenpfleger wurde. Mit ihm hatte Jobst Haller (1433-1493) den Priester der Frauenkirche geführt, und dieser Ratsherr - seit 1489 Verwahrer des Stadtsiegels und seit 1490 im Rang eines Älteren Herrn - trat nun auch bei der Fronleichnamsprozession der Sebaldskirche in Erscheinung, allerdings als Baldachinträger. Zwei Erklärungen bieten sich für den Wechsel an: Zum einen konnte die Teilnahme an der Sebalder Prozession ehrenvoller gewesen sein als die Funktion des Führer bei der Frauenkirche. Zum anderen konnten Jobst Haller und Paulus Volkamer durch verwandtschaftliche oder freundschaftliche Beziehungen verbunden sein, die sich in der gemeinsamen Teilnahme an einer Prozession ausdrückten. Trotz solcher Wechsel war oft über mehrere Jahre das gleiche „Gespann" als Führer des Sakraments tätig. Im Durchschnitt übten die Führer der Frauenkirche die Aufgabe 3,4 Jahre aus. Bei St. Sebald und St. Lorenz lag diese Zeit bei 4,8 bzw. bei 3,8 Jahren. Als Führer bei St. Sebald war Hieronymus Ebner (1477-1532) mit mindestens acht Jahren zwischen 1516 und 1523 am längsten beteiligt. Hans Imhof und Gabriel Nützel führten bei St. Lorenz am Ende des 15. Jahrhunderts über den gesamten ersten Untersuchungszeitraum, also neun Jahre lang. Da der Aufstieg in der Ratshierarchie mit dem Lebensalter verbunden war, wundert es nicht, daß die Führer aller drei Prozessionen ein hohes Alter hatten (Tab. 20-22). Der Durchschnitt lag zwischen 52,9 Jahren bei den Sebalder Führern und 56 Jahren bei den Führern der Frauenkirche. Ruprecht Haller, 1419 geboren, war bei seiner letzten Teilnahme siebzigjährig; Hans Imhof, Führer bei St. Lorenz, war im letzten erfaßten Jahr, 1493, 74 Jahre alt. Enge verwandtschaftliche Beziehungen fanden sich in zwei Fällen: Gabriel Nützel und sein Sohn Caspar fungierten zu verschiedenen Zeitpunkten als Führer des Lorenzer Priester. Die Folge von Vater und Sohn findet sich auch bei Ulrich und Leonhard Grundherr, beide Führer bei der Frauenkirche. Weitere verwandtschaftliche Beziehungen - Onkel und Neffe oder Schwiegervater und Schwiegersohn - wurden nicht untersucht. Doch scheinen mir familiäre Beziehungen zwischen den Funktionsträgern eher durch die verwandtschaftlichen Verknüpfungen des Nürnberger Patriziats und den kleinen Kreis an ratsfähigen Familien bedingt zu sein, als daß sie Vererbbarkeit der Aufgaben bei den Prozessionen belegen.

Während die Führer des Sakraments eine relativ homogene Gruppe von älteren Männern in hohen Ratsrängen bildeten, die teilweise auch die Pflegschaft für die entsprechende Kirche innehatten, zeigen die Baldachinträger sowohl gegenüber den Führern als auch bezogen auf die drei Kirchen große

Unterschiede bezüglich Ratszugehörigkeit, Alter und Familienstand. Beginnen wir mit den Baldachinträgern der Sebaldskirche. Sie waren fast durchgängig Ratsmitglieder (Tab. 6). Nicht im Rat saß Martin Tucher (1460-1580), der 1490 an der Prozession beteiligt war, aber erstmalig 1524 als 60jähriger in den Rat gewählt wurde.[466] Friedrich Behaim (1491-1533) nahm 1517 erstmalig an der Fronleichnamsprozession teil, wurde jedoch erst 1518 in den Rat gewählt. Bei den meisten Baldachinträgern war die Zeitfolge von Wahl in den Rat und Teilnahme an der Sebalder Fronleichnamsprozession genau umgekehrt: Sie nahmen im Jahr ihrer Wahl, die zu Ostern stattfand, erstmals als Baldachinträger an der Fronleichnamsprozession von St. Sebald teil (Tab.14). Der Umkehrschluß läßt sich jedoch nicht ziehen: Nicht alle neu gewählten Ratsmitglieder beteiligten sich an der Prozession. 1490 wurden Erasmus Haller (1436-1501) als Junger Bürgermeister und Leonhard Grundherr (um 1453-1531) als Alter Genannter neu in den Rat gewählt. Haller nahm in diesem Jahr an der Sebalder Prozession teil. Mit ihm trat der oben erwähnte Martin Tucher, der nicht im Rat saß, neu als Baldachinträger auf, während die übrigen vier schon im Vorjahr diese Aufgabe ausgeübt hatten. Leonhard Grundherr dagegen fungierte nicht als Baldachinträger, findet sich aber zu Beginn des 16. Jahrhunderts als Führer bei der Frauenkirche. Endres Tucher und Conrad Imhof (1463-1519) wurden 1491 als Junge Bürgermeister neu in den Rat gewählt. Imhof nahm an der Sebalder Prozession teil, Tucher dagegen wirkte 1493 als Schreinträger bei der Deocarusprozession mit. Von den 1516 neu gewählten drei Ratsherren wurde einer im gleichen Jahr, ein weiterer im folgenden Jahr Baldachinträger bei der Fronleichnamsprozession von St. Sebald. Alle drei nahmen aber als Schreinträger bei der Deocarusprozession 1516 teil. Die Sebalder Fronleichnamsprozession und die Lorenzer Deocarusprozession waren offenbar eine Art Einsetzungsritual für die jungen Ratsherren. Die Teilnahme schuf Bindungen zwischen den neu gewählten Ratsherren und den bereits seit längerer Zeit in diesem Gremium tätigen Männern. Zugleich wurden sie der Nürnberger Bevölkerung vorgestellt; beim Wahlakt selbst fehlte eine öffentliche Präsentation der Gewählten. Doch sollten die Funktionen des Einsetzungsrituals und des Bekanntmachens von neuen Ratsmitgliedern nicht überbewertet werden, da nicht alle neu gewählten Ratsherren in den beiden Prozessionen mitgingen.

Entsprechend ihrer erst kurzen Zugehörigkeit zum Rat hatte der größte Teil der Sebalder Baldachinträger den Ratsrang des Jungen Bürgermeisters inne (Tab. 17). Einige Beteiligte waren auch Alte Genannte, ein Ratsrang für

---

466 Vgl. WILL, Münzbelustigungen, 161-168.

Patrizier, die enge Verwandte im Rat hatten und mit dieser Ehrenstelle auf das Amt des Jungen Bürgermeisters vorbereitet wurden.[467] Die Baldachinträger übten ihre Aufgabe jedoch nicht nur im Jahr ihrer Wahl, sondern meist zwei bis vier Jahre, im Durchschnitt 3,2 Jahre, aus (Tab. 1). Einige Personen waren auch über einen längeren Zeitraum beteiligt, wie Georg Holzschuher (um 1439-1526), der erstmalig nach seinem Eintritt in den Rat 1486 an der Prozession teilnahm und noch 1495, am Ende des ersten Untersuchungszeitraums, auftaucht. Zwei Personen, Friedrich Behaim und Sebald Reich (um 1430-1496), trugen den Baldachin über mehr als sieben Jahre. Das Alter der Sebalder Baldachinträger liegt deutlich niedriger als das der Führer. Über die Hälfte der Männer, von denen das Alter ermittelt werden konnte, war zwischen 30 und 40 Jahre alt. Die Altersspanne umfaßte ca. 28 bis über 50 Jahre (Tab. 23).

Während von den 35 Baldachinträgern der Sebaldskirche nur einer nicht im Rat saß, war es bei der zweiten Pfarrkirche Nürnbergs genau umgekehrt: Nur einer von 35 Baldachinträgern der Lorenzkirche war Ratsmitglied; ein weiterer wurde im Verlauf seiner mehrjährigen Teilnahme in den Rat gewählt (Tab. 7). Zehn der 33 Baldachinträger, die zum Zeitpunkt ihrer Teilnahme nicht im Rat saßen, kamen später in den Rat. Dagegen wurden 23 Personen (= 69,7%) nie in den Rat gewählt (Tab. 8). Dennoch waren die Lorenzer Baldachinträger in das politische Leben ihrer Stadt eingebunden: Über 80% waren Genannte des Großen Rats. Nur vier Personen - das entspricht 11,4% - finden sich nicht in der Genanntenliste (Tab. 10). Anders als bei den jungen Ratsherren der Sebalder Fronleichnamsprozession ist die Verknüpfung von Wahl in den Großen Rat, die der Rat kurz nach seiner eigenen Neuwahl vornahm, und erstmaliger Teilnahme an der Prozession weniger signifikant (Tab. 16). Personelle Wechsel von der Lorenzer zur Sebalder Fronleichnamsprozession belegen die Logik, nach der (Noch-) Nichtratsmitglieder bei der Lorenzer Prozession die Funktion des Baldachinträgers, junge Ratsherren dagegen diese Funktion bei St. Sebald ausübten. Hans Rummel (gest. 1496) war 1489 bis 1491 Baldachinträger bei der Prozession der Lorenzkirche. 1492 wurde er in den Rat gewählt und erscheint im gleichen Jahr als Baldachinträger bei St. Sebald. Ähnlich verlief die „Prozessionskarriere" von Friedrich Behaim, der 1517 Baldachinträger bei St. Lorenz war und nach seiner Wahl in den Rat im folgenden Jahr die Aufgabe für St. Sebald bis 1523 ausübte. Im Untersuchungszeitraum finden sich von 35 Sebalder Baldachinträgern vier Männer, die zuvor den Himmel

---

467 Vgl. SCHALL, Genannten, 82-103.

bei der Lorenzer Prozession trugen. Diese Verteilung auf die beiden Prozessionen erklärt das niedrigere Alter der Lorenzer Baldachinträger. Das Schwergewicht lag auf der Gruppe der Zwanzig- bis Dreißigjährigen (Tab. 24). Die Stellung der Lorenzer Prozession innerhalb des Prozessionsgefüges der Stadt bedingt schließlich auch die geringere Kontinuität bei der Teilnahme: Über 80% waren nur ein- bis dreimal an der Prozession beteiligt. Im Durchschnitt nahmen die Lorenzer Baldachinträger 2,4 Jahre an der Prozession teil (Tab. 2). Nur zwei Männer, Fritz Holzschuher (gest. 1511) und Hans Imhof, sind für sechs Jahre vermerkt. Holzschuher entstammte einer patrizischen Familie, wurde aber selbst nie in den Rat gewählt. Hans Imhof trug von 1489 bis mindestens 1495 den Baldachin bei der Lorenzer Fronleichnamsprozession, doch erst Jahre später, 1513, wurde er 52jährig in den Rat gewählt. Möglicherweise ist der Grund für die lange Teilnahme an der Lorenzer Prozession darin zu suchen, daß diese Männer keine politische Karriere einschlugen oder ihnen eine solche nur verlangsamt, beispielsweise wegen zu engen Verwandten im Rat, gelang.

Das Gremium, dem die Baldachinträger der Lorenzer Fronleichnamsprozession angehörten - der Große Rat oder die Genannten -, umfaßte um 1500 ca. 200 Männer. Ihm gehörten zum einen junge Patrizier an, von denen einige später in den Kleinen Rat aufstiegen. Zum anderen waren die Genannten vermögende Kaufleute und Handwerker, die nicht aus dem Kreis der ratsfähigen Familien kamen und denen der Große Rat eine eingeschränkte Beteiligung an der politischen Willensbildung einräumte. Die Genannten übten verschiedene gerichtliche Funktionen aus, waren an der Ratswahl beteiligt und aus ihrer Mitte wurden einige Ehrenämter, beispielsweise die Gassenhauptleute, besetzt. Bei wichtigen Entscheidungen rief der Kleine Rat die Genannten zusammen, um ihre Zustimmung zu seinen Entscheidungen einzufordern. Auch wenn das Amt nur geringes politisches Gewicht hatte, kam ihm doch eine wichtige soziale Bedeutung zu: Die Wahl markierte den Aufstieg in die Nürnberger Ehrbarkeit und mehrte die persönliche und familiäre Ehre. Die Aufnahme in das Genanntenkollegium diente ähnlich wie die Vergabe städtischer Funktionen und Ämter der „Aufrechterhaltung des Systems", indem Einzelnen sozialer Aufstieg und damit Abgrenzung nach unten ermöglicht wurde.[468] Toch resümiert: „Gelegentliche Privilegien, die der Gruppe [der Ehrbaren] von Rats wegen erteilt wurden, bestätigten und verstärkten die ‚Ehrbarkeit' als eine durch die Gewährung von Statussymbolen nach unten abgegrenzte Schicht."[469] Durch Auf-

---

468 ENDRES, Lage, 120. Vgl. TOCH, Mittelschichten, 156.
469 TOCH, Mittelschichten, 150.

stieg und Abgrenzung kam der Institution der Genannten „eine Funktion der Betonung und der Durchbrechung der bestehenden Schichtengrenzen zu."[470] Allerdings ist im Laufe des 15. Jahrhunderts ein Wandel festzustellen. Schloß Ehrbarkeit in der ersten Hälfte des Jahrhunderts noch Berufstätigkeit ein und blieb der Große Rat zunächst offen für führende Handwerker - vor allem solche mit Zugang zu Großgewerbe und Handel -, wurde ihnen dieser Aufstieg „mit der starken Einwanderung und der wirtschaftlichen Konsolidierung einer relativ großen, nichthandwerklichen Unternehmerschicht" versperrt.[471] Für die Wende zum 16. Jahrhundert stellt Toch Divergenzen zwischen Wirtschafts- und Sozialschichtung fest. Die unternehmerische obere Mittelschicht blieb ohne Einflußpositionen und ohne den Prestigewert der Ratssitze; die relative soziale Position des Handwerkertums sank. Das Patriziat schloß sich in dieser Zeit stärker ab, und als Folge spaltete sich auch die nichtpatrizische Ehrbarkeit in höher- und niedrigerstehende Schichten, erkennbar beispielsweise an ihrer Einteilung in gestaffelte Klassen im Tanzstatut von 1521. Dieser Wandel verweist, so Toch, auf die Labilität des sozialen Gefüges in dieser Zeit.[472]

Trotzdem blieb das politische System Nürnbergs bis zum Ende des Alten Reiches ohne Unruhen und Umstürze bestehen. Die Stabilität beruhte vordringlich auf der Wirtschaftskraft der Stadt und der ausgeglichenen Sozialstruktur mit einem hohen Mittelschichtsanteil. Weiter befriedete die Förderung der Reformation seitens des Rates bestehende Spannungen. Aber auch die Politik, aufsteigenden Familien einen eingeschränkten Zugang zu Politik und Ehre zu gewähren, trug ihren Teil zur Aufrechterhaltung der politischen Ordnung bei. Die Fronleichnamsprozessionen sind Bestandteil dieser Politik der Abgrenzung und Integration. Als Lorenzer Baldachinträger konnten patrizische und nichtpatrizische Männer, die nicht im Kleinen Rat saßen, ihre Zugehörigkeit zur Nürnberger Ehrbarkeit anzeigen. Von den 35 Lorenzer Baldachinträgern kamen 24 aus patrizischen Familien, elf Personen dagegen entstammten nichtpatrizischen Familien (Tab. 30).[473] Hans von Thill und Hans Schnöd waren Nichtpatrizier, gehörten aber zu den sechs Familien, die gemäß dem Tanzstatut zum Tanz auf dem Rathaus zugelassen waren.[474] Weitere fünf nichtpatrizische Baldachinträger sind

---

470 Ebenda, 159.
471 Ebenda, 154.
472 Ebenda, 147-168, 216-221. Zu den Genannten und zur Ehrbarkeit vgl. SCHALL, Genannten, 3-81; HAMM, Ethik, 73-84.
473 StadtAN B11, Nr. 74. Vgl. auch das Tanzstatut von 1521, AIGN, Ketzel, 106-113.
474 AIGN, Ketzel, 107f.

1521 in der Gruppe derjenigen aufgezählt, die wegen ihrer Ehefrauen zum Tanz zugelassen waren.[475] Hans Koberger dagegen war explizit vom Tanz ausgeschlossen, obwohl seine Mutter, Margarethe Holzschuher, eine Patrizierin war.[476] Nur drei Nichtpatrizier werden nicht im Tanzstatut von 1521 genannt; von ihnen waren aber zwei von 1489 bis 1495 Baldachinträger und 1521 bereits gestorben. Die Zulassung zum Tanz zeigt an, daß ein Großteil der nichtpatrizischen Baldachinträger zur Spitze der nichtratsfähigen Ehrbarkeit gehörte. Die gesellschaftliche Position dieser Gruppe beruhte auf ihrem Reichtum. Georg Schlauerspach und Peter Meisner, Väter zweier nichtpatrizischer Baldachinträger zu Beginn der 1520er Jahre, hatten nach Auskunft von Christoph Scheurl um 1500 ein Vermögen von 40.000 bzw. 50.000 Gulden. Georg Schlaudersbach kaufte 1522, als er als Baldachinträger bei der Lorenzer Fronleichnamsprozession mitwirkte, den Gleißhammer von Sigmund Fürer.[477] Integriert wurden Aufsteiger auch, indem man „umfangreiche freiwillige Stiftungen" von ihnen erwartete.[478] 1498 sollten unter anderem Koberger und Meisner zu Stiftungen für das Kloster Gründlach bewegt werden.[479] In diesem Kontext stellt sich die Lorenzer Fronleichnamsprozession als ein weiteres Politikinstrument dar, mit dem reiche nichtpatrizische Handwerker und Unternehmer in die städtische Oberschicht integriert wurden und ihnen gleichzeitig die Möglichkeit gegeben wurde, die eigene gesellschaftliche Position öffentlich darzustellen. Die Prozessionen spiegeln aber auch die Verhärtung von Standesgrenzen am Ende des 15. Jahrhunderts wider. Nicht von ungefähr begann der Rat erst in den 1480er Jahren, die Namen der an den Prozessionen Beteiligten in den Protokollen niederzuschreiben und damit die soziale Bedeutung, die der Teilnahme innewohnte, zu fixieren.

Für die Baldachinträger der Frauenkirche forderte Stephan Schuler, es sollten Ratsherrensöhne sein. Die Männer wurden also über ihre Väter definiert und durch patrizische Herkunft, Familienstand und Alter charakterisiert.[480] Hielt sich der Rat zu Beginn des 16. Jahrhunderts an diese Vorgaben?[481]

---

475 Ebenda, 109.
476 Ebenda, 111f. Hans Koberger/Coburger (gest. 1545) war 1522 als Baldachinträger vorgesehen.
477 Vgl. HALLER, Vermögen, 124ff.; GROEBNER, Ratsinteressen, 284f.
478 GROEBNER, Ratsinteresssen, 285.
479 Vgl. HALLER, 172.
480 SCHULER, Salbuch, 56.
481 Für den ersten Untersuchungszeitraum, 1485-1495, sind die Baldachinträger der Frauenkirche nicht vermerkt.

Zunächst fällt auf, daß die Baldachinträger der Frauenkirche durchgängig keine Ratsmitglieder waren und nur ein kleinerer Teil später einen Sitz im Rat erlangte (Tab. 9).[482] Anders als die Baldachinträger der Lorenzer Fronleichnamsprozession waren sie auch nicht Genannte des Großen Rates, wurden aber zu 53,9% zu einem späteren Zeitpunkt in dieses Gremium gewählt (Tab. 11).[483] Die Aufnahme in den Großen Rat erfolgte häufig im Jahr der Verheiratung oder im folgenden Jahr. Ein geringer Prozentsatz - in einem Zufallssample 7,8% derjenigen, von denen der Zeitpunkt der Eheschließung bekannt ist - saß allerdings auch einige Jahre unverheiratet in diesem Gremium (Tab. 28).[484] Familienstand und Politikfähigkeit waren eng, aber nicht notwendig miteinander gekoppelt.[485] Trotz einiger Abweichungen läßt sich aufgrund des politischen Status mit hoher Wahrscheinlichkeit annehmen, daß die meisten Baldachinträger der Frauenkirche nicht verheiratet waren. Gesicherte Angaben liegen nur für zehn Baldachinträger der Frauenkirche vor. Von ihnen waren neun tatsächlich ledig, als sie den Baldachin der Frauenkirche trugen (Tab. 29). Lazarus Holzschuher jun. (gest. 1544) dagegen hatte 1512 Ursula Imhof geheiratet, trat aber erst 1520 als Baldachinträger bei der Frauenkirche auf. Das Alter konnte nur bei neun

---

482 Unsicherheiten gibt es bei Lazarus Holzschuher und Nikolaus Groland, die 1520 bzw. 1521 beteiligt waren. Ein Lazarus Holzschuher ist 1514-1544 im Rat zu verfolgen; außerdem war ein Lazarus Holzschuher 1497-1523, ein weiterer - wohl sein Sohn - 1523-1544 Genannter im Großen Rat. Ein Nikolaus Groland war 1501-1550 Genannter und saß 1502-1503 und 1505-1506 im Rat. Die Ratsprotokolle setzten jedoch bei dem Baldachinträgern den Hinweis „junior" hinzu. Es handelte sich somit um jüngere Männer, deren Väter gleichen Namens noch lebten. Lazarus Holzschuher jun. war daher wohl derjenige, der 1523 nach dem Tod seines Vaters Genannter und Ratsmitglied wurde. Bei Nikolaus Groland bleibt die Unsicherheit, ob es sich um eine oder zwei Personen handelt.

483 Genannter zum Zeitpunkt der Teilnahme war Nikolaus Groland, vgl. obige Anmerkung. Hans Geuder trug den Himmel der Frauenkirche 1518 und 1519, 1519 wurde er Genannter, 1520 Junger Bürgermeister.

484 Nichtverheiratete Genannte: Sebald Rieter: geboren um 1450, 1474 Wahl in den Großen Rat und als Alter Genannter in den Kleinen Rat, 1475 Heirat einer Frau aus der Tucherfamilie; Lazarus Holzschuher sen.: 1497 Wahl in den Großen Rat und als Alter Genannter in den Kleinen Rat, 1498 Heirat mit Catharina Bühl; Georg Haller jun., geboren 1458, Wahl 1503 oder 1505 (45- oder 47jährig) in den Großen Rat, Heirat 1513 mit Ursula Haller, 1516 Wahl in den Kleinen Rat; Christoff Fürer, geb. 1479, 1512 Wahl in den Großen Rat, 1513 Heirat mit Catharina Imhof, im gleichen Jahr in den Kleinen Rat gewählt; Jorg Volkamer: geb. 1497, 1522 Wahl in den Großen Rat, 1529 Heirat mit Christina Nützel, 1536 in den Kleinen Rat gewählt.

485 Untersuchungen zu Familienstand und Politikfähigkeit fehlen weitgehend, so auch für Nürnberg. Vgl. CHOIJNACKI, Patriarchs, für Venedig.

von 28 Baldachinträgern ermittelt werden. Von diesen waren drei unter 20 Jahren, vier zwischen 20 und 30 Jahren und zwei zwischen 30 und 40 Jahren; das Durchschnittsalter lag bei 24,1 Jahren (Tab. 25). Von allen Funktionsträgern bei den Prozessionen waren die Baldachinträger der Frauenkirche eindeutig die jüngsten. Mit dem Alter und dem Familienstand bestätigt sich Schulers Forderung, es sollten „Söhne" sein. Das zweite Merkmal Schulers, *Ratsherren*söhne verweist auf die soziale Herkunft. Tatsächlich entstammte ein Großteil aus patrizischen Geschlechtern (Tab. 31). Von den drei nichtpatrizischen Teilnehmern hatten Anthoni Koberger und Sebald Oertel patrizische Mütter. Auch Erasmus Scheurl kam aus einer Familie, von denen einige Mitglieder zum Tanz auf dem Rathaus zugelassen waren. Das Tragen des Baldachins in der Fronleichnamsprozession der Frauenkirche bot also unverheirateten, noch nicht politikfähigen Söhnen aus vorwiegend patrizischen Familien die Möglichkeit der Teilnahme an Prozessionen. Zum überwiegenden Teil nahmen diese Söhne nur einmal an der Prozession teil, der Durchschnitt lag bei 1,5 Jahren (Tab. 3). Einige Baldachinträger der Frauenkirche tauchen später bei anderen Prozessionen auf. Ulrich Haller (gest. 1532), Lazarus Holzschuher und Jorg Volkamer (1497-1554) wurden im Jahr ihrer Wahl in den Großen Rat Baldachinträger bei St. Lorenz, Berthold Baumgärtner (gest. 1549) und Hans Geuder (gest. 1557) nahmen entsprechend nach ihrer Wahl in den Kleinen Rat an der Sebalder Fronleichnamsprozession und der Deocarusprozession teil.

Die Fronleichnamsprozessionen zeigen eine eindeutige Logik, nach der sich die Aufgaben als Führer oder Baldachinträger gemäß dem politischen Status - gekoppelt mit sozialer Herkunft, Familienstand und Alter - verteilten. In diese Logik waren auch die Reliquienprozessionen der beiden Pfarrkirchen einbezogen. Die acht Schreinträger der Deocarusprozession entstammten dem gleichen Personenkreis wie die Baldachinträger der Sebalder Fronleichnamsprozession. Alle Schreinträger waren Ratsmitglieder; bis auf Nikolaus Groß sind alle in der Genanntenliste aufgeführt. Wie die Sebalder Baldachinträger waren die Schreinträger von St. Lorenz junge Ratsherren, die im Jahr ihrer Wahl erstmals die Deocarusreliquien trugen. Sie hatten jedoch fast durchgängig den Rang des Jungen Bürgermeisters inne, während bei der Sebalder Prozession auch Alte Genannte mitgingen (Tab. 12, 15, 18). Auch die Altersstruktur beider Prozessionen gleicht sich (Tab. 26), und so wundert es nicht, daß 26 der 35 Lorenzer Schreinträger (= 74,3%) im gleichen Jahr auch als Baldachinträger an der Sebalder Fronleichnamsprozession beteiligt waren. Einige waren, wie Hans Rummel, zunächst Baldachinträger bei St. Lorenz gewesen; nach ihrer Wahl in den Rat traten sie bei der Sebalder Fronleichnamsprozession und der Lorenzer Reliquienprozession auf. Ein Unterschied besteht jedoch zwischen beiden Prozessionen: Die jungen Ratsherren nahmen länger an der Deocarus- als an der Sebalder Fronleichnamsprozession teil, da nur sechs Baldachin-, aber acht Schreinträger benötigt wurden (Tab. 4).

Die eigentliche Ratsprozession Nürnbergs war die Reliquienprozession zu Ehren des Stadtpatrons St. Sebald. Mit einer Ausnahme, Friedrich Tetzel (gest. 1523), der insgesamt vier Jahre zu Beginn des 16. Jahrhunderts mitging, saßen alle Schreinträger dieser Prozession im Rat (Tab. 13). An ihr beteiligten sich bis zu 14 Ratsherren gleichzeitig, während bei allen anderen Prozessionen höchstens acht Mitglieder des Rates zusammentrafen. Nürnberg kannte keine Prozession, an der der Rat geschlossen teilnahm; immer war nur ein Ausschnitt präsent. Die Sebaldsprozession spiegelte am ehesten den gesamten Rat wider: In ihr waren alle Ratsränge vertreten, wenn auch mit einem deutlichen Übergewicht an Alten Bürgermeistern, gefolgt von Älteren Herren (Tab. 19). Die Losunger nahmen durchgängig an der Sebaldsprozession teil. Überschneidungen gibt es vor allem mit den Führern der Fronleichnamsprozessionen: Fast alle Führer finden wir auch bei der Prozession zu Ehren des Stadtpatrons. Aufgrund der Ratsränge liegt das Durchschnittsalter der Sebalder Schreinträger mit 50,8 Jahren über dem der Baldachinträger, aber unter dem der Führer bei den Fronleichnamsprozessionen (Tab. 27). Die für diese Aufgabe ausgewählten Ratsherren waren mehrere Jahre lang beteiligt. Der Durchschnitt beträgt 4,2 Jahre; neun Ratsherren (= 21,4%) nahmen mindestens sieben Jahre teil (Tab. 5). Anthoni Tucher mag als Beispiel für die Beteiligung an Prozessionen im Laufe einer Ratskarriere dienen. Er trat erstmals 1491 als Schreinträger bei der Sebaldsprozession in Erscheinung. Zu diesem Zeitpunkt war er als Junger Bürgermeister bereits 14 Jahre - allerdings mit einer Unterbrechung und zeitweise als Alter Genannter - im Rat. Mit der Wahl zum Alten Bürgermeister 1494 begann sein Aufstieg in der Ratshierarchie. 1505 hatte er das Losungeramt erreicht; von 1507 bis 1523, als er aus gesundheitlichen Gründen die Würden aufgab, stand er als erster Losunger an der Spitze seiner Heimatstadt. 1516 nennt ihn das Ratsprotokoll zum letzten Mal als Schreinträger bei der Sebaldsprozession; er mußte aus gesundheitlichen Gründen auf eine weitere Teilnahme verzichten. Soweit es die Analyse von zwei Stichprobenzeiträumen zuläßt, ist anzunehmen, daß Tucher 25 Jahre an der Sebaldsprozession beteiligt war.

Da keine der Prozessionen stadtweit begangen wurde, sondern die Fronleichnams- und Reliquienprozessionen getrennt nach Pfarreien organisiert waren, muß - nach der Analyse des politischen Status, des Alters und der sozialer Herkunft - geprüft werden, in wieweit die Zugehörigkeit zur Sebalds- oder zur Lorenzpfarrei Einfluß auf die Teilnahme an einer Prozession hatte. Um den Wohnort zu ermitteln, kann auf das Reichssteuerregister von 1497 zurückgegriffen werden, das für die Einnahme des „Gemeinen Pfennigs" angelegt wurde. Diese editierte Quelle erlaubt es, den Wohnort von ungefähr 60% der Beteiligten - für Personen in der zweiten Untersuchungsperiode zumindest den Wohnort des Vaters - festzustellen.[486]

Indikator für einen Zusammenhang zwischen der Pfarrgezuhörigkeit und der Teilnahme ist eine signifikante Abweichung der Verteilung der Prozessionsteilnehmer auf die beiden Pfarreien von der Sozial- und Vermögenstopographie. Eine solche Diskrepanz ist bei den Führern der Sebalder und Lorenzer Fronleichnamsprozessionen festzustellen. Alle sieben Führer von St. Sebald, von denen der Wohnort ermittelt werden konnte, lebten in der Pfarrei St. Sebald (Tab. 35).[487] Von den fünf Führern der Lorenzkirche, die 1497 im Steuerregister vermerkt sind, wohnten drei in der Lorenz- und zwei in der Sebaldpfarrei (Tab. 36). Zur Sebalder Seite ist auch Hans Ebner, 1523 Führer bei der Lorenzkirche, zu rechnen, der 1497 mit seinem Bruder Hieronymus im Haus seiner Mutter Margaretha Schürstab, der Witwe von Matthäus Ebner, im Sebalder Salzmarktviertel aufgeführt wurde. Die beiden Ratsherren, die am Ende des 15. Jahrhunderts über lange Jahre dem Lorenzer Pfarrer Geleit gaben, Gabriel Nützel und Hans Imhof, wohnten auf der Lorenzer Seite. Die im Vergleich zur Verteilung der Ratsherren überproportional hohe Zugehörigkeit zur Lorenzer Pfarrei erklärt sich zum Teil aus der Koppelung mit der Kirchenpflegschaft. Soweit feststellbar wohnten die Lorenzer Kirchenpfleger mehrheitlich in dieser Pfarrei.[488] Die Verteilung auf die beiden Stadthälften mag aber auch auf eine gewisse Präferenz hindeuten, für die Fronleichnamsprozessionen der beiden Pfarrkirchen Ratsherren aus den jeweiligen Pfarreien auszuwählen. Es wird zu prüfen sein, ob sich dies für die Baldachinträger bestätigt. Anders war es bei den Führern der Frauenkirche, die sich entsprechend der Sozialtopographie auf die Stadthälften verteilten: Der Großteil entstammte der Sebalder Seite (Tab.

---

486 Vollständig ist das Steuerregister nur für die Lorenzer Seite überliefert. Für beide Stadtteile und den Vorort Wöhrd erfaßt es die Bürger Nürnbergs, die über 1000 Gulden Vermögen mit einem Gulden versteuerten. Die Teilnehmer der Nürnberger Prozessionen gehörten zu diesem Personenkreis, so daß die Liste der vermögenden Bürger Nürnbergs für die vorliegende Auswertung ausreichend ist.
487 Nicht bekannt ist der Wohnort von Ruprecht Haller.
488 In der Lorenzpfarrei wohnten: Hans Imhoff, Gabriel Nützel und Hieronymus Schürstab, in der Sebaldpfarrei Jacob Groland.

37). Sechs wurden selbst, bei einem weiteren wurde der Vater in diesem Stadtteil steuerlich veranschlagt. Nur Hieronymus Schürstab wohnte in der Pfarrei St. Lorenz. Die Verteilung auf Altstadt und Vorstadt und auf die Stadtviertel entspricht der Sozialtopographie. Keiner kam aus der Vorstadt. Drei der Sebalder Führer hatten ihr Haus im Salzmarktviertel, dem Viertel mit der höchsten Zahl an Vermögenden. Eine starke Konzentration auf ein Viertel findet sich bei den Führern der Frauenkirche: Fünf von insgesamt neun Personen, deren Wohnort bekannt ist, wohnten im Milchmarktviertel nordwestlich von St. Sebald. Dieser Befund erklärt sich vor allem dadurch, daß mit Ulrich und Leonhard Grundherr sowie Hans und Endres Tucher zwei Familien hier wohnten, die mehrere Führer stellten.

Die Baldachinträger der Sebalder Fronleichnamsprozession entstammten etwas deutlicher der Sebalder Pfarrei als die Ratsherren: 77,3% lebten in St. Sebald, 22,7% in St. Lorenz (Tab. 38). Bei den Baldachinträgern von St. Lorenz dagegen entstammte ein gegenüber den Ratsherren und Genannten überproportionaler Anteil der Lorenzer Stadthälfte, 57,1% (Tab. 39). Neben dem Status als Genannte scheint die Zugehörigkeit zur Lorenzer Pfarrei ein Kriterium für die Auswahl der Baldachinträger gewesen zu sein. Erstaunlich hoch liegt mit 45,5% auch der Lorenzer Anteil an den Baldachinträgern der Frauenkirche (Tab. 40). Allerdings ist die Aussagekraft dieser Zahl eingeschränkt, da aufgrund des Untersuchungszeitraums nur der Wohnort der Väter, von diesen wiederum nur 40% identifiziert werden konnten. Die Frauenkirche lag im Sebalder Sprengel und die Prozession schloß sich dem Sebalder Umgang an. Zu erwarten wäre also eher eine Beteiligung von Sebalder Pfarrangehörigen. Vielleicht sollte die Fronleichnamsprozession der Frauenkirche den ansonsten unterrepräsentierten Mitgliedern der Lorenzer Pfarrei die Teilnahme ermöglichen. Dies muß jedoch angesichts der Unsicherheit der Zahlen Vermutung bleiben. Die für die Führer der Sebalder und Lorenzer Fronleichnamsprozession geäußerte Überlegung, daß eine Verbindung zur Pfarrei bestehe, bestätigt sich für die Lorenzer Baldachinträger. Keine pfarrbezogene Zuordnung zeigen dagegen die beiden Reliquienprozessionen. Die Schreinträger verteilen sich weitgehend wie die Ratsherren auf die beiden Nürnberger Stadtviertel, wobei ein etwas höherer Prozentsatz der Beteiligten an der Prozession von Sebald dieser Pfarrei entstammte (Tab. 41-42). Die Vorstädte sind bei allen Prozessionen kaum vertreten. Lediglich Martin Tucher, einziger Baldachinträger der Sebalder Fronleichnamsprozession ohne Ratsitz versteuerte 1497 in der Vorstadt des Egidienviertels; Hans von Thyll, nichtpatrizischer Baldachinträger bei St. Lorenz, hatte ein Haus in der westlichen Engelhardsgasse in der Frauenbrüdervorstadt; Peter Harsdörffer schließlich, seit 1462 im Rat und einige Jahre Schreinträger bei der Sebaldsprozession, wird 1497 als abwesend in der Hauptmannschaft von Hans Reismann in der Kartäuservorstadt gemeldet.[489]

Die Verteilung der Funktionsträger - Führer sowie Baldachin- und Schreinträger - auf die Sakraments- und Reliquienprozessionen der Sebalds-, Lorenz- und Frauenkirche läßt eine klare Logik nach den Kriterien politischer Status, soziale Herkunft und Alter erkennen, in die auch die Pfarrzugehörigkeit hineinspielte. Die Führer der drei Fronleichnamsprozessionen bildeten eine weitgehend homogene Gruppe von Männern zwischen 40 bis über 60 Jahren in höheren Ratsrängen. Die Kirche des Stadtpatrons erweist sich dabei erneut als Hauptkirche Nürnbergs: Bei ihrer Fronleichnamsprozession gaben Männer mit den höchsten Ratsämtern dem Sakrament Geleit. Bei keiner Prozession ging der Rat geschlossen mit. Am ehesten Ratsprozession war die jährliche Prozession am 19. August, bei der zwölf bis vierzehn Ratsherren aus allen Rängen, wenn auch mit einem Schwergewicht auf den oberen Ämtern, die Gebeine des Stadtpatrons um die Sebaldskirche trugen. Eine Art Einsetzungsritual für die jüngsten, zum Teil gerade gewählten Ratsherren waren die Aufgaben der Schreinträger bei der Deocarus- und die der Baldachinträger bei der Fronleichnamsprozession von St. Sebald. Die Pfarrzugehörigkeit hatte vor allem für die Lorenzer Fronleichnamsprozession Bedeutung. Deren Führer und Baldachinträger entstammten überproportional häufig der Lorenzer Pfarrei. Jedoch war auch bei dieser Prozession nicht der Wohnort das entscheidende Kriterium, sondern der politische Status. Die Baldachinträger gehörten zu den Genannten des Großen Rates. Die Lorenzer Fronleichnamsprozession bot dabei auch nichtpatrizischen Genannten, die aufgrund ihrer wirtschaftlichen Stärke und ihrer Zulassung zum Tanz auf dem Rathaus zur oberen Spitze der nichtpatrizischen Ehrbarkeit zählten, die Möglichkeit, ihre soziale Stellung öffentlich zu demonstrieren und sich gerade auch innerhalb der Gruppe der Ehrbaren nach unten abzugrenzen. Baldachinträger der Frauenkirche schließlich waren junge, fast durchgängig unverheiratete Patriziersöhne, die weder im Kleinen noch im Großen Rat saßen. Von ihnen wohnten überproportional viele auf der Lorenzer Seite, doch konnte dieser Befund aufgrund der geringen Anzahl nicht schlüssig erklärt werden. Entscheidendes Kriterium für die Auswahl der Funktionsträger bei den Nürnberger Prozessionen war der politische Status, also die Mitgliedschaft im Kleinen oder Großen Rat und der Ratsrang. Dar-

---

489 Ein Peter Harsdörffer d. J. dagegen versteuerte im Salzmarktviertel.

an gekoppelt waren die Kriterien soziale Herkunft und Alter. Die Zugehörigkeit zu einer Pfarrei spielte bei der Lorenzer Fronleichnamsprozession eine gewisse Rolle, während die Verteilung der übrigen Beteiligten die Sozial- und Vermögenstopographie Nürnbergs - wenn auch zum Teil mit einer größeren Präferenz der Sebalder Seite - widerspiegelt.

6. Fazit: Die Nürnberger Prozessionen im 15. Jahrhundert

Die Prozessionen Nürnbergs präsentieren sich als Ereignisse des Rates und der ratsfähigen und nichtratsfähigen Oberschicht. Die Quellen - seien es kirchenadministrative oder erzählende - geben die Vorstellungen dieser Führungsschicht wieder und stellten Geschehnisse in den Vordergrund, die dieser Gruppe wichtig waren. Nur ansatzweise schimmern Aneignungen und Wahrnehmungen seitens der übrigen städtischen Bevölkerung durch. Die prosopographische Analyse der Funktionsträger konnte zeigen, wie sich die Prozessionen in das soziale Gefüge der Nürnberger Oberschicht einbetteten. Entscheidendes Kriterium der Aufgabenverteilung war der politische Status. Nach außen - für Zuschauende - wurden so soziale und politische Position sowie Differenzierungen innerhalb der Führungsschicht sichtbar. Die gemeinsame Teilnahme stellte Bindungen unter den Ratsherren, aber auch zwischen ratsfähigen und nichtratsfähigen Genannten her. Der Teilnehmerkreis der Nürnberger Prozessionen erweist sich als klein und exklusiv. Handlungsträger waren vorrangig die Geistlichkeit sowie Mitglieder der patrizischen und in begrenztem Umfang auch der nichtpatrizischen Oberschicht. Über die Teilnahme der übrigen städtischen Bevölkerung schweigen die Quellen; ihre aktive Mitwirkung hatte keine Bedeutung für die Prozession. Auch die Prozessionsrouten waren auf das Zentrum der Stadt ausgerichtet und markierten dort Orte der geistlichen und weltlichen Autorität sowie wirtschaftlicher, politischer und sozialer Macht. Die Exklusivität, die sich im Teilnehmerkreis und in der Route zeigt, läßt sich in Nürnberg auf die patrizische Verfassung und das Zunftverbot zurückführen, doch waren exklusive Prozessionen keine Besonderheit Nürnbergs, sondern konnten auch anderenorts Bedürfnisse nach Abgrenzung und Repräsentation seitens der Oberschicht befriedigen.

IV. Erfurt: Gedenken, Repräsentation und Krisenbewältigung

1. Sozial-, verfassungs- und kirchengeschichtliche Entwicklung Erfurts

Das thüringische Erfurt war mit ca. 20.000 Menschen am Ende des 15. Jahrhunderts kleiner als Nürnberg, doch ebenfalls ein bedeutendes Handelszentrum.[1] Wichtigstes Handelsgut war Färberwaid; die Textilproduktion und -veredelung hatte große Bedeutung im Wirtschaftsleben Erfurts. Mit der Errichtung des Bischofssitzes *Erphesfurt* durch Bonifatius wird die Stadt 742/43 erstmals urkundlich erwähnt. Die Eingliederung wenige Jahre später in das Erzbistum Mainz bildete die Grundlage für die Mainzer Stadtherrschaft, die über das gesamte Mittelalter bestand, obwohl die Stadt seit der Mitte des 13. Jahrhunderts die erzbischöflichen Rechte zurückdrängen konnte. Um 1200 entstand der Rat, in dem Zünfte und Gemeinde 1309/10 die Mehrheit erlangten. Seitdem setzte sich der Rat aus Vertretern der Stadtviertel, der Zünfte und der Gefrunden - der Erfurter Patrizier - zusammen. An der Spitze des sitzenden Rates - der Transitus betrug fünf Jahre - standen vier Ratsmeister und vier Vierherren. Die obersten Ratsmeister und Vierherren bildeten seit dem 14. und 15. Jahrhundert das Gremium der Achtherren, das entscheidenden Einfluß auf die Wahl und die Ratsentscheidungen hatte. Bereits 1269 hatte der Erfurter Rat mit dem Kauf der Burg Stotternheim den Grundstein für die städtische Territorialpolitik gelegt. Erfurt gewann mit dem Kauf von Burgen vor allem Sicherheit auf den umliegenden Handelsstraßen. Der Erwerb des Reichslehen Kapellendorf 1352 hatte darüber hinaus rechtliche und symbolische Bedeutung: Erfurt wurde reichsunmittelbar. Am Ende des 15. Jahrhunderts umfaßte das Erfurter Territorium die Städte Erfurt und Sömmerda sowie 83 Dörfer; das Landgebiet war 610 km² groß und dem Rat unterstanden 42.000 - 50.000 Personen.[2] Die Bedeutung Erfurts im 14. Jahrhundert zeigt sich auch in der Gründung der Universität 1392. Im Juli 1442 war Erfurt beim Reichstag

---

1 Als Überblick zur Geschichte Erfurts im Mittelalter vgl. BEYER, Erfurt; NEUBAUER, Geschichte; PATZE/SCHLESINGER, Geschichte Thüringens, 330ff., 336ff.; MÄGDEFRAU/LANGER, Stadtwerdung; DIES., Entfaltung; MÄGDEFRAU, Erfurt. Zu Beziehungen zwischen Erfurt und Nürnberg vgl. ENDRES, Beziehungen. - Der Überblick über Erfurts Geschichte wird an dieser Stelle kürzer gefaßt, da die Stadtgeschichte im Zusammenhang mit den einzelnen Prozessionen erörtert werden kann.

2 Zum Erfurter Territorium vgl. NEUBAUER, Geschichte, 9ff.; MÄGDEFRAU, Erfurt, 35f.; HELD, Landgebiet.

anwesend; 1466 verwies es dagegen auf die Zugehörigkeit zum Mainzer Erzstift, um von den Einladungen zum Reichstag verschont zu bleiben.[3] Der ferne Stadtherr in Mainz verhinderte die Einbindung in die Landesherrschaft der umliegenden Territorialherren; das enge Bündnis mit den Städten Mühlhausen und Nordhausen unterstützte die Unabhängigkeit. Nach Auseinandersetzungen mit dem Stadtherrn und einem finanziell belastenden Kompromiß 1483 hatte Erfurt mit Verschuldung zu kämpfen, die 1509/10 in innerstädtischen Unruhen, dem „Tollen Jahr", mündete. Die städtische Freiheit endete 1664 mit der Einführung der Mainzer Oberhoheit.

Das hirsauisch geprägte Benediktinerkloster auf dem Petersberg, einem Zentrum der frühen thüringischen Geschichtsschreibung, ist das älteste Kloster der Stadt.[4] Die Hauptpfarrkirche St. Marien wird 1117 erstmalig erwähnt, geht aber wie das benachbarte St. Severi auf ein vorkarolingisches Kanonikerstift zurück. Weiter beherbergte Erfurt Augustiner-Chorherren und das Schottenkloster St. Jakob. Das 1224 entstandene Franziskanerkloster war eine der frühesten Ansiedlungen dieses Ordens in Deutschland. 1229 folgten Dominikaner, 1266 Augustiner-Eremiten und 1311 Serviten. Eine Kartause wurde 1372 gegründet. Benediktinerinnen ließen sich 1123 auf dem Cyriaksberg außerhalb der Stadt nieder; 1482 wurde das Kloster für den Bau von Befestigungsanlagen in die Stadt verlegt. Im 1196 erbauten Neuwerkskloster lebten Augustiner-Chorfrauen. Weiter waren in Erfurt seit dem 13. Jahrhundert Reuerinnen und Zisterzienserinnen ansässig. Auffällig ist schließlich die ungewöhnlich hohe Zahl von 22-24 Pfarreien.

2. Erinnerung: Die Prozessionen nach Schmidtstedt und Neuses

2.1 Die Hungersnot 1315 - 1317 und die Erfurter Prozession nach Schmidtstedt

Eine kleine, 1847 erschienene Broschüre beschreibt eine Prozession der katholischen Pfarrgemeinden Erfurts zu dem außerhalb der Stadt gelegenen Ort Schmidtstedt.[5] An sieben möglichst aufeinander folgenden Freitagen, 1847 vom ersten Freitag im Mai an, sammelten sich Erfurts Katholiken beim Kreuz vor dem Schmidtstedter Tor und zogen zum Friedhof dieses

---

3 gl. HOLTZ, Erfurt, 185, 192.

4 Zur kirchlichen Entwicklung Erfurts vgl. KOLDE, Leben; BERTRAM, Kirchenwesen; WEISS, Bürger, 9-74.

5 StAE 4-1/IV-A-12. Zur Schmidtstedter Prozession im 18. bis 20. Jahrhundert vgl. MEISNER, Frömmigkeitsformen, 187-196.

Ortes. Nach verschiedenen Gesängen und Gebeten des Priesters und der Gemeinde ging es weiter zur Kirche von Dittelstedt, wo das Hochamt gefeiert wurde und der Priester Gebete gegen die Pest, ansteckende Krankheiten und Widrigkeiten des Wetters sprach sowie den Segen über die Äcker gab. Ihren Abschluß fand die Prozession in der Heilig-Kreuz-Kirche in Erfurt. Erfurts Katholiken, eine Minderheit gegenüber der protestantischen Bevölkerung, bewiesen mit der Prozession ihre Verbundenheit mit städtischen Traditionen und reklamierten Stadtgeschichte als Teil ihres katholischen Glaubens. Sie führten die im Mittelalter wichtige und älteste stadtweite Prozession Erfurts fort. Am 10. September 1341 hatten zehn in Avignon weilende Bischöfe, darunter Bischof Salmann von Worms (1332-1350), einen Ablaß von 40 Tagen denjenigen gewährt, die in einer Prozession zum Dorfe Schmidtstedt bei Erfurt zogen, dort einer Messe beiwohnten und sich bei der Rückkehr in den Dom St. Marien begaben, wo Antiphone, Responsorien und Lobgesänge zu Ehren Gottes und der Jungfrau Maria sowie das „Te Deum Laudamus" den Umgang beendeten. Prozession und Messe galten dem Andenken an mehr als 8000 Tote, die während einer großen Hungersnot verstorben waren und auf dem Kirchhof des Dorfes begraben lagen.[6]

Die Prozession nach Schmidtstedt, die noch im 19. Jahrhundert begangen wurde, erinnerte an ein nicht nur für Erfurt einschneidendes Ereignis. Die im Ablaßbrief erwähnte Hungersnot wütete von 1315 bis 1317 in ganz Europa nördlich der Alpen.[7] Wenn auch Menschen des frühen und hohen Mittelalters immer wieder die Bedrohung durch Hunger erlebt hatten, so ging doch die Katastrophe der Jahre 1315/17 aufgrund von extrem ungünstigem Wetter - die Forschung geht heute von einer Klimaverschlechterung seit dem Ende des 13. Jahrhunderts aus -, einer hohen Bevölkerungsdichte und starker Abhängigkeit vom Getreide in ihrer Heftigkeit und geographischen Ausdehnung - der Raum von Polen bis England, von der Ostsee bis zu den Alpen war betroffen - über die bisherigen lokalen Mißernten hinaus. Der Benediktiner des Erfurter Petersklosters, der um 1335 die „Cronica S. Petri Erfordensis Moderna" zusammenstellte, hatte auf öffentlichen Straßen, in Städten und Dörfern ungezählte Mengen von verhungerten Men-

---

6 StAE 0-0/C Schmidtstedt 1 (1341 Sept. 10); UB Erfurt II, Nr. 209 (Regest). Eine deutsche Übersetzung der Urkunde findet sich bei MEISNER, Frömmigkeitsformen, 183f.
7 Zur Hungersnot 1315-17 vgl. LUCAS, Famine; CARPENTIER, Peste; ABEL, Agrarkrisen, 44-45; KERSHAW, Famine; ZINN, Kanonen, 89ff. Allgemein zu Hungersnöten im Mittelalter vgl. CURSCHMANN, Hungersnöte.

schen gesehen.[8] 1316 habe die drei Jahre während Hungersnot ihren Höhepunkt erreicht. In Thüringen und besonders Erfurt traf die schlechte Witterung dieser Jahre auf eine bereits durch Kriegswirren geschwächte Wirtschaft. Die Belagerung Erfurts 1309/10 durch den Landgrafen Friedrich von Meißen und Brandschatzungen in der nahegelegenen Umgebung hatten ebenso wie das Wetter zu Nahrungsmittelknappheit und Teuerung geführt. 100 Jahre später hebt Johann Rothe in seiner thüringischen Chronik den Krieg und die Witterungsverhältnisse hervor, als er von einer siebenjährigen Hungersnot von 1309 bis 1316 schreibt, deren Hauptursache die Belagerung gewesen sei.[9] Die Kriegsereignisse waren für Rothe und andere Chronisten ein willkommener Anlaß, die Dauer in Stilisierung nach biblischen Vorbildern und anders als die zeitgenössischen Beobachter mit sieben Jahren zu beziffern.

Die Auswirkungen der Hungersnot veranschaulicht lebhaft die zeitgenössische Chronik aus dem Peterskloster: Es seien so viele Menschen gestorben, daß die Friedhöfe Erfurts die Menge der Toten nicht aufnehmen konnten, sondern außerhalb der Stadt in dem Dorf Schmidtstedt, fünf Gruben ausgehoben werden mußten. Hier sollen an die 8000 Personen, *centum XXXIII sexagene cum quinque hominibus*, begraben sein.[10] Selbst wenn in Schmidtstedt Tote der umliegenden Dörfer beerdigt wurden, ist die Zahl angesichts einer Einwohnerzahl Erfurts von ungefähr 18.000-20.000 Menschen im 14. und 15. Jahrhundert unwahrscheinlich.[11] Zum Vergleich: In Ypern starben 1315/17 wohl 10% der Bevölkerung.[12] Die Zahl von 8000 Toten setzte sich aber in der Erfurter Chronistik als Beleg für den Schrek-

---

8 MonErphes, 347: *Nam in strata publica, in civitatibus, in opidis, in villis innumerabiles exanimes iacere videbantur.* Die Chronica Reinhardsbrunnensis, 651, übernahm diese Darstellung. Als mittelhochdeutsche Übersetzung vgl. MonErphes, 478. Zu den Chroniken vgl. HOLDER-EGGER, Studien III, 441-546; 491ff. findet sich eine Zusammenstellung der verschiedenen Nachrichten zur Hungersnot 1315/17.
9 ROTHE, Düringische Chronik, 530. Vgl. GERSTENBERG, Landeschronik, 238; VARILOQUUS, 118; Chronica Thuringa, nach: HOLDER-EGGER, Aus Erfurter Handschriften, 186f. - Einige Abschriften und Fortführungen der „Cronica moderna", MonErphes, 802f., datieren die Hungersnot auf 1318. Vgl. HOLDER-EGGER, Studien III, 491. VARILOQUUS, 118f., folgt dieser Datierung, während FALCKENSTEIN, Civitatis Erfurtensis Historia, 176f., richtig auf 1315/16 datiert. ULMAN WEISS, Bürger, 51, übernimmt die Angaben von Variloquus.
10 MonErphes, 347. Zu rechnen ist 133 x 60 + 5, also 7985.
11 Zur Bevölkerungszahl Erfurts vgl. NEUBAUER, Verhältnisse, 11-31; MÄGDEFRAU/LANGER, Entfaltung, 85.
12 Vgl. LUCAS, Famine, 369.

ken fest. Auch die Tatsache, daß nur Massengräber die große Zahl von Toten aufnehmen konnten, blieb für die Zeitgenossen in Erinnerung.[13]

Mit Schmidtstedt war ein Ort gewählt worden, der zu einer Reihe von
ursprünglich freien Gemeinden in unmittelbarer Nähe von Erfurt gehörte,
die die Stadt absorbiert hatte und deren Fluren mit dem städtischen Gebiet
vereinigt worden waren.[14] Patron der Schmidtstedter Kapelle war der hl.
Martin, bis 1419 den bisherigen Nebenpatronen Cosmas und Damian die
ganze Kirche geweiht wurde. Sie unterstand dem Dekanat Zimmern, das
wiederum dem Archidiakonat St. Marien in Erfurt eingegliedert war. Martin
Hannappel vermutet, daß der Erfurter Rat seit 1343 das Patronat besaß.[15]
Ein bisher übersehender Beleg für die Patronatsrechte des Rates im 14.
Jahrhundert, ist folgender Eintrag in den Erbbüchern der Kirche: *Dis ist das
rechte erbe boch der kerchen czu smedistete das do in dem iare alzo man schreb noch cristi
gebort drytzenhundirt iar inde czwey vnde sebintzigesten iare von dem rate der stat czu
erforte noch uswisunge eynes vor segilten brifes den altarleuten do selbins czu smedistete
gegeben vnde geantwert ist dy das sullin ynne haben.*[16] Da der Rat die Massengräber
bei dieser Kirche einrichtete und nicht innerhalb der Stadt, in deren Kirchen
er keine entsprechende Rechte besaß, ist anzunehmen, daß er das Patronat
bereits in den ersten Jahrzehnten des 14. Jahrhunderts ausübte. Wie andere
Orte in der Umgebung Erfurts, fiel der Ort Schmidtstedt im 15. Jahrhundert, möglicherweise während des Sächsischen Brüderkrieges (1446-1451),
wüst. Die Kirche bestand jedoch weiter und noch 1570 wurden ein Pfarrer
für die Kirche sowie ein Vikar für den Altar St. Cosmas und Damian ernannt. Auch hatte die Kirche noch 1505-1514 Einnahmen aus Zinsen und
Spenden an bestimmten Festtagen.[17] 1647 wurde sie zerstört.

---

13 Die Notwendigkeit, Tote außerhalb der Stadt zu begraben, ist auch für Colmar belegt.
Vgl. LUCAS, Famine, 363.

14 Zu Schmidtstedt und der Schmidtstedter Kirche vgl. MÜLVERSTEDT, Hierographia Erfordensis, 175; STECHELE, Registrum, 48; TETTAU, Darstellung, 34ff.; OERGEL, Gebiet, 172,
182; BERTRAM, Dorfpfarrer, 172; HANNAPPEL, Gebiet, 173, 179; WITTMANN, Kosmas,
104.

15 HANNAPPEL, Gebiet, 173.

16 StAE 1-1-VI b/5, Nr. 1, fol. 1 (eigene Folienzählung). Zu den Patronatsverhältnissen im
16. Jahrhundert vgl. StAE 2-100/16, fol. 128; StAE 2-210/3, fol. 69-69'; StAE 2-270/1,
fol. 24'-25: Am 7. Mai 1534 präsentierte der Rat Marcus Kremer *ad ecclesiam et curam sanctorum Cosme et Damiani in Schmidestet*, wenige Monate später, am 13. August, Rudolf Hoffmann *ad vicariam altaris sanctorum Cosmi et Damiani in Schmidestedt.*

17 StAE 1-1-VI b/5, Nr. 2 (Rechnung der Kirche zu Schmidtstedt, 1505-1514).

Rat und Bürgerschaft von Erfurt, *magistri consulum consules et universitas opidi erfordensis*, initiierten die Prozession nach Schmidtstedt.[18] Tatsächlicher Akteur wird der Rat gewesen sein. Die erfolgreiche bürgergemeindliche Emanzipation gegenüber dem Stadtherrn hatte die institutionellen Voraussetzung für ein solches Handeln geschaffen; auch die Partizipationsforderungen von Zünften und Gemeinde finden ihren Niederschlag in der Stiftung der Prozession.[19] Die Anfänge des Rates lassen sich bis zur Wende vom 12. zum 13. Jahrhundert zurückverfolgen, als es zu ersten Streitigkeiten zwischen Stadtbewohnern und Vertretern der erzbischöflichen Stadtherrschaft kam und gleichzeitig Bürger neben erzbischöflichen Beamten als Zeugen urkundlich auftraten. 1255 hatte sich ein Rat mit zwölf Ratsherren und zwei Ratsmeistern etabliert. Wenig später bereits traf er ohne Mitwirkung bischöflicher Richter selbständig Rechtsentscheidungen; 1275 wird erstmals das Rathaus erwähnt. Zu einem ersten Höhepunkt im Konflikt mit den kirchlichen Gewalten kam es 1279. Nach tätlichen Angriffen auf seine Beamten stellte der Erzbischof die Stadt unter Interdikt. Es belegt jedoch die Stärke der Stadt, daß König Rudolf zum gleichen Zeitpunkt die Privilegien bestätigte und das Interdikt wegen der Spaltung der Geistlichkeit kaum durchsetzbar war, sondern der Stadtschreiber bei der Kurie dagegen appellierte. Anfänglich hatte die Stadt mit ihrem Protest Erfolg - Bischof Friedrich von Naumburg hob das Interdikt auf -, doch setzte sich die Mainzer Partei durch und der Rat war gezwungen, am 21. März 1282 einen Sühnevertrag zu unterzeichnen. Die Stadt konnte jedoch in den folgenden Jahren, zum Teil durch Verpfändungen, immer mehr Herrschaftsrechte an sich bringen. Die 1289 ausgehandelten „Concordata Gerhardi" anerkannten die faktische Selbständigkeit Erfurts und fixierten die dem Erzbischof verbliebenen Rechte. Aber auch diese Rechte gelangten an den Rat: Er pachtete 1291 die Münze, das Marktmeisteramt, die Schultheißenämter und das Judengefälle vom Erzbischof und kaufte 1299 endgültig die Vogtei. Zu Beginn des 14. Jahrhunderts waren die stadtherrlichen Rechte des Erzbischofs fast vollständig zurückgedrängt, obwohl Erfurt weiterhin offiziell dem Mainzer Bistum unterstand.

Im Umfeld der Auseinandersetzungen mit dem Stadtherrn gelang es der Erfurter Gemeinde im Vergleich mit anderen Städten früh, eine Beteiligung am Rat und schließlich die Mehrheit in diesem Gremium zu erlangen. Der

---

18 StAE 0-0/C Schmidtstedt 1.

19 Zu den Auseinandersetzungen mit dem Stadtherrn und der Entwicklung der Ratsverfassung vgl. BENARY, Vorgeschichte, 6-12, 38f.; MÄGDEFRAU, Ratherrschaft; MÄGDEFRAU/LANGER, Entfaltung, 61-85; EHBRECHT, Ringen.

Konflikt um die Partizipation nichtpatrizischer Gruppen brach erstmals im Januar 1283 auf, als sich unter Führung des Patriziers Volrad von Gotha ein aufständischer Rat konstituierte. Werner Mägdefrau sieht in der Territorialpolitik des Rates, die durch kriegerische Verwicklungen zu Steuerbelastungen geführt habe, sowie in einer Hungersnot und Brotknappheit die Ursachen des Aufstands. Wilfried Ehbrecht vermutet dagegen einen innerpatrizischen Kampf nach dem Sühnevertrag von 1282, bei dem Volrad wegen der Geldzahlungen den Frieden habe verhindern wollen.[20] Der Rat unter Volrad von Gotha wurde bereits nach wenigen Monaten im Juni 1283 gestürzt, er selbst der Stadt verwiesen. Bleibendes Ergebnis war die Erweiterung des Rates um zehn Handwerkersitze für die Vertreter der neun großen Zünfte. Nur wenige Jahre später, 1309/10, kam es erneut zu innerstädtischen Unruhen. Im Konflikt des Städtebündnisses Erfurt, Mühlhausen und Nordhausen mit dem thüringischen Adel belagerte Landgraf Friedrich im September 1309 Erfurt, um die Unterwerfung der Stadt unter das Landfriedensgericht zu erzwingen. Ausgelöst durch die Belagerung und verstärkt durch Briefe des Landgrafen an die Gemeinde brachen innerstädtische Differenzen auf. Die Vertreter der Stadtviertel und Handwerker verlangten in einem bewaffneten Auflauf das Verlesen ihrer Forderungen. Der Rat mußte Anfang Januar 1310 den Artikelbrief annehmen, der unter anderem ständig im Rathaus anwesende Vertreter der Gemeinde - die Vierherren - forderte.[21] Außerdem wurden die Sitze im Rat neu aufgeteilt, so daß Gemeinde und Zünfte gegenüber den Gefrunden die Mehrheit erhielten. Fortan besetzten die Gefrunden vier, Vertreter der Stadtteile und der Zünfte jeweils zehn Sitze. Mit den nun im Rat vertretenen Krämern, Bäckern, Lohgerbern, Wollenwebern, Schuhmachern, Schmieden, Kürschnern, Fleischhauern und Schneidern waren es die exportorientierten und die Grundversorgung der Stadt sicherstellenden Gewerbe, die von den innerstädtischen Unruhen 1283 und 1309/10 profitiert hatten und ihr Gewicht in der Stadtpolitik stärken konnten.[22] Nach einem patrizischen Umsturzversuch 1322 wurden die Vierherren, die bisher nur das Recht hatten, sich als Mittler der Gemeinde im Rathaus aufzuhalten, vollständig in den Rat integriert.

All diese Geschehnisse ließ der Rat 1325 in einer Relation mit der Begründung aufzeichnen, daß Dinge vergänglich seien und deshalb der Brauch herrsche, *daz man pflit sogetane geschichte unde gescheffede, die des werdic sint, daz*

---

20 MÄGDEFRAU, Ratsherrschaft, 337; EHBRECHT, Ringen, 50.
21 Der Vierherrenbrief ist ediert in: UB Erfurt I, Nr. 55 (1310 Jan. 9).
22 Vgl. Ehbrecht, Ringen, 57f.

man ir ewiclichen gedenke, daz man die durch ein ewic gehucnisse let bescribe.[23] Der Rat
gab damit, so Ehbrecht, „Rechenschaft über die vergangenen anderthalb
Jahrzehnte", sicherte „Erinnerung und Gedächtnis über den Tag hinaus"
und ermöglichte „durch Verschriftlichung den Rückgriff auf die Geschichte
in der Auseinandersetzung künftiger Zeiten."[24] Darüber hinaus und m.E.
für das städtische Leben greifbarer wurden rituelle Formen des Gedenkens
gefunden. Die Relation von 1325 wurde zusammen mit grundlegenden
Verfassungsdokumenten bei der jährlichen Huldigung der Gemeinde verlesen. Huldigung und mündlicher Vortrag halfen, Grundprinzipien der Gemeinde zu verankern und Gemeinschaft zu stiften. In diesem Kontext von
Konsensstiftung und Erinnerung steht auch die Prozession nach Schmidtstedt. Rat und Bürgerschaft ordneten die Prozession an, *ob devotionem et since-*
re in domino caritatis affectum gegenüber den in Schmidtstedt begrabenen Toten.[25] Die auf dem Kirchhof gehaltene Messe galt dem Gedächtnis der Verstorbenen. Im Vordergrund stand nicht die erlittene Not oder die Bitte, die
Stadt vor künftigen Krisen zu bewahren, sondern das Totengedächtnis.[26]

Eine genauere Datierung der Prozession könnte diese Überlegungen ab-
sichern, doch läßt sich letztlich nicht bestimmen, wann die Prozession erstmalig abgehalten wurde. Zwischen dem Ereignis - der Hungersnot 1315/17
- und dem ersten Beleg, der erwähnten Ablaßurkunde von 1341, liegt ein
zeitlicher Abstand von 25 Jahren. Daraus läßt sich nicht mit Joachim Meisner schließen, daß „im Jahre 1340 der Stadtrat eine Prozession nach
Schmidtstedt" gelobte; der Ablaßbrief ist keine „Stiftungsurkunde".[27] Die
Prozession könnte auch unmittelbar nach den Begräbnissen und dem Ende
der Hungersnot entstanden, aber erst später mit einem Ablaß gefördert
worden sein. In der Chronik des Petersklosters, die ausführlich über die
Hungersnot und die Begräbnisse in Schmidtstedt berichtet, ist die Prozession zwar nicht erwähnt, doch belegt dies nicht, daß sie 1335, als dieser Teil
der Chronik vollendet wurde, noch nicht bestand, da auch die Prozession
nach Neuses, die nachweislich 1351 nach der Pest eingerichtet wurde, keine
Erwähnung in der 1355 fertiggestellten Fortsetzung der Chronik fand.[28]
Bernhard Hartung vermutet aufgrund des Ablasses, daß es 1340/41 oder

---

23 MonErphes, 409.
24 EHBRECHT, Ringen, 37-38.
25 StAE 0-0/C Schmidtstedt 1.
26 Bittprozessionen während der Hungersnot sind in Erfurt nicht belegt. 1315-1317 fanden
   solche beispielsweise in Chartres, Rouen oder Paris statt. Vgl. LUCAS, Famine, 359.
27 MEISNER, Frömmigkeitsformen, 183.
28 MonErphes, 381.

einige Jahre vorher eine erneute Hungersnot gegeben habe, ohne jedoch weitere Belege zu nennen.[29] Eine Erklärung für den Zeitpunkt des Ablasses könnte das Interdikt sein, unter dem die Stadt aufgrund des Konfliktes um die Besetzung des Mainzer Bischofsstuhls von 1329 bis 1337 lag.[30] Möglicherweise wurde der Ablaßbrief nach der endgültigen Aussöhnung 1340 mit der Kurie im folgenden Jahr ausgestellt. Das Ende eines Interdiktes und gute Beziehungen zur Kurie waren jedoch nicht grundsätzliche Vorbedingungen für die Förderung einer Prozession durch Rom oder Avignon, wie die trotz Interdikts gewährten Ablässe für die Fronleichnamsprozession beim Heilig-Geist-Spital in Nürnberg zeigen.

Auch wenn unsicher ist, wann genau die Prozession zwischen 1315/16 und 1341 erstmalig abgehalten wurde, scheint es mir angemessen, die vom Rat und von der Bürgerschaft Erfurts gestiftete Prozession in Verbindung zu den vorausgegangenen Stadtkonflikten - Auseinandersetzungen um die Unabhängigkeit vom erzbischöflichen Stadtherrn und Partizipationsbestrebungen von Zünften und Gemeinde - zu stellen.[31] Die relative Unabhängigkeit vom geistlichen Stadtherrn und von kirchlichen Institutionen erlaubte es der Stadt, die Initiative für eine Prozession zu ergreifen; ähnliches wurde für Stiftungen von Fronleichnamsprozessionen dargelegt. Der Rat machte mit der Prozession seine Handlungskompetenz und seine Sorge für das Wohl der Gemeinde sichtbar. Weiter konnte die Erinnerung an ein von allen Bewohnern und Bewohnerinnen erlebtes Ereignis der Stadtgeschichte und das kollektive Totengedenken Gemeinsamkeiten innerhalb der Bürgerschaft, aber auch zwischen Klerus und Bürgerschaft schaffen, um vorangegangene Brüche innerhalb der Stadtgesellschaft zu überwinden.

Der Verbindung von Memoria und Prozession soll weiter unten im Zusammenhang mit der Prozession nach Neuses nachgegangen werden. An dieser Stelle sind noch einige Worte zum Ablauf und zur Gestaltung der Schmidtstedter Prozession zu sagen. Laut Ablaßbrief von 1341 fand die Prozession jährlich am Freitag nach Pfingsten statt, dem Weihetag der Schmidtstedter Kirche. Ein Ablaß von 1389 nennt dagegen den Freitag nach Trinitatis.[32] Zu Beginn des 16. Jahrhunderts scheint sie aber am erstgenannten Termin abgehalten worden zu sein. Das Hauptrechnungsbuch

---

29 HARTUNG, Häuser-Chronik, Bd. 2, 229. SPIEGLER, Pest, 64, schließt sich dieser Vermutung an.
30 Zu diesem Konflikt vgl. BEYER, Erfurt, 56-57, 95-103; PATZE/SCHLESINGER, Geschichte Thüringens, 74-82; JÜRGENSMEIER, Bistum Mainz, 132-136.
31 Zum Terminus Stadtkonflikte vgl. EHBRECHT, Stadtkonflikte; DERS., Ringen, 41.
32 StAE 0-0/C Schmidtstedt 2 (1389 Mai 21); UB Erfurt II, Nr. 985 (Regest).

von 1505 nennt unter dem Titel *Czu der procession geyn Schmedestedt* als ersten Eintrag Ausgaben für Mattis Nuvestatt, um Kerzen zu machen *feria vi post pentecostes.*[33] Die Kirchenrechnungen aus der gleichen Zeit zeigen wiederholt Spendeneinnahmen am Freitag nach Pfingsten: *Item in die dedicationis sexta post phenthecoste ist in die taffen vor der kerchen gefallen 40 schock 35 groschen.*[34] Der Kirchweihtag in Schmidtstedt bot sich als Termin für die Prozession an. Möglicherweise fand sie durchgängig am Freitag nach Pfingsten statt und die Urkunde von 1389 nennt irrtümlich die folgende Woche. Mit der Terminierung in die Zeit zwischen Pfingsten und Fronleichnam schloß sich Erfurt der prozessionsintensiven Zeit anderer Städte an. Bereits 1341 war der Gang nach Schmidtstedt als Sakramentsprozession gestaltet. Die Schmidtstedter Prozession ersetzte zusammen mit derjenigen nach Neuses in Erfurt die zeitgleich entstehenden Fronleichnamsprozessionen.

Weder für das 14. Jahrhundert noch für eine spätere Zeit existiert eine Quelle, die über die Reihenfolge im Prozessionszug Auskunft gibt. Die Urkunde von 1341 nennt als Teilnehmer den Zusammenschluß der weltlichen und geistlichen Bevölkerung Erfurts, *congregato in unum clero et populo tam religiosis quam secularibus.*[35] Eine mögliche Ordnung läßt sich aus dem Hinweis erschließen, daß 22 große Wachskerzen mitgeführt wurden, die die Pfarrkirchen nach Abschluß der Feierlichkeiten zum Gebrauch bei der Messe erhielten. Am Ende des 13. Jahrhunderts existierten 21 Pfarreien in Erfurt: Eine Stiftung von 1282 vergab jährlich 21 Schilling an die Erfurter Pfarrer, *ita ut in anniversario suo et suorum parentum cuilibet plebano in ecclesia sancti Bartolomei perpetuo anno quolibet solidus unus detur.*[36] 1493 listet das Verrechtsbuch 24 Pfarreien in vier Stadtvierteln auf.[37] Die Pfarreien waren nicht nur kirchliche Einheit, sondern bildeten die unterste Verwaltungseinheit, in denen die direkte Besteuerung erfolgte, Nachtwache und Feuerschutz organisiert und amtliche Bekanntmachungen verlesen wurden. An ihrer Spitze standen zwei Pfarrhauptleute.[38] Die Pfarrer waren auch die Begünstigten einer der frühesten bekannten Präsenzstiftungen für die Schmidtstedter

---

33 StAE 1-1 XXII-2, Nr. 1, fol. 112'.
34 StAE 1-1 VI-b/5, Nr. 2, fol. 12.
35 StAE 0-0/C Schmidtstedt 1, 1341 Sept. 10.
36 UB Erfurt I, Nr. 323. Vgl. BERTRAM, Kaland, 54. Zu den Erfurter Pfarreien vgl. BERTRAM, Kaland; BENARY, Vorgeschichte, 13f.; NEUBAUER, Geschichte, 14; OVERMANN, Entstehung.
37 BENARY, Vorgeschichte, 13. Die Angaben von 21 bzw. 24 Pfarreien erscheinen mir gesicherter als Overmanns Aussage, um 1300 hätte es nicht weniger als 26 Pfarreien gegeben. OVERMANN, Entstehung, 145.
38 Vgl. BENARY, Vorgeschichte, 13.

Prozession. Günter von Gaminstete, Vikar der Pfarrkirche St. Georg, vergab am 2. Dezember 1355 einen Malter Kornrente, die nach seinem Tod jährlich an die teilnehmenden Plebane verteilt werden sollte.[39] Aus der Wichtigkeit, die die Präsenz der Pfarreien und ihrer Plebane bei der Prozession hatte, sowie aus dem Mitführen von 22 Kerzen der Pfarreien kann angenommen werden, daß sich die Laien nach Pfarreien geordnet der Prozession anschlossen, wie dies auch bei den Bittprozessionen 1482 und 1483 geschah.

Ebensowenig wie über Teilnehmer und Rangfolge ist über die Route bekannt. Wahrscheinlich ging die Prozession durch das Schmidtstedter Tor hinaus, um wohl auch auf dem direkten Weg zur Marienkirche zurückzukehren. Vorbild mögen die Rogationen mit ihrer linearen Streckenführung zu einem außerhalb der Stadt gelegenen Ort gewesen sein, über die Erfurter Quellen bis zum 16. Jahrhundert leider keine Informationen geben. Auch wenn wir wenig über die Gestaltung erfahren, hatte Erfurt mit der Prozession nach Schmidtstedt, die an die Verstorbenen der Hungersnot von 1315/17 erinnerte, eine Antwort parat, als die Stadt 1350/51 von der Pest heimgesucht wurde.

2.2 Der Schwarze Tod 1350/51 und die Prozession nach Neuses

Wieder ist es ein Ablaßbrief, der die erste Nachricht über die Prozession enthält. Am 6. September 1351 gewährten zwölf Bischöfe in Avignon denjenigen 40 Tage Ablaß, die - neben anderen frommen Werken - Gott anflehend um den Friedhof der Kirche von Neuses gingen. In der Kirche und im Kirchhof dieses Ortes bei Erfurt seien, so die Urkunde, ungefähr 12.000 Tote aus einer Zeit des Sterbens im Jahr 1350 begraben.[40] Erzbischof Gerlach von Mainz bestätigte am 19. Oktober 1351 den Ablaß. 1355 und 1356/57 sicherte der Erfurter Bürger Johann Deynhard die Prozession durch Präsenzstiftungen, die der Rat bestätigte und aufstockte, finanziell ab.

---

39 UB Erfurt II, Nr. 440.

40 StA Mühlhausen, Urk. 0/483 (1351 Sept. 6): *Cupientes igitur ut ecclesia in Nuseze prope erfordiam maguntiniensis dyoecesis in qua quoniam ecclesia seu eius cimetario ducente sexagene seu circa corpora fidelium tempore mortalitatis ibidem regnante anno domini millesimo CCC L dicuntur sepulta fuisse* (...). Verschiedene fromme Werke werden aufgezählt und Ablaß wird auch denen gewährt, *autque cimeterium dicte ecclesiae pie deum exorantes circumientes.* Vgl. UB Erfurt II, Nr. 366 (Regest).

1389 vergab Kardinallegat Philipp d'Alençon einen Ablaß für die Prozessionen nach Schmidtstedt und Neuses.[41]

Erste Schreckensmeldungen über die Pest erreichten Erfurt 1348. Ein Chronist des Petersklosters notiert für dieses Jahr, daß eine große Seuche (*magna pestilencia*) in vielen überseeischen Gebieten und in europäischen Ländern, *videlicet Gallia, Grecia, Francia et in provinciis paganorum ac circa Veneciam* herrsche.[42] Die Krankheit breitete sich von Italien und Südfrankreich aus und griff ab 1349 auf Deutschland über.[43] 1350 erfaßte sie Thüringen. Ihren Höhepunkt erreichte die Pest in Erfurt vom 25. Juli 1350 bis zum 2. Februar 1351. In dieser Zeit sollen täglich, so chronikalische Zeugnisse, drei Zweispänner oder vier Menschenkörper zum Kirchhof von Neuses gebracht worden sein, wo elf Gruben ausgehoben waren. Soweit die zeitlichen Angaben - das Ende der Pest am Tag Mariä Reinigung könnte stilisiert sein - zutreffen, wären ca. 800 Menschen in Neuses bestattet worden, während der Ablaßbrief und die Chronik des Petersklosters von 12.000 Menschen sprechen. Weitere Tote wurden heimlich auf Friedhöfen der Stadt oder umliegender Dörfer begraben.[44]

---

41 StAE Clemens-Milwitz-Familienbuch, fol. 997, UB Erfurt II, Nr. 447 (1355); StAE Erfurt Clemens-Milwitz-Familienbuch, fol. 997f., UB Erfurt II, Nr. 472 (1357 Jan. 20). - Die Stiftungen sind als Regesten des 15. oder beginnenden 16. Jahrhunderts im Clemens-Milwitz-Familienbuch überliefert. Johann Deynhard war belegbar in den Jahren 1343 und 1353 Ratsmeister; 1345 und 1358 war er am Ausgleich zwischen Bürgern und thüringischen Adeligen bzw. zwischen den Landgrafen Friedrich und Balthasar und dem Grafen von Schwarzburg beteiligt; 1369 vermachte er testamentarisch eine Stiftung zur jährlichen Ausbesserung der Stege und Wege in Erfurt. Vgl. UB Erfurt II, Nr. 233, 257, 408, 512, 536, 557, 635. - StAE 0-0/C Schmidtstedt 2, UB Erfurt II, Nr. 985 (1389 Mai 21, Regest). - Philipp d'Alençon (um 1339-1397) war seit 1389 Kardinal von Ostia. Den Ablaßbrief stellte er in Erfurt während einer Legationsreise 1389/90 zu König Wenzel aus. 1392 bis 1397 war er Probst des Marienstiftes. Vgl. SONNTAG, Kollegiatstift, 107, 139; PILVOUSEK, Prälaten, 68-82.

42 MonErphes, 394.

43 Zur Pestwelle 1348-1351 vgl. unter der großen Zahl an Veröffentlichungen: BIRABEN, Hommes, 2 Bde.; BULST, Tod; GRAUS, Pest; ZINN, Kanonen; BERGDOLT, Tod; HORROX, Black Death. Als wegweisende Lokalstudie vgl. CARPENTIER, Ville.

44 MonErphes, 381f.: *Eodem anno pestilencia epydimialis grandis in Thuringia exorta est et fere in tota Alemania et precipue in Erphordia, ita ut maxima pars hominum moreretur, quia morbus contagiosus erat. Porro consules cum consilio magistrorum phisicorum inhibuerunt, ut nemo amplius inibi sepeliri deberet; tanta erat multitudo sepulchrorum in cimiteriis ubique, ut duo vel tres ad unum sepulcrum ponerentur. Deinde facta sunt XI fossata magna in cimiterio ville Nūzeçe prope Erphordiam, ad que deducta sunt circa XII milia corpora hominum in bigis et in curribus oneratis; de festo sancti Iacobi usque ad purificacionem virginis gloriose cottidie tres bige vel quatuor corpora mortuorum in cimiteriis et in viis circumquaque sustulerunt. Exceptis his multi alii sepulti sunt in civitate occulte et in villis ubique circumia-*

Die Entscheidung, die Toten außerhalb von Erfurt zu begraben, fällte der Rat nach Absprache mit Ärzten: *Porro consules cum consilio magistrorum phisicorum inhibuerunt, ut nemo amplius inibi sepeliri debereret.*[45] Weniger hygienische Überlegungen, die erst im 15. und 16. Jahrhundert ein Grund waren, Pestfriedhöfe außerhalb der Stadt zu legen[46], als vielmehr die Überfüllung der bestehenden Friedhöfe bewog den Rat zu diesem Schritt. So begründet auch der Chronist die Bestattung in Neuses damit, daß die Menge der Verstorbenen auf allen Friedhöfen so groß gewesen sei, daß zwei oder drei in einem Grab bestattet werden mußten. Auch bei der folgenden Pestwelle von 1382 wurden die Toten in einem Massengrab beerdigt, diesmal auf dem Petersberg vor dem südlichen Querschiff der Klosterkirche.[47] Ähnlich wie in Erfurt war es 1348 in Venedig der Mangel an Grabstätten, der den Rat den Beschluß fassen ließ, niemand solle innerhalb der Stadt beerdigt werden, sondern auf zwei Inseln, die als Begräbnisplätze ausgewiesen wurden.[48] Das berühmteste Beispiel für Massengräber, von denen allerdings die Lage inner- oder außerhalb der Stadt verschwiegen wird, ist die Schilderung im „Decameron": „Da für die große Menge Leichen, die, wie gesagt, in jeder Kirche täglich und fast stündlich zusammengetragen wurden, der geweihte Boden nicht langte, besonders wenn man nach alter Sitte jedem Toten eine besondere Grabstätte hätte einräumen wollen, so machte man, statt der kirchlichen Gottesacker, weil diese bereits überfüllt waren, sehr tiefe Gruben und warf die neu Hinzukommenden in diese zu Hunderten. Hier wurden die Leichen aufgehäuft wie die Waren in einem Schiff und von Schicht zu Schicht mit ein wenig Erde bedeckt, bis die Grube bis zum Rand voll war."[49] Boccaccio spricht das Unbehagen aus, daß er für diese „Entsorgung" der Pesttoten empfand: Die Toten wurden in ungeweihter Erde und ohne kirchliche Riten in Gruben geworfen. Zwar lag das Erfurter Massengrab auf einem geweihten Friedhof, doch wurden die Toten ähnlich bestattet, wie es Boccaccio beschreibt: „In 1,30 m Tiefe lagen wirr durcheinander

---

centibus, quorum anime cum electis Dei requiescant in pace! Vgl. auch MonErphes, 396f, 484f.; VARILOQUUS, 135; FALCKENSTEIN, Civitatis Erfurtensis Historia, 226. Erstaunlicherweise berichten weder Rothe noch Gerstenberg von der Pestwelle 1350/51. - Zur Pest in Erfurt vgl. SPIEGLER, Pest, zur Pestwelle 1350/51: 65-72.
45 MonErphes, 381.
46 Vgl. ILLI, Toten, 59.
47 Vgl. SPIEGLER, Pest, 74.
48 Vgl. BERGDOLT, Pest, 126f.
49 BOCCACCIO, Dekameron, 20f.

und in drei Schichten übereinander viele Skelette in den sonderbarsten Stellungen", so der Ausgrabungsbericht von 1928.[50]

In der Mitte des 14. Jahrhunderts erfüllte nicht nur die Pestwelle die Erfurter und Erfurterinnen mit Besorgnis. Der Chronist aus dem Peterskloster zieht eine Verbindung mit zwei weiteren Ereignissen dieser Jahre - der Judenverfolgung und den Geißlerzügen. Die Mißgeburt einer Kuh in der Erfurter Pfarrei St. Johannis 1346 deutet er als Vorzeichen für die kommenden drei Unglücke, wie auch andere Zeitgenossen astronomische Konstellationen, Kometen oder Erdbeben als Prophezeiungen oder Ursachen der Pest ansahen.[51] Seit dem Frühjahr 1348 von Südfrankreich ausgehend, sah sich die jüdische Bevölkerung in ganz Europa Verfolgungen ausgesetzt. Die Pogromwellen wurden durch Kontakte mit anderen Städten und Regionen initiiert; sie waren keine spontane Reaktion auf die Bedrohung durch die Pest.[52] In den meisten thüringischen Städten wurden Juden zwischen dem 2. Februar, dem Tag Mariä Reinigung, und dem 25. Februar 1349, dem Aschermittwoch, unter dem stereotypen Vorwand ermordet, sie hätten die Brunnen vergiftet. Die Angriffe in Erfurt, denen bereits Verfolgungen im 13. Jahrhundert vorausgegangen waren, fielen in die Fastenzeit.[53] Im Vorfeld fanden Versammlungen und Absprachen zwischen Handwerkern und Patriziern statt. Am 21. März 1349 trafen sich mehrere Gruppen mit Hauptleuten und Bannern vor der Allerheiligenkirche, die in der Nähe der jüdischen Wohnquartiere lag. Der Rat, unter dessen Schutz die Juden standen und der von den Plänen erfahren hatte, sandte den Patrizier Hugk den Langen zur Beruhigung der Menge, doch entgegen der Ratsanweisung rief dieser dazu auf, die Juden zu ermorden. 976 Juden sollen an diesem Tag der Verfolgung zum Opfer gefallen sein. Einige Chronisten meinen, die Juden hätten sich selbst verbrannt, nachdem sie die Aussichtslosigkeit eines Widerstandes gesehen hätten. Gegen diese apologetische Behauptung inter-

---

50 E. LEHMANN, Der bronzezeitliche Friedhof auf dem erfurter Flughafen, in: Mannus, Zeitschrift für Vorgeschichte, Bd. 20, Leipzig 1928, 75, zitiert nach: BOLLE, Wüstung, 71.

51 MonErphes, 392.

52 Zu den Judenverfolgungen 1348-1350 vgl. HAVERKAMP, Judenverfolgungen; GRAUS, Pest, 155-389; ZINN, Kanonen, 199-226.

53 Zur jüdischen Gemeinde in Erfurt vgl. JARACZWESKY, Juden; ZVI AVNERI u.a., Art. Erfurt, in: Germania Judaica, Bd. 2, 215-224; U. LÖWENSTEIN u.a., Art. Erfurt, in: Germania Judaica, Bd. 3, 308-329; OEHMIG, Bettler, 92-102. - Zur Judenverfolgung 1349 vgl. HAVERKAMP, Judenverfolgung, 53-57; GRAUS, Pest, 189-195. Zeitgenössische Chronistik: MonErphes, 380, 394f. Eine Chronik des beginnenden 16. Jahrhunderts berichtet ausführlich über das Pogrom: StAE 5-100/45, fol. 128-128'. Das Protokoll des Ratverhörs ist ediert in: UB Erfurt II, Nr. 314

pretiert František Graus den Judenmord in Erfurt als Verschwörung, die Teil des ständigen Machtkampfes innerhalb der Erfurter Oberschicht war, worauf auch ein Hinweis aus dem beginnenden 16. Jahrhundert deutet: Ein Chronist schreibt, *dass sich eine rotte unter denen junckern da funden, die da lust zu unlust hatten und ihnen in dem sinn nahmen nicht nur an die juden hand zu legen, sondern auch bey dieser gelegenheit das regiment an sich zu bringen.*[54] Das Pogrom von 1349 setzte einen Einschnitt in das Leben der jüdischen Gemeinde. Auch wenn 1354 zwei jüdische Familien erneut nach Erfurt kamen und 1357 die Gemeinde wieder gegründet wurde, verschlechterten sich ihre Lebensbedingungen zunehmend. Endgültig vertrieb Erfurt die in der Stadt ansässigen Juden 1458 im Anschluß an die Predigten von Nikolaus von Kues und Johannes Capistrano.

Kurze Zeit nach den Pogromen gegen die jüdische Gemeinde trafen Flagellanten in Thüringen ein.[55] Die Geißlerbewegung war erstmals 1260/61 in Italien aufgekommen.[56] Sie entstand im Mai 1260 in Perugia, wo der Prediger Raniero Fasani zu öffentlicher Selbstgeißelung - bis dahin eine mönchische Form der Buße - aufrief und ging von dort durch ober- und mittelitalienische Städte. Im Laufe des Jahres 1261 verbreiteten sich die Geißler in Bayern, Schwaben, Franken und im Elsaß. Während die Bewegung in Italien quasi-bruderschaftliche Bindungen zwischen Klerikern, Bettelmönchen und Laien schuf und vielfach in Bußbruderschaften mündete, verlor sie außerhalb Italiens zunehmend die Unterstützung von Adel, führenden Bürgerschichten und Klerus und wurde als häretische und antiklerikale Gruppe marginalisiert.[57] Nach einem Erdbeben in Kärnten und in Kenntnis der Nachrichten über die Pest begannen im September 1348 in der Steiermark und in Niederösterreich erneut Büßer in prozessionsartigen Zügen unter öffentlicher Selbstgeißelung von Stadt zu Stadt zu ziehen.[58] Ziel war es, die Sünden aller Menschen zu sühnen, um die herannahende Pest abzuwenden. Diese Laienbewegung zog von Anfang an die Kritik des Klerus auf sich, da sie priesterliche Autorität außer Kraft setzte. Am 20. Oktober 1349 verbot Papst Clemens die Flagellanten; weitere Verbote durch weltliche Herrscher folgten. Als die Flagellantenzüge im Laufe des

---

54 StAE 5-100/45, fol. 128. Vgl. GRAUS, Pest, 192.
55 Zu den Flagellanten vgl. DELARUELLE, Processions; PETER SEGL, Art. Geißler, in: TRE XII (1984), 162-169; GRAUS, Pest, 38-59.
56 Zu der Geißlerbewegung 1260/61 vgl. GOLL, Geißelfahrten; FRUGONI, Flagellanti; HENDERSON, Flagellant; DICKSON, Flagellants.
57 DICKSON, Flagellants, 234.
58 Zu dem Erdbeben vgl. BORST, Erdbeben.

Jahres 1349 Thüringen erreichten, standen sie bereits unter dem Verdikt der Ausgrenzung und des Verbotes.[59] Bei Ilversgehofen nahe von Erfurt sollen es 3000 und mehr, bei Gunstedt mehr als 6000 Personen gewesen sei. Die Zahlenangaben, die höchsten in der deutschen Chronistik, sind sicher übertrieben, lassen sich aber auch damit erklären, daß im thüringischen Raum mehrere Gruppen zusammentrafen. Der Einzug nach Erfurt blieb ihnen aufgrund eines Verbot des Rates verwehrt.

Die Judenverfolgung im März 1349, die Geißlerzüge im Sommer und Herbst 1349 und schließlich die Pest, die von Juli 1350 bis Februar 1351 in Erfurt wütete, formten eine angespannte Situation, auf die die Prozession nach Neuses antwortete. Darüber hinaus weisen die Geißlerzüge von 1260/61 und 1348/49 Parallelen zu Prozessionen auf und helfen, das Neue der städtischen Prozessionen im 14. Jahrhundert zu verstehen. Gary Dickson schreibt über die Flagellanten von 1260, „that the crucial and novel step taken by the movement of 1260 was to fuse penitential flagellation to penitential processions, the litanies traditionally brought on by the threat or actuality of plague, war, drought, famine, storm, or flood.“[60] Die Flagellanten übernahmen mit den Prozessionen eine bekannte Praxis, mit der Gemeinschaften in Krisenzeiten versuchten, Gruppensolidarität zu stärken, und verbanden sie mit einer bisher individuellen mönchischen Buße, der Selbstgeißelung, die sie kollektiv und öffentlich ausübten. Die Aneignung einer mönchischen Frömmigkeitspraxis fügt sich in die allgemeine Tendenz zunehmender Beteiligung der Laienschaft an Frömmigkeit und religiösem Leben.[61] Wenn ich auch nicht von einem direkten Einfluß oder von einem Vorbild der Flagellanten ausgehen möchte, so lassen sich doch Wechselwirkungen mit der zunehmenden Beteiligung von Rat und Bürgerschaft bei der Stiftung und Gestaltung von Prozessionen annehmen. Die Geißlerbewegungen des 13. und 14. Jahrhunderts eigneten sich bis dahin unter geistlicher Kontrolle stehende Frömmigkeitsformen an. Zudem popularisierten die Flagellantenzüge mit ihrem Auftreten Prozessionen. Wechselwirkungen entstanden auch durch Konkurrenz: Das heterodoxe Auftreten der Geißler nötigte die Amtskirche sowohl zu Abgrenzung als auch zum Eingehen auf die Bedürfnisse der potentiellen Anhängerschaft, wie Stuart Jenks für Würzburg rekonstruieren konnte.[62] Würzburg blieb 1349/50 vom Schwar-

---

59 Zu Flagellanten in Thüringen vgl. RIEMECK, Ketzerbewegungen; GRAUS, Pest; WEISS, Bürger, 24-28. Als zeitgenössische Chronik vgl. MonErphes, 380f, 395f.
60 DICKSON, Flagellants, 231.
61 Vgl. VAUCHEZ, Laics.
62 Zum folgenden vgl. JENKS, Prophezeiung, bes. 22-27.

zen Tod verschont - die erste Pestwelle erreichte die Stadt 1356[63] -, doch wußten die Bürger und Bürgerinnen von den Grauen der Seuche aus den umliegenden Städten. Gegen die drohende Pest ordnete der Würzburger Bischof im Mai/Juni 1349 an, der Klerus solle die Laien zum Fasten, Almosengeben und Beten bewegen und Prozessionen wie an den Rogationstagen abhalten.[64] Zur gleichen Zeit - seit dem 2. Mai 1349 - hielten sich Flagellantenzüge in Würzburg auf. In ihrem äußeren Erscheinungsbild mit Fahnen, Kerzen, Glockengeläut und Kapuzen ähnelten sie Bittprozessionen, doch übernahmen bei ihnen Laien statt der Leutpriester die Rolle der Vorsänger. Die äußere Ähnlichkeit bei gleichzeitiger Bedrohung der kirchlichen Autorität erkläre, so Stuart Jenks, die heftige Reaktion der Amtskirche - Verbote und Streitschriften - gegenüber den Flagellanten. Da jedoch die Bevölkerung die Geißlerzüge begeistert aufnahm, ordnete der Bischof Prozessionen an, um mit dem Angebot ähnlicher Frömmigkeitsformen, allerdings unter klerikaler Führung, Laien einzubinden, den Geißlern ihre Attraktivität zu nehmen und die Stärke der kirchlichen Autorität zu demonstrieren. Nur selten lassen sich zwischen Bittprozessionen und Flagellanten so enge Verbindungslinien nachweisen. Doch generell verwiesen die Geißler darauf, daß Laien seit der Wende zum 14. Jahrhundert zunehmend klerikale Frömmigkeitsformen übernahmen. Diese Entwicklung läßt sich parallel bei den städtischen Prozessionen beobachten. Der gewichtige Unterschied von Heterodoxie, in die die Flagellanten gedrängt wurden, und das Zusammenwirken von Klerus und Laien bei städtischen Prozessionen darf allerdings nicht übersehen werden.

Doch zurück nach Erfurt und der dortigen Prozession nach Neuses. Der Ablaßbrief von 1351 gibt über die erste Erwähnung hinaus nur dürftige Informationen: Er berichtet von den Pesttoten und den Massengräbern. Der Friedhofsumgang ist nur ein frommes Werk neben dem Besuch der Kirche und wird nicht näher beschrieben. Für die Pestgräber hatte der Rat einen ähnlichen Ort wie Schmidtstedt gewählt. Neuses lag ca. 5 km nördlich von Erfurt am Südhang des Rothenberges und war schon im 12. Jahrhundert Kirchdorf.[65] Seit der Mitte des 13. Jahrhunderts gehörte der Ort zum

---

63 Vgl. auch MARTIN, Pest.

64 JENKS, Prophezeiung, 23: *mandamus, ut vosipsi una cum ... subditis vestris salubribus exhortacionibus ad hoc inducendis votivis ieiuniis, elemosinarum elargicionibus et oracionibus devotis insistere satagatis necnon processiones solempnes, prout in diebus rogacionum ante ascensionem Domini fieri est consuetum.*

65 Zu Neuses vgl. MÜLVERSTEDT, Hierographia Erfordensis, 175; STECHELE, Registrum, 36; OERGEL, Gebiet, 172, 182; BERTRAM, Dorfpfarrer, 172; BOLLE, Wüstung; HANNAPPEL, Gebiet, 50-53; 61, 381f.

Erfurter Gebiet; es galt das Recht der Vorstadt. Für die Mitte des 14. Jahrhunderts sind lehnsherrliche Rechte des Erzbischof von Mainz belegt: 1346 genehmigte Erzbischof Heinrich den Verkauf von drei Hufen. Neuses unterstand dem Archidiakonat St. Marien und war dem Dekanat Ilversgehofen zugeteilt. Nach einer Urkunde von 1449 war die Kirche dem hl. Markus geweiht; es bestand eine Altarvikarie „S. S. Nicolai, Valentini et Barbare".[66] Für die Pfarrstelle wie für den Altar besaß der Erfurter Rat im 16. Jahrhundert das Patronatsrecht.[67] Auch wenn für Neuses keine Quellen vorliegen, die die Patronatsverhältnisse im 14. Jahrhundert beleuchten, läßt die Ähnlichkeit zu Schmidtstedt vermuten, daß auch in Neuses der Erfurter Rat bereits zur Zeit der Einsetzung der Prozession das Patronat ausübte. Wie Schmidtstedt fiel Neuses im 15. Jahrhundert wüst, wahrscheinlich über einen längeren Zeitraum bis 1516.

Die Prozession fand am Markustag, dem 25. April statt, wie allerdings erst 1357 erwähnt wird. Ob vor 1351 Markusprozessionen in Erfurt abgehalten wurden, konnte nicht ermittelt werden. Ein Rituale der Marienkirche aus dem 15. Jahrhundert kennt keine Prozession an diesem Tag; das entsprechende Graduale erwähnt den Heiligentag ohne Hinweise auf größere Feierlichkeiten.[68] Auch ohne lokale Prozessionen konnte der Erfurter Rat an kirchliche Traditionen anknüpfen, die den Markustag mit einer Pestprozession verbanden. Ein Umgang hatte sich bereits zur Zeit Gregors I. als effizient gegen diese Seuche erwiesen und Jacobus da Voragine hatte ihren Erfolg allgemein bekanntgemacht: Um die Pest, die 590 in Rom herrschte, zu beenden, mahnte Gregor I. zu Gebeten und setzte einen Kreuzgang ein. Als die Seuche weiter wütete, ordnete er zur Osterzeit eine erneute Prozession an. Diesmal wich die verseuchte Luft vor dem mitgeführten Marienbild.[69] Auch Wilhelm Durandus berichtet in seinem „Rationale divinorum

---

66 StAE 0-0/C Neuses 3 (1449 Sept. 7).
67 StAE 2-100/16, fol. 64'; StAE 2-270/1, fol. 8, 13, 18', 19' u.a.
68 BAEf Hs. liturg. 5, fol. 27-27'; BAEf Hs. liturg. 6, fol. 278.
69 JACOBUS A VORAGINE, 191f.: *Cum ergo benedici deberet et lues populum devastaret, sermonem ad populum fecit et processionem faciens litanias instituit et, ut omnes Deum attentius exorarent, admonuit. (...) Sed quia Romam adhuc praedicta pestis vastabat, more solito processionem cum litaniis per civitatis circuitum quodam tempore paschali ordinavit, in qua imaginem beatae Mariae semper virginis (...) ante processionem reverenter portari fecit. Et ecce tota aëris infectio et turbulentia imagini cedebat, ac si ipsam imaginem fugeret et ejus praesentiam ferre non posset, sicque post imaginem mira serenitas et aëris puritas remanebat.* Vgl. auch ebenda, 313, wo die Pest als Strafe Gottes erklärt wird. Zur Prozession Gregors vgl. MOLLARET/BROSSOLLET, Procession.

officorum" in ähnlicher Weise über die Prozession Gregors d. Großen.[70] Prozessionen waren eine bewährte und bekannte Antwort auf Seuchen und in zahlreichen Städten wurden deshalb 1348/50, aber auch bei den späteren Pestwellen, Prozessionen abgehalten.[71] Obwohl die Ansteckungsgefahr bekannt war, wog doch die Hoffnung stärker, Buße und Bittprozessionen seien ein geeignetes religiöses Mittel. Besonders geeignet erschienen Bittprozessionen vor Ausbruch der Seuche.[72] Für Erfurt ist nicht bekannt, ob 1350/51 eine Prozession vor oder während der Pest durchgeführt wurde. Mit dem Gang nach Neuses richtete der Rat eine regelmäßige Prozession ein, die mit ihrer Terminierung auf den Markustag nicht nur an die gerade erlebte Seuche, sondern auch an die erfolgreiche Bekämpfung einer Pest unter Gregor I. erinnerte. Auch das Patrozinium band die Neuseser Kirche nachweislich in der Mitte des 15. Jahrhunderts an den Evangelisten. Für die Kirche war damit ein selten genutzter Heiliger gewählt; Bedeutung hatte der Markuskult in Venedig, Aquileia und Reichenau-Mittelzell, wo Reliquien lagen. Im norddeutschen Raum begegnen wir dem Heiligen kaum: In Niedersachsen waren ihm drei Kirchen und zwei Altäre geweiht.[73] Markus war auch Patron der Mutterkirche von Neuses und Ilversgehofen. Wahrscheinlich gelangte das Patrozinium über Handelsbeziehungen Erfurts mit Italien nach Thüringen und ist wohl jüngeren Datums als die Prozession.[74] Motivation für die Wahl des Markustages war dabei wohl eher die Anknüpfung an die Pestprozession Gregors als ein Markuspatrozinium der Neuseser Kirche, das im 14. Jahrhundert wahrscheinlich noch nicht bestanden hat.

Wie bei der Schmidtstedter Prozession lag die Initiative für die Prozession nach Neuses beim Rat. Er verpflichtete sich 1355, aus dem Zins der Seelgerätstiftung des Johann Deynhards jährlich 20 Kerzen für die Prozession machen zu lassen sowie die Herstellungskosten und den Lohn für die Träger zu übernehmen. Auch die Präsenzgeldstiftung des gleichen Bürgers

---

70 DURANDUS, Rationale, Paris 1505, 147, vgl. auch 152f. (Erklärung der Markusprozession und der Rogationen). Vgl. DICKSON, Flagellants, 231f.

71 Für Beispiele in französischen, italienischen und englischen Städten vgl. BIRABEN, Hommes, Bd. 2, 66-69; SENSI, Santuari, 142; HORROX, Black Death, 111-119.

72 In Frankfurt wurde 1349 eine Prozession vor, eine weitere wahrscheinlich nach Ausbruch der Pest gehalten. Vgl. FRONING, Chroniken, 93; HOENIGER, Tod, 18ff. In Augsburg wurde am 15. September 1380 wegen der drohenden Pest eine Bittprozession abgehalten. Vgl. St.Chr. Bd. 4, 66; KIESSLING, Bürgerliche Gesellschaft, 291. Vgl. auch mehrere Aufrufe englischer Bischöfe zu Prozessionen mit Verweis auf die Pest in angrenzenden Gebieten, HORROX, Black Death, 112f., 115ff.

73 Vgl. KRUMWIEDE, Kirchen- und Altarpatrozinien, Bd. 1, 310, Ergänzungsband, 174.

74 Vgl. HANNAPPEL, Gebiet, 52f.

von 1356 zugunsten der teilnehmenden Pfarrer und Vikare der Stadtpfarr-kirchen verwaltete der Rat und ergänzte sie mit einer Weinstiftung für teil-nehmende Ordens- und Weltgeistliche sowie kirchliche und städtische Be-dienstete. Außerdem hatte der Rat die Verantwortung, den Dekan des Mari-enstiftes und die Prälaten jährlich aufzufordern, *daß sie die pfaffheit darzuhalten vndt die orden getrewlich bitten vndt vermahnen, daß die proccesion geordnet vndt geschik-ket werde uff S. Marci tag.*[75] In den ersten Jahren ihres Bestehens erlangte die Prozession nach Neuses nicht nur Förderung durch einen Ablaß und durch Stiftungen, sondern die beiden jährlichen Prozessionen waren 1357 auch Anlaß einer Ratsdebatte als beschlossen wurde: *Man sall zcu den creutzgengen, die man alle jahre vonn der stadt wegen helt, heyne wirtschafft ader essenn auff dem rat-huse ader anderswo nicht thun ader machenn.*[76] Der Erfurter Rat sprach sich damit gegen eine Geselligkeitsform aus, die zwar innerhalb des Rates integrativ wirkte, aber durch ihren ausschließenden Charakter und ihre Kostspieligkeit Anstoß erregen konnte. In vielen Städten dagegen gehörte das Festmahl zum üblichen Abschluß einer Prozession, wobei einige Magistrate einer Kritik an diesem „demonstrativen Konsum" zuvorkamen, indem gleichzei-tig Armenspeisungen stattfanden.[77]

Wegen der Ähnlichkeit des Anlasses und des Ortes mit der bereits er-probten Prozession nach Schmidtstedt, stand dem Rat für Ablauf und Ge-staltung ein Modell zur Verfügung. Über die Teilnehmenden und deren Reihenfolge erfahren wir wieder nur wenig. Laut Ablaßbrief von 1389 nah-men Klerus und Volk an der Prozession teil. Die Präsenzstiftung des Rates von 1357 listet eine Anzahl von Personen auf, die nach der Rückkehr Wein erhalten sollten; ihre Teilnahme wollte der Rat offensichtlich fördern. Als Ordensgeistliche werden der Abt und das Konvent St. Peter, die Dominika-

---

75 StAE Clemens-Milwitz Familienbuch, fol. 998. Vgl. UB Erfurt II, Nr. 472.

76 StAE 2-122/5, fol. 51'.

77 Dorsten: Gedenkprozession am Mittwoch vor Mittwinter mit Gastmahl im Rathaus und Armenspeisung, vgl. HEIMANN, Feste, 171; GRAF, Schlachtengedenken, 85f; Hof: Fron-leichnamsprozession mit Festessen der städtischen Bevölkerung und der Geistlichkeit, vgl. LINDNER, Kirchenordnung 224; Köln: Große Gottestracht mit Festessen des Rates und der nichtsitzenden Bürger- und Rentmeister, vgl. STEIN, Akten II, 311, Nr. 194; KLERSCH, Volkstum, 181; Minden: Fronleichnamsprozession mit Festessen des Rates mit Bischof, Domkapitel, Adeligen und vornehmen Bürgern im Weinkeller, Ämter und Bruderschaften hielten Festmahle an eigenen Orten, vgl. PIEL, Chronicon Domesticum, 125; Münster: Große Prozession mit Margarethenzeche der Ratsherren (seit der zweiten Hälfte des 15. Jahrhunderts) und Armenspende (seit 1394), vgl. REMLING, Prozession, 215-221. Zu Fest-essen vgl. SIMMEL, Soziologie; ALTHOFF, Charakter; FOUQUET, Festmahl; LÖTHER, Pro-zessionen, 447-449. Zu „demonstrativen Konsum" vgl. VEBLEN, Theorie, 79-197.

ner, die Franziskaner, die Augustiner-Eremiten, die Serviten, der Abt, der
Schul- und der Sangmeister des Schottenklosters St. Jakob, die Augustiner-
Chorherren und deren Schul- und Sangmeister genannt. Weiter sollten als
Weltgeistliche die Pröbste der Frauenklöster mitgehen; aufgezählt werden
die Magdalenerinnen (Weißfrauen), die Zisterzienserinnen von St. Martin in
Brühl, die Augustiner-Chorfrauen des Neuwerksklosters sowie die Benediktinerinnen auf dem Cyriaksberg. Aus dem Marienstift erhielten der Dekan,
der Sangmeister und die Sänger, der Schulmeister, der Siegler und der Offizial, aus dem Severistift der Dekan, der Sangmeister und die Sänger sowie
der Schulmeister Wein. Die Bewirtung der Schul- und Sangmeister läßt
vermuten, daß wohl auch die jeweiligen Schüler mitgingen. Von den bischöflichen Beamten wurden der Provisor - der Verwalter des Mainzerhofes
- und der Schultheiß bedacht. Als weitere Geistliche werden die fünf Kapläne des Rates genannt, die in der Ratskapelle tätig waren.[78] Schließlich werden städtische Bedienstete aufgeführt: der Ober- und der Unterschreiber,
der Kirchner im Rathaus, der in der Ratskapelle tätig war, und die Achtknechte. Besondere Aufgaben übernahmen die „beiden Büttel zu der roten
Türe" - Bedienstete des Propsteigerichtes -, die die Geistlichen zur Prozession einladen sollten, und ein Stiftsherr, der den Ablaß auf den Domstufen
verlas. Der Rat richtete sein Augenmerk auf die Ordens- und Stiftsgeistlichkeit, während die Pfarrer und Vikare der Stadtpfarrkirchen Präsenzgelder
aus der Stiftung Johann Deynhards erhielten. Die Auflistung der Begünstigten läßt sich nicht als Prozessionsordnung der Geistlichen lesen, da
Wertigkeiten aufgrund des Alters eines Stiftes oder Klosters keine Beachtung fanden.[79]

2.3 Prozession und Memoria

In Erfurt wurden also innerhalb weniger Jahrzehnte in der Mitte des 14.
Jahrhunderts zwei Prozessionen eingerichtet, die der Toten einer Hungersnot und einer Seuche gedachten. Auch andere Städten setzten nach Seu-
chenzügen regelmäßige Umgänge ein. So beschloß in Braunschweig der Rat
1350, fortan am Auctorstag (20. August), dem Fest des Stadtpatrons, eine

---

78 Zu den Erfurter Ratskaplänen vgl. HECKERT, Ratskapelle, 71-122.
79 Reihenfolge in der Quelle: St. Peter, Dominikaner, Franziskaner, Augustiner-Eremiten,
   Serviten, Schottenkloster St. Jakob, Augustiner-Chorherren, Magdalenerinnen, Zisterzi-
   enserinnen in Brühl, Neuwerkskloster, St. Cyriaks, Marienstift, Siegler, Büttel, Severistift,
   Provisor, Schultheiß, Ober- und Unterschreiber, fünf Kapläne des Rates, Kirchner im
   Rathaus, Achtknechte, Ablaßverkünder.

Prozession zum Ägidienkloster abzuhalten und den Tag der Kreuzerhebung (14. September) in allen Pfarrkirchen feiern zu lassen; für den Vortag stiftete er eine Almosenverteilung.[80] Reliquien des hl. Auctor besaß das Ägidienkloster wahrscheinlich seit seiner Gründung 1117. Auslösendes Moment für die Verehrung Auctors als Stadtpatron war die Belagerung Braunschweigs durch Philipp von Schwaben im Sommer 1200, deren Abbruch am Tag nach dem Auctorsfest hagiologisch gedeutet wurde. Auctor wurde zum Schützer der Stadt vor äußeren Gefahren. Spätestens seit 1298 opferten die Weichbilder dem Heiligen jährlich am Auctorstag Kerzen. Seine spätmittelalterliche Bedeutung erhielt der Stadtheilige mit der im Pestjahr 1350 eingerichteten Prozession. Den unmittelbaren Anlaß, die Pest, erwähnen aber weder der Ratsbeschluß noch die 1408 aufgezeichnete Prozessionsordnung. Nicht mit der Erinnerung an eine bestimmte Pestwelle, sondern allgemein mit der Hilfe des Heiligen in Notzeiten wurde die Prozession begründet: *dorch sunderlike gnade vnde bescherminghe willen de sunte Auctor, der gantzen stad houet, der stad in manneghen nöden hefft van vnsen heren godde beholden.* Ziel der Prozession war es, *vp dat de hillighe here sunte Auctor by godde vort vorwarue gnade vnde bescherminghe der stad Brunswik in allen oren nöden.*[81] Die gemeinsame Feier von Rat und Gilden war, so Klaus Naß, „eine Manifestation der Einheit unter dem Schutz des Stadtpatrons."[82] Nach dem Schwarzen Tod des 14. Jahrhunderts wurden auch in Osnabrück und Fulda Prozessionen eingeführt. Bestreben der in Fulda von Schöffen und Bürgerschaft gestifteten Prozession und Almosenspende am Vorabend von Mariä Himmelfahrt war es, *durch lob und ere unser frowen vom himelriche zu flehene und zu bitin gote unsern heren umbe abelazen und abewenden daz grozze sterben, daz da gewest ist und noch ist in der vorgenanten stat Fulde, und durch heil und durch trost aller der sele, die do in dem selben sterben furscheiden sin, und auch durch trost und heil zu sele und zu lebe der, die zu Fulde iczunt siczen oder immer siczende werden.*[83] Erfleht wurde der Schutz der

---

80 *Anno domini 1350 heft de ghemeyne rad over al de stad des over eyn ghedraghen, dat men seal sente Auctors dach viren, unde men seal mid den lechten to sente Ylien gan unde sente Auctor eren, unde de rad seal dat mid den gilden undersetten, dat se ghemeynliken viren,* Gedenkbuch, fol. 7', zitiert nach ABT BERTHOLD MEIERS Legenden, 68. Grundlegend zur Auctorsverehrung vgl. NASS, Auctorskult. Zur Prozession vgl. ABT BERTHOLD MEIERS Legenden, 25f.; DÜRRE, Braunschweig, 144, 335f.; BULST, Jahrhunderte, 254.

81 UB Braunschweig I, 178.

82 NASS, Auctorskult, 198.

83 StA Fulda, Urkunden Nr. 4 (1350 Aug. 9). Für die Bereitstellung von Quellen zur Fuldaer Pestprozession danke ich Klaus Graf. Zu der Prozession vgl. BIHL, Geschichte; JESTAEDT, Pestwallfahrt. - Zur Prozession in Osnabrück vgl. ROTHERT, Strukturrechnung, 310; BULST, Jahrhunderte, 254; SINNER, Osnabrück, 45. Die Quelle für diese Prozession, ein

Stadt vor der Pest sowie Seelenheil für die verstorbenen, lebenden und zu-
künftigen Einwohner Fuldas. Die nach der Pest 1350 in Braunschweig und
Fulda eingesetzten Prozessionen zeigen, daß Stiftungen von Messen, Prozessionen oder Armenspenden nach dem Pestjahr nicht immer dem Gedenken an diesen Seuchenzug galten, wie die Forschung häufig annimmt,
sondern daß der unmittelbare Anlaß - wie in Braunschweig - zu Gunsten
von Bitten um gegenwärtigen Schutz in den Hintergrund treten konnte.

Solche Verschiebungen sind in Münster zu beobachten, wo wohl nach
der Pest 1382 und dem Stadtbrand 1383 Bischof, Domkapitel und Rat die
Große Prozession anordneten.[84] Sie sollte regelmäßig am Montag vor Margaretha (13. Juli) abgehalten werden. Spätmittelalterliche Berichte erwähnen
den historischen Ursprung der Prozession kaum. Ludwig Remling nimmt
an, daß „die Prozession (...) im Denken der damaligen Menschen nicht vorrangig durch Anlaß und Stiftung legitimiert (wurde), sondern durch die mit
dem konkreten Vollzug der Prozession verbundenen Zwecke und Absich-
ten, d.h. man beging die Prozession weniger zur Erinnerung an frühere
Katastrophen und die damalige Errettung, sondern vor allem zur Sicherung
der Gegenwart".[85] Die schwarze Kleidung und die Messe „pro peccatis"
zeigten den Bußcharakter der Prozession, an der sich Klerus, Rat und Bevölkerung beteiligten. Ein Bewußtsein für die Entstehungsgeschichte kam
erst in den Chroniken und Bischofskatalogen der zweiten Hälfte des 16.
Jahrhunderts auf. In dieser Zeit änderten sich Gestaltung und Bedeutung.
Der Tag wurde, neben der Ratswahl, „zum wichtigsten Termin städtischer
Selbstdarstellung". Durch das Weiterbestehen der Prozession „wird nicht
nur die Rückkehr Münsters zur alten Kirche angezeigt, sondern gleichzeitig
auch die Verbindung zur Geschichte und zum Selbstbewußtsein der Stadt
vor der Wiedertäuferzeit wieder hergestellt."[86]

Doch zurück zu den spätmittelalterlichen Prozessionen, die nach den
Pestwellen des 14. Jahrhunderts entstanden. In der Braunschweiger Prozession am Auctorstag blieb die Erinnerung an die erlittene Notzeit nur vage
und unbestimmt wach; im Vordergrund stand die Bewahrung vor künftigem
Unheil. Ähnlich war es in Münster, wo der historische Ursprung der Gro-

---

Eintrag in den Rechnungen des Doms von 1415, liegt leider nicht gedruckt vor. ROTHERT,
Strukturrechnung, 310, referiert zwar, daß die Prozession am Freitag vor Pfingsten zur
Erinnerung an die Pest 1350 stattfinde, doch müßte diese Beschreibung nachgeprüft wer-
den.

84 Zur Großen Prozession in Münster vgl. GERHARD, Prozession; REMLING, Prozession.
   Allgemein zu Prozessionen in Münster vgl. REMLING, Brauchtum, 615-633.

85 REMLING, Prozession, 203.

86 Ebenda, 220f.

ßen Prozession bis ins 16. Jahrhundert hinein fast in Vergessenheit geriet, zumindest keine Wichtigkeit hatte. Dagegen wurde der unmittelbare Anlaß der Erfurter Prozessionen nicht vergessen. Die Ablaßbriefe von 1341 und 1351 nennen explizit die zwei Katastrophen, die Erfurt im 14. Jahrhundert heimgesucht hatten. Gedacht wurde jedoch nicht in erster Linie der Ereignisse - Hungersnot und Pest -, sondern der auf den Friedhöfen von Neuses und Schmidtstedt begrabenen Toten. Meine These ist, daß die Erfurter Prozessionen des 14. Jahrhunderts eine Form der Totenmemoria waren, die in Zeiten eines massenhaften Sterbens, das soziale Beziehungen zusammenbrechen ließ und bisherige Begräbnisrituale nicht mehr durchführbar machte, Totengedenken kollektiv - analog zur Zunahme der individuellen Sorge um den Tod - sichern und Gemeinschaft herstellen sollten.

Praktiken angesichts des Todes formten sich im christlichen Mittelalter, wie in allen traditionellen Gesellschaften, zu einem komplexen Todes- und Begräbnisritual.[87] Mit Arnold van Gennep lassen sich die Verhaltensweisen als „rites de passage" beschreiben, die den Übergang vom Leben zum Tod sicherten.[88] Die Begräbnisrituale sollten zum einen den Verstorbenen im Fegefeuer und vor dem Jüngsten Gericht helfen und ihr Seelenheil sichern. Zum anderen konstituierten sie die Gemeinschaft der Lebenden, indem sie Verwandten und Freunden Trost gaben und die Reorganisation der durch den Tod gestörten Gruppe oder Gesellschaft ermöglichten: „Gedenken, *memoria*, war ein konstitutives Element mittelalterlicher Gruppenbildung und Gruppenbindung," wie Gerd Althoff formuliert.[89]

Das massenhafte Sterben während der Pestwelle von 1348/51 zerbrach die tradierten Begräbnis- und Trauerriten, wie Giovanni Boccaccio beispielhaft in seinem Einleitungskapitel zum „Dekameron" beschreibt: „Als indessen die Heftigkeit der Seuche zunahm, hörten alle diese Bräuche ganz oder teilweise auf, und neue traten an ihre Stelle." Statt in Gegenwart klagender Frauen starben manche Kranke ohne einen einzigen Zeugen, „und nur we-

---

87 Die Literatur zu mittelalterlichen Einstellungen gegenüber dem Tod ist inzwischen kaum zu überblicken. Vgl. GOETZ, Einstellung; CHIFFOLEAU, Comptabilité; WHALEY (Hg.), Social History of Death; VOVELLE, Morte; BORST, Sterbefälle; BORST (Hg.), Tod - Zu Bestattungsriten vgl. J. KOLLWITZ, Art. Bestattung, in: RAC II (1954), 194-213; KYLL, Tod; LÖFFLER, Studien; FRIEDEMANN MERKEL, Art. Bestattung IV. Historisch, in: TRE V (1980), 743-749; BASSETT (Hg.), Death; ILLI, Toten.

88 Anregend zu Begräbnisritualen aus anthropologischer Sicht ist LOUIS-VINCENT THOMAS, Art. Funeral Rites, in: The Encyclopedia of Religion, Bd. 5 (1987), 450-459, und der Sammelband von HUNTINGTON (Hg.), Celebrations.

89 ALTHOFF, Verschriftlichung, 58. Vgl. OEXLE, Gegenwart.

nigen wurden die mitleidigen Klagen und die bitteren Tränen ihrer Angehörigen vergönnt." Es fand kein Begräbniszug statt; die Toten wurden nicht in einer bestimmten Kirche beerdigt. Statt dessen wurden sie morgens auf Bahren eingesammelt. Wenn Geistliche einer Bahre vorangingen, schlossen sich weitere an, und der Priester mußte mehrere Tote zugleich beerdigen. „Dabei wurden dann die Verstorbenen mit keiner Kerze, Träne oder Begleitung geehrt, vielmehr war es so weit gekommen, daß man sich nicht mehr darum kümmerte, wenn Menschen starben, als man es jetzt um den Tod einer Geiß täte."[90] Der Niedergang der Begräbnisriten spiegelt den Zusammenbruch der sozialen Beziehungen wider. Nachbarschaftskontakte hörten auf, Familienmitglieder kümmerten sich nicht mehr um Kranke, „ja was das schrecklichste ist und kaum glaublich scheint: Vater und Mutter weigerten sich, ihre Kinder zu besuchen und zu pflegen, als wären es nicht die ihrigen."[91] Diese Zeilen gehören zu den bekanntesten und meist zitierten Berichten über die sozialen Auswirkungen der Pest, doch auch weniger berühmte Zeitgenossen äußerten sich ähnlich.[92] In der Erfurter Chronistik wird die Art der Bestattung - die Massengräber in Neuses - zum Sinnbild für die Schrecken der Pest wie auch der Hungersnot zu Beginn des Jahrhunderts. Der Blick des Chronisten richtet sich auf die Toten, nicht die Überlebenden, und er schließt den Abschnitt mit der Bitte: *Requiescant in sancta pace!*[93]

Die Hungersnöte, die wiederkehrenden Pestwellen und die langwierigen Kriege des 14. Jahrhunderts mit ihrem großen Sterben veränderten die Einstellung der Menschen zum Tod.[94] Aufgrund der Pestepidemien und Mortalitätskrisen des späten Mittelalters, so beobachtet Oexle, nahm die Sorge um die eigene Totenmemoria und das rechte Begräbnis zu. In testamentarischen Bestimmungen sowie mit Seelgerätsstiftungen und der Gründungen von Bruderschaften trafen die Menschen Vorbereitungen gegen einen anonymen Tod.[95] Der eigentliche Wandel des 14. Jahrhundert lag darin, daß Laien mit diesen Vorkehrungen Praktiken der Totensorge klösterlicher Gemeinschaften übernahmen.[96] Testamente und Stiftungen bezeugen für

---

90 BOCCACCIO, Dekameron, 19f. Vgl. BORST, Sterbefälle, 586-594; WEHLE, Tod.
91 BOCCACCIO, Dekameron, 17f., Zitat: 18.
92 Vgl. GOETZ, Einstellung, 138, und die bei BERGDOLT, Pest, edierten Berichte italienischer Chronisten.
93 MonErphes, 382.
94 Vgl. GOETZ, Einstellung, 138-141; BORST, Sterbefälle, 586.
95 OEXLE, Gegenwart, 65-68. Vgl. auch COHN, Cult; DERS., Burial. Als regionale Studie vgl. IBS, Pest, 177f. (Stiftungen in Lübeck).
96 WOLLASCH, Hoffnungen.

das 14. Jahrhundert eine Zunahme der individuellen Sorge um Tod und Totengedenken; die Erfurter Prozessionen nach Schmidtstedt und Neuses waren, so meine Überlegung, eine kollektive Antwort auf die Krise.

Als einschneidendes Erlebnis wurden vor allem die Massengräber erlebt. Sie störten sowohl das Seelenheil der Verstorbenen als auch die Verbindung zwischen den Lebenden und den Toten und beeinträchtigten damit die städtische Gemeinschaft. Auch wenn die Pesttoten in der geweihten Erde eines Friedhofes begraben waren und denen, die 1348/51 ohne Sakramente gestorben waren, die Generalabsolution Papst Clemens VI. zu Gute kam, mangelte es an ordungsgemäßen Totengedenken.[97] Dieses Bedürfnis nach Gedenken und Fürbitte sicherten die jährlichen Prozessionen. Die auf den jeweiligen Kirchhöfen gehaltene Messe für die Verstorbenen steht in Analogie zu den Gedenkmessen und Anniversarien, wie sie individuell durch Stiftungen eingerichtet wurden. Die kollektive Verantwortung von Stadt und Rat für die verstorbenen Stadtbewohner und -bewohnerinnen konnten sich Erfurter Bürger wiederum individuell aneignen. Johann Deynhard gedachte mit seiner Stiftung 1355 zugunsten der Prozession nach Neuses auch der Verstorbenen seiner eigenen Familie: Er vergab die Stiftung Gott zum Lobe und *alle seiner altfordern undt sonderlich wolfgang von uthenswergh seines eydams, theod. seines sons deren leichen zu nusese begraben sindt undt aller gläubigen selen zu troste.*[98]

Die Erinnerung an ein Ereignis der Stadtgeschichte war bei den Erfurter Prozessionen zunächst Totengedenken. Angesichts der Unmöglichkeit, traditierte Begräbnis- und Totenrituale einzuhalten, und unter dem Eindruck von Massengräbern bewiesen Rat und Stadt ihre spirituelle Fürsorge für die Toten. Ähnliche Obhut ließ der Rat von Villingen 1354 den Pesttoten durch Stiftung einer Jahrzeit zukommen, als er erkannt hatte, *daz so menig elend mensche von dirre welt schid in dem Sterbat in dem jar do man zalt von gottes geburte drizehenhundert jar vierzig jar vnd in dem nünden jare, do etliches sin jarzit ain Rat besatzt vnd etliches von not vnd gepresten wegen nit besetzten mocht, vnd öch wan noch erber lüt sint, die nit besunder ir jarzit ewenklich gestiften mögent.*[99] Der Rat ersetzte fehlende individuelle Möglichkeiten des Totengedächtnisses. Auch die Fuldaer Pestprozession galt unter anderem dem Seelenheil der Verstorbenen. Wie das Gedenken an Pest und Hungersnot war auch Schlachtengedenken, wie Klaus Graf feststellt, zunächst liturgische Memoria für die Gefallenen: Schlachtengedenken war seinem Ursprung nach nicht

---

97 Zur Generalabsolution vgl. BULST, Tod, 59; WOLLASCH, Hoffnungen, 33.
98 StAE Clemens-Milwitz Familienbuch, fol. 997; UB Erfurt II, Nr. 447.
99 BADER, Urkunden, 470f.

Ereigniserinnerung, sondern „ein Gedenken an die Toten des Handlungs-
und Widerfahrniszusammenhangs Schlacht". Über dieses Gedenken konstituierte sich eine Stadt als „Erinnerungsgemeinschaft".[100] Die Vergegen-
wärtigung der Toten zeigte der Stadt ihre Kontinuität in der Zeit und diente
der „Selbstvergewisserung".[101] Auslöser für intensives, kollektives Gedenken waren vielfach Unglück und Not, in Erfurt die Hungersnot und der
Schwarze Tod. Die Erinnerung an überwundene äußere Gefahren konnte
ein einheitstiftendes Band für die Stadtgemeinschaft sein, ein Band jedoch,
das sich nicht „urwüchsig" aus der Bürgerschaft ergab, sondern vom Rat
gestaltet wurde. Gedenken in literarischen und rituellen Formen war von
der städtischen Obrigkeit kontrollierte Erinnerung.[102] Und so mochten die
Prozessionen gerade für den Erfurter Rat, der sich nach dem Verfassungs-
umbruch 1309/10 neu etablierte, ein Versuch sein, über die Inszenierung
kollektiven Totengedenkens seine Sorge für das Gemeinwohl zu belegen
und den Zusammenhalt innerhalb der Bürgerschaft, aber auch zwischen der
Stadt, den geistlichen Institutionen und dem Stadtherrn zu stärken.

Prozessionen, die aus Anlaß von Ereignissen der Stadtgeschichte - Naturkatastrophen, kriegerische Auseinandersetzungen oder innerstädtische
Konflikte - eingesetzt wurden, sind vielfach bekannt.[103] Die Beispiele
Braunschweig, Münster oder Erfurt mahnen jedoch, Prozessionen nicht
voreilig als Erinnerung an das anlaßgebenden Ereignis zu interpretieren. Bei
den Erfurter Prozessionen blieb das Totengedenken nicht zuletzt wegen der
Zielorte und der Totenmesse im Gedächtnis. In Braunschweig und Münster
ging es, wie auch bei anderen Prozessionen, nicht um die Erinnerung an ein
Ereignis, „sondern um die ‚exemplarische' Erinnerung an die überstandene
Gefahr oder den Opfermut der Vorfahren".[104] Der ursprüngliche Anlaß

---

100 GRAF, Schlachtengedenken, 88.
101 OEXLE, Gegenwart, 34. Grundlegend zu Memoria in mittelalterlichen Gesellschaften vgl.
    SCHMID/WOLLASCH, Gemeinschaft.
102 Vgl. GRAF, Schlachtengedenken, 91.
103 Vgl. beispielsweise Konstantinopel: u.a. Erdbeben 447, Belagerung 860; Braunschweig:
    Fronleichnamsprozession, eingesetzt nach der Schlacht bei Winsen/Aller 1380; Frank-
    furt: Maria-Magdalena-Prozession nach der Überschwemmung 1342; Köln: Bonifatius-
    Prozession in Erinnerung an die Schlacht bei Worringen, Gedenkprozessionen nach der
    Belagerung von Neuss 1475 und einem Aufstand 1481/82; Lübeck: Prozession am
    Sonntag nach Fronleichnam 1419, eingesetzt nach innerstädtischen Konflikten; Neusser
    Gottestracht nach der burgundischen Belagerung; Straßburg: Lukasprozession nach dem
    Erdbeben 1356; Würzburg: Prozession am Cyriakstag in Erinnerung an Sieg bei Kitzin-
    gen 1266. Vgl. GRAF, Schlachtengedenken, 83-91 mit weiteren Beispielen.
104 GRAF, Schlachtengedenken, 90.

konnte in Vergessenheit geraten. Auch der Überwindung von innerstädtischen Konflikten wurde in Prozessionen gedacht, wenn auch deren Erinnerung wesentlich ambivalenter und spannungsreicher war. In Lübeck begründeten 1416 der Bürgermeister Jordan Pleskow und der Domherr Nikolaus Sachow eine Prozession für den Sonntag nach Fronleichnam. Das Domkapitel und der Rat kamen dabei überein, daß die jüngsten Ratsherren den Baldachin tragen sollten. Geschah dies nicht, war auch die Geistlichkeit nicht zur Teilnahme verpflichtet.[105] Enge verwandtschaftliche Verflechtungen ermöglichten das Zusammenwirken von Rat und Domkapitel. Seit der Wende zum 14. Jahrhundert war es der Lübecker Oberschicht gelungen, die Domherrenpfründe mit Geistlichen aus eigenen Familien zu besetzen. 1488 waren von 39 Domherren nur vier adeliger Herkunft, der Rest entstammte Lübecker, Hamburger oder Lüneburger Bürgerfamilien. Auch der Bischof kam nach 1317 aus Familien der lübeckischen Oberschicht.[106] Pleskow und Sachow gedachten mit der Prozession der Wiederherstellung der alten Ordnung nach den Unruhen 1408-1415, die mit einer Ratsneuwahl und der zeitweisen Emigration der bisherigen Ratsherren zum Teil in dramatischen Zügen abgelaufen waren. Vor allem die Bemühungen Jordan Pleskows, der seit 1400 Bürgermeister war, führten zum Erfolg des alten Rates beim Hofgericht sowie bei den Königen Wenzel und Ruprecht. Ihm gelang auch die Vermittlung und die Versöhnung mit dem neuen Rat, so daß 1415 die verbliebenen Mitglieder des alten Rates das Stadtregiment übernahmen, aber auch fünf Mitglieder des Neuen Rates hinzuwählten.[107] Als dieser erfolgreiche Bürgermeister und der Domherr Nikolaus Sachow im folgenden Jahr die Prozession einsetzten, machten sie zum einen ein Versöhnungsangebot und setzten ein Zeichen für Gemeinsamkeiten innerhalb der Bürgerschaft. Zur Teilnahme war die gesamte Einwohnerschaft aufgerufen. Die Stationen nahe der Mauer markierten die Grenzen der Stadt. Zum anderen aber demonstrierten Pleskow und Sachow die wieder errichtete Herrschaft und Macht der ratsfähigen Oberschicht.

Schloß die Lübecker Prozession die gesamte städtische Bevölkerung ein, so blieben die Gedenkprozessionen, die der Kölner Rat 1482 nach der Belagerung von Neuss 1475 und der Niederschlagung eines Gaffelaufstandes

---

105 WEHRMANN, Memorienkalender 123, Anm. 1. Wehrmann gibt als Quelle den Memorienkalender des Domes an. Zur Prozession vgl. JANNASCH, Reformationsgeschichte, 311; HAUSCHILD, Kirchengeschichte, 140
106 Vgl. HOFFMANN, Lübeck, 284-292.
107 Zu den Unruhen 1408-1415 vgl. HOFFMANN, Lübeck, 248-258.

1481/82 stiftete, auf die städtische Obrigkeit beschränkt.[108] Die Prozessionen zielten nicht auf Eintracht, sondern der Rat wollte von seinen Siegen über äußere und innere Feinde *eyne erffliche ewige memorie* halten. Die eine Prozession sollte am 28. Juni, als Karl der Kühne 1475 seine Belagerung aufgegeben hatte, die andere am Fastnachtsdienstag in Erinnerung an die Niederwerfung des Aufstandes am 18. Februar 1482 gehalten werden.[109] Beide Prozessionen unterschieden sich nur durch die Route. Im Juni gingen *unse heren v.r. eyne mit yren burgermeisteren, rentmeisteren ind raitzrichteren, gewelterichteren ind wegemeisteren* vom Rathaus zum Dom, wo sie ein Gebet vor dem Dreikönigs-Schrein sprachen; von dort kehrten sie zum Rathaus zurück. Am Fastnachtsdienstag wurde anstelle des Domes das hochadelige Damenstift Maria im Kapitol besucht. Nach der Rückkehr in die Ratskapelle sollte man bei beiden Prozessionen *eynen gelierden man* haben, der in einer halbstündigen Predigt an den historischen Anlaß erinnerte. Danach feierten die Priester der Ratskapelle eine Marienmesse mit einer Kollekte *vur alle diegene, die van dem regimente dieser heilger stat geweist ind uiss diesem leven verscheiden synt (..) ind dieghenen, noch in leven syn, dat sy also regiren muessen, dat der almechtige got daevanne geeirt ind dat gemeyne gut danaff gebessert werde.* Es folgten Gebete für Frieden, *dat uns der almechtige got vrede ind eyndracht verlenen muesse, diese heilge stat in vreden ind eyndrechticheit zo regiren.*[110] Das „Salve Regina" schloß die Zeremonie ab.[111] Das Totengedenken der Messe war auf den exklusiven Kreis der Regierenden begrenzt. Der Teilnehmerkreis - nur die Ratsherren -, die Route und die in der Predigt erinnerten Ereignisse machten die Gedenkprozessionen zu einer obrigkeitlichen Machtdemonstration, die gleichzeitig das Ratshandeln mit dem Hinweis auf das *gemeyne gut* zu legitimieren suchte.

Gerade die Prozession am Fastnachtsdienstag mußte der Bevölkerung, die weiter mit der steuerlichen Belastung unzufrieden war, als Provokation erscheinen, und so wurde sie Gegenstand des Transfixbriefes vom 15. Dezember 1513, mit dem die Verfassungsänderung nach dem erfolgreichen Aufstand der Gaffeln 1512 schriftlich festgehalten wurde.[112] Zwar wurde die Prozession nicht eingestellt, doch nahm ihr der Transfixbrief die gegen die Opposition gerichtete Aussage: Sie wurde auf den 5. Januar verlegt,

---

108 Zum Aufstand 1481/82 vgl. Loos-Corswaren, Unruhen; Historisches Archiv der Stadt Köln, 81-85.
109 Stein, Akten I, 520. Der 18. Februar 1482 war Rosenmontag.
110 Stein, Akten I, 520.
111 Der Stiftungsbrief ist bei Stein, Akten I, Nr. 278, 519ff. ediert. Zur Prozession vgl. Herborn, Feiertage, 49; Klersch, Volkstum, Bd. 3, 70f.; Schwerhoff, Leben, 58f.
112 St.Chr. Bd. 14, CCXLI-CCXLII (Abschnitt zur Prozession). Zum Aufstand 1512/13 vgl. Loos-Corswaren, Unruhen; Historisches Archiv der Stadt Köln, 85-92.

womit der Verweis auf den niedergeschlagenen Aufstand beseitigt wurde. An der Prozession sollten nun neben dem Rat auch die Vierundvierziger, ein Kontrollgremium der Gaffeln, teilnehmen. Durch die Ausweitung der Partizipation verlor die Prozession ihren exklusiven Charakter. Schließlich sollte nach dem Stift Maria im Kapitol auch der Dom besucht werden, wo am Vorabend von Epiphanie die Kölner Stadtpatrone beehrt wurden. Auch die Route zeigt also eine Öffnung zur gesamten Stadt. Die Bedeutung der Prozession wandelte sich durch diese Änderungen vollständig. Ihre „Apotheose der Ratsmacht und die Verdammung aufmüpfiger Bürger" paßte nicht mehr in die politische Landschaft.[113]

Gedenken war der Movens für die Stiftung von Prozessionen in Erfurt, Münster oder Köln. Nicht immer stand aber das historische Ereignis im Vordergrund, sondern in Erfurt, erkennbar auch in Fulda oder Köln, war das kollektive Totengedenken Ausgangspunkt der Prozessionen, während sich anderswo das Gedenken zu einer exemplarischen Erinnerung an die Überwindung von äußeren und inneren Gefahren verschob. Gedenkprozessionen konstituierten die Stadt als Erinnerungsgemeinschaft. Diese war häufig auf Einheit und Eintracht der städtischen Bevölkerung gerichtet, konnte aber auch, wie in Köln, nur einen Teil der Stadt einbeziehen und die Durchsetzung von Ratsautorität bezeugen. In der Stiftung und Gestaltung rituellen Gedenkens steuerte der Rat die kollektive Erinnerung, doch konnte diese Erinnerungspolitik auch - wie in Köln - Zündstoff für innerstädtische Konflikte bergen.

2.4   Die Prozessionen nach Schmidtstedt und Neuses im 15. und 16. Jahrhundert und nach der Reformation

Obwohl Schmidtstedt und Neuses im Laufe des 15. Jahrhunderts wüst fielen, wurden die Prozessionen bis zur Reformation durchgeführt, wie Einträge in den Rechnungsbüchern sowie Ablässe und Stiftungen bezeugen. Das erste erhaltene Rechnungsbuch von 1486 nennt Ausgaben für *wachs wein tacht* (Tageslohn) *hentschuch und anderes*.[114] Auch in den Büchern des beginnenden 16. Jahrhunderts erscheinen die Prozessionen als Haushaltsposten, der nach dem Ende der Prozession 1525 einige Jahre leer weiterge-

---

113 SCHWERHOFF, Leben, 59.
114 StAE 1-1 XXII-3, Nr. 1a, fol. 63. Zur Überlieferung der Rechnungsbücher vgl. WIEGAND, Stadtarchiv, 110, 153f. Zur Finanzwirtschaft des Rates vgl. BENARY, Vorgeschichte, 33ff.

führt wurde.[115] Ebenso finden sie sich 1505 im Hauptbuch der Kämmerei, der Großen Mater.[116] Bereits 1389, wenige Jahrzehnte nach ihrer Einsetzung, waren die beiden Prozessionen wichtige Stadtereignisse, *quolibet anno duas generales processiones*, die von alters her anerkannt existierten, *processiones ab antiquis per loci ordinarium approbate existunt*.[117] 1438 vergab Berthold Brunquell, Vikar zu St. Severi, sein hinter dem Severihof liegendes Haus „Zu der Affenburg" für die Prozessionen nach Neuses und Schmidtstedt, „welche der Rath zu Erfurt jährlich bei der gewöhnlichen Betfahrt zu geben pflegte".[118] Hintergrund der Stiftung können Teuerung und Pest in den Jahren 1438/39 gewesen sein.[119]

In der Mitte des 15. Jahrhundert erhielt die Kapelle zu Neuses zwei Ablässe, ohne daß die Prozession erwähnt wurde. 1449 erließ Erzbischof Theoderich von Mainz (1434-1459) einen Ablaß von 40 Tagen für den Besuch der Markuskapelle an bestimmten Fest- und Heiligentagen.[120] Zwei Jahre später, 1451, vergab Kardinallegat Nikolaus von Kues 100 Tage Ablaß für den Besuch der Kapelle am Tag der Kirchweihe und am Patronatstag, also am 25. April.[121] Obwohl an diesem Tag die Erfurter nach Neuses zogen, wird die Prozession nicht eigens erwähnt. Einen ähnlichen Ablaß gewährten neun Bischöfe und Kardinäle am 7. Dezember 1500 der Kapelle in Schmidtstedt. 100 Tage Ablaß war für den Besuch an den sechs Tagen vor Trinitatis, am Fest der hl. Cosmas und Damian (27. Sept.), an den sechs Tagen vor Weihnachten und vor dem Quatember in den Fasten sowie am Kirchweihfest zu erlangen.[122] Wieder wird die Prozession am Kirchweihtag, dem Freitag nach Pfingsten, nicht genannt, aber indirekt mit einem Ablaß bedacht. Explizit finden die Prozessionen erst wieder 1502 Erwähnung. Kardinallegat Raymund Peraudi bestätigte bestehende Ablässe und vergab auf Bitten des Rates einen eigenen Ablaß von 100 Tagen für die Prozessionen nach Schmidtstedt und Neuses. Die Urkunde nennt weder die Patrozinien der Kirchen noch die genauen Termine, sondern erklärt, *quod in dicto*

---

115 StAE 1-1 XXII-3, Nr. 2 ff. (1512, 1516, 1518-20, ab 1528 durchgängig). Vgl. WEISS, Bürger, 171.

116 StAE 1-1 XXII-2, Nr. 1, fol. 110-112'. Das Hauptbuch ist für den hier interessierenden Zeitraum nur für 1505 erhalten.

117 StAE 0-0/C Schmidtstedt 2; UB Erfurt II, 985 (Regest).

118 HARTUNG, Häuser-Chronik, Bd. 2, 231.

119 Vgl. SPIEGLER, Pest, 78.

120 StAE 0-0/C Neuses 3 (1449 September 7).

121 StAE 0-0/C Neuses 4 (1451 Juni 5).

122 HARTUNG, Häuser-Chronik, Bd. 2, 231f.

opido Erfordensis duas solempnes processiones annuatim extra dictum opidum vna ad ecclesiam neusses alia vero ad ecclesiam Schmedstet stattfänden.[123]

Die Ablässe, Stiftungen und Rechnungen belegen nicht nur die durchgängige Existenz der Prozessionen bis zur Reformation, sondern vor allem das Hauptrechnungsbuch von 1505 gewährt Einblicke in die Gestaltung.[124] Wenige Tage vor den Prozessionen mußten die zur Teilnahme verpflichteten Personen an das bevorstehende Ereignis erinnert werden. Im April erhielt der Unterkämmerer, ein Ratsmitglied, dafür eine Weingabe, während vor der Prozession nach Schmidtstedt zwei Kämmererknechte für die gleiche Aufgabe mit Geld entlohnt wurden. Der Kohlenmarkt unterhalb des Domberges mußte gereinigt werden, da hier die Prozession endete. Um die Bevölkerung zur Teilnahme zu motivieren, wurden die Ablässe einige Tage vorher verlesen. Das Läuten der großen Glocke, wohl der Marienkirche, eröffnete den Prozessionstag. Bei den Bittgängen wurden Fahnen und Kerzen mitgeführt; den Trägern wurde neben Lohn *1 polich klarett*, also gewürzter Wein, gereicht. Andere Knechte trugen einen großen und einen kleinen Krug sowie Flaschen, möglicherweise Wegzehrung oder Wein für den langen Weg. Für Musikbegleitung sorgten Pfeiffer. Acht-, Kämmerer- und Marktknechte sowie der Treppenknecht und der *spiser*, wohl ein bewaffneter Soldat, verrichteten Ordnungsaufgaben.

Wachs und Kerzen stellten einen großen Ausgabeposten dar. Matthis Nüvestadt, einer der Achtknechte des Rates, erhielt Tageslohn und Verpflegung, *tacht und kost*, weil er die Kerzen herstellte; der Kirchner von St. Bartholomäus fertigte sie gegen Lohn. Diese Ausgaben decken sich mit der Verpflichtung des Rates von 1355, die Herstellungskosten der Kerzen zu tragen. Neben dem Lohn mußten das Wachs und verschiedene Kerzensorten, *steckelichte, altte lychtt, unser lieben frawe licht* oder *licht auff der procession*, bezahlt werden. Auch die Weinspende, die der Rat gemäß der Stiftung von 1357 bestimmten teilnehmenden Personen reichte, findet sich in den Ausgaben wieder. Ausgeschenkt wurden Malvasier und Honigwein. Die Teilnahme der Bettelorden wurde mit Naturalien entlohnt: Die Franziskaner, die Serviten (Marienknechte) und die Augustiner-Eremiten erhielten Semmeln, die Prediger zusätzlich Käse. Ankündigung und Vorbereitung der

---

123 StAE 0-0/A 25, Nr. 16 (1502 Nov. 28). - Raymund Peraudi (1435-1505) war seit 1476 als Ablaßkommissar tätig. 1491 wird er Bischof von Gurk, 1493 Kardinal. 1501 bis 1504 reiste er in Deutschland und Skandinavien als Legat, um unter anderem den Jubiläumsablaß für die Türkenkriege zu verkünden. Zu Peraudi vgl. RÖPCKE, Geld. Zu seinem Aufenthalt 1502 in Erfurt vgl. MEHRING, Kardinal, 389.

124 Zum folgenden vgl. StAE 1-1 XXII-2, Nr. 1, fol. 112-112'.

Prozessionen, ihre Ausgestaltung mit Kerzen und Fahnen, mit Musikern und Ordnungskräften und schließlich die Sicherung der Teilnahme bestimmter Gruppen der Geistlichkeit durch Präsenzgaben lagen in den Händen des Rates und entsprechende Lohn- und Sachkosten wurden aus der Stadtkasse bezahlt wurden.

Diesen Ausgaben voran geht eine Rubrik mit dem Titel: *Disen nachgeschrieben gibt man hentschuh zu den processien.*[125] Der Haushaltsposten beginnt mit dem Abt von St. Peter, der vier Paar ohne Pelz, ein samtenes Paar und zwei weitere Handschuh erhielt. Insgesamt gibt es 61 Einträge, von denen einige durchgestrichen sind. Die letzte Zeile nennt den Schenken mit seinen zwei Knechten, alle erhalten je ein Paar Handschuhe. Gekauft hatte der Rat die Textilien für 6 d. das Paar von Gunnar Hottemann. Eine entsprechende Stiftung, die die Beweggründe verraten würde, ist nicht überliefert. Um so mehr sind wir für eine Erklärung auf die Analyse der Beschenkten angewiesen. Diese lassen sich in vier Gruppen teilen: Geistliche, Personen im Umfeld des Rates, Beamte der Geistlichkeit und des Bischofs sowie städtische Bedienstete. Außerdem erfüllten einige Personen, wie der Ablaßverkünder, Aufgaben für die Prozession. Zur Gruppe der Geistlichen zählen die Äbte von St. Peter (1505 stand Johannes Bottenbach den Benediktinern als Abt vor) und St. Jakob (1505 war ein Nikolaus oder ein Aland Abt der Schottenmönche[126]) sowie die Pröpste der vier Frauenklöster. Weiter erhielten der Pfarrer von Neuses, ein Kantor - dieser Eintrag ist allerdings durchgestrichen - und der Weihbischof Johannes Laasphe Handschuhe.[127] Von den Ratsherren bekamen die vier Ratsmeister, die Vierherren, die 18 Ratskumpane und die beiden Kämmerer Handschuhe in unterschiedlicher Qualität und Anzahl. Neben dem sitzenden Rat wurden die Achtherren bedacht. Verwandte (*gefrunde*) von Heinrich Kelner und Thilo Ziegler, die einzigen Ratsherren, die namentlich genannt werden, erhielten ebenfalls Handschuhe: *czu tiley ziegelers gefrunde II par czuh.* Beide waren 1505 keine Mitglieder des sitzenden Rates, gehörten aber als oberster Ratsmeister bzw. oberster Vier-

---

125 StAE 1-1 XXII-2, Nr. 1, fol. 111-111'.

126 Vgl. FRANK, Peterskloster, 271; SCHOLLE, Schottenkloster, 77f. Nikolaus war von 1494 bis 1505, Alanus 1505 bis 1506 Abt des Schottenklosters; Scholle nennt leider keine genaueren Daten.

127 Johannes Bonemilch, gebürtig aus Laasphe, war von 1498 bis 1510 Weihbischof; er hatte das Titularbistum Sydon in Syrien inne. Als Doktor der Theologie war er 1505 Rektor der theologischen Fakultät; dieses Amt bekleidete er dreimal. Vgl. FELDKAMM, Nachrichten, 64f.

herr des Jahres 1503 zu den Achtherren.[128] Wahrscheinlich war ihre Stellung
an der Spitze Erfurts der Grund, weshalb Familienmitglieder Geschenke
erhielten. Die in der Liste genannten Beamten der Geistlichkeit und des
Bischofs hatten durchgängig gerichtliche Funktionen inne. Erwähnt werden
der Schultheiß und sein Gericht, der Offizial des bischöflichen Gerichtes
mit den beiden Bütteln und der Offizial des Propsteigerichtes. Der größte
Teil der Begünstigten stand jedoch in städtischen Diensten; mindestens 35
von 61 Einträgen lassen sich dieser Kategorie zuordnen. Hierzu gehörte die
städtische Kanzlei mit dem Protonotar Henning Goede an der Spitze. Neben den beiden Schreibern sollte die Frau des Unterschreibers ein Paar rote
Handschuhe erhalten; sie ist die einzige Frau der Liste und arbeitete wohl
auch in der Kanzlei. Weiter werden militärische Bedienstete wie der
Hauptmann der Cyriaksburg genannt. Schließlich findet sich eine Vielzahl
von Personen mit ausführenden Tätigkeiten, wie die Marktknechte oder der
Schenk, in der Liste. Die städtischen Bediensteten werden durchgängig mit
ihren Berufsbezeichnungen aufgeführt. Außer Henning Goede ist nur der
Treppenknecht Tuzell Güeli mit Namen genannt. Bei den Achtknechten ist
hinzugefügt, daß Matthes Nüvestad keine Handschuhe erhielt; er wurde
bereits für die Kerzenherstellung entlohnt.

Die große Zahl der städtischen Bediensteten unter den Begünstigten
birgt den Schlüssel zum Verständnis der Geschenke. Handschuhe hatten im
Mittelalter zum einen symbolische Bedeutungen: Sie waren Amtszeichen
von Bischöfen und Äbten sowie von weltlichen Herrschern und fanden als
Symbole bei Rechtsvorgängen Verwendung. Zum anderen wurden modisch
gestaltete Handschuhe verschenkt, vor allem bei Taufen oder Hochzeiten.
Der Handschuh galt als unverbindliche Gabe. Nach einer Straßburger Ver-
ordnung aus dem 15. Jahrhundert durfte ein Amtmann Handschuhe oder
andere Kleidungsstücke annehmen, während Geld als Bestechung galt.[129]
Hier liegt die Bedeutung der Erfurter Handschuhe. Sie waren vorrangig eine
Lohnzulage, die anläßlich der Prozession gewährt wurde. Die Zuteilung war
nicht unmittelbar mit der Teilnahme an den Prozessionen verbunden - im
Gegensatz zur Weinstiftung, die nur teilnehmenden Personen gewährt wurde -, sondern die Prozessionen waren Anlaß für eine Gabe, die Verdienste
auszeichnete und eine Beziehung zwischen den Begünstigten und der Stadt
Erfurt herstellte.[130] Die institutionalisierte Form des Schenkens - die Nen-

---

128 Vgl. StAE 2-120/2. Zu Ziegler und Kelner vgl. BIEREYE, Erfurt, 53 (Kelner), 124
(Ziegler).
129 Vgl. SCHWINEKÖPER, Handschuh; zu Handschuhen als Geschenk vgl. ebenda, 129-135.
130 Vgl. MAUSS, Gabe.

nung in der Großen Mater - schuf eine Verpflichtung zu Gegenleistung, konkret zu Diensten und Loyalität.

Die Reformation beendete vorerst die Erfurter Prozessionen. 1523 und 1524 verweigerte der Rat die Weinspende; mit der Suspendierung der Messe 1525 wurden auch die städtischen Prozessionen aufgegeben. Dieser Vorgang, der in vielen Städten zu beobachten ist, soll in einem späteren Kapitel genauer untersucht werden. In Erfurt allerdings bewirkte die Reformation nur eine Unterbrechung im Prozessionswesen. Nach dem schnellen Übergang zur protestantischen Lehre sah sich die Stadt zu Verhandlungen mit dem Mainzer Stadtherrn gezwungen, um der Gefahr einer Unterwerfung unter die umliegenden, protestantischen Territorialmächte zu entgehen. Im Vertrag von Hammelburg von 1530 wurde beiden Konfessionen das Recht auf Religionsausübung gewährt. 1580 waren 95% der Erfurter Bevölkerung evangelisch. Die katholische Minderheit lebte vorwiegend im Stadtteil Brühl im Umkreis der erzbischöflichen Behörden. Für sie waren die Prozessionen eine Möglichkeit, katholischen Glauben und Verbundenheit mit der Stadtgeschichte kundzutun. Die Prozessionen der Gegenreformation bilden jedoch einen eigenen Untersuchungsgegenstand, und so können hier nur einige grundlegende Tendenzen in der Fortführung der behandelten Prozessionen beschrieben werden, ohne den Anspruch zu erheben, Akteure und Inhalte umfassend zu analysieren. 1581 richtete der Weihbischof Elgard die Schmidtstedter Prozession wieder ein; sie nahm auch das Gedenken der Pesttoten auf, während der Gang nach Neuses fallengelassen wurde.[131] Prozessionstermin war nun der Freitag nach Ostern. Als Bittgang mit Gebeten und Liedern hatte die Prozession nach Schmidtstedt den Charakter einer Wallfahrt. Ziel war zunächst nur der Friedhof, da den Katholiken erst 1615 die Schmidtstedter Kirche zugesprochen wurde. Über Dittelstedt und Daberstedt ging es zurück nach Erfurt. Durch die Stadt konnte die Prozession wegen der Konfessionsverhältnisse nicht gehen; die Teilnehmenden sammelten sich vor dem Schmidtstedter Tor. Mit der Prozession knüpften die Erfurter Katholiken an kirchliche und städtische Traditionen an. In einem Prozessionsaufruf heißt es: *Die gewöhnliche procesßionen nach Schmidtstädt von uhralten Zeiten von denen Christ-Catholischen Vorfahren alhiesiger Stadt löblich angeordnet und biß hiehin in derjeniger Gottgefälliger Absicht beständig fortgeführet worden.*[132] Meisner urteilt: „Man verstand sich also mit der Erfüllung dieses

---

131 Zur Schmidtstedter Prozession nach der Reformation vgl. MEISNER, Frömmigkeitsformen, 183-196.

132 BAEf, GG. III, D 4, zitiert nach MEISNER, Frömmigkeitsformen, 187.

Gelöbnisses als guter Katholik und auch als guter Erfurter Patriot."[133] Hatte die nachreformatorische Fronleichnamsprozession die Bedeutung, die katholische Konfession gegenüber der protestantischen Bevölkerungsmehrheit zu demonstrieren, so signalisierte die Wiederaufnahme der Prozession nach Schmidtstedt das Anknüpfen an städtische Geschichte und Traditionen.

Wegen des schwedischen Einfalls setzte die Prozession nach 1631 aus. 1650 ordnete ein kaiserlicher Restitutionsrezeß an, die Prozession dürfe nicht behindert werden. Aufgrund der Mainzer Oberhoheit bestand seit 1664 die Möglichkeit, durch die Stadt bis zur Heilig-Kreuz-Kirche (Neuwerkskirche) zu ziehen. Organisator war nun, im Gegensatz zum Mittelalter, die kirchliche Autorität. Weihbischof Johann Friedrich von Lasser erneuerte die Prozession 1753, indem er sieben Prozessionen, beginnend am ersten Freitag nach Ostern und endend am Freitag vor Pfingsten, anordnete. Der frühe Termin führte zu beständigen Eingaben beim Generalvikariat in Paderborn auf Änderung wegen der schlechten Witterung, doch wurde lediglich eine flexiblere Wahl der Freitage gewährt. Die Leitung der Prozessionen übernahmen die Erfurter Stadtpfarrer nach einer festgelegten Reihenfolge. Die katholischen Pfarrschulen waren zur Teilnahme verpflichtet, und als es am Ende des 19. Jahrhunderts noch 100-200 Teilnehmende gab, stellten Schulkinder den Großteil der Anwesenden. In dieser Zeit störten auch Verkehr und Belästigungen durch Fabrikarbeiter die Prozession, die durch einen nun industrialisierten Stadtteil Erfurts führte. Doch erst 1923 kam die Erlaubnis, die Prozession einzustellen. Statt dessen sollten am Prozessionstag in den Pfarrkirchen das Requiem gesungen und die Allerheiligenlitanei gebetet werden. Das Requiem wurde für die Verstorbenen der Pestzeit und für die Gefallenen des 1. Weltkrieges aus der Gemeinde gefeiert. Erfurt gedachte noch immer seiner Toten aus dem 14. Jahrhundert, aktualisierte aber das Gedenken um ein einschneidendes Ereignis des 20. Jahrhunderts.

---

133 MEISNER, Frömmigkeitsformen, 187.

3. Repräsentation: Die Adolar- und Eoban-Prozession

Neben den jährlichen Prozessionen nach Neuses und Schmidtstedt kannte das spätmittelalterliche Erfurt einen weiteren Umgang, dessen Ordnung der Rat im Anhang der 1452 niedergeschriebenen Verfassung regelte. Unter der Überschrift *So man die bischoff umbtreget* heißt es: *Als man die heyligen bischoff sanctum Eobanum und sanctum Adelarium, die uff dem berge zu unser lieben frawen in des heiligen bluts capellen leiphafftig liggen, ye uber sieben jhor uf den sontag Trinitatis, alszdan ablas in derselben kirchen ist, plegt in der procession, als man das creutze treyt, mit umme zu tragen, so hott mans also gehalden, nehmlichen anno domini LI.*[134] Alle sieben Jahr am Sonntag Trinitatis, so auch 1451, sollte der Rat vom Rathaus am Fischmarkt zur Marienkirche ziehen, wo er sich mit der Geistlichkeit zu einer gemeinsamen Prozession vereinigte. Zusammen mit sechs Kanonikern des Marienstiftes trugen die Achtherren die Reliquienschreine mit den hl. Adolar und Eoban sowie den hl. Severus und Innocentia um den Domberg. Anschließend wurde in St. Marien eine Messe gelesen, nach der der Rat wieder zum Rathaus zurückkehrte. Mit der Erfurter Adolar- und Eoban-Prozession kann die für Nürnberg entwickelte Differenzierung nach Handlungsträgern aufgegriffen und durch den Vergleich zweier Partizipationsmodelle in einer Stadt vertieft werden. Der Reliquienprozession, an der vorrangig Geistliche, Mitglieder des Rates sowie bewaffnete Männer als Begleitung teilnahmen, lassen sich die zwei Bittprozessionen der Jahre 1482 und 1483 gegenüberstellen, zu denen die gesamte geistliche und weltliche Einwohnerschaft Erfurts aufgerufen war.

3.1 Adolarverehrung und die Anfänge der Prozession

Die spätmittelalterliche Adolarverehrung verweist zurück auf die Gründungszeit Erfurts. Mit einem ersten Besuch 719 und der Gründung des Klosters Ohrdruf 725 begann Bonifatius seine Missionstätigkeit in Thüringen. 741/42 errichtete er neben Würzburg und Büraburg auch das Bistum Erfurt. In seiner Anfrage an Papst Zacharias, die Bistümer zu bestätigen, wird Erfurt erstmals schriftlich erwähnt.[135] Als Bischof für Erfurt setzte er Willibald ein, der jedoch vorwiegend in Eichstätt tätig war.[136] Wahrscheinlich bereits Bonifatius selbst gliederte Büraburg und Erfurt dem Erzbistum

---

134 MICHELSEN, Ratsverfassung, 46.
135 Das Gründungsjahr ist in der Forschung umstritten. Vgl. MICHELS, Gründungsjahr; STAAB, Gründung; KADENBACH, Ersterwähnung; MÄGDEFRAU, Erfurt, 21f.; GOCKEL, Funktionen, 88ff.; HEINEMEYER, Erfurt.
136 Zu Willibald vgl. PFEIFFER, Erfurt; DICKERHOFF (Hg.), Willibald.

Mainz ein, dessen Bischofsstuhl er seit 746/47 innehatte.[137] Auf dieses
kurzlebige Bistum Erfurt nimmt die Verehrung eines Bischofs Adolar im
15. Jahrhundert Bezug. Wichtiger als das Bischofsamt war zunächst aber,
daß das Marienstift seine Gründung auf Bonifatius zurückführte. Dieser
soll, so ein Kanoniker in der zweiten Hälfte des 13. Jahrhunderts, 752 das
Kloster St. Marien errichtet haben.[138] Tatsächlich gibt die Vita des Bonifati-
usschülers Gregor von Utrecht an, Bonifatius habe um 725 eine Kirche in
Erfurt gegründet, die vermutlich an der Stelle der späteren Marienkirche
stand.[139] Belegt ist die Existenz der Kirche allerdings erst in der zweiten
Hälfte des 11. Jahrhunderts; urkundlich erwähnt wird sie 1117.[140]

Bonifatius starb am 5. Juni 754 in Dokkum gemeinsam mit Adolar und
Eoban den Märtyrertod. Während von Eoban bekannt ist, daß er als englischer Priester mit dem Missionar nach Deutschland kam, 735 als Briefbote
nach England reiste und 753 Diözesanbischof von Utrecht wurde, fehlen
über den Märtyrertod hinausgehende Informationen zu Adolar. Nach 756
überführte der Fuldaer Abt Huoggi (891-915) Adolars und Eobans Gebeine
von Utrecht nach Fulda und bestattete sie neben Bonifatius.[141] Wahrscheinlich vor der Wende zum 12. Jahrhundert gelangten die Reliquien nach Erfurt. In Fulda ließ der Kult für die beiden Gefährten des Missionars im
11./12. Jahrhundert nach, um im Spätmittelalter ganz zu erliegen. Ansätze
einer Verehrung in Erfurt werden zu Beginn des 12. Jahrhunderts sichtbar.
Im 1104/05 geweihten Hauptaltar von St. Peter befanden sich unter anderem Reliquien eines Märtyers *Adelharii*; Reliquien von Eoban lagen im 1145
geweihten Heilig-Kreuz-Altar des gleichen Klosters.[142]

Ihren eigentlichen Beginn erlebte die Adolar- und Eoban-Verehrung
nach 1154, als das Marienstift sich die Heiligen zu eigen machte. 1154 sollen
ihre Gräber, so die Chroniken des Erfurter Petersklosters aus dem 12. und
13. Jahrhundert, beim Neubau der Marienkirche entdeckt worden sein. Erzbischof Arnold von Mainz (1153-1160) gab wenig später die Zustimmung,
die Gebeine Adolars am 20. April, diejenigen von Eoban am 26. Juli 1154
feierlich zu heben und einer seiner Nachfolger, Christian I. (1165-1183),
ordnete an, die Tage der Erhebung anstelle des Gedenkens an das Martyri-

---

137 Vgl. GOCKEL, Funktionen, 88ff.
138 MonErphes, 778. Vgl. WERNER, Gründungstradition, 97f.
139 EBERHARDT, Erfurt; GOCKEL, Funktionen, 88; HEINEMEYER, Erfurt, 63;
    TIMPEL/ALTWEIN, Erfurt, 74f.
140 Vgl. BEYER, Stiftskirche, 126ff.; WERNER, Gründungstradition, 94; LEHMANN, Dom, 10.
141 Vgl. WERNER, Gründungstradition, 98f.
142 Vgl. ebenda, 102.

um (5. Juni) jährlich zu feiern.[143] In den Ereignissen des Jahres 1154 sehen die bis 1163 reichenden und damit zeitgenössischen „Annales S. Petri Erphesfurtenses Antiqui" die für die Reliquienverehrung notwendigen Schritte der Elevatio und Translatio, „die man in ihrer Wirkung als ‚Heiligsprechung' ansehen muß": *MCLIIII. XII. Kal. Maii. Translatio sancti Adelharii in Erphesfurt.*[144] Die in ihrem Hauptteil bis 1208/09 entstandene „Cronica S. Petri moderna" betont dagegen mehr die Wiederauffindung der Heiligen: *Eodem anno XII. Kal. Maii inventus est sanctus Adelarius et VII. Kal. Augusti sanctus Eobanus in monasterio sancte Marie virginis Erfordie.*[145] Zur Förderung des Kultes der beiden Heiligen entstand wohl ebenfalls in der Mitte des 12. Jahrhunderts der Translationsbericht, der die direkte Überführung der Gebeine von Utrecht nach Erfurt durch Lullus (gest. 786) glauben machen will.[146]

Mit der Auffindung und der Überführung waren die beiden Heiligen eindeutig mit St. Marien verbunden. Wirtschaftlicher Anlaß und „praktischer" Grund, die Gräber zu finden, war der Neubau der Stiftskirche. Die Verehrung von Adolar und Eoban trug durch den Zustrom von Pilgern und durch Stiftungen zur Finanzierung des Kirchenbaus bei. Auch die 400jährige Wiederkehr des Märtyrertodes mochte Motiv für die Neubelebung des Kultes sein. Letztlich zielte die von St. Marien geförderte Adolar- und Eoban-Verehrung auf Bonifatius. Die Gebeine seiner Gefährten bildeten einen Ersatz für die nicht zugänglichen Reliquien des als Gründer des Stiftes verehrten Missionars. Dies zeigt sich unter anderem in der Liturgie zu Ehren der Heiligen. Ein Reimantiphonar für den Festtag Adolars, das Joseph Klapper auf die Mitte des 13. Jahrhunderts datiert, verehrt nicht nur diesen Heiligen, sondern gleichsam auch Eoban und Bonifatius.[147] Die

---

143 MonErphes, 19, 57, 178, 779, 792. Zur Hebung der Reliquien vgl. BEYER, Stiftskirche, 127f.; SCHÖNTAG, Untersuchungen, 70f.; WERNER, Gründungstradition, 98-105; MÄGDEFRAU/LANGER, Entfaltung, 58. Nach FALCKENSTEIN, Civitatis Erfurtensis Historia, 90, richtete Erzbischof Christian II. (1249-51) die jährliche Feier der Erhebung der Gebeine ein. Seine Quellenangaben lassen sich allerdings nicht nachvollziehen; Falckenstein verwechselte Bischof Christian I. mit einem Nachfolger gleichen Namens, der die Verehrung einer Hostie, die 1249 in der Hospitalskirche St. Martin Wunder gewirkt haben soll, förderte und am 14. Januar 1250 in feierlicher Prozession zur Marienkirche bringen ließ. Vgl. MonErphes, 107, 243. Zu dieser Verwechselung vgl. auch WERNER, 104, Anm. 361. - Zur Chronistik des Petersklosters vgl. PATZE, Landesgeschichtsschreibung, 97-103.

144 MonErphes, 19; ähnlich ebenda, 57.

145 Ebenda, 178.

146 Vgl. WERNER, Gründungstradition, 98, 100 (Anm. 350).

147 BAEf Hs. liturg. 6a (Antiphonar, 15. Jh.), fol. 196'-198. Der Text ist ediert bei KLAPPER, Blutskapelle, 282ff. Zur Datierung vgl. ebenda, 282.

Festtage von Adolar, Eoban und Bonifatius wurden in ähnlicher Weise mit Umgängen vom Chor zum jeweiligen Altar begangen.[148] Adolar und Eoban waren jedoch nicht nur Ersatz für Bonifatius, sondern personifizierten die enge Bindung zwischen Erfurt und Mainz. In der Mitte des 12. Jahrhunderts war die erzbischöfliche Verwaltung in Erfurt gefestigt, doch mochte eine Betonung der Zugehörigkeit angesichts erster Streitigkeiten 1141 zwischen den Stadtbewohnern und Vertretern der erzbischöflichen Stadtherrschaft notwendig erscheinen.[149]

Die Verehrung des 12. Jahrhunderts galt den Märtyrern und Gefährten von Bonifatius. Adolar wird noch nicht, wie in der Prozessionsordnung von 1452, als Bischof angesehen. Diese Zuschreibung findet sich erstmalig im bereits erwähnten Reimantiphonar aus der Mitte des 13. Jahrhunderts. Ein Responsorium lautet:

Sancto Bonifacio	Während der Heilige Bonifatius
Fulde sepulto,	in Fulda begraben liegt,
beatorum pontificum et martirum	wurden die Körper der seligen Bischöfe und Märtyrer
corpora Eobani et Adelari	Eoban und Adolar
Erfordiam sunt translata	nach Erfurt überführt
et ibidem reverenter	und dort ehrerbietig
tumulata.	begraben[150]

Überliefert ist die Antiphon in einer liturgischen Handschrift des 15. Jahrhunderts, so daß die Datierung auf das 13. Jahrhundert unsicher bleiben muß. Eindeutig in die zweite Hälfte des 13. Jahrhunderts zu datieren sind die bereits erwähnten Aufzeichnungen des Kanonikers des Marienstiftes, in denen er von den Bischöfen Adolar und Eoban spricht: *Anno Domini MCLIIII corpora sanctorum episcoporum Adelarii et Eobani in Erfordia sepulta in monasterio beate Marie virginis inventa sunt et cum magna gloria translata.*[151] Auch als der Ritter Hermann, genannt Stranz, aus Döllstedt am 1. Dezember 1309 dem Marienstift eine halbe Hufe für einen neuen Altar in der Marienkirche

---

148 BAEf Hs. liturg. 5 (fol. 16-63: Rituale aus dem 15. Jahrhundert), fol. 27'-28' (Adolar), 31' (Bonifatius), 40 (Eoban).

149 Zur Erfurter Stadtgeschichte im 12. Jahrhundert vgl. MÄGDEFRAU/LANGER, Entfaltung, 55-62; MÄGDEFRAU, Erfurt, 26f.

150 KLAPPER, Blutskapelle, 283. Übersetzung: A.L. Der Text zeigt, wie der Translationsbericht des 12. Jahrhunderts Eingang in liturgische Texte fand und zur offiziellen Version des Marienstiftes wurde. Vgl. WERNER, Gründungstradition, 100f.

151 MonErphes, 779. Zur Datierung vgl. HOLDER-EGGER, Studien IV, 126; WERNER, Gründungstradition, 97 (Anm. 343), 99f. (Anm. 350).

übereignete, *super quo sanctorum martirum et pontificum, scilicet Adelarii et Eobani, reliquie sunt locate*, wird Adolar als Bischof angesehen.[152] An die Stelle des vergessenen Willibalds trat seit der zweiten Hälfte des 13. Jahrhunderts Adolar als von Bonifatius eingesetzter erster und einziger Bischof Erfurts. Die Adolarverehrung hatte damit eine neue Bedeutung erhalten. Waren Adolar und Eoban bisher dem Marienstift Ersatz für Reliquien des Bonifatius gewesen und standen für die enge Bindung an Mainz, konnte ein Bischof Adolar nun eine eigenständige Verehrung begründen. Es mag die Versuchung bestehen, die Umdeutung mit Unabhängigkeitsbestrebungen Erfurts in Verbindung zu bringen. Doch ging dieser Prozeß nicht von städtischer Seite aus, sondern findet sich zuerst in liturgischen Handschriften und chronikalischen Aufzeichnungen des Marienstiftes.

Eine Prozession mit den Reliquien der beiden Heiligen am Sonntag Trinitatis ist erst seit 1451 belegt. Ihre Anfänge sind unbekannt. Seit der ersten schriftlichen Überlieferung stand die Prozession unter ratsherrlicher Regie, doch zeigen mehrere Gestaltungselemente einen Bezug zu klerikalen Prozessionen der Stifte. Der Kern der Prozession war ein Umgang um den Domberg, zu dem sich Geistlichkeit und Ratsherren, die die Strecke zwischen Rathaus und Dom ohne Klerus zurücklegten, vereinigten. Der Umgang führte entlang der Straßen „Beim Falloch" und „Unter den Schilderern", die den Residenzbereich der Stiftskanoniker begrenzten.[153] Innerhalb des umschrittenen Bereichs befanden sich mehrere erzbischöfliche Gebäude, unter anderem das Residenzgebäude des 12. und 13. Jahrhunderts. Mit dem Gang über den Severi-Kirchhof schritten Rat und Klerus den traditionellen Prozessionsweg des Marienstiftes ab; sie berührten ausschließlich Bezugspunkte der Geistlichkeit.[154] Weiter wurden die Vorbereitungen von den Stiften eingeleitet: Mehrere Domherren von St. Marien und St. Severi sollten zu Jahresbeginn den Rat erinnern, daß die Prozession stattfinden werde. Für den Sonntag Trinitatis erwähnen die liturgischen Quellen von St. Marien allerdings keine Prozession, die Vorläuferin der städtischen hätte sein können, sondern sie kennen nur Umgänge innerhalb der Kirche an den Festtagen der Heiligen (20. April, 5. Juni und 26. Juli).[155] Die städtische

---

152 UB Erfurt I, Nr. 554.

153 Vgl. PILVOUSEK, Prälaten, 28. Zur Prozessionsroute vgl. die Karten im Anhang S. 345.

154 Vgl. BEYER, Stiftskirche, 143f.

155 Vgl. insbesondere das Rituale aus dem 15. Jahrhundert (BAEf Hs. liturg. 5, fol. 16-63). Dieses erwähnt Prozessionen im Klosterbereich oder innerhalb der Kirche an folgenden Tagen: Weihnachten, Epiphanie, Lichtmeß, Mariä Ann., *in die sanguinis domini*, Osternacht, Adolar, Pfingsten, Bonifatius, Kirchweih (Sonntag nach Jacobi), Fronleichnam, Johannes Baptista, Petrus, Eoban, Mariä Himmelfahrt, Mariä Geburt, Michael, Allerhei-

Prozession war mit dem Sonntag Trinitatis in die Zeit zwischen Pfingsten und Fronleichnam gelegt, in der - wie bereits ausgeführt - viele Städte Prozessionen abhielten.[156] Ob Zusammenhänge zwischen der Adolar- und Eoban-Prozession und der Messe, die der Erzbischof von Mainz traditionell am Samstag vor Trinitatis in Erfurt abhielt, bestehen, ließ sich nicht ermitteln.[157]

Nach der ersten Erwähnung fand die Prozession nachweislich in den Jahren 1465, 1472, 1479, 1507, 1514 und 1521 statt.[158] Aufgrund des damit dokumentierten Siebenjahres-Rhythmus ist anzunehmen, daß die Prozession auch in den übrigen Jahren (1458, 1486, 1493, 1500) abgehalten wurde. Seit der zweiten Hälfte des 15. Jahrhunderts ist die Adolar- und Eoban-Prozession nicht nur kontinuierlich belegt, sondern in dieser Zeit verfaßte der Rat 1452 und 1465 kurz hintereinander zwei Ordnungen. Um 1500 wurde die Fassung von 1465 erneut abgeschrieben.[159] In der Mitte des 15. Jahrhunderts bestand für den Rat also die Notwendigkeit, den Ablauf der Prozession zu fixieren. Die Adolarverehrung wurde reflektiert und bewußt gestaltet, auch wenn die Ordnungen eine alte Tradition vorgeben, wenn es heißt, der Umgang werde *nach alder guter gewonheyt* abgehalten.[160] Die Anfertigung eines neuen Reliquienschreins 1477 spiegelt ebenfalls die bewußtere Gestaltung der Adolarverehrung in dieser Zeit wider.[161] Der neue Schrein

---

ligen, Martin. Am Markustag und zu Christi Himmelfahrt fanden keine Prozessionen statt.

156 StAE 5-100/3, fol. 476' und FALCKENSTEIN, Civitatis Erfurtensis Historia, 332, geben als Datum den Donnerstag nach Trinitatis, also den Fronleichnamstag an. Sie lasen die Beschreibung von 1465 falsch. Da einige Historiker ihre Informationen aus diesen Quellen bezogen, taucht so eine sonst nicht belegte Fronleichnamsprozession in der Erfurter Stadtgeschichte auf. Vgl. KOLDE, 24; MEISNER, 1, 100. BEYER, Erfurt, 233, dagegen richtig Sonntag Trinitatis.

157 Vgl. NIKOLAUS VON SIEGEN, 467.

158 1465: StAE 2-155/5, fol. 29; 1472, 1479, 1521: StAE 5-100/3, fol. 480; 1507: StAE 5-100/4, fol. 252'. 1514: VARILOQUUS, 193-194. FALCKENSTEIN, Civitatis Erfurtensis Historia, 333, gibt die Jahre 1472 und 1497 bis 1521 an. Dies ist ein Abschreibefehler - die Zahl 1479 wurde in 1497 gedreht.

159 1451: MICHELSEN, Ratsverfassung, 46f. 1465: StAE 2-155/5, fol. 29-31. Um 1500: StAE 2-122/5, fol. 27'-28. Eine Chronik schrieb die Ordnung von 1465 ab: StAE 5-100/3, fol. 476'-480. HARTUNG CAMMERMEISTER, 128ff., berichtet zwar über den Aufenthalt von Nikolaus von Kues vom 29. Mai bis 6. Juni 1451 und die Empfangsprozession, erstaunlicherweise jedoch nicht über die Adolar- und Eoban-Prozession wenige Tage später, bei der er einen Ehrenplatz einnahm.

160 StAE 2-155/5, fol. 29.

161 Vgl. KLAPPER, Blutskapelle, 280.

belegt zugleich eine gesteigerte Bedeutung der Prozession, die einen auf-
wendigeren Schmuck notwendig machte.

3.2 Verlauf der Adolar- und Eoban-Prozession

Zunächst soll der Ablauf der Prozession rekonstruiert werden, wie er sich
aus den Ratsordnungen von 1452 und 1465 ergibt, ohne daß an dieser Stelle
bereits die Bedeutung der Akteure und ihrer Handlungen genauer analysiert
wird.[162] Auch wenn die Organisation in den Händen des Rates lag, konnte
er die Prozession nicht ohne Geistlichkeit - vor allem nicht ohne das Mari-
en- und das Severistift - durchführen. Die Stifte verwahrten die Reliquienschreine und sicherten die religiöse Zielsetzung der Prozession, *gote dem
herren, marien syner werden mutter und den lieben heyligen zcu eheren vnd lobe.*[163] Den
offiziellen Anstoß, die Prozession durchzuführen, gaben diese beiden geistlichen Einrichtungen. Zu Jahresbeginn schickten die Dekane der beiden
Stifte mehrere Domherren zum Rat, um zu erinnern, daß man die Heiligen
in diesem Jahr umträge. Nach dem - eher symbolischen - Auftakt durch die
Stifte übernahm der Rat die weitere Regie. Zunächst ließ er unter den jungen Bürgern und Zielschützen bewaffnete Bürger, „weppener", aussuchen,
die die Prozession begleiten sollten. Am Vorabend ließ er nochmals alle
beteiligten Personen verständigen.[164] Der Prozessionsweg mußte in den
Tagen zuvor gesäubert werden. Den Bewohnern der Straße „Unter den
Schilderern" befahl der Rat, daß *eyn iglicher uff den sonnabent zcuvor vor seiner thor
reyhn machen soll und den unflat hinweck schicken.* Die Fleischhauer sollten ihre
Bänke beiseite stellen, und die Domherren waren angewiesen, Bretter über
die Bachläufe - *das wasser kegen der sonnern* - zu legen. Außerdem traf der Rat
Vorsorge für die Torwache.[165]
    Am Prozessionstag, dem Sonntag Trinitatis, versammelten sich alle be-
teiligten Ratsherren um 7 Uhr im Rathaus; auch die „weppener" sowie der
Hauptmann, Stadtbedienstete und die Musikanten kamen dort zusammen.
Um 8 Uhr begannen die Ratsherren in ihrer üblichen Ordnung die Prozession vom Rathaus zur Marienkirche. Vorangetragen wurden zwei prachtvolle Ratskerzen; es folgten der Stadthauptmann und der oberste Stadt-

---

162 MICHELSEN, Ratsverfassung, 46f.; StAE 2-155/5, fol. 29-31. Die Ordnungen geben
    weitgehend einen ähnlichen Ablauf wieder, jedoch ist die Fassung von 1465 in einzelnen
    Punkten ausführlicher.
163 StAE 2-155/5, fol. 29.
164 Ebenda, fol. 29-29'. Diese Vorkehrungen sind nur für 1465 beschrieben.
165 MICHELSEN, Ratsverfassung, 47; StAE 2-155/5, fol. 31.

schreiber. Musikanten mit Posaunen und Flöten begleiteten den Zug; rechts und links gingen bewaffnete Bürger. Diese „weppener" bildeten vom Kohlenmarkt über die Domstufen bis zur Marienkirche ein Spalier, durch das die Ratskumpane in die Kirche einzogen, um sich im Chor entlang der aufgebahrten Schreine aufzureihen. Den folgenden Umgang führten die Schüler und die Geistlichkeit hinter einem vorangetragenen Marienbild an. Nach ihnen nahmen zwei junge Domherren mit den vier obersten Vierherren *den ubergulten kasten mit den vieren Coronatorum und ander heiligen gebeine dorin* auf ihre Schultern.[166] Hinter den Reliquien des hl. Severus und der hl. Innocentia, die im Severi-Stift aufbewahrt waren,[167] trugen vier weitere Domherren und die vier obersten Ratsmeister die Schreine mit den Gebeinen von Adolar und Eoban. Ihnen folgte der Weihbischof mit dem Sakrament unter einem Baldachin, begleitet von einem Ratsmeister und einem Vierherrn oder anderen ehrbaren Männern, anschließend die übrigen Ratsherren. Die Prozession zog um den Domberg mit Marienkirche und Severi-Stift und wieder gaben die bewaffneten Bürgern Geleit, um zu gewährleisten, *das das volck den hern mit dem sacrament und auch diejhenen, die die heyligen trugen, nicht gedrungen wurden.*[168] Die Musikanten schwiegen bei diesem Umgang. Nach der Rückkehr in die Marienkirche wurden die Schreine im südlichen Kreuzarm, der „capella patronorum", 1452 bereits „Blutskapelle" genannt, abgesetzt. Während der Messe stellten sich die Ratsherren wie zuvor im Chor auf, um abschließend unter anderem die zwei mitgeführten Ratskerzen zu opfern. Danach zogen sie aus der Kirche hinaus - 1465 durch das gerade fertiggestellte Westportal - und gingen zurück zum Rathaus. Hier gab es kein gemeinsames Mahl, sondern die Ordnung von 1465 sah vor: *dan danckt man yhn allen vnd eyn iglicher geht dan heym essen, nach dem er woll gekocht hat.*[169] Ratsmähler im Anschluß an Prozessionen waren bereits 1357 für die jährlichen Prozessionen nach Schmidtstedt und Neuses ausgeschlossen worden.[170]

---

166 MICHELSEN, Ratsverfassung, 46.
167 Severus: Bischof von Ravenna in der Mitte des 4. Jahrhunderts. Die Gebeine brachte Erzbischof Otgar (826-847) 836 nach Mainz, kurz danach gelangten sie nach Erfurt. Innocentia: Jungfrau, Märtyrerin, im 4. Jahrhundert unter Diokletian enthauptet, vielleicht mit der Tochter des Severus identisch. Ihre Gebeine gelangten mit Severus im 9. Jahrhundert nach Erfurt. Vgl. WERNER, Gründungstradition, 105-112; LEHMANN, Dom, 180-185.
168 MICHELSEN, Ratsverfassung, 47.
169 StAE 2-155/5, fol. 31.
170 Ebenda, fol. 51'. Vgl. oben S. 192.

3.3 Der Prozessionszug: Rat und Stiftsgeistlichkeit

Als Akteure der Adolar- und Eoban-Prozession treten der Rat und die Geistlichkeit, die eigentliche Prozession, und die „weppener" als militärisches Geleit, in Erscheinung. Auftakt war der Zug der Ratsherren zur Marienkirche; deren Rückweg zum Rathaus beendete die Prozession. Nach der Ordnung von 1452 scheinen nur der sitzende Rat - Ratsmeister, Vierherren und die übrigen Ratsherren - teilgenommen zu haben: *Und als der seiger acht schlugk, gingk ein sitzende rathsmeistere und viere alle mit dem rath von dem rathhausz uff den bergk.*[171] 1465 waren der sitzende Rat sowie die Ratsmeister und Vierherren aus den nichtsitzenden Räten zur Teilnahme aufgefordert: *so bestellet der rath, das meyster vnd vyere alle und der sitzende rath gantz bey gehorsam auff das rathaws geheischt werden.*[172] An anderer Stelle heißt es aber: *und lassen bey den selbigen herren den rath bitten, das er sich mit andern unsern herren aus den rethen uff ditz jhar dar zcu schicken vnd bestellen wollen.*[173] Hiernach wären alle Ratskollegien beteiligt gewesen. Dies suggeriert auch eine Änderung der Prozessionsordnung in der „Regimentsverbesserung" von 1510, nach der die einzelnen Räte jeweils für sich gehen sollten und die Vierherren und Ratsmeister den jeweiligen Kollegien eingegliedert waren.[174] Wahrscheinlich war es bisher üblich, daß die Ratsmeister und Vierherren aller Räte vor den übrigen Ratskumpanen gingen. Es waren also zwischen 60 Männern - die 20 Ratsherren des sitzenden Rates sowie jeweils vier Ratsmeister und Vierherren aller Ratskollegien - und im Idealfall die 140 Männer aller Ratskollegien beteiligt. Ihnen voran gingen mit dem Hauptmann und dem Stadtschreiber hohe städtische Bedienstete.

In seiner üblichen Ordnung, *als sichs gebürth*, ging der Rat zur Marienkirche.[175] Hier trennte sich die politische Spitze vom übrigen Rat. Während die Ratskumpane den Reliquienschreinen und dem Sakrament folgten, erfüllten die Achtherren als Schreinträger herausgehobene Aufgaben. Die Vierherren, die den Schrein mit dem hl. Severus und der hl. Innocentia trugen, werden 1465 namentlich genannt: Es waren der Vierherr des sitzenden Rates Curt Marggreffe sowie Heinrich Wissensee, Mathis Wissensee und Hans Ten-

---

171 MICHELSEN, Ratsverfassung, 46. Ich lese aus der Stelle *sitzende rathsmeistere und viere alle*, daß hier alle Vierherren des sitzenden Rates gemeint sind. Allerdings ist die Stellung des Wortes *alle* in beiden Passagen mißverständlich.

172 Ebenda, fol. 30. Vgl. fol. 29': *Dar nach saget der rath, das vnsern herren meyster und vyeren allen, und bitt die sich etlichen dar zcw zcuschicken mit dem sitzenden rathe.*

173 StAE 2-155/5, fol. 29.

174 StAE 0-1/I 114a, fol. 17'.

175 MICHELSEN, Ratsverfassung, 46.

stedt, Vierherren der vorherigen Jahre.[176] Hinter ihnen gingen die Ratsmeister mit dem Adolar- und Eoban-Schrein, 1465 Hartung Kammermeister,
oberster Ratsmeister des sitzenden Rates, sowie als Ratsmeister der früheren
Jahre Dietrich Pardiß, Martin von Sangershausen und Erhard von der Sachsen.[177] Die Prozessionsordnung machte nicht nur die politische und soziale
Position der Achtherren sichtbar, sondern differenzierte diese Männer un-
tereinander. Die Reliquien Adolars und Eobans, der wichtigsten Heiligen
Erfurts, zeigten die Vorrangstellung der Ratsmeister gegenüber den Vierherren an. Während letztere 1310 als Gemeindevertreter der Zünfte und der
Stadtviertel eingesetzt und erst nach 1322 integraler Bestandteil des Rates
wurden, entstammte das Amt der Ratsmeister der patrizischen Verfassung
vor 1310. Die Vormunde der Zünfte wählten die Vierherren, der Rat selbst
dagegen die Ratsmeister. Aus den obersten Ratsmeistern und Vierherren der
vier nicht sitzenden Räte und des sitzenden Rates hatte sich im Laufe des
14. und 15. Jahrhunderts das Gremium der Achtherren (auch „decem viri"
oder „dockenherren" genannt) entwickelt. Diese besaßen schließlich die
tatsächliche Entscheidungsgewalt, obwohl formell der sitzende Rat die Beschlüsse faßte und Vorbesprechungen im Kollegium aller Ratsmeister und
Vierherren stattfinden sollten.[178] Die Macht der Achtherren und die Majori-
sierung des Rates durch die Gefrunde, die häufig die Rats- und Vierherren-
sitze der Stadtviertel besetzten, führt Friedrich Benary als Bedingungsmo-
mente der innerstädtischen Unruhen von 1509/10 an. Über die Entstehung
des Achtherrengremiums liegen dagegen bis jetzt keine Untersuchungen
vor.[179] Die Ratsordnung von 1452 scheint die Verfassungsentwicklung des

---

176 StAE 2-155/5, fol. 29'. Curt Marggreffe: 1470 Vierherr; Heinrich Wissensee: 1468 Vierherr; Mathias Wissensee: 1456, 1466, 1469, 1474, 1479, 1484 Vierherr, 1481 Achtherr;
   Johann Tenstedt: 1467, 1472, 1477, 1482 Vierherr, 1481 Achtherr. Vgl. StAE 2-120/2
   und StAE 2-120/4. Der Ratstransitus nennt bis 1465 nur die Ratsmeister und Kämmerer, nur ausnahmeweise (1456) die Vierherren. Eine eingebundene Liste führt weitere
   Ratsfunktionen für 1481 auf, unter anderem die Achtheren. StAE 2-210/4, zwischen fol.
   121-*122 (Der gang vnser herrn meister vnd viere anno d. LXXXI)*. Jahreszahl nicht ganz sicher,
   da beschädigt.
177 StAE 2-155/5, fol. 29'. Hartung Cammermeister (gest. 1467 Sonntag Judica): 1452,
   1456, 1461, 1465 Ratsmeister; zu Cammermeister vgl. die Einleitung des Herausgebers
   Richard Reiche, CAMMERMEISTER, Chronik, II-XXV; Dietrich Pardiß: 1460, 1465, 1471,
   1476, 1486, 1489, 1493 Ratsmeister, 1481 Achtherr; Martin Sangershausen: 1470, 1456,
   1461, 1464, 1466 Ratsmeister; Erhard Sachsa: 1452, 1457, 1462, 1464, 1469, 1474, 1479,
   1484 Ratsmeister, 1481 Achtherr.
178 Zur Verfassung vgl. BENARY, Vorgeschichte, 6-34 und das Schema im Anhang S. 340.
179 BENARY, Vorgeschichte, 27-31. Neuere Untersuchungen zu Erfurt beschäftigen sich mit
   den Verfassungsänderungen zu Beginn des 14. Jahrhunderts, der Stellung gegenüber

14. und 15. Jahrhunderts zum Abschluß gebracht zu haben. In ihr treten die Achtherren als politische Führungsspitze Erfurts auf; zugleich setzte dieses Verfassungsdokument die Ordnung der Adolar- und Eoban-Prozession fest und fand damit ein Medium, um die Stellung der Achtherren rituell sichtbar und erfahrbar zu machen.

Trotz ihrer herausgehobenen Stellung waren die Achtherren nicht die einzigen weltlichen Teilnehmer, die prestigeträchtige Funktionen innehatten. Eine weitere ehrenvolle Position war mit dem Geleit des Sakraments zu vergeben. Nach der Ordnung von 1452 sollten ein Ratsmeister und ein Vierherr diese Aufgabe erfüllen, *szo ging eyn rathsmeistere und eyn viermane by den hern, der das heylige sacrament trug.*[180] 1465 konnten es auch *zwene guthe erbare* sein. Tatsächlich führten in diesem Jahr weder Ratsmeister noch Vierherr, sondern es heißt: *vnd auff die zceytt tathen das der haubtmann graffe heynrich von Gleichen und der oberste er dittrich Bottler.*[181] Graf Heinrich VIII. von Gleichen, jüngster und von der Erbschaft ausgesetzter Sohn des Grafen Heinrich VII. von Gleichen (gest. 1415), hatte am 20. September 1443 zugesagt, der Stadt Erfurt ein Jahr zu dienen und war 1447 als bestallter Hauptmann für Erfurt tätig, nachdem er noch 1437 mit dem Grafen Volrad von Mansfeld als Feind der Stadt beim Landgrafen Friedrich verklagt worden war.[182] Als Stadthauptmann kam ihm, unter dem Oberbefehl des Rates, die militärische Befehlsgewalt über die städtischen Truppen zu; insbesondere unterstanden ihm die Söldner.[183] Ähnlich wie Erfurt engagierten auch andere Städte, beispielsweise Braunschweig und Köln, für diese Aufgaben Männer aus dem niederen Adel der Umgebung.[184] Graf Heinrich von Gleichen war jedoch nicht irgendein Adeliger, sondern zu diesem Geschlecht stand Erfurt in einer besonderen Beziehung.[185] Seit 1120 waren die Grafen von Gleichen

---

dem Stadtherren in der zweiten Hälfte des 15. Jahrhunderts, den Unruhen 1509/10 sowie der Reformation. Vgl. SCRIBNER, Civic Unity; WILLICKS, Konflikte; EHBRECHT, Ringen.

180 MICHELSEN, Ratsverfassung, 47.

181 StAE 2-155/5, fol. 29'.

182 Vgl. SAGITTARI, Grafschaft Gleichen, 189f.

183 Zu städtischen Hauptmännern vgl. SAUERBREY, Wehrverfassung, 153-157; WÜBBEKE, Militärwesen, 93-121. Zu den Erfurter Söldnern vgl. LIEBE, Kriegswesen, 12ff., zu den Stadthauptmännern vgl. ebenda, 26ff. BEYER, Erfurt, 166-171, geht nur kurz auf Söldner ein, die Stadthauptmänner behandelt er nicht.

184 Vgl. SAUERBREY, Wehrverfassung, 155; WÜBBEKE, Militärwesen, 104.

185 Zum folgenden vgl. SAGITTARI, Grafschaft Gleichen; LIEBE, Kriegswesen, 26; ZEYSS, Grafen von Gleichen; TÜMMLER, Grafen von Gleichen; PATZE/SCHLESINGER, Geschichte Thüringens, 188-193.

aufgrund ihrer engen Bindung an den Mainzer Erzbischof Vögte in Erfurt
gewesen. Mit dem Aufstieg des Rates seit der Mitte des 13. Jahrhunderts
wurden sie allerdings zunehmend aus der Gemeindeverwaltung ausgeschlossen. Hinzu kamen Teilungen, wirtschaftliche Schwierigkeiten und
Verschuldung, so daß die Grafen 1283 die Vogtei an den Rat verpfändeten
und 1290 verkauften. Bereits 1277 waren sie Bürger Erfurts geworden. 1311
schloß die Stadt ein zehnjähriges Bündnis mit Heinrich von Gleichen, seinem Sohn Hermann und zwei Rittern von Wechmar, in dem die Adeligen
der Stadt mit zehn Berittenen, fünf Schützen und Burgen Unterstützung
gegen den Landgrafen Friedrich dem Freidigen zusagten. 1405 diente ein
weiterer Heinrich von Gleichen der Stadt. Heinrich VIII. von Gleichen
setzte als Stadthauptmann Erfurts diese Familientradition fort. Die Aufgabe
des Ehrengeleits hatte er bereits bei anderen Gelegenheiten wahrgenommen, so 1451 beim Einzug des Kardinallegaten Nikolaus von Kues.[186]

Die zweite Person, die 1465 dem Weihbischof Geleit gab, ist wesentlich
schwieriger zu identifizieren. Sie wird als *der oberste er dittrich Bottler* vorgestellt, doch weder findet sich das Amt „oberster" unter den städtischen
Bediensteten noch taucht der Name in Ratslisten oder Chroniken auf.[187] In
der Prozessionsordnung von 1465 allerdings findet sich der „oberste" ein
zweites Mal: *Der gleichen soll man auch lassen heischen den heubtman, den obersten
und alle dyenere zcu der zceytt auch uff den rathawse bey den herren zcu seyn und mit yhn
auff den bergk und widder herab zcugehen.*[188] 1451 gingen der Stadthauptmann
und der oberste Stadtschreiber auf dem Weg zum Dom vor den Ratsherren.[189] Gegen eine Identifizierung mit dem obersten Stadtschreiber spricht
jedoch, daß 1465 nachweislich Hermann Steinberg das Amt innehatte; Dietrich Bottler taucht in der Kanzlei nicht auf.[190] Die Anrede „er" könnte auch
auf eine Ratsmitgliedschaft Bottlers hindeuten, die sich jedoch wegen der
Unvollständigkeit der Ratslisten nicht überprüfen läßt.[191] Zu denken wäre
auch an eine militärische Funktion. Es kann wohl vermutet werden, daß es

---

186 Vgl. CAMMERMEISTER, Chronik, 128. Vgl. auch Acta Cusana, Bd. 3,1, Nr. 1340, S. 906f.
187 StAE 2-155/5, fol. 29'. - In der Ratsverfassung von 1452 werden die Stadtbediensteten
    aufgezählt, die nach der Ratswahl neu vereidigt wurden. Hier findet sich der *heuptmann
    und die diener* und der *prothonotarius und die andern schryber*, jedoch kein „oberster"
    (MICHELSEN, Ratsverfassung, 41-44, Zitate: 41, 42).
188 StAE 2-155/5, fol. 30.
189 MICHELSEN, Ratsverfassung, 46.
190 Vgl. SCHMIDT, Kanzlei, 37.
191 StAE 2-120/2. Vollständige Ratsverzeichnisse liegen für 1468, 1469 und durchgängig ab
    1475 vor. Frühere Jahrgänge verzeichnen die Ratsmeister und Vierherren sowie einzelne
    Ratsämter wie die Kämmerer oder die Baumeister.

sich, wie beim Stadthauptmann, um einen angesehenen, in städtischen Diensten stehenden Mann handelt. Beide waren mit der prestigeträchtigen Aufgabe betraut, den Weihbischof und das Sakrament zu führen. Die Achtherren trugen die beiden Reliquienschreine zusammen mit Kanonikern des Marienstiftes. Zu den Vierherren beim Schrein des Severus und der Innocentia gesellten sich *zwene junge thumbheren*.[192] Das Adjektiv „jung" kennzeichnet sie als Kanoniker am unteren Ende der Stiftshierarchie; wahrscheinlich hatten sie ihre Präbenden noch nicht lange inne. Die Beschreibung von 1465 nennt beide Domherren nicht namentlich, so daß sich ihre Stellung im Stift nicht genauer bestimmen läßt. Abstufungen zu den Trägern des Adolarschreins werden bei den Kanonikern ebenso sichtbar wie bei den Vierherren und Ratsmeistern. Dem Adolar- und Eoban-Schrein waren *vier treffenliche dhumhern* zugeteilt.[193] Die Schreinträger des Jahres 1465 - Doktor Lampertus Fuchs, Heinrich Brambach, Ewald von Kemnaten und Nikolaus Speß - waren ältere Kanoniker, die im Stift oder an der Universität Ämter und Würden inne hatten.[194] Während mit den Achtherren die oberste politische Spitze Erfurts als Schreinträger präsent war, fehlten die höchsten Kanoniker des Stiftes. Weder der Dekan Hunold von Plettenberg noch der Kantor Heinrich Wynern traten 1465 in Erscheinung. Ob Johannes Werner von Flachslanden 1465 schon das Amt des Propstes angetreten hatte, ist unsicher, doch waren die Pröpste ohnehin kaum in Erfurt anwesend. Ebenfalls nicht beteiligt waren die Kanoniker des Severistiftes, obwohl mit Severus und Innocentia Reliquien ihrer Kirche mitgeführt wurden. An herausgehobener Stelle stand allein das Marienstift und demonstrierte seine Stellung als Haupt der Erfurter Kirchen. Die Mitglieder des Severistiftes gingen wohl mit den übrigen Geistlichen und den Schülern vor den Reliquienschreinen, doch verschweigen die Ratsordnungen, in welcher Reihenfolge und welche Geistlichen sich der Prozession um den Domberg anschlossen. Der Rat versicherte sich lediglich der Teilnahme der Äbte,

---

192 MICHELSEN, Ratsverfassung, 46.

193 Ebenda, 47.

194 StAE 2-155/5, fol. 29'. Lampertus Fuchs (Voß): Studium in Ferrara, Bologna und Padua; Doktor beider Rechte; 1453 erstmalig Rektor der Universität Erfurt; seit spätestens 1462 Lektoralpräbende für kanonisches Recht des Marienstiftes; gest. 1491, vgl. KLEINEIDAM, Universitas Studii Erffordensis, Bd. 2, 340f. Heinrich Brambach: 1440 Baccalaureat in Erfurt; 1457 erstmals am Marienstift; seit 1460 als Inhaber einer Präbende nachweisbar; 1466 Kantor von St. Marien; 1473 Scholaster, gest. 1493, vgl. PILVOUSEK, Prälaten, 206ff. Ewald von Kemnaten: Kanoniker B.M.V.; bezog 1464 die 14. Kurie; 1480-84 Fabrikmeister, vgl. PILVOUSEK, Prälaten, 52, 249. Zu Nikolaus Speß konnten keine Informationen ermittelt werden.

indem er ihnen als Präsenz ein *stübchen* Wein ausschenkte.[195] Offen bleibt, ob die Pfarrer der vielen Erfurter Kirchen beteiligt waren, ob die Äbte mit allen Ordensmitgliedern versammelt waren und ob sich Vikare und andere Angehörige der niederen Geistlichkeit einreihten. Auch über die Teilnahme der Universität informieren die Quellen nicht. Erwähnt werden lediglich die Schüler, die aus den vier Erfurter Schulen beim Marien- und Severi-Stift sowie beim Augustiner-Chorherrenstift und beim Schottenkloster kamen. Im Gegensatz zum 14. Jahrhundert wurden an diesem Schulen im 15. Jahrhundert nur noch jüngere Schüler, „discipuli" und „pueri" unterrichtet.[196] Außer den Kanonikern des Marienstiftes nahm der Weihbischof, der das Sakrament trug, eine besondere Position ein. Den Namen des Weihbischofs verrät die Ordnung von 1465 allerdings nicht; 1452 und 1465 war es wohl Hermann von Gehrden, Prior des Dominikanerkonvents in Warburg.[197] Ebensowenig nennen die Quellen die Träger des Baldachins. Diese Aufgabe erfüllten deshalb wahrscheinlich nicht Ratsmitglieder, sondern Kleriker oder Schüler. Mit dem Sakrament und den beiden Reliquienschreinen führte die Prozession drei Kultobjekte mit, doch im Zentrum standen Adolar und Eoban, denen die hauptsächliche Verehrung galt.

Innerhalb der Geistlichkeit standen die Kanoniker des Marienstiftes an exponierter Stelle. Ihre Kirche war das liturgische Zentrum der Prozession. Das Stift stand zwischen Bischof und Stadt: St. Marien war, so Josef Pilvousek, der „natürliche Verbündete des Mainzer Erzbischofs",[198] doch bis in die 1470er Jahre orientierte es sich an der Politik des Rates und war bemüht, Konflikte mit der Stadt zu vermeiden. Gelehrte Kanoniker waren oft bürgerlicher Herkunft und dienten dem Rat als Syndici. Mit dem Propst als Archidiakon und dem Dekan als Archipresbyter von Erfurt stellte das Marienstift die religiöse Führungsspitze der Stadt. Zwar schwächte das erzbischöfliche Generalgericht die jurisdiktionalen Befugnisse, doch blieb der Dekan der oberste Pfarrer der Stadt.[199] Die guten Beziehungen zwischen Rat und Stift verschlechterten sich mit der Mainzer Stiftsfehde (1461-1463) und den Auseinandersetzungen zwischen Erfurt und dem Mainzer Stadtherrn am Ende des 15. Jahrhunderts, bei denen sich das Stift in eine

---

195 StAE 2-155/5, fol. 31. 12 Stübchen = 1 Eimer Wein (70,9347 l), 1 Stübchen = 5,91 l.
196 Vgl. LORENZ, Studium, 1-58, zum 15. Jh. bes. 49-50.
197 Hermann wurde am 26. März 1432 zum Titularbischof von Citrum in Makedonien ernannt und war seit 1435 als Weihbischof in der Mainzer Diözese tätig. Vgl. FELDKAMM, Nachrichten, 55ff.
198 PILVOUSEK, Prälaten, 8. Zum Marienstift vgl. BEYER, Stiftskirche; SONNTAG, Kollegiatstift; LEHMANN, Dom; PILVOUSEK, Prälaten, 7-14.
199 Zur geistlichen Gerichtsbarkeit vgl. MAY, Gerichtsbarkeit.

sächsische, den Rat unterstützende und eine mainzische Partei spaltete; letzterer gelang es, das Stift eng an das Erzbistum zu binden. Die Entfremdung von der Stadt wurde vor allem nach 1516 deutlich. Bürger und Rat gaben den Stiften die Schuld an den Ereignissen von 1509; Mißmut erhob sich auch wegen der Weigerung, Steuern zu zahlen. Während der Reformation kamen die Unstimmigkeiten im Pfaffensturm vom 9. - 12. Juni 1521 zum Ausbruch. 1451 war hiervon noch nichts zu spüren. Die Prozession zeigte die städtische Verbundenheit zum Stift und damit zum Stadtherrn, aber auch die Gleichberechtigung der beiden Gewalten. Sie präsentierte die politische und religiöse Spitze Erfurts in ihrer inneren Differenzierung und Hierarchisierung. Auch als sich die Beziehungen verschlechterten, hielten Rat und Stiftsgeistlichkeit an der Durchführung der Prozession fest. Da jedoch keine Quellen zu den Prozession von 1479 oder 1486 vorliegen, läßt sich nicht sagen, ob sich die Konflikte niederschlugen. Möglicherweise gelang es, mit der Prozession das Ideal der Eintracht trotz bestehender Spannungen immer wieder zu beschwören.

3.4 Militärisches Geleit: Verteidigungsbereitschaft, Männlichkeit und Schönheit

Dem Prozessionszug von Rat und Geistlichen gaben bewaffnete Männer Geleit. Die Ordnung von 1452 berichtet über sie nur kurz: *Auch so hatte eyn rath bstalt hundert weppener von den zielschützen, die in geschmücktem harnosche wol gezeuget neben unsern hern gingen und bewarthen, das das volck den hern mit dem sacrament und auch diejhenen, die die heyligen trugen, nicht gedrungen wurden.*[200] Umso ausführlicher wird die Aufstellung und Ordnung der „weppener" 1465 behandelt. Zu Jahresbeginn wählte der Rat *ettliche hubsche junge personen aus under den burgern von der gemeyn* und ließ sie mit den Hauptleuten der Zielschützen auf das Rathaus kommen, um sie zur Teilnahme aufzufordern.[201] Am Sonntag Trinitatis versammelten sich die Geladenen morgens im Rathaushof, wo sie nach Stadtvierteln geordnet rechts und links in Zweierreihen neben der Prozession Aufstellung bezogen, angeführt von vier ausgewählten „junckern", den Hauptleuten sowie zwei Stadtknechten.[202] Obwohl sie denselben Weg über den Fischmarkt und durch die Breite Straße zur Marienkirche wie die Ratsherren nehmen mußten, ist die Route der „weppener"

---

200 MICHELSEN, Ratsverfassung, 47.
201 StAE 2-155/5, fol. 29-29'.
202 Ebenda, fol. 30'.

durch andere Ortsangaben markiert.[203] Die Domtreppen hinauf bildeten die „weppener" ein Spalier, folgten aber den Ratsherren nicht in die Kirche. Sie gehörten nicht zum eigentlichen Prozessionszug, sondern die in Harnisch gekleideten und bewaffneten Männer dienten Repräsentationszwecken und gaben dem Zug der Ratsherren und Geistlichen ein prunkvolles und wehrhaftes Aussehen.

Die Ratsverfassung von 1452 spricht den „weppenern" Polizei- und Ordnungsaufgaben zu, wenn sie das Sakrament und die Reliquien schützen sollten. Stadtbedienstete, die eine Prozession durch die Menge der Schaulustigen führten oder Teilnehmende an ihre Plätze verwiesen, wirkten auch bei Prozessionen in anderen Städten mit. Um die Ordnung aufrechtzuerhalten, wurden allerdings in Nürnberg, Straßburg oder Eichstätt lediglich drei bis maximal 20 städtische oder kirchliche Bedienstete oder auch Ratsherren aufgeboten, nicht aber 100-300 aus der Bürgerschaft gewählte bewaffnete Männer wie in Erfurt. Das militärische Geleit konnte auch dem äußeren Schutz der Stadt dienen. An Prozessionstagen wurde meist die Torwache verstärkt und so ist in der Erfurter Ordnung festgelegt: *Auch so hatte eyn rath die huthe an allen thoren mit zielschützen den tag wol bestalt.*[204] Prozessionen, die das Stadtgebiet verließen, bedurften weitergehenden Schutzes, wie die nach Oberrad ziehende Frankfurter Markusprozession, bei der Söldner in der Sachsenhäuser Gemarkung präsent waren und auf der dortigen Landwehr Wache hielten.[205] Die Kölner Gottestracht mußte während des Kölnischen Krieges (1583-1588) militärisch geschützt werden. 1583 begleiteten 1200 Bürger in Harnisch den Prozessionszug, *dweil man sich allerlei rumoir(s) besorgte.*[206] Im folgenden Jahr gaben acht Fahnen[207] aus der Bürgerschaft Geleit; im Feld patrouillierten die Stadtsoldaten. Ähnlich war es 1586 und 1588. Auch nachdem die unmittelbare Bedrohung vorüber war, behielt Köln die Begleitung der Gottestracht mit acht, seit dem 18. Jahr-

---

203 Ebenda, fol. 30 (Weg der Ratsherren): *Item denn gehen vnser herren von dem rathawse (...) uber die steyne vor Hans Lutichen thor, die strasse auff vor Claus Hilbrandes hawse, hyn vor der fingerlin gasse vnder, vnder den Sporern, uff den kollmargkte zwischen die weppener.* Ebenda, fol. 30'(Weg des Geleits): *uber den fischemarckt vor dem Sahle die strassen auff, bey den futterern uber vor dem Rothen lawen, under den seyhlern, hyn kegen dem kollmarghkt.*
204 Ebenda, 47.
205 Vgl. KRIEGK, Bürgertum, 364, 368.
206 WEINSBERG III, 179.
207 1583 stellte Köln die Wachtordnung von Gaffeln auf eine räumliche Einteilung um. Die wehrpflichtige Bevölkerung war fortan in acht Quartiere zu insgesamt 54 Fahnen eingeteilt. Acht Fahnen umfaßten ebenfalls ungefähr 1200 Männer.

hundert mit sechs Fahnen bei.[208] Eine kriegerische Bedrohung bestand für die Adolar- und Eoban-Prozession allerdings weder 1451 noch 1465. Die „weppener" versahen zwar Ordnungs- und Polizeiaufgaben, doch kann hierin bei einer so großen Zahl von aufgebotenen Männern nicht die eigentliche Bedeutung gelegen haben, zumal diese Aufgabe in der Ordnung von 1465 nicht mehr genannt wird.

Das militärische Geleit aus den Reihen der Bürgerschaft läßt an die Wehrpflicht der Bürger in einer mittelalterlichen Stadt denken. In Regensburg wurde die städtische Prozession am Fronleichnamssonntag für eine Harnischschau der Bürger und steuerpflichtigen Güterbesitzer genutzt. Die Musterung galt der Kontrolle der militärischen Ausrüstung, demonstrierte aber auch die Verteidigungsbereitschaft der Bürgerschaft. Nach der Musterung stellten sich die Bewaffneten bei den Toren und vor dem Dom auf, um dem vorbeiziehenden Sakrament ihre Ehre zu bezeugen.[209] Nach der Prozessionsordnung gingen allerdings in der Prozession die Zünfte mit, so daß sich die Frage stellt, ob die Regensburger Bürger als militärische Ehrenbezeugung außerhalb der Prozession standen oder als Zunftmitglieder in die Prozession eingereiht waren.[210] Bildete die Gesamtheit der waffenfähigen Bürger oder nur ein ausgewählter Teil das militärische Geleit? Reihten sich alle Zunftmitglieder in die Prozession ein oder nur einige Vertreter mit den Zunftkerzen? Die Fragen können hier nicht beantwortet werden, sollen aber zeigen, welche Probleme Quellen aufwerfen, wenn man wissen will, wer genau an einer Prozession teilnahm.

Solche Probleme stellen sich für Erfurt nicht, da nur ein ausgewählter Teil der insgesamt 2000 waffenfähigen Bürger zum Geleit aufgeboten war und in der Prozession selbst nur Ratsmitglieder mitgingen. 1451 sollten die Bewaffneten den Zielschützen - Armbrust- und Büchsenschützen - entstammen, die sich als jenes Schützenkorps identifizieren lassen, das in vielen Städten eine Mittelstellung zwischen dem Bürgeraufgebot und dem stehenden „Berufsheer" bildete. Im Alarmfall sollten sich die Erfurter Zielschützen auf die Tore und Türme begeben, während die übrigen bewaffneten Bürger in den Stadtvierteln und die berittenen Söldner auf dem Fischmarkt

---

208 KLERSCH, Volkstum, Bd. 1, 184.
209 Vgl. GEMEINER, Chronik, III, 373f. In Höxter war die Vitusprozession nach Corvey mit einer Musterung verbunden. Vgl. RÜTHING, Höxter, 149.
210 Zur Rangfolge der Zünfte vgl. GÜNTENER, Fronleichnamsprozession, 11.

zusammenkamen.[211] Die Schützen übten normalerweise eine berufliche
Tätigkeit in der Stadt aus, mußten sich aber ständig für den Kriegs- und
Brandfall bereithalten und erhielten für die Einsätze Sold. Die Einrichtung
einer speziellen Gruppe ergab sich wohl aus der Notwendigkeit, den Umgang mit Armbrüsten und vor allem mit Feuerwaffen zu üben. Daneben
nutzten die Magistrate diese Männer für Repräsentationszwecke. In Köln
umfaßte das Korps in der zweiten Hälfte des 15. Jahrhunderts 50 Mann, je
zur Hälfte Arm- und Büchsenschützen; ihre soziale Herkunft läßt sich nicht
ermitteln.[212] Dieses personell begrenzte Schützenkorps in nebenberuflicher
Tätigkeit ist von den zum Teil in Gilden organisierten Schützen zu unterscheiden, bei denen die Übung mit den Feuerwaffen und die Geselligkeit im
Vordergrund standen.[213]

Die Zielschützen traten in der Erfurter Prozessionsordnung von 1465
allerdings in den Hintergrund. An erster Stelle wurde angeordnet, daß der
Rat *ettliche hubsche junge personen aus under den burgern von der gemeyn* wählen
sollte. Ihre Reihen wurden von „junckern" angeführt.[214] An dieser Stelle
ließen sich Studien zu italienischen Städten aufgreifen, die zeigen, daß junge
Männer, die nicht mehr zur Jugend gehörten, aber auch noch nicht in politische Ämter eingetreten waren, für Zeremonien und Rituale eine wichtige
Bedeutung hatten. Richard C. Trexler und Stanley Choijnacki sehen die
Jugendlichen - in Anlehnung an van Gennep und Turner - als liminale
Gruppe, die in besonderer Weise die gesellschaftlichen Werte verkörpern
und stärken konnte. Stanley Chojnacki will mit seiner Studie über junge
Erwachsene im Venedig des 15. Jahrhunderts „the importance of the sym-
bolic and monitory role of the young in reinforcing the values of society"
aufzeigen.[215] Es wäre verführerisch, im militärischen Geleit der Adolar- und

---

211 Vgl. BEYER, Erfurt, 167. Zum Erfurter Wehrwesen vgl. LIEBE, Kriegswesen; BEYER,
    Erfurt, 166-171; NEUBAUER, Geschichte, 24-38. Neuere Untersuchungen liegen nicht
    vor.
212 Zum Schützenkorps vgl. ISENMANN, Stadt, 150f.; SAUERBREY, Wehrverfassung, 98f.,
    WÜBBEKE, Militärwesen, 68ff.
213 Zu Schützengilden vgl. REINTGES, Schützengilden; MICHAELIS, Schützengilden; LANGE,
    Schützenwesen. Zu den Erfurter Schützen, die auf dem städtischen Schützenhof vor
    dem Löbertor übten, vgl. NEUBAUER, Geschichte, 37.
214 StAE 2-155/5, fol. 29-29', 30.
215 CHOIJNACKI, Adulthood, 792. Vgl. TREXLER, Adolescence; DERS., Public Life, bes. 15f.,
    368-399; BOIS/MINOIS, Vieillesse; GRENDI, Società dei giovani; LEVI/SCHMIDT (Hg.),
    Geschichte der Jugend. Zu jugendlichen Männergruppen vgl. DAVIS, Reasons;
    MUCHEMBLED, Jugend. Die Autoren und Autorinnen beziehen sich häufig auf den Auf-
    satz „Archetypal Patterns of Youth" von SEMUEL N. EISENSTADT.

Eoban-Prozession eine Spannung zwischen der politischen Gerontokratie - Hartung Cammermeister, der 1465 den Reliquienschrein trug, war beispielsweise ungefähr 65 Jahre alt - und der jugendlichen, kriegerischen Männlichkeit zu sehen. Die erwähnten Ergebnisse und Thesen möchte ich jedoch nicht auf die Erfurter Prozession anwenden, da zum einen das Alter bei widersprüchlichen Quellenaussagen und fehlendem prosopographischen Material nicht eindeutig geklärt werden kann und zum anderen die Zielschützen nicht zur Altersgruppe der jungen Männer zu zählen sind.

Vier Männer werden in der Ordnung von 1465 namentlich genannt und für sie läßt sich die soziale Herkunft genauer ermitteln. Hans Bertram, Hans Milwitz, Heinrich Rese und Dominicus Rosenthal gingen den Reihen der Bewaffneten voran. Ihre Wahl wird damit begründet, daß sie die besten Harnische tragen sollten, *woll gerust und tuchtygk*.[216] Eine solche Ausrüstung konnten sich nur finanzstarke Bürger leisten, so daß die Kriterien Güte und Schönheit des Harnisches auf die sozial und wirtschaftlich herausgehobene Stellung der vier verweisen. Auf die Zugehörigkeit zur städtischen Oberschicht deutet auch die Anrede *er*. Auffällig ist, daß für Hans Milwitz diese Anrede fehlt, obwohl er patrizischer Herkunft war; vielleicht belegt sie auch Unterschiede im Familienstand. Auf ein niedriges Alter und die Zugehörigkeit zur bürgerlichen Führungsschicht verweist schließlich die Bezeichnung „juncker". Die Angaben der Prozessionsordnung lassen sich mit Hilfe der Ratslisten überprüfen: Hans Bertram war 1475 Ratsherr. Von den übrigen drei finden sich Familienmitglieder im Rat.[217] Diejenigen, die dem militärischen Geleit vorangingen, gehörten zur ratsfähigen Oberschicht Erfurts. Wahrscheinlich waren sie 1465 noch zu jung, um selbst an politischen Entscheidungen beteiligt zu sein.

Es ist anzunehmen, daß die vier Männer, die die Reihen anführen, einen höheren sozialen und politischen Status als die übrigen „weppener" innehatten, bei denen eine Ratsmitgliedschaft auch deshalb auszuschließen ist, weil der Rat selbst geschlossen im Prozessionszug mitging. Die Formulierung *burger von der gemeyn* und die Aufstellung nach Stadtvierteln kennzeichnet das militärische Geleit als Teil der Bürgerschaft und Vertreter der in

---

216 StAE 2-155/5, fol. 30.

217 Vgl. StAE 2-120/2. Die Ratslisten sind erst ab 1475 durchgängig überliefert, so daß sich eine Ratsmitgliedschaft nicht definitiv ausschließen läßt. Vgl. auch Anm. 191. Hans Milwitz: 1475 Heinrich Milwitz, 1476 Jacob Milwitz im Rat. Heinrich Rese: Ein Heinrich Rese war 1466, 1469, 1474 und 1477 Ratsmeister, dies wird eher der Vater sein. Dominicus Rosenthal: Johann Rosenthal 1479 und 1484 im Rat, 1486 Ratsmeister, 1506 im Rat. Zur Familie Milwitz vgl. BIEREYE, Erfurt, 74f.

Stadtteilen und Zünften organisierten Gemeinde. Doch präsentierten sie
sich - ähnlich wie Teilnehmer aus dem Großen Rat bei der Nürnberger
Fronleichnamsprozession von St. Lorenz - als Spitze der nicht im Rat vertretenen Bürgerschaft, da nur wirtschaftlich potente Familien sich den geforderten Harnisch leisten konnten. Die militärische Ausrüstung war auch
bei Prozessionen anderer Städte ein Mittel der sozialen Distinktion. Über
die Mindener Fronleichnamsprozession berichtet Heinrich Piel: *und die vorn-
sten gleich die im harnsche gingen.*[218] Bei der Vitusprozession nach Corvey, der
eine Musterung voranging, „wurde durch die Bewaffnung die soziale Position jedes erwachsenen männlichen Einwohners der Stadt demonstrativ ma-
nifestiert."[219] Am augenfälligsten, aber auch am ambivalentesten zeigt sich
die Verbindung von militärischem Prunk und Schichtzugehörigkeit im
Rittmeisteramt der Kölner Gottestracht.[220] Ursprünglich als berittenes Gefolge zum Schutz der Feldflur gedacht und ein von reichen Patriziern be-
gehrtes Ehrenamt, das die eigene Waffenfähigkeit bezeugte, konnte es im
16. Jahrhundert, als der Prunk und die finanziellen Aufwendungen zunah-
men, die wirtschaftliche Existenz der beiden jährlich ernannten Amtsinhaber gefährden. Als Hermann Weinsberg 1547 zum Rittmeister der Gottestracht gewählt wurde, war ihm die Ambivalenz des Amtes bewußt. Er
schrieb auf die Rückseite seines Banners: *Gleub jederman nit gleich, want wenich
halte stich.* Er erläutert: *Dan vil hatten mir im rade zugesacht, sei wolten mich nit
kesen, auch hanttastung getain* [in die Hand versprochen], *und koren mich dan-
nest.*[221] Trotzdem schildert Weinsberg voller Stolz und detailreich Gefolge,
Kleidung und Ausrüstung. Um die Aufwendungen zu begrenzen, hatte er
sich mit seinem Kollegen zunächst auf eine Obergrenze von 25 Spieß geei-
nigt, doch hielten sich beide nicht an die Absprache und Weinsberg übertraf
seinen Mitamtsinhaber schließlich um 24 Pferde. Kosten entstanden nicht
nur durch die Ausrüstung des Gefolges, sondern auch durch deren Bewirtung. Hermann Weinsberg hatte 1547 jedoch Glück: *Es kamen aber nicht über
vier Tische guter Freunde, die mein Vater zu Gast hätte laden müssen, auch wenn ich
nicht Rittmeister geworden wäre, er hat so die ganze Gasterei das Jahr durch gespart.*[222]
Gegenüber den „weppenern" in Erfurt war das Geleit der Kölner Got-

---

218 PIEL, Chronicon Domesticum, 125.
219 RÜTHING, Höxter, 149. In Höxter konnten sich nur die Bürgermeister einen Harnisch
    leisten. Die soziale Differenzierung der Bewaffnung führte dazu, daß die Rotten der är-
    meren Stadtteile nicht ausreichend bewaffnet waren. Vgl. ebenda, 142-149.
220 Zum folgenden vgl. KLERSCH, Volkstum, Bd. 1, 185-189.
221 WEINSBERG I, 264f.
222 WEINSBERG I, 262-266, Zitat: 266.

testracht durch die Pferde um ein Vielfaches attraktiver. Nur die reichsten Bürger waren verpflichtet, Pferde für den Kriegsfall zu halten. In Köln waren dies am Ende des 15. Jahrhunderts 30 Personen.[223] Das Amt des Rittmeisters gab Gelegenheit, die Zugehörigkeit zu dieser Gruppe öffentlich kundzutun oder zu reklamieren.[224] Wehrpflicht und Waffenfähigkeit wirkten in mittelalterlichen Städten nicht sozialübergreifend, sondern sozial unterscheidend. Das militärische Geleit im Harnisch - oder gar zu Pferde - war eine Möglichkeit, wirtschaftlichen Reichtum und soziale Positionen zur Schau zu stellen.

Die Funktion des militärischen Geleits geht jedoch nicht in sozialer Distinktion und Vertretung der Stadtteile und der Bürgerschaft auf, sondern thematisierte städtische Verteidigungsbereitschaft und brachte Männlichkeit zum Ausdruck. Männlichkeit und Militär sind in vielen Kulturen eng miteinander verzahnt, gingen jedoch jeweils historisch spezifische Verbindungen ein, wie neuere historische und militärsoziologische Forschungen darlegen.[225] „Wehrhaftigkeit prägt das Erscheinungsbild der mittelalterlichen Stadt" so schreibt Eberhard Isenmann.[226] 1953 formulierte Otto Brunner: „Der Bürger ist ein auf Selbstausrüstung gestellter Krieger."[227] Zur Stadtverteidigung verpflichtet waren die Bürger prinzipiell mit persönlichen Leistungen, auch wenn in der Realität die Verteidungsanstrengungen seit dem 14. Jahrhundert zunehmend finanzieller Natur waren. Die städtische Autonomie und Selbstverwaltung beruhte auf der wirtschaftlichen Kraft der Stadtbewohner, stützte sich aber auch auf militärische Stärke. Rituale beschworen die städtische Verteidigungsbereitschaft; bildliche Darstellungen

---

223 Vgl. WÜBBEKE, Militärswesen, 63f.

224 Zur „Pferdenarretei" der Oberschicht selbst in kleinen Städten vgl. SCHINDLER, Karfreitagsprozession, 188f.

225 Als militärsoziologische Arbeiten vgl. BIRCKENBACH, Wehrdienstbereitschaft; MORGAN, Theater of War. Als Beispiele für geschichtswissenschaftliche Studien zu Männlichkeit und Militär im 19. und 20. Jahrhundert vgl. die Beiträge von HAGEMANN, FREVERT, KÜHNE und REULECKE in dem von THOMAS KÜHNE herausgegebenen Sammelband zu Männergeschichte. Zu Männlichkeit im Mittelalter vgl. jetzt DINGES (Hg.), Hausväter. Vgl. weiter WALTERS, Shifting Construction; LEES (Hg.), Medieval Masculinities; SIGNORI, Joseph. Zur frühen Neuzeit vgl. WIESNER, Guilds; DINGES, Weiblichkeit; ROPER, Männlichkeit.

226 ISENMANN, Stadt, 148.

227 BRUNNER, Souveränitätsproblem, 302. Vgl. MEIER, Mythos, 361. Zum „kriegerischen" Selbstbewußtsein mittelalterlicher Bürger liegen kaum Forschungen vor. Die neueren Untersuchungen zum städtischen Wehrwesen in Köln und Braunschweig von WÜBBEKE, Militärwesen, und SAUERBREY Wehrverfassung, gehen auf militärische Werte und Ideale nicht ein.

wie die „Neun guten Helden" an und in städtischen Gebäuden veranschaulichten und propagierten sie.[228] Auch eine weibliche Figur wie die „Judith"
konnte die Waffentaten und die Werte Vaterlandsliebe und Tapferkeit verkörpern und dabei die Mitwirkung von Frauen im Verteidigungsfall einer
Stadt ansprechen.[229] Wehrpflichtig und waffenfähig waren jedoch vorrangig
Männer. Und es waren ausschließlich die Männer der Stadt, die die Verteidigungsbereitschaft in repräsentativen Formen demonstrierten.

Die Erfurter „weppener" traten dabei nicht als aggressive und kriegerische Männer auf, sondern zeigten vor allem eine verteidigungsbereite, waf-
fentragende Männlichkeit, die nach ästhetischen, sittlichen und materiellen
Kriterien beurteilt wurde. Die Zielschützen gingen *in geschmücktem harnosche
wol gezeuget* neben den Ratsherren; 1465 sollten *hubsche junge personen* gewählt
werden; sie hatten sich *auff das aller beste* herzurichten und diejenigen, *die den
aller besten harnisch haben,* führten die Reihen an.[230] Das Tragen von Waffen
verknüpfte sich mit Vorstellungen von Schönheit, angemessenem Benehmen und wirtschaftlicher Potenz. Diese Assoziationen werden auch bei
Hermann Weinsberg erkennbar, wenn er ausführlich seine Ausrüstung und
Kleidung als Rittmeister der Kölner Gottestracht beschreibt.[231] Kleidung
und äußere Kennzeichen waren im Spätmittelalter wichtige Aspekte von
Männlichkeit. Mit Schamkapseln und engen Beinlingen wurde Körperlich-
keit von Männern in dieser Zeit immer ostentativer zur Schau getragen.[232]

Trotz der engen Verbindung von Männlichkeit und Verteidigungsbereitschaft war die Waffenfähigkeit nicht das einzige Handlungsfeld in der spätmittelalterlichen Stadt, das von Männern besetzt war.[233] Mit dem Rat und

---

228   Vgl. GRAF, Schlachtengedenken; MEIER, Mythos, 361, 364-369.

229   Zur Judith vgl. MEIER, Mythos, 366-369 mit weiterer Literatur.

230   MICHELSEN, Ratsverfassung, 47; StAE 2-155/5, fol. 29-30. Das Wort „hübsch" leitet
sich von „Hof" ab und bezeichnete eine die Hofsitte kennende, gesittete und gebildete
Person oder ein eben solches Benehmen. Schon im Spätmittelalter trat allerdings die auf
das Aussehen bezogene Bedeutung hinzu. Vgl. Art. hübsch, in: Deutsches Wörterbuch
Bd. 4, 2 (1877), 1851-1855.

231   WEINSBERG I, 264: *Hernach folgten ich selbst, sass uff dem perde in follem kurris mit minem rink-
kragen, daruber den kripz mit armstucker, daruber ein flankert, an den beinen harnersche rohen,
schinnen, iserne schoin und kurris lange sporren; uber das gekurris hat ich einen swarzen damasken
paltrock mit fil falten, hat swarz kurze mauger an, ront umbher breit mit flawil bordirt und also gestalt, das man das harners an der borst, armen, bein und hals underscheidlich sach; hat ein hupz rits-
wert uff der seiten mit silber beslagen.*

232   WOLTER, Verpackung, 30-44, zu Schamkapseln: 70-88; SIGNORI, Joseph.

233   Neuere historische und soziologische Studien zu Männern und Männlichkeit sprechen
nicht mehr von Männlichkeit („masculinity"), sondern von Männlichkeiten in Plural

der Geistlichkeit waren weitere männliche Rollen in der Adolar- und
Eoban-Prozession präsent. Der Ratgeber, der Krieger und der Priester repräsentierten die Handlungsfelder politische Herrschaft, militärische Tat
und göttlicher Beistand, die für die Stadt als politisches Gebilde notwendig
waren.[234] Die Prozession präsentierte die städtische Gemeinde als Zusammenwirken verschiedener Männlichkeitsbilder und als Beziehungsnetz zwischen Männern, das Frauen ausschloß.

In der zweiten Hälfte des 15. Jahrhunderts gewann das militärische Geleit zunehmend an Gewicht. Wurden sie 1452 nur knapp erwähnt, nimmt
die Beschreibung ihres Auftretens in der Ratsordnung von 1465 breiten
Raum ein. Auch steigerte der Rat bis zum Beginn des 16. Jahrhunderts die
Zahl der „weppener". Waren es 1451 100 bewaffnete Männer, so 1465
schon 200 und 1507 schließlich 300. Auch andere Städte erhöhten in dieser
Zeit den Prunk und die Demonstration militärischer Stärke bei Prozessionen und anderen Zeremonien.[235] Die Hintergründe dieser Tendenz können
hier nur angedacht werden. Zu berücksichtigen ist die städtische Abwehr-
haltung gegen zunehmende äußere Bedrohung durch Territorialmächte.
Eine Geschichte der kriegerischen Werte in spätmittelalterlichen Städten als
Bestandteil bürgerlicher Selbstdarstellung und städtischem Selbstverständnisses ist noch zu schreiben. Auch humanistische Einflüsse und Antikenre-
zeption werden Einfluß auf die Gestaltung von Festen, Zeremonien und
Prozessionen gehabt haben. Schließlich wäre zu überlegen, ob das militärische Geleit in einer Zeit an Bedeutung gewann, als Männlichkeit neu for-
miert und definiert wurde.[236] Diese Fragen können hier nur als Anregung
für künftige Forschungen formuliert werden. Festhalten läßt sich jedoch,
daß das militärische Geleit der Adolar- und Eoban-Prozession bestimmten
Personen und Gruppen der Erfurter Bürgerschaft, die nicht im Rat vertreten waren, die Möglichkeit der Teilnahme und der sozialen Abgrenzung
eröffnete. Zugleich machten die „weppener" die Verteidigungsbereitschaft
der Stadt und die Definition der politischen Gemeinde als Zusammenschluß
von Männern sichtbar.

(„masculinities"). Vgl. BROD/KAUFMAN, Theorizing Masculinities, 4; KÜHNE, Männergeschichte, 19.

234 Ulrich Meier faßt in seinem Aufsatz über Rathausikonographie einen Komplex als „Rat
und Tat" - „arma" und „toga" zusammen - und gab mir damit wichtige Anregungen für
diesen Abschnitt. MEIER, Mythos, 361.

235 Vgl. LÖTHER, Inszenierung, 118ff.

236 Vgl. WIESNER, Guilds.

3.5 Exklusivität: Zuschauende und Prozessionsroute

Das *volck* sollte das Sakrament und diejenigen, die die Reliquien trugen, nicht bedrängen –diese Formulierung beschreibt anschaulich die Rolle der übrigen Einwohner und Einwohnerinnen bei der Adolar- und Eoban-Prozession. Sie waren Publikum, das in den Augen des Rates die Prozession durch Gedränge und Schaulust tendenziell behinderte. An keiner Stelle regelten die Prozessionsordnungen die Eingliederung und Reihenfolge der städtischen Bevölkerung. Gerade eine Prozessionsordnung des Rates, in dessen Aufgabenbereich üblicherweise die Aufstellung der weltlichen Teilnehmenden fiel, ließe solches aber erwarten. Als Handlungsträger der Prozession präsentieren die Quellen den Rat und die Geistlichkeit. Aus diesem exklusiven Kreis heben sich die Achtherren und einige Kanoniker des Marienstiftes nochmals durch ihre Aufgaben im Zentrum der Prozession heraus. Die übrige Bevölkerung konnte zuschauen und am Prozessionstag in der Marienkirche einen Ablaß gewinnen.[237]

Exklusivität und Ausschluß signalisierte auch die Prozessionsroute. Die Adolar- und Eoban-Prozession war kleinräumig auf die Machtzentren der Stadt ausgerichtet. Die lineare Route der Ratsherren stellte eine Verbindung zwischen den Gebäuden der weltlichen und der geistlichen Führungsspitze Erfurts her, dem Rathaus und der Marienkirche. Mit dem Umgang um den Domberg wurde ein zirkulärer Weg im erzbischöflich-stiftischen Bereich abgeschritten. Die herausgehobene Stellung des Rates wird in der Marienkirche nochmals unterstrichen: Die Ratsmitglieder stellten sich im Chor auf, wo die Achtherren die Reliquienschreine übernahmen und wo der Rat die Messe hörte. Damit hatten sie Zutritt zu einem Ort, der normalerweise den Stiftsherren vorbehalten war und der durch den Hochaltar und die Aufbahrung der Heiligen eine besondere Sakralität besaß.[238] Gleichwohl blieb der Rat für die übrigen Kirchenbesucher und -besucherinnen sichtbar, da Exklusivität, wollte sie der Repräsentation einer herausgehobenen Stellung dienen, ein Publikum brauchte.

---

237 MICHELSEN, Ratsverfassung, 46: *ye uber sieben jhor uf den sontag Trinitatis, alszdan ablas in derselben kirchen ist.*

238 Zum Chor der Marienkirche vgl. LEHMANN, Dom, 15-18, 20f.

3.6 Fazit: Die Adolar- und Eoban-Prozession als Selbstdarstellung der geistlichen und politischen Spitze Erfurts

Ulman Weiß urteilt über die Adolar- und Eoban-Prozession: „Zweifellos, die beiden Bischöfe waren zu hochpolitischen Stadtheiligen geworden, und dies nicht von ungefähr gerade jetzt, da der erzstiftische Heilige Martin darauf sann, in Erfurt zur Vorherrschaft zu gelangen: ein antimainzischer Affront, der sich treuherziger und frommer gab, war kaum zu denken."[239] Diese Interpretation beschreibt eine mögliche Wahrnehmungsweise, aber die Bedeutungsvielfalt, die die Prozession für die unterschiedlichen Gruppen der Stadt attraktiv machte, geht verloren. Sicher konnten Erfurter Bürger und Bürgerinnen in dem Heiligen, der mit seinem Gefährten Eoban alle sieben Jahre am Sonntag Trinitatis um den Domberg getragen wurde, einen Repräsentanten der städtischen Unabhängigkeit sehen. Als der Rat in der Mitte des 15. Jahrhunderts die Prozession bewußt gestaltete und schriftlich fixierte, galt ihm Adolar als der erste und einzige Bischof eines von Mainz unabhängigen Bistums Erfurt. Der Bischof Adolar war jedoch keine städtische „Erfindung", die sich gegen den Stadtherrn richtete, sondern Geistliche des Marienstiftes hatten die Sichtweise seit dem Ende des 13. Jahrhunderts verbreitet. Vor allem aber schlägt sich eine antimainzische Sinngebung nicht in der Gestaltung der Prozession nieder. Wenn die Ratsherren mit ihrem Gang das weltliche und das geistliche Zentrum Erfurts verbanden oder wenn die Kanoniker des Marienstiftes und die Achtherren gemeinsam die Reliquienschreine um den erzbischöflich-stiftischen Bereich trugen, demonstrierten sie das einträchtige Zusammenwirken von weltlicher und geistlicher Gewalt. Andere Wahrnehmungsweisen blieben zwar möglich und hätten am Ende des 15. Jahrhunderts aktiviert werden können, doch schlugen sich solche Aneignungen nicht in den Quellen nieder. Da die Adolar- und Eoban-Prozession der städtischen Führungsspitze, dem Rat und besonders herausgehoben den Achtherren, die Möglichkeit bot, ihren Machtanspruch in Bindung an die Stifte und den Stadtherrn öffentlich darzustellen und gleichzeitig als Organisator der Prozession gleichberechtigt neben diesen Gewalten aufzutreten, blieb die Prozession auch angemessen, als das propagierte Ideal der Eintracht im letzten Viertel des 15. Jahrhunderts nicht mehr den tatsächlichen Beziehungen entsprach.

Seinen Führungsanspruch manifestierte der Rat in Exklusivität. Zum einen trat mit dem Rat und der hohen Geistlichkeit nur ein kleiner Kreis als Handlungsträger der Prozession auf; die übrige städtische Bevölkerung

---

239 WEISS, Bürger, 53.

stand als Publikum am Rande. Zum anderen waren an der Prozession und dem militärischen Geleit nur Männer beteiligt; politische Repräsentation wird männlich definiert. Die Adolar- und Eoban-Prozession wäre jedoch kein funktionierendes Ritual, wenn sie nicht auch Angebote an die übrige Bürgerschaft machte. Das militärische Geleit bot Bürgern, die nicht im Rat saßen, aber wirtschaftlich und sozial angesehen waren, eine prestigeträchtige Teilnahme. Auch legte die am Rande zuschauende Bevölkerung möglicherweise keinen Wert auf eine aktive Teilnahme, solange die prachtvolle Gestaltung der Prozession - wie beispielsweise der 1477 erneuerte Schrein -, der in der Marienkirche zu gewinnende Ablaß und der militärische Prunk Bedürfnisse nach Seelenheil und Schaulust befriedigten.

4. Präsenz: Die Bittprozessionen der Jahre 1482 und 1483

Eine als Krise erfahrene Situation veranlaßte im Jahre 1482 die Bürgerschaft der Stadt Erfurt, sich göttlicher Hilfe zu vergewissern: *[E]yn iglich mensche junck unnd alt, geistlichen unnd wertlichen* war aufgefordert, am 7. Juni in einer Prozession um die Stadt mitzugehen und Gott um Gnade zu bitten.[240] Nachdem die Prozession nicht die erwünschte Wirkung zeigte - die Dürre des Vorjahres hielt an und die Pest drohte auszubrechen - gebot der Rat im folgenden Jahr wiederum einen Umgang, an dem *eyns iglichen menschen* teilnehmen sollte.[241] Im Gegensatz zu der Adolar- und Eoban-Prozession, mit der Mitglieder des Rates und der hohen Geistlichkeit ihren Führungsanspruch zum Ausdruck brachten, machte die Krisensituation die Präsenz der gesamten städtischen Bevölkerung notwendig. Die Charakteristika außergewöhnlicher Bittgänge - die Ereignisgebundenheit, die Gestaltung von Zeit, Raum und Liturgie sowie die Handlungsträger - sollen im folgenden anhand der Erfurter Bittprozessionen von 1482 und 1483, die durch den Chronisten Konrad Stolle detailreich dokumentiert sind, herausgearbeitet werden.[242]

---

240 TOLLE, Memoriale, 432.
241 STOLLE, Memoriale, 498.
242 TOLLE, Memoriale, 432-434 (1482) und 498-502 (1483). Im folgenden werden nur noch Zitate nachgewiesen.

4.1 Prozession und Ereignis

Außergewöhnliche Bittprozessionen waren ereignisgebunden. Nach Gabriela Signori lassen sie sich als „ereignis-referentiell und ereignis-konstituierend" kennzeichnen, da sie auf Ereignisse reagierten und gleichzeitig selbst außergewöhnliche Geschehnisse darstellten.[243] In einigen Elementen ähnelten sie auch den regelmäßigen Prozessionen. Auch einmalige Bittprozessionen konnten wiederholt werden, wie Jacques Chiffoleau und Gabriela Signori für die Pariser Prozessionen 1412 und die Straßburger Kreuzgänge 1474-76 darlegen.[244] Wiederholung sollte die Effizienz steigern und signalisierte die Ausnahmesituation: Im April 1475 ordnete der Straßburger Rat für jeden Mittwoch bis zum Ende des Krieges gegen die Burgunder Umgänge um die Kirchen und Klöster an.[245] [P]*rocession uf drey tag zu halten* forderte der Rat in Nürnberg 1480 von den beiden Pfarrkirchen und den Orden, um für gutes Wetter zu bitten.[246] Während einerseits außergewöhnliche Bittgänge repetitive Momente enthielten, konnten andererseits jährliche Prozessionen an Ereignisse der Stadtgeschichte erinnern. Schließlich griffen einmalige Prozessionen in ihrer Gestaltung auf das Modell regelmäßiger Umgänge zurück. 1261 sollten die Prozessionen wegen der Kriegszüge der Mongolen wie die Rogationen gehalten werden; die Straßburger Kreuzgänge des Burgunderkrieges nahmen die Prozessionen der Fastenzeit und des Fronleichnamsfestes zum Vorbild.[247] Die Bindung an traditionelle Muster beschreibt Chiffoleau als widersprüchlich: Konstitutiv für ein Ritual war die Übernahme einer älteren, ursprünglichen Szene; diese konnte jedoch nie exakt wiederholt werden. Der französische Historiker zieht daraus die Konsequenz, daß bei der Analyse der Pariser Prozessionen das Ereignis in seiner Einzigartigkeit betrachtet werden muß: „Pour en venir à bout, sans doute faut-il revenir à l'évènement dans sa singularité."[248] An

---

243 SIGNORI, Ritual, 4.
244 CHIFFOLEAU, Processions; SIGNORI, Ritual.
245 Vgl. PFLEGER, Ratsgottesdienste, 33f.; SIGNORI, Ritual, 23.
246 StAN, Rep.60b, Nr. 3, fol. 22'. Ähnliche Wiederholungen wurden in Nürnberg 1488 wegen der Gefangennahme Maximilians in Brügge und bei der Kaiserkrönung 1507, in Regensburg 1505 wegen Kriegsgefahr angeordnet. Vgl. SCHLEMMER, Gottesdienst, 276f.; GEMEINER, Chronik IV, 92f.
247 MANSI, Bd. 24, 777. Vgl. HEFELE, Conciliengeschichte, Bd. 2, 77f. Zu Straßburg vgl. SIGNORI, Ritual, 8. In Göttingen wurde regelmäßig auf ein Prozessionsbuch verwiesen. Vgl. LUBECUS, Annalen, 141, 257.
248 CHIFFOLEAU, Processions, 38.

Hand von einmaligen Bittprozessionen läßt sich am ehesten beobachten, wie Rituale auf Ereignisse reagierten.

Typologie der Ereignisse

Bevor der Ereigniszusammenhang für Erfurt in den Jahren 1482 und 1483 rekonstruiert werden kann, sollen die Anliegen und Geschehnisse typologisiert werden, auf die eine mittelalterliche Stadt mit Prozessionen reagierte. Einen ersten Eindruck erlauben die Erfurter und Nürnberger Bittprozessionen. In Erfurt ist eine Bittprozession erstmalig für Oktober 1468 belegt. Nach einem nassen Sommer und lang anhaltendem Regen fiel am 11. Oktober Schnee und es kam zu Überschwemmungen. Nach den Worten des Chronisten hatte kein Mensch so ein großes Unwetter gekannt, *darumb so ging man an viel enden mit dem heyligen sacrament und loblichen processien.*[249] Angesichts der Belagerung von Neuss bestellte der Erfurter Rat für Anfang 1475 eine Prozession, *umbe einen gotlichen frede unnd den krig zu wenden unnd gutlichen bie gethon worde.*[250] 1482 und 1483 fanden die erwähnten Prozessionen statt, bei denen für besseres Wetter und eine gute Ernte sowie für Frieden und die Bewahrung der Stadt vor der Pest gebetet wurde. Der päpstliche Ablaßkommissar Raymund Peraudi veranstaltete 1488 während seines Aufenthaltes in Erfurt eine Ablaßprozession. Am 11. August 1491 gingen der Rat und die Einwohner Erfurts nach einer Überschwemmung zur Marienkirche. Schließlich fand 1511 nach den innerstädtischen Unruhen von 1509/10 eine Prozession für Frieden und Einigkeit statt.[251] Es mag in Erfurt weitere Bittprozessionen gegeben haben, die jedoch in der Chronistik keinen Niederschlag fanden.[252] Ratsprotokolle, die eine Ergänzung geben könnten, fehlen für diese Zeit.

Solche Aufzeichnungen des Rates geben Auskunft über die Nürnberger Bittprozessionen.[253] Die erste überlieferte Prozession fand im Mai 1479 wegen einer Dürre statt. Prozessionen für besseres Wetter - nach Trocken-

---

249 CAMMERMEISTER, Chronik, 221. Hartung Cammermeister war 1467 gestorben; einige Notizen zu den Jahren 1467 und 1468 fügte ein anderer Verfasser der Chronik an.
250 STOLLE, Memoriale, 349.
251 Ebenda, 349 (1475), 432-434 (1482), 498-502 (1483), 440-441 (1488), 450 (1491); VARILOQUUS, 162 (1511); FALCKENSTEIN Civitatis Erfurtensis Historia, 509 (1511). Variloquus datiert: *Lune ipsa octava nativitatis Marie.* Der Herausgeber Richard Thiele erläutert in der Anmerkung: „Montags, d. 15. September 1510", im Randtext allerdings: „MDXI". Aufgrund des Wochentags kommt nur 1511 in Frage. WEISS, Bürger, 104, datiert dagegen 1510.
252 Nikolaus von Siegen erwähnt die Bittprozessionen 1482, 1483, 1488 oder 1491 nicht.
253 Zum folgenden vgl. SCHLEMMER, Gottesdienst, 273-280.

heit oder lang anhaltenden Regenfällen - sind weiter im August 1480, am 1. August 1511, für alle Samstage zwischen dem 6. August und den 29. September 1515, am 9. Juni 1522, am 25. Juli 1523 sowie - als letzte Bittprozession Nürnbergs - am 25. Januar 1524 dokumentiert. Am 29. Januar 1484 wurde die einzige Pestprozession Nürnbergs abgehalten. Relativ häufig waren in Nürnberg Prozessionen in Reichsangelegenheiten, so nach der Gefangennahme König Maximilians in Brügge 1488,[254] zur Kaiserkrönung 1507, anläßlich von kriegerischen Auseinandersetzungen des Reiches mit Venedig 1509 - von denen Nürnberg aufgrund seiner Handelsbeziehungen selbst betroffen war -, beim Tod Maximilians 1519 und zur Reise Karls V. von Spanien ins Reich 1522. In eigenen kriegerischen Angelegenheiten sind nur zwei Prozessionen aktenkundig geworden. Während des Bayerischen Erbfolgekrieges 1504/05, bei dem Nürnberg auf Seiten König Maximilians und des Schwäbischen Bundes stand, sollte mit Prozessionen für den Sieg gegen Kurfürst Philipp von der Pfalz gebetet werden. Bei der Prozession 1509 wegen der Auseinandersetzungen Maximilians mit Venedig war auch die eigene Fehde gegen einen Hans Baum ein Anliegen der Gebete.

    Erfurt und Nürnberg zeigen die typischen Anlässe von Prozessionen. Das Wetter - Dürre oder zuviel Regen -, verbunden mit Teuerung und Hungersnot, war einer der häufigsten Anlässe. Auf Überschwemmungen reagierten Bern, Basel, Straßburg und Frankfurt 1480 und Erfurt 1491 mit Prozessionen.[255] Ebenso finden sich seit 1348 wiederholt Prozessionen wegen der Pest. Noch 1630 zog die Mailänder Bevölkerung bei einer Seuche durch alle Stadtviertel, um die Straßenkreuzungen mit der Reliquie des Karl Borromäus zu segnen.[256] Auch dem Auftreten neuer Krankheiten, wie der Syphilis am Ende des 15. Jahrhunderts, wurde mit Prozessionen begegnet.[257] Wie in Paris 1412 oder in Straßburg während des Burgunderkrieges wurde in Kriegszeiten Zuflucht in Prozessionen gesucht; sie dienten quasi als „innere, spirituelle Festigung des Gemeinwesens".[258] Hatten Prozessionen bei kriegerischer Bedrohung den Zweck, die Stadt gegenüber äußeren Gefahren zu stabilisieren, so konnten Magistrate auch versucht sein, nach innerstädtischen Auseinandersetzungen Eintracht stiftende Prozessionen

---

254 Aufgrund der Gefangennahme fanden Prozessionen auch in Straßburg und anderen Reichsstädten, ja selbst in Amsterdam statt. Vgl. SIGNORI, Ritual, 38; SCHELER, Inszenierte Wirklichkeit, 123; WIESFLECKER, Maximilian (1971), 214.
255 Vgl. SIGNORI, Ritual, 37-42; FRONING, Chroniken, 219.
256 Vgl. DELUMEAU, Rassurer, 145.
257 Vgl. PFLEGER, Ratsgottesdienste, 37.
258 SIGNORI, Ritual, 25.

anzuordnen. Da dies aber die Gefahr barg, die Gegensätze neu aufleben zu lassen, sind Prozessionen bei inneren Zwistigkeiten eher selten; belegt sind sie 1511 in Erfurt und 1513 in Regensburg.[259] Prozessionen anläßlich von Reichsereignissen schließlich dokumentierten reichsstädtisches Selbstverständnis und Bindung an den jeweiligen Herrscher; sie häufen sich in Straßburg und Nürnberg am Ende des 15. Jahrhunderts.[260] Auch die Erfurter Prozession 1475 während der Belagerung von Neuss zielte wohl eher auf reichspolitische Interessen der Stadt, als daß sich Erfurt selbst bedroht fühlte. Ein Motiv des Erfurter Rates konnte gewesen sein, Nähe zum Kaiser in einer Zeit zu beweisen, als der Stadtherr Bischof Adolf von Nassau im Sterben lag und die Selbständigkeit in Gefahr war. Im Rahmen der Bemühungen, nach dem Fall Konstantinopels 1453 einen neuen Kreuzzug zu organisieren, ordnete die Kurie auch Prozessionen an. Nach der Schlacht bei Belgrad (14. und 21. Juli 1456) forderte Papst Calixtus III. am 29. Juli 1456 Patriarchen, Erzbischöfe, Bischöfe und Äbte auf, an jedem ersten Sonntag im Monat Bittprozessionen wegen der Türkengefahr mit anschließender Messe und Predigt zu halten.[261] Auch Papst Paul II. versuchte einen erneuten Kreuzzugplan 1470 propagandistisch durch die Aufforderung zu Prozessionen zu stützen.[262]

Es waren nicht notwendig erlebte Ereignisse, auf die mit Prozessionen geantwortet wurde, sondern auch Nachrichten und Gerüchte konnten Umgänge motivieren. Gerade überregionale Ereignisse wie die Türkeneinfälle oder der Tod eines Herrschers waren für die meisten Menschen medial vermittelte Geschehnisse. Ebenso aber reagierten Prozessionen in Kriegszeiten nicht nur auf die direkte Bedrohung der Stadt, sondern auch auf Meldungen über fernere Kriegsereignisse. Die Pariser Prozessionen 1412 wurden durch die Nachricht von der Ankunft des Königs in Bourges, nicht durch die erlebte Abfahrt aus Paris ausgelöst. Chiffoleau hebt deshalb als Faktor für den Erfolg der Prozessionen neben der emotionalen Rolle des Ereignisses die Mobilisierungskraft der Neuigkeiten hervor.[263] Auch bei den

---

259 Zu Regensburg vgl. GEMEINER, Chronik IV, 215f. Zu dieser Prozession vgl. unten S. 294

260 Für Straßburg vgl. SIGNORI, Ritual, 38, mit einer Tabelle der Bittgänge und ihrer Anlässe von 1479-1520.

261 PASTOR, Päpste, Bd. 1, 721ff. Zur Umsetzung beispielsweise in Augsburg vgl. St.Chr. Bd. 25, 314. Zu den Türkenkriegen vgl. BABINGER, Mehmed; RUNCIMAN, Fall of Constantinopel; MEUTHEN, Fall von Konstantinopel; MERTENS, Europäischer Friede.

262 Vgl. einen Prozessionsaufruf in Lübeck: UB Lübeck Bd. 11, Nr. 628 (1470 Aug. 24).

263 CHIFFOLEAU, Processions, 49: „(...) mais elle (das Zusammenwirken zwischen Krieg und der Entwicklung des Rituals) attire aussi notre attention sur un facteur important dans le

Straßburger Prozessionen während des Burgunderkrieges spielten Gerüchte und Nachrichten eine wichtige Rolle: Ereignisse „nicht nur als *res gestae*, sondern auch als *res fictae*, als Gerücht" waren sinngebender Erfahrungshintergrund.[264] Prozessionen vergegenwärtigten den Abwesenden die Ereignisse. So stellte der Kreuzgang am 6. März 1476 ein geistiges Band zwischen den in Straßburg Gebliebenen und den Kriegsteilnehmern vor Grandson her. Prozessionen reagierten nicht nur auf Nachrichten, sondern waren auch ein Medium, mit dem Informationen verbreitet wurden. Beispielsweise brachte der Erfurter Rat 1475 der Stadt das Geschehen im fernen Neuss und damit die Reichspolitik mittels einer Prozession nahe: *Czu der selbigen czit der rad in der stad erffort beweget wart solchs grossen jammers, bestalten da in orer stad erffort processien zu gehene.*[265]

Gerüchte mobilisierten jedoch nicht nur bei politischen Ereignissen, sondern auch bei Seuchen motivierte vielfach nicht der Ausbruch, sondern die Nachricht über Pestzüge in anderen Städten die Umgänge. In Göttingen wurde am 18. Juli 1483 eine Prozession abgehalten, *das Godt die stat fur pestilentz behuten wollt.* Der Chronist Franciscus Lubecus erklärt: *Dan dusse suke regirete in dussem jare sehr heftig an vilen enden.*[266] Ähnlich richteten sich die Erfurter Bittprozessionen 1482 und 1483 gegen die Bedrohung durch die Pest, die in anderen Regionen bereits ausgebrochen war: *Sunderlichen in disser czit ist gross sterben gewest in fele landen umme heer, ane in erffort unnd im lande zu doringen alleyne. Also besorgete sich dye stad erffort, es mochte ouch zu on kome.*[267] Die Bittgänge sollten verhindern, daß die Seuche die eigene Stadt schädigte.

Wie entscheidend Gerüchte sein konnten, zeigt die Reaktion auf unerklärliche Kreuzeszeichen, die 1503 in Dortmund, Straßburg und Augsburg auftraten. Sie wurden als Hinweise auf Unglück gewertet, auf die mit Prozessionen zu antworten sei. Der Dortmunder Chronist Dietrich Westhoff berichtet: *Dis jaers* [1503] *vielen crueze blodig und ander manigerlei varve in der menschen hemede und der vrouwen doecher, des sich die menschen nicht wennich verwundert und sich bevruchteden, dat demselvigen grote gots wrake volgen solte.*[268] Es fand daraufhin eine Prozession mit außergewöhnlich hoher Beteiligung statt. Auch in Augsburg versetzten fallende Kreuze die Bevölkerung in Aufregung und

---

déclenchement et le succés des processions: le rôle émotionnel de l'événement et celui, très mobilisateur, des nouvelles."

264 SIGNORI, Ritual, 9f. Zum folgenden vgl. ebenda, 25f.
265 STOLLE, Memoriale, 349.
266 LUBECUS, Annalen, 228.
267 STOLLE, Memoriale, 498.
268 St.Chr. Bd. 20, 373.

spornten zu großer Teilnahme an der Prozession - nach chronikalischen Berichten 60.000 Menschen - an.[269] In Straßburg berichtet ein Erlaß des Bischofs Albrecht von Bayern vom 21. Juni 1503 über Kreuzzeichen auf Kleidern und Körpern von Menschen, die vor einigen Jahren außerhalb des Bistumsgebiets, „wie er, der Bischof, aus glaubwürdigen Berichten gehört habe", jetzt aber auch im Bistum aufgetreten seien. Der Bischof deutete dies als Vorzeichen göttlichen Zorns und ordnete Prozessionen an. Ihm folgend verkündete der Straßburger Rat am 23. Juni einen Kreuzgang in allen Pfarreien, *umb allerley sweren anligen der cristenheit.*[270]

Zeichen, Nachrichten von Pestzügen oder andere Gerüchte konnten in einer Stadt eine angespannte Atmosphäre schaffen, die die Magistrate mit Prozessionen zu beruhigen suchten. Ein Ziel des Straßburger Kreuzganges am 26. September 1474 war es, die zum Teil durch Ratspropaganda selbst geschaffene Angst vor den burgundischen Söldnertruppen einzudämmen.[271] Auch bei der Erfurter Prozession am 11. August 1491 war die Überschwemmung am 8. August nur das vordergründige Anliegen. Dahinter standen ein außergewöhnlich kalter und langer Winter, ein Sturm im Juli, die Überschwemmung im August sowie eine unerklärliche Feuererscheinung. Der Geistliche Stolle deutet die Geschehnisse als Zeichen Gottes: *als god also eyn czeichen gab dorch das wasser unnd das für, ab sich das folk noch bekere unnd bessere wolde.*[272] In der städtischen Bevölkerung gingen allerdings weniger gottesfürchtige Erklärungen um, wie Stolle berichtet.[273] Die einen machten indirekte Steuern verantwortlich, mit denen der Rat die Verschuldung bekämpfen wollte. Andere beklagten allgemein die schlechte geistliche und weltliche Regierung als Grund der Beschwernisse. Wieder andere befanden den Mönch schuldig, der 1472 den Stadtbrand gelegt hatte; auch der Abbruch des Cyriaksklosters galt als Ursache. Gegen diese Erklärungsversuche, die auch Kritik am ratsherrlichen Handeln anklingen ließen, ordnete der Rat als angemessene Antwort auf die Geschehnisse eine Prozession an. Damit wurde die Krise als Strafe Gottes für die Sünden der Menschen gedeutet und als Lösung wurde religiöses Handeln angeboten.

---

269 Vgl. KIESSLING, Bürgerliche Gesellschaft, 292.
270 PFLEGER, Ratsgottesdienste, 38f.
271 Vgl. SIGNORI, Ritual, 17f.
272 STOLLE, Memoriale, 449.
273 Ebenda, 449ff.

Erfurter Ereignisse 1482/83: Pest, Hungersnot und Konflikte mit dem Stadtherrn
Der Chronist Konrad Stolle hatte die beiden Bittprozessionen selbst erlebt
und hebt seine Zeugenschaft und persönliche Teilnahme hervor: *Das habe
ich geseen unnd ouch mete gegangen, der ditcz geschreben had, genant, conradus stolle, eyn
vicarius zu sente sever.*[274] Geboren wohl 1430 im erfurtischen Dorf Nieder-
zimmern, besuchte Stolle 1447 die Schule St. Severi in Erfurt und wechselte
im selben Jahr zur Schule in Langensalza.[275] Der weitere Bildungsweg ist
unbekannt. Von ungefähr 1458 bis 1462 hielt er sich in Italien auf; 1458 und
1460 war er in Rom. Wahrscheinlich Anfang 1463 wurde er zum Priester
geweiht. Die Vikarie in der Erfurter Severi-Kirche, die er im Zusammenhang mit der Bittprozession 1483 erwähnt, nahm er 1464 ein. Im gleichen
Jahr erhielt er eine zweite Vikarie im Weißfrauenkloster, 1467 eine weitere in
der Kirche St. Bartholomäus. Zeit seines Lebens blieb Stolle Vikar in Erfurt.
Hier begann er 1477 - nach einem zweiten, kurzen Italienaufenthalt - das
„Memoriale", eine Sammlung von Auszügen aus Johann Rothes thüringi-
scher Chronik und eigenen Aufzeichnungen, die mit dem sächsischen Bru-
derkrieg 1440 beginnen. Er nimmt öffentliche Anschläge, Verträge, historische Lieder und ähnliches auf, erzählt aber auch aus eigener Anschauung.
Die Berichte reichen bis 1502; Konrad Stolle starb am 30. Dezember 1505.
Er schrieb aus der Position des Klerikers, der Lokalhistoriker mit erstaunli-
chen Kenntnissen über das Geschehen außerhalb Erfurts war und kirchliche Anordnungen, die von außen kamen - wie das Jubeljahr 1450 -, kriti-
scher beurteilte als der Ratsherr und Chronist Hartung Cammermeister.

Zu Beginn seiner Beschreibung charakterisiert Konrad Stolle den Anlaß und
die Ziele der Prozessionen, wie er sie wohl aus nicht überlieferten Prozessi-
onsaufrufen des Rates übernahm. 1482 sollte Gott um Bewahrung der Feldfrüchte und um Erhalt des Friedens in Thüringen gebeten werden, *zu bethen
den almechtigen ewigen got umme syne gotliche gnade zu enthaldende unnd bewarende dy
fruchte uff deme felde, thurunge unnd steten frede zu halden.*[276] Außerdem richtete
sich die Prozession gegen die drohende Pest. Der Bittgang des folgenden
Jahres sollte die Einwohner Erfurts sowie andere fromme Menschen vor
plötzlichem Tod, Hunger und Seuchen bewahren. Auch für eine gute Ernte
- dem Erhalt der Feldfrüchte - wurde gebetet. Über die Nennung der Anlie-

---

274 Ebenda, 501.
275 Zum Leben und Geschichtswerk Stolles vgl. die Einleitung des Herausgebers Thiele,
   STOLLE, Memoriale, 1-22; VOLKER HONEMANN, Art. Konrad Stolle, in: VL Bd. 6 (1995),
   359-362.
276 STOLLE, Memoriale, 432.

gen hinaus erläutert Stolle 1483 die Hintergründe: In vielen Ländern außerhalb Thüringens gebe es ein großes Sterben und die Stadt sei besorgt, die Seuche könne auf Erfurt übergreifen. Tatsächlich berichten Chroniken anderer Städte über einen Pestzug in den Jahren 1482/83. Eine Dortmunder Chronik erzählt 1482 von einer *groten pestilens etlicher orde*. In Nürnberg starben 1483 über 4000 Menschen; in Schwaben begann die Seuche im Sommer 1483.[277] Ebenso litten Lübeck und Lüneburg, wie zahlreiche andere Städte, unter der Pest.[278] Auch in Erfurt war die Angst nicht unbegründet. 1484 brach die Seuche in dieser Stadt aus, und nach Nikolaus von Siegen sollen hier 10.-12.000 Menschen gestorben sein. Wie seine Vorgänger, die über die Hungersnot und die Pestwelle des 14. Jahrhunderts berichteten, übertreibt auch Nikolaus die Zahlen, um die Schwere des Seuchenzuges zu verdeutlichen, den die Stadt 1482 und 1483 mit Prozessionen zu verhindern versucht hatte.[279]

Auch auf die Ernährungssituation geht Stolle näher ein: Nach zwei Dürrejahren waren Lebensmittel teuer geworden. Eine hohe Bevölkerungszahl verschlimmerte nach Stolles Meinung die Lage. Er merkt an, daß seit 20 Jahre keine größere Seuche geherrscht habe - der letzte Pestausbruch datiert auf 1462/64, die letzte Hungersnot lag 40 Jahre zurück. Es gäbe deshalb viele Menschen und vor allem Familien mit einer größeren Kinderzahl, die wenig Geld hätten.[280] Auch Dürre und Getreideknappheit herrschten in diesen Jahren nicht nur in Erfurt. Ein Lübecker Chronist berichtet: *In deme sulften yare* [1482] *was eyn schone wedder, also dat it van vastelabende nicht en reghende wente na paschen: darumme wart dat korne in Myßen sere dure, wente de gantze zomer was dar droge.*[281] Um Bedürftige in dieser Teuerungszeit zu unterstützen,

---

277 St.Chr. Bd. 20, 347 (Dortmund); Bd. 10, 369 (Nürnberg); Bd. 23, 43 (Augsburg). Zur Pest in Nürnberg vgl. BÜHL, Pestepidemien.

278 Vgl. IBS, Pest, 122ff. (Lübeck); St.Chr. Bd. 36, 146, 444 (Lüneburg). Eine nicht immer korrekte Auflistung der 1482/83 betroffenen Städte findet sich bei BIRABEN, Hommes, Bd. 1, 410.

279 NIKOLAUS VON SIEGEN, Chronicon ecclesiasticum, 472. Zur Pestwelle 1484 vgl. SPIEGLER, Pest, 82.

280 STOLLE, Memoriale, 498: *Item zu den czit was ouch etlicher mossse thurunnge im lande,* [...] *Es was ouch zu der czit sere fele folkes, wanne innewendigk cwenczigk jarn was nye keyn recht sterben gewest. Es was ouch selden eyn par volkes, sye hatten achte, nün ader czeen kindere, unnd hatten nicht geldes noch korns unnd leden grossse noyt* [...]. *Item, das es also thure was, das was dy sache, das es by czweien jarn nicht fele hatte geregent noch ge sniget, das es der rede were wert gewest.* - Zu Getreideknappheit und Teuerungen in Erfurt vgl. OEHMIG, Brotversorgung. Zur Pest 1462-64 vgl. CAMMERMEISTER, Chronik, 130; SPIEGLER, Pest, 79ff.

281 St.Chr. Bd. 31, 242. Zu weiteren chronikalischen Berichten über die Trockenheit der Jahr 1482/83 vgl. St.Chr. Bd. 10, 368f.; Bd. 11, 474f. (Nürnberg); Bd. 14, 858 (Köln);

verteilte der Erfurter Rat Brote aus Kornhöfen, die seit spätestens 1354 bestanden und 1465 erweitert worden waren. Trotz der Sorge um die Ernährung war Erfurt mit seinem ausgedehnten Landgebiet und dem fruchtbaren Boden im Vergleich zu anderen Städten nicht so stark von Hungersnöten betroffen. Sogar während der Dürre 1482/83 konnte der Rat Getreide exportieren, um die Stadtkasse zu füllen.[282]

Die existentiellen Sorgen um Hunger und Seuchen fielen Anfang der 1480er Jahre in eine für Erfurt politisch und wirtschaftlich angespannte Situation, die ihren Niederschlag gleichfalls in der Prozession 1482 fand: Ziel war es auch, die Stadt vor einem drohenden Krieg in Thüringen zu bewahren. Am Ende des 15. Jahrhunderts schien die weitgehende Selbständigkeit Erfurts durch Begehrlichkeiten des Mainzer Erzbistums und des sächsischen Kurfürsten bedroht.[283] 1459 wurde Diether von Isenburg auf den Mainzer Bischofsstuhl gewählt, geriet jedoch wegen seiner Weigerung, Annaten zu zahlen und seiner Rolle in der Kirchenreform in Konflikt mit Papst Pius, der ihn 1461 absetzte. Da Diether zudem einer der Führer der Reichsopposition war, stellte sich auch Kaiser Friedrich III. gegen ihn. Die Auseinandersetzungen mit dem Gegenkandidaten Adolf von Nassau führten zur Mainzer Stiftsfehde, bis Diether 1463 auf seine Ansprüche verzichtete.[284] Nach dem Tod Adolfs wurde Diether am 9. November 1475 erneut gewählt. In seiner Wahlkapitulation verpflichtete er sich zum Rückerwerb verlorengegangener Güter. Gegen dem Oberamtmann und Provisor in Erfurt, den Grafen Heinrich von Schwarzenburg, der Gebiete im Eichsfeld entfremdet hatte, verbündete sich Diether mit dem Kurfürsten Ernst von Sachsen. Dessen minderjährigen Sohn Albrecht ernannte er 1479 zum Provisor von Erfurt und designierte ihn 1480 zu seinem Nachfolger auf dem Mainzer Bischofsstuhl. Ein sächsischer Provisor und das Zusammengehen des Erzbischofs mit dem sächsischen Kurfürsten bedrohten aber die Selbständigkeit Erfurts. Die Stadt machte deshalb geltend, die Ernennung verstieße gegen einen Vertrag zwischen Erzbischof und Stadt aus dem Jahr 1468, in dem Erfurt dem erzbischöflichen Hof Kredit gegen die Zusage

---

Bd. 20, 347 (Dortmund); Bd. 22, 268 (Augsburg); Bd. 31, 257f. (Lübeck). Vgl. ABEL, Agrarkrisen, 63-65; BUSZELLO, Teuerung.

282 Vgl. OEHMIG, Brotversorgung, 208f., 218-221.

283 Zum Konflikt mit dem Mainzer Stadtherrn vgl. BEYER, Erfurt, 207-214; BENARY, Vorgeschichte, 63-91; PATZE/SCHLESINGER, Geschichte Thüringens, 140-144; MÄGDEFRAU/LANGER, Entfaltung, 101f.; HOLTZ, Situation; WILLICKS, Konflikte. Chronikalisch ist der Konflikt bei STOLLE, Memoriale, 394-415, 503-507, und NIKOLAUS VON SIEGEN, Chronicon ecclesiasticum, 461-471, überliefert.

284 Zur Mainzer Stiftsfehde vgl. JÜRGENSMEIER, Bistum Mainz, 159-166.

gewährt hatte, daß sie zukünftig der Wahl des Provisors zustimmen müsse. Um diese Position zu unterstreichen, verweigerte die Stadt dem Erzbischof Einritt und Huldigung, bevor er nicht die Privilegien der Stadt bestätigt habe.

Der Konflikt eskalierte; Erfurt verstärkte seine Befestigungsanlagen - insbesondere wurden mit päpstlicher Billigung die Nonnen des Klosters auf dem Cyriaksberg verlegt und das Gebäude in eine Bastion umgewandelt - und suchte durch Entsendung des Stadtschreibers Hermann Steinberg an die Kurie für die eigene Sache zu werben. Mit der Verbreitung von Flugschriften, in denen Bischof und Stadt ihre Standpunkte darstellten, erhielt der Streit eine gewisse Öffentlichkeit. Unterstützung fand Erfurt bei Kaiser Friedrich III., der sich weigerte, den Mainzer Erzbischof mit den Regalien zu belehnen und statt dessen dem Rat die Mainzer Hoheitsrechte in der Stadt übertrug. Die sächsischen Fürsten gingen aus Rücksichtnahme gegenüber dem Landgrafen Wilhelm von Thüringen, dem Onkel von Kurfürst Ernst und Verbündeten Erfurts, und gegenüber dem Kaiser nicht militärisch gegen Erfurt vor, führten aber Überfälle im Erfurter Landgebiet durch. Außerdem behinderte Kurfürst Ernst durch Straßensperren erheblich den Erfurter Handel. Die Verschuldung aufgrund von Rüstungsausgaben, wie dem Bau der Cyriaksburg, führte dazu, daß Gläubiger Warenzüge von Erfurter Händlern in Beschlag nahmen. Daneben begann die thüringische Stadt den Aufstieg Leipzigs zu spüren, dessen Jahrmärkte vom Landesherrn gefördert wurden. Eine offene Konkurrenz entstand allerdings erst mit den königlichen Messeprivilegien Leipzigs in den Jahren 1497 und 1507.[285]

Am 6. Mai 1482 starb Erzbischof Diether. Das Domkapitel wählte den Sohn des sächsischen Herzogs, Albrecht, einstimmig zum Nachfolger, der jedoch wegen seines Alters vorerst als Administrator eingesetzt wurde. Papst und Kaiser erkannten die Wahl an, und Erfurt verlor damit seine Bündnispartner; zudem starb im September des gleichen Jahres mit dem Landgrafen Wilhelm der wichtigste Verbündete der Stadt. Durch den Rückfall Thüringens an Kurfürst Ernst umklammerte dessen Territorium Erfurt nun vollständig, und eine sächsische Blockade der Verkehrswege führte im November 1482 zu einem Versorgungsmangel in Erfurt. Die Stadt war isoliert und sah sich gezwungen, am 3. Februar 1483 die Verträge von Amorbach und Weimar zu unterzeichnen. Der Vertrag von Amorbach fixierte das Verhältnis zum Erzbischof, der erstmals offiziell als rechter Erb-

---

285 Zur wirtschaftlichen Situation Anfang der 1480er Jahre vgl. NEUBAUER, Wirtschaftsleben, 547, 135f.; RACH, Blütezeit, 29-34; MÄGDEFRAU/LANGER, Entfaltung, 104f.

herr anerkannt wurde. Die sächsischen Herzöge erlangten die Position eines zweiten Stadtherrn in Erfurt, da die Stadt die wettinische Schutzherrschaft annehmen mußte. Indem es Erfurt in den folgenden 200 Jahren jedoch gelang, durch Ausnutzung der Doppelherrschaft seine Selbständigkeit zu bewahren, waren es auf längere Sicht weniger die politischen Konsequenzen als vielmehr die finanziellen Folgen, die die Stadt bedrückten. Hohe Schadensersatzsummen mußten gezahlt werden, die auf eine Stadt trafen, die durch den verheerenden Stadtbrand von 1472 bereits geschwächt war. Diese Zahlungen sowie die militärische Aufrüstung legten den Grundstein für die Verschuldung, die zu den Unruhen des Jahres 1509 führte.

Die Krisensituation zu Anfang der 1480er Jahre bildet den Hintergrund für die Bittprozessionen 1482 und 1483. Die Prozession am 7. Juni 1482 fand einen Monat nach dem Tod von Erzbischof Diether und der Wahl seines Nachfolgers Albrecht von Sachsen statt. Albrecht hatte mit Kriegsvorbereitungen begonnen. Auch der Rat warb Söldner an und die Stadt arbeitete fieberhaft an den Befestigungsanlagen. Die Erfurter Bürger litten unter den Straßensperrungen und der Unsicherheit im Landgebiet. Sie spürten wohl auch schon die finanziellen Kosten des Konfliktes, zumal der Stadtbrand erst zehn Jahre zurücklag. Eine solche Situation - drohender Krieg, Steuerlast und öffentlich ausgetragene Differenzen mit dem Stadtherren - konnte Meinungsverschiedenheiten innerhalb der Stadt aufbrechen lassen. Bereits 1480, als sich der Bruder des Erzbischofs, Johann von Isenburg, mit mehreren Prälaten in Erfurt aufgehalten hatte, um die Stimmung in Erfurt zu erforschen und dem Rat Beschwerdeartikel vorzulegen, hatten einzelne Bürger mit der mainzischen Seite zusammengearbeitet.[286] Auch die sächsischen Fürsten versuchten im Streit um das Provisoramt Spannungen innerhalb der Bürgerschaft zu schüren. Sie schrieben Briefe an die Zünfte *unde clagiten ubir den rad, unnd meynten, die czunffte wusten nicht dar von, was eyn rad tete, unnd wolden errethum mache in der stad erffort.*[287] Zwar sollen - so Stolle - die Zünfte die Briefe versiegelt übergeben und dem Rat ihre Treue geschworen haben, doch mußte dieser angesichts der Interventionen befürchten, daß der Konflikt mit dem Stadtherren eine innere Krise nach sich zöge. Da außerdem Sorgen um Hunger und Krankheit die Bevölkerung bedrückten, mochte der Rat eine Prozession als ein Mittel ansehen, um Zusammenhalt und Einigkeit in der Stadt herzustellen und seine Position als für das Gemeinwohl sorgende Obrigkeit zu festigen. Bei der Bittprozession ein Jahr

---

286 Vgl. NIKOLAUS VON SIEGEN, Chronicon ecclesiasticum, 467f.
287 STOLLE, Memoriale, 397.

später, am 20. Juni 1483, war die politische Situation zwar geklärt, der Handlungsspielraum der Stadt jedoch geschmälert und die Verträge bürdeten der Stadt hohe finanzielle Lasten auf. Wenn auch keine Kriegsgefahr mehr bestand, so mußten die anhaltende Trockenheit und Nachrichten über Seuchen aus umliegenden Gebieten die Sorgen der Erfurter Bevölkerung vergrößern. 1482 und 1483 waren nicht einzelne Ereignisse Anlaß für die Prozession, sondern entscheidend war das Zusammenspiel von politischen Geschehnissen, Dürre, Teuerung und drohender Pest.

Außergewöhnliche Bittprozessionen waren ein Mittel der Krisenbewältigung. Nach Delumeau befriedigten sie angesichts vielfältiger Gefahren ein Sicherheitsbedürfnis: „La foule priante qui marchait en ordre derrière son clergé (...) chassait ses propres fantasmes, éloignait les pestes, les tempêtes ou les sécheresses, apaisait la colère du ciel, obtenait de lui les biens de la terre, le retour à la santé et la paix de l'âme."[288] Die These übergeht jedoch Unterschiede zwischen regelmäßigen und außergewöhnlichen Prozessionen und reduziert die Motive und Antriebe für Bittprozessionen auf die Sorge um Sicherheit. Eine solche Funktionalisierung unterstellt zudem ein entsprechendes Bedürfnis als Motiv für die Beteiligung der Bevölkerung. Kaum eine Quelle aber berichtet über deren Einstellungen. Hier ist mehr Quellenkritik gefordert, um den Blickwinkel, den Prozessionsordnungen oder Chroniken auf Bittgänge erlauben, einordnen zu können. Eine genaue Analyse wird zeigen, daß Bittprozessionen keine spontane Reaktion der Bevölkerung, sondern ein interessegebundenes Element der Ratspolitik waren, das gezielt eingesetzt wurde. Die Obrigkeit, meist die Magistrate, definierten die Problemlage und boten Lösungsmöglichkeiten an.

4.2 Gestaltung und Ablauf der Prozessionen

Die Erfurter Prozession 1482 ist auf Freitag nach Bonifatius datiert. Der 7. Juni 1482 ist nun gleichzeitig der Freitag nach Fronleichnam, ohne daß Stolle jedoch den Festtag erwähnt. Um 5 Uhr zogen die Ratsherren vom Rathaus zur Hauptkirche Erfurts St. Marien. Hier wie in der Severikirche und in den Pfarrkirchen wurde eine Marienmesse gesungen. Um 7 Uhr begann die eigentliche Prozession: Der Zug ging durch die Severi- und die Peterskirche zum Andreas-Tor hinaus, entlang der Mauern bis zum Schmidtstedter-Tor und zurück zur Marienkirche. In der Kirche wurden das „Recordare Mater" und das „Te Deum Laudamus" gesungen, während das

---

288 DELUMEAU, Rassurer, 176.

Volk durch die Kirche zog. Um 11 Uhr war die Prozession beendet. Die Prozession des folgenden Jahres, datiert auf den 20. Juni (Freitag vor Johannes dem Täufer), verlief ähnlich, war aber zeitlich und räumlich ausgeweitet. Die Zeremonien begannen um 2 Uhr nach Mitternacht mit der Matutin in der Marien- und der Severi-Kirche. Um 4 Uhr wurde eine Dreifaltigkeitsmesse in beiden Kirchen gesungen; der Rat war wieder in der Marienkirche versammelt. Nach der Messe kamen die Pfarreien mit ihren Kreuzen zusammen und die Prozession begann um 5 Uhr. Sie zog in diesem Jahr entlang der Mauern um die gesamte Stadt, indem der Zug durch das Brühler Tor hinaus und wieder hinein ging. Die Prozession endete nach Gesängen in der Marienkirche um 12 Uhr.

Veranstalter und Organisatoren

Angeordnet und durchgeführt wurden die Prozessionen vom Rat der Stadt: *do hatte der erssame unnd wisse rath zu erffort bestalt zu gehene eyne löbeliche processien.*[289] Der Vergleich mit anderen Städten zeigt, daß Erfurt hier keine Ausnahme machte. In Nürnberg lag die Verantwortung für außergewöhnliche Prozessionen beim Rat, und die Beschlüsse sind, wie 1492, in den Ratsprotokollen vermerkt: *Item mit den geystlichen ze reden und sie ze biten, der sweren leuffte halben, prozession und auch demutige andechtigyge gebete zu got zethun.*[290] Ebenso wurden die Straßburger Kreuzgänge in Ratsmandaten verkündet. Bei den Prozessionen im Zusammenhang mit dem Burgunderkrieg mischte sich der Rat auch in liturgische Angelegenheiten ein, als er erstmalig für den 22. März 1474 befahl, die Prozessionen um Pfarr- und Klosterkirchen mit dem „Salus Populi", dem Eingangsgesang der Türkenmesse, zu beginnen.[291] Kleine, dezentrale Bittgänge blieben in der Zeit der Burgunderkriege eine obrigkeitliche Initiative, während die großen Kreuzgänge, bei denen in Anlehnung an die Fronleichnamsprozession der alte Stadtkern umschritten wurde, gemeinsam vom Hochstift, dem Weltklerus, den Orden und dem Stadtrat initiiert wurden.[292] Das Zusammenwirken von Rat und Klerus hatte Tradition. Bereits 1396 war eine Bittprozession in Absprache mit dem Klerus beschlossen worden: *Also unserre herren meister und rot mit der erwirdigen geistlichen herren rot von den stiften und von den örden userme herren gotte zu lobe eins crützeganges überkomen sint.*[293] Der Straßburger Bischof trat bei den Kreuzgän-

---

289 STOLLE, Memoriale, 432.
290 StAN Rep. 60b, Nr. 5, fol. 215'.
291 Vgl. PFLEGER, Ratsgottesdienste, 32; SIGNORI, Ritual, 12.
292 Vgl. SIGNORI, Ritual, 3.
293 UB Straßburg Bd. 1,6, Nr. 549.

gen des Burgunderkrieges nicht in Erscheinung, ordnete aber bei anderen Gelegenheiten allein oder - als sich das Verhältnis zur Stadt besserte - gemeinsam mit dem Rat Prozessionen an.[294] Das Zusammenwirken von Rat und geistlichen Institutionen - Klöster, Stifte oder Bischof - war in Straßburg abhängig von den Anlässen und von der Art des Umgangs - großer oder kleiner Kreuzgang -, spiegelt aber auch das Verhältnis zwischen Stadt und Bischof wider.

In Nürnberg und Straßburg konnten die Magistrate Bittprozessionen anordnen. Wenn geistliche Stadtherren einen größeren Einfluß behalten hatten, waren die Möglichkeiten des Rates eingeschränkter. In Würzburg lag die endgültige Entscheidung beim Stadtherrn oder beim Domkapitel; der Rat ersuchte den Stadtherrn um Erlaubnis für Bittprozessionen. Einzelne Viertel richteten ihre Prozessionsbegehren direkt an das Domkapitel.[295] Die Initiative für die Prozessionen kam aber auch hier von weltlichen Instanzen. Und trotz Unabhängigkeit vom Stadtherrn bedurften auch Städte wie Nürnberg oder Straßburg der Geistlichkeit - oder zumindest einzelner Gruppen -, um Bittprozessionen durchzuführen. Im Ideal demonstrierte eine Prozession das einträchtige Zusammenwirken von weltlicher Obrigkeit und geistlichen Institutionen, und so luden in Regensburg 1463 Rat und Geistliche gemeinsam zu einer Pestprozession ein: *Zu wissen, daß mein Herr, der Dechant, und meine Herren vom Capitel des Thums hie zu Regensburg und meine Herren vom Rath daselbst mit einander einig worden sint*, eine Prozession abzuhalten.[296] Auch überregionale Kräfte initiierten Prozessionen, wie Papst Calixtus III. und Papst Paul II. nach dem Fall Konstantinopels 1453. Das Reichsregiment bat 1522 um Durchführung von Bittprozessionen in Straßburg und Nürnberg. Es sollte für das in Nürnberg tagende Reichsregiment, für eine glückliche Reise Karls V. und wegen der Türkengefahr gebetet werden. Die Durchführung der Prozessionen lag aber auch bei diesen Gelegenheiten in lokaler Hand. In den meisten Fällen fanden Bittprozessionen auf Veranlassung und in Organisation der Magistrate statt. Sie entschieden, wann auf eine krisenhafte Situation mit einer Prozession geantwortet wurde und beanspruchten damit die Definitionsmacht über Problemlagen, so daß sich Bittprozessionen als Teil eines obrigkeitlichen, meist ratsherrlichen Krisenmanagements erweisen.

---

294 Vgl. PFLEGER, Ratsgottesdienste, 30f., 38f., 41f.; SIGNORI, Ritual, 42.
295 Vgl. TRÜDINGER, Würzburg, 133.
296 GEMEINER, Chronik IV, 372. Vgl. ebenda, 172.

Prozessionswege: Schützende Kreise und verbindende Linien

[U]mme dy stad erffort, so beschreibt Stolle den Weg der Erfurter Prozession 1482.[297] Die Teilnehmenden zogen von der Marienkirche ausgehend durch die Severi- und die Peterskirche und verließen die Stadt durch das Andreas-Tor. Entlang der Mauern - Stolle nennt als Markierungen das Moritz-, das Johannis- und das Krämpfer-Tor - wurde ein Weg halb um die Stadt genommen. Durch das Schmidtstedter-Tor zurück in die Stadt, zog die Prozession auf ihrem Rückweg nach St. Marien an den Pfarrkirchen St. Bartholomäus, St. Wigbert und St. Viti vorbei, ohne deren Inneres zu betreten. Auch die in der Nähe liegenden Klöster der Franziskaner und Dominikaner wurden nicht in die Prozessionsroute einbezogen. Statt dessen besuchte die Prozession die Kirchen der ältesten kirchlichen Gemeinschaften Erfurts, des Marien- und Severistifts sowie der Augustiner-Chorherren und der Benediktiner von St. Peter.

1482 dauerte es vier Stunden, um die 5-6 km lange Strecke zu bewältigen und die Abschlußzeremonie in St. Marien zu halten. Im folgenden Jahr war die Route deutlich verlängert. Der Weg um die gesamte Stadt - knapp 9 km - brauchte sieben Stunden. Von der Marienkirche ging es 1483 in Richtung Brühl *(keine deme brule wart)* und zum Mainzerhof *(by des bisschofes hofe hen).* Beim Krummen Tor verließ die Prozession die alte Stadtbefestigung.[298] Danach ging es über den Hanebach[299] und durch die Pfarrkirche St. Martin extra. In diesem Jahr war sie die einzige Kirche, die außer der Marienkirche besucht wurde. Der Weg aus der Stadt ging durch das Brühler-Tor und auf dem davorliegenden Gelände *(uff dye gebint kein deme borntale uff deme plane)* wurde eine erste Station gehalten. Danach zog die Prozession um die Stadt, wobei Stolle wiederum die Tore nennt: Andreas-, Moritz-, Johannis-, Krämpfer-, Schmidtstedter-, Spielberger-, Löber- und Neues-Tor hinter dem Kartäuser-Kloster[300] wurden passiert, die alle bis auf das Brühler-Tor

---

297 STOLLE, Memoriale, 432. Ähnlich war die Formulierung für die Prozession 1483. Vgl. STOLLE, Memoriale, 498: *do hatte der erssame unnd wisse rath zu erffort bestalt zu gehene eyne lobeliche erliche procession umme dye stad erffort.* Zur Route vgl. die Karte im Anhang S. 346.

298 Brühl wurde erst 1430-32 nach der Belagerung durch die Hussiten in die Stadtbefestigung einbezogen. Zur Stadtbefestigung vgl. BEYER, Erfurt, 163-166.

299 Nach dem Herausgeber der Chronik, Richard Thiele, ist dies ein Fehler, da es zwischen dem Mainzerhof und der Martinikirche keinen Bach gab. Vgl. STOLLE, Memoriale, 501, Anm. 20. Tatsächlich handelt es sich bei dem Hanebach oder Hanegraben um ein unbenutzt abfließendes Mahlwasser, daß von der Kartäuser-Mühle abzweigte. Vgl. TIMPEL, Straßen, 71. Für den Hinweis danke ich Archivdirektor Dr. Benl, Erfurt.

300 Auch Stumpfentor oder Pförtchen genannt.

verschlossen waren.[301] Stationen wurden beim Siechenhaus vor dem Krämpfer-Tor und auf dem Graben hinter dem Kartäuser-Kloster gehalten. Durch das Brühler-Tor ging es wieder in die Stadt und die Martinskirche durchquerend kehrte die Prozession nach St. Marien zurück. Stolle präzisiert 1483 einige Male, daß der Zug auf dem Wallgraben schritt: *vor sente johans thor hen uff den graben* oder *hinder dye karthuser uff deme graben*.[302] Dieser Graben konnte abschnittsweise bewässert werden, stand also nicht ständig unter Wasser.[303]

Die Strukturierung des städtischen Raumes durch Prozessionen wurde bereits im Kapitel zu den Nürnberger Fronleichnamsprozessionen behandelt und Bittprozessionen lehnten sich in Gestaltung und Verlauf häufig an regelmäßige Umgänge an. Mit ihrem Weg entlang der Mauern legten die Prozessionen ein schützendes Band um die Stadt. Zirkuläre Routen werden in der Forschung mit Schutz vor drohender Gefahr verbunden.[304] Ein Vergleich mit der Adolar- und Eoban-Prozession bekräftigt diese Deutung. Die Erfurter Reliquienprozession blieb in einen kleinen Raum innerhalb der Stadt, wo sie die Zentren der Führungsschicht - Rathaus und Marienkirche - miteinander verband. Die Bittprozessionen dagegen schlossen in ihrem Umgang die gesamte Stadt ein. Die Route entlang der Mauern grenzte das Innen vom Außen, die Stadt gegenüber dem umliegenden Land ab: Einheit und Integration der Stadt erfolgte über den Ausschluß des Umlandes. Bittprozessionen nahmen häufig zirkuläre Routen, umrundeten jedoch nicht notwendig die gesamte Stadt.[305] Die Colmarer Prozessionen umschritten von Westen nach Osten die halbe Stadt, zogen dann aber zu dem 3 km entfernten Dorf Horburg, wo zu Ehren Marias Messen gesungen wurden. Mit dem Gang nach Horburg wurde die alte Bindung an Colmars ehemalige Mutterpfarrei lebendig; zugleich war die Kirche, die der Himmelfahrt Mariens gewidmet war, ein attraktiver Ort, um die Gottesmutter als Fürsprecherin zu gewinnen.[306] Kirchen außerhalb der Stadt oder unmittelbar an den Stadtmauern gelegen waren Markierungspunkte der Göttinger Bittprozes-

---

301 STOLLE, Memoriale, 500: *alle thor an der stat dy stunden zu geslossen, uss genomen das bruler thor, do man uss unnd wedder in gingen.*
302 Ebenda, 500-501.
303 Vgl. BEYER, Erfurt, 93.
304 Vgl. DELUMEAU, Rassurer, 145-150; CHIFFOLEAU, Processions, 53-61; SIGNORI, Ritual, 32. Delumeau geht allerdings fast nur auf kreisförmige Prozessionsrouten ein, während Signori und Chiffoleau auch andere Modelle und Bedeutungen aufzeigen.
305 Um die Stadt gingen auch die Augsburger Bittgänge. Vgl. St.Chr. Bd. 4, 63, 66.
306 Vgl. SITTLER, Prozessionen, 140f.

sionen, doch lassen die Quellen unklar, ob die Teilnehmenden entlang der Mauern gingen.[307] Die Einheit der christlichen Gemeinde stand im Vordergrund, wenn alle Kirchen besucht wurden, während ein Umrunden auf die räumliche Ausdehnung der Stadt Bezug nahm.

Die Länge des Weges und die Unterscheidung von dezentralen und stadtweiten Umgängen ermöglichte es auch, gezielt auf bestimmte Situationen zu antworten. Bei kleinen Bittgängen waren in Straßburg Klerus und Laien aufgefordert, um die Kirchen der Pfarreien, Stifte und Klöster zu gehen. Bei den großen Kreuzgänge dagegen traf die gesamte weltliche und geistliche Bevölkerung Straßburgs mit dem Rat in der Münsterkirche zusammen und umschritt den Stadtkern. Während der Burgunderkriege fanden zunächst nur kleine Bittgänge statt. Nach Signori sollten die kreisförmigen, dezentralen Kirchenumgänge die Gefahr bannen, die unmittelbar vor den Toren drohte. Der erste große Kreuzgang dieser Zeit wurde am 9. April 1475 nach dem Abzug der Straßburger Truppen gen Neuss veranstaltet. Die Prozession hatte - wie die späteren großen Kreuzgänge - stärker informativen und propagandistischen Gehalt und reagierte auf entfernter stattfindende Kriegsereignisse.[308] Ebenso wie in Straßburg wurden in Frankfurt dezentrale und stadtweite Bittprozessionen durchgeführt. Nach der Überschwemmung 1480 versammelte sich die gesamte Stadt zu einer Prozession. Um im April und Mai 1499 dagegen für Frieden zu beten, wurden Bittmessen und Prozessionen in den Pfarrkirchen abgehalten.[309]

Für die Nürnberger Bittprozessionen sind die Wege zwar unbekannt, doch wird es sich - in Anlehnung an die Fronleichnamsprozessionen - eher um Umgänge um die Kirchen handeln. Lediglich 1522 zog eine Prozession von St. Sebald nach St. Lorenz.[310] Dies ist das einzige Mal, daß in Nürnberg eine Prozession die Pegnitz überschritt. Die Prozession, deren Anlaß eine Reise Karls V. war und die nicht drohende Gefahr durch einen schützenden Kreis bannen sollte, ist zugleich ein Beispiel, daß nicht alle Bittprozessionen zirkulär angelegt waren. Die für Nürnberg außergewöhnlich lange Prozessionsroute mag auch durch die Teilnahme der Fürsten und Stände des Reichsregiments und des Kammergerichts bedingt sein, die mehr Platz und Repräsentationsmöglichkeiten wünschten, als ihnen ein enger Weg um die Sebaldskirche erlaubt hätte. Ein linearer Weg wurde auch 1491 in Erfurt gewählt. Im Vordergrund stand die Marienkirche, zu der die Prozession -

---

307 Vgl. LUBECUS, Annalen, 257. Ähnlich war es in Dortmund. Vgl. St.Chr. Bd. 20, 387.
308 SIGNORI, Ritual, 32.
309 FRONING, Chroniken, 219, 301.
310 Vgl. SCHLEMMER, Gottesdienst, 278.

vielleicht im Sternmarsch der Pfarrkirchen - zog, um eine Messe zu feiern.[311] Grund war nicht drohende Gefahr, sondern Dank, daß die Überschwemmung am 8. August keine Todesopfer gefordert hatte. Die Berner Prozession während der Überschwemmungskatastrophe 1480 dagegen ging zu den betroffenen Gebieten.[312] Bitte um Schutz wurde jedoch nicht überall in zirkuläre Routen übersetzt, sondern es konnten auch solche gewählt werden, die zwei Orte miteinander verbanden. So betonen die Wege der Regensburger Bittprozessionen - beispielsweise 1463 eine Pestprozession oder 1511 eine Prozession nach Hagel und Überschwemmung - die Beziehung zwischen dem Dom und dem Kloster St. Emmeran, in dem mit dem Bistumsheiligen St. Emmeran die wichtigsten Reliquien der Stadt lagen.[313] Das Kloster war vor der Jahrtausendwende, als die Äbte in Personalunion den Regensburger Bischofsstuhl besetzten, „einer der herrschaftlichen und kirchlichen Brennpunkte des gesamten süddeutschen Raums" gewesen.[314] Chiffoleau schließlich kommt in seiner Analyse der Pariser Prozessionen zu dem Ergebnis, daß die meisten Wege keine schützenden Kreise, sondern offen und auf ein Ziel orientiert waren. Sie stellten Verbindungen zwischen Kirchen innerhalb der Stadt her oder waren auf den Austausch von spirituellen Diensten - z.B. zwischen zwei Klöstern - gerichtet. Prozessionen zu Zielen außerhalb der Stadt kamen Wallfahrten gleich.[315] Festhalten läßt sich: Ähnlich wie regelmäßige Umgänge konnten Prozessionswege schützend einkreisen, dabei aber immer andere vom Schutz ausschließend. Sie konnten aber auch linear zwei Punkte miteinander verbinden, um die besondere Bedeutung dieser Orte - als Aufbewahrungsort wichtiger Reliquien, als Hauptkirche der Stadt, als ehemalige Mutterpfarrei - zu betonen und für die Ziele die Prozession nutzbar zu machen.

Bestimmte Punkte der Route wurden als Stationsorte besonders herausgehoben. Stationen verweisen auf die Ursprünge des Prozessionswesen: Der Besuch aller Kirchen einer Stadt konnte ähnlich den Stationsgottesdiensten frühmittelalterlicher Bischofsstädte die Einheit der städtischen Christengemeinde beschwören. Die sieben Stationen der Dortmunder Bittprozession 1506 orientierten sich an der Pestprozession Gregors des Großen 590.[316]

---

311 STOLLE, Memoriale, 450.
312 Vgl. SIGNORI, Ritual, 39.
313 GEMEINER, Chronik III, 372; IV, 172f.
314 ALOIS SCHMID, Regensburg, 214. Zu St. Emmeran vgl. ebenda, 213-218 (mit weiterführender Literatur).
315 Vgl. CHIFFOLEAU, Processions, 60.
316 LUBECUS, Annalen, 257; St.Chr. Bd. 20, 387.

Stationen wurden in Erfurt 1482 in der Peterskirche und in der Kirche der Augustiner-Chorherren gehalten, Orte der Tradition und Anciennität. Altbewährte Institutionen wurden als Garanten für die Effizienz der Gebete in Dienst genommen. Die Wahl der Stationsorte 1483 dagegen folgte einer anderen Logik: Die erste Station wurde in einem Taleinschnitt auf offenem Feld nordwestlich von Erfurt (*kein deme borntale uff deme plane*) gehalten, kurz nachdem die Prozession die Stadt durch das Brühler Tor verlassen hatte. Die zweite Station fand beim Siechenhof vor dem Krämpfertor statt; *hinder dye karthuser uff deme graben* wurde die dritte Station gefeiert.[317] Damit sind drei Punkte angegeben, die ungefähr gleich weit auseinander lagen und den Raum der Stadt abstecken, ohne sich an den Himmelsrichtungen zu orientieren. Während Stolle die erste Station topographisch beschreibt, erwähnt er für die beiden anderen den Siechenhof und das Kartäuserkloster als Markierungspunkte. Diese Gruppen nahmen im städtischen Leben eine Sonderstellung ein. Erfurt hatte zwei Leprosien, eines für aussätzige Männer vor dem Löbertor und jenes vor dem Krämpfertor, in dem Frauen lebten.[318] Die Lage außerhalb der Mauer verdeutlicht den Ausschluß aus der Stadtgesellschaft.[319] Doch trotz Isolierung gab es Beziehungen zur Stadt: Siechenhäuser unterstanden der Ratsverwaltung; die Häuser lagen an Ausfallstraßen, um das Sammeln von Almosen zu ermöglichen; vielleicht machten die Kranken auch Bettelgänge durch Erfurt. Das gesellschaftliche Bild der Leprakranken war ambivalent: Einerseits wurde die Krankheit als Folge von Sündhaftigkeit angesehen, andererseits waren aufgrund der biblischen Vorbilder Hiob und Lazarus positive Zuschreibungen möglich. Lepröse konnten als Muster vorbildhafter Leidensbereitschaft wahrgenommen werden und ihre Gebete galten als besonders wirkungsvoll. Zugleich waren sie ideale Objekte christlicher Nächstenliebe. Gerade die zwiespältigen Vorstellungen von den Leprösen, mit denen man sowohl Sündhaftigkeit als auch besondere Gottesnähe assoziierte, machten das Siechenhaus für eine Bittprozession attraktiv.[320] Eine ähnliche Doppelung von Zurückgezogenheit und besonderer Nähe zu Gott läßt sich für die letzte Station feststellen,

---

317 STOLLE, Memoriale, 501.
318 Zu den Erfurter Siechenhäusern vgl. BEYER, Erfurt, 87; WEISS, Bürger, 34. OEHMIG, Bettler, behandelt Aussätzige nicht.
319 Zu Aussätzigen in der mittelalterlichen Gesellschaft vgl. BUSSE, Siechkobel; IRSIGLER/LASSOTTA, Bettler, 69-86; MEHL, Aussatz; BELKER, Aussätzige.
320 Bei den Nürnberger Herrschereinzügen traf die aus der Stadt ziehende Prozession bei den Siechenhäusern auf den König oder Kaiser, so 1442 Friedrich III. bei St. Leonhard, 1471 Friedrich III. bei St. Peter oder 1489 Maximilian bei St. Johannis. Vgl. St.Chr. Bd. 3, 361; St.Chr. Bd. 10, 459; St.Chr. Bd. 11, 514, 499f.

das 1372 gegründete Kartäuserkloster Montis Sancti Salvatoris, das zunächst außerhalb der Mauern lag und erst 1430 in die Stadtbefestigung einbezogen wurde.[321] Der strenge Lebensstil des Ordens begründete sein hohes Ansehen. Sowohl die Leprösen als auch die Kartäuser nahmen an der Prozession nicht teil. Zwar lagen das Siechenhaus und die Kartause außerhalb der Stadt, waren aber durch Stiftungen, Fürbitten oder familiäre Bande mit der städtischen Bevölkerung verbunden. Die gottesdienstlichen Zeremonien bezogen beide Gruppen in gewisser Weise in die Prozession ein. Vor allem aber sollten ihre Bitten angesichts der drohenden Pest dem Anliegen der Prozession zu Gute kommen.

Die Zeit: Jahreszeit, Heiligenfeste und Wochentage

Nicht nur den städtischen Raum, sondern auch die Zeit nutzten und strukturierten Bittprozessionen in spezifischer Weise. Ähnlich den regelmäßigen Prozessionen häufen sich Bittgänge zwischen März und September. Diese Verdichtung geht auf die Feste Ostern, Pfingsten und Fronleichnam zurück, war aber auch durch Witterung und landwirtschaftliche Jahreszeitzyklen bedingt. Die Erfurter Prozessionen 1482 und 1483 fanden im Juni statt. Dies war zum einen durch die Sorge um eine gute Ernte verursacht, die in der Wachstumsperiode besonders bedroht schien. Die Bevorzugung der wärmeren Jahreszeit lag zum andern auch im Interesse eines reibungslosen Ablaufes der Prozession und einer hohen Beteiligung. Vor allem wohl Witterungsgründe ließen den Straßburger Rat im November 1474 - im Umfeld der Schlacht bei Héricourt - und zur Jahreswende 1475/76 - vor der Entscheidungsschlacht bei Nancy - auf Prozessionen verzichten.[322] Trotzdem wurden einige Prozessionen in den Wintermonaten abgehalten: Auf politische Ereignisse reagierten Bittgänge in Straßburg im Februar 1514 - die Papstwahl und Sorge um Frieden im Reich - und in Nürnberg Anfang Februar 1519 - der Tod Maximilians. Wetterprozessionen wurden beispielsweise im Februar 1401 in Straßburg und im Januar 1525 in Nürnberg organisiert. Die Pest und die Syphilis waren in Straßburg 1458 und 1499 Anlaß, Prozessionen in der kalten Jahreszeit abzuhalten. Meist wurde jedoch in dieser Saison auf andere religiöse Handlungen zurückgegriffen: Anstelle von Prozessionen erbat der Straßburg Rat im November 1474 Messen.

Heiligenfeste oder Quatembertage gaben regelmäßigen Prozessionen spezifische Bedeutungen, so der Maria-Magdalenen-Prozession in Frankfurt, der Erfurter Prozession nach Neuses am Markustag oder der Deoca-

---

321 Zum Erfurter Kartäuserkloster vgl. KURT, Kartause.
322 Vgl. SIGNORI, Ritual, 18, 31.

rusprozession in Nürnberg am Mittwoch nach Pfingsten. Für die Terminierung von Bittprozessionen spielten jedoch diese Zeiten besonderer Sakralität keine Rolle. Bei einem Sample von 80 Prozessionen, von denen das genaue Datum bekannt ist, fanden nur vier in einer Quatemberwoche und von diesen nur eine - die Frankfurter Pestprozession am 21. September 1356 - am Mittwoch statt.[323] Möglicherweise auf die einschneidende Erfahrung der Pest ist zurückzuführen, daß drei dieser Belege aus der zweiten Hälfte des 14. Jahrhunderts stammen.[324] Bezüglich der Heiligenfeste fällt eine gewisse Häufung von Matthäus und Michaelis auf. Am 21. September, dem Festtag des Apostel Matthäus, fanden sich Belege für vier Umgänge in Frankfurt, Straßburg, Regensburg und Nürnberg.[325] An Michaelis (29. September) sollten in Nürnberg 1515 und 1523 wöchentliche Prozessionen enden, die der Rat im August bzw. im Juli eingesetzt hatte, um für besseres Wetter zu beten. Am Michaelistag 1476 fand in Bern eine Prozession statt, an der erstmals in Zusammenhang mit dem Burgunderkrieg Laien beteiligt waren.[326] In Nürnberg schließlich wurden die Prozessionen 1509 wegen des Italienfeldzuges Maximilians zu den Festen von Bartholomäus (24. August), Matthäus und Michael abgehalten. Für die Wahl Michaels in Kriegszeiten mag seine Rolle als Schützer von Reich und Kirche sowie sein ritterliches Bild gesprochen haben. Wenn dagegen an seinem Festtag in Nürnberg wöchentliche Wetterprozession endeten, kam eher der Bezug zum Erntedank zum Tragen. Auch der Matthäustag hatte meteorologische Bedeutung: Er galt als Winteranfang.[327] Doch auch die Häufung von Prozessionen an den Festtagen von Michael und Matthäus ist nicht so signifikant, daß sich „Prozessionsheilige" und bestimmte Festtage herauskristallisieren würden. Die Ereignisgebundenheit schränkte die Bevorzugung von Heiligenfesten oder

---

323 FRONING, Chroniken, 97, 153. Das Sample ist im Anhang S. 361 mit Quellenangaben aufgelistet.
324 Frankfurt: 14. Sept. 1349 (exalt. crucis) und 21. Sept. 1356, Augsburg: 4. Juni 1379 (Samstag nach Pfingsten). Vgl. FRONING, Chroniken, 93, 97, 153; St.Chr. Bd. 4, 63. - Die vierte Prozession in einer Quattemberwoche wurde 1522 in Nürnberg am Pfingstmontag 1522 (9. Juni) abgehalten. Vgl. StAN Rep. 60b, Nr. 12, fol. 78.
325 Vgl. FRONING, Chroniken, 97, 153 (Frankfurt, 1356, Pest); PFLEGER, Ratsgottesdienste, 31 (Straßburg 1444, Armagnaken); SCHLEMMER, Gottesdienst, 278 (Nürnberg 1509, Reichsangelegenheit, Krieg); GEMEINER, Chronik IV, 173 (Regensburg, 1511, Wetter).
326 Vgl. SIGNORI, Ritual, 34f.
327 Vgl. PAUL SATORI, Art. Mätthäus, in: HWDA Bd. 5 (1932/33), 1867; DERS., Art. Michael, in: HDWA Bd. 6 (1934/35), 232-240; J. MICHL, Art. Michael, in: LThK Bd. 7 (1962), 1962; J. SCHMID, H. SCHAUERTE, Art. Matthäus, in: LThK Bd. 7 (1962), 172f.; ROHLAND, Erzengel Michael; ROSENBERG, Engel, 92-107.

der Quatember ein; diese Tage konnten nur gewählt werden, wenn, wie bei Wiederholungen, die enge Bindung an die Ereignisse gelockert war. Eher war es möglich, die Prozessionen mittels der Wochentage in einen Bedeutungskontext einzubinden. Erfurt befand sich im Einklang mit vielen Städten, die Bittprozessionen 1482 und 1483 auf Freitage zu legen. Von 80 Prozessionen, bei denen der Wochentag ermittelt werden konnte, fielen die meisten auf einen Montag oder einen Freitag. Die Hansestädte ordneten 1428 Prozessionen für den Freitag nach dem Auslaufen der Schiffe gegen König Erich von Dänemark an.[328] Wöchentlich zu wiederholende Bittprozessionen wurden ebenfalls häufig auf diesen Wochentag gelegt: 1507 beschloß der Nürnberger Rat, die Kaiserkrönung Maximilians mit Prozessionen an drei Freitagen zu begehen. Von Juli bis Ende September 1523 wurden in der fränkischen Stadt - nach einer Anfangsprozession am Samstag, den 25. Juli - an allen Freitagen Prozessionen wegen des Wetters gehalten.[329] Der Freitag hatte sich schon um 100 - neben dem Mittwoch - als christlicher Fastentag in Absetzung zum jüdischen Montag und Donnerstag profiliert. Als Todestag Christi war er besonders hervorgehoben; die Liturgie dieses Tages richtete sich auf Buße und Kreuzverehrung.[330] Auch Stifte und Klöster nutzten diesen Wochentag für Prozessionen und Stationsfeiern, wobei schwarze Chorkleidung den Bußcharakter betonte.[331] Auch der Mittwoch war in der frühen Kirche ein Fastentag mit Stationsfeier.[332] Prozessionen an diesem Tag finden sich vor allem in Straßburg. Die stadtweiten großen Kreuzgänge waren mittwochs; auch die von April 1475 bis zum Ende des Burgunderkrieges wöchentlichen kleinen Kreuzgänge wurden an diesem Tag abgehalten. In der Kriegssituation konnte Straßburg auf die Liturgie dieses Wochentages zurückgreifen: Der Liturgiker Durandus hatte dem Mittwoch die „missa de pace" zugeordnet.[333] Diese Bedeutung war wohl auch für die Basler Prozession am 16. August 1475, mit der die Einnahme Blamonts begangen wurde, ausschlaggebend, während die Frankfurter Pestprozession am 21. September 1356 sich den Bußcharakter des

---

328 Recesse, Bd. 8, Nr. 343. Einige Hansestädte verfaßten eigene Prozessionsaufrufe. Vgl. UB Lübeck Bd. 7, Nr. 101; SCHLICHTING, Anschauungen, 34.
329 Vgl. SCHLEMMER, Gottesdienst, 277, 532 (Anm. 814). Ähnlich 1519 in Nürnberg (wegen Wetter) und 1505 in Regensburg (wegen Kriegsgefahr). Vgl. HAIMERL, Prozessionswesen, 82; GEMEINER, Chronik IV, 92.
330 Zu den Wochentagen vgl. SCHREIBER, Wochentage; 136-149; MAUR, Feiern, 50-53.
331 Vgl. ODENTHAL, Liber Ordinarius, 90, 104ff.
332 Vgl. SCHREIBER, Wochentage, 136f.
333 Vgl. SCHREIBER, Wochentage, 143; SIGNORI, Ritual, 23.

Mittwochs der Quatemberwoche zu eigen machte.[334] Die Straßburger kleinen Bittgänge um die Pfarr- oder Klosterkirchen fanden meist montags
statt. Dieser Wochentag war besonders der Totenmemorie gewidmet. Votivmesse war die „missa pro defunctis"; auch in bürgerlichen Kreisen war
der Montag mit dem Totengedächtnis verbunden.[335] In dieser liturgischen
Bedeutung könnte die Erklärung gesucht werden, wieso der Montag am
häufigsten und in einer Vielzahl von Städten für Prozessionen gewählt wurde. Allerdings könnte sich auch umgekehrt die städtische Totenmemoria am
Montag aus den Prozessionen entwickelt haben, wenn dabei Fürbitten für
die Ahnen gelesen wurden. Eine Erklärung für den Befund wäre auch in der
Gewohnheit zu suchen, den Montag für Gerichtstermine, Feste und arbeits-
freie Tage zu nutzen.[336] Nur sehr wenige Prozessionen dagegen wurden
dienstags, donnerstags und sonntags abgehalten. Mehr Belege finden sich
für Prozessionen am Samstag, wohl wegen der marianischen Ausrichtung
des Tages. Jeden Samstag vom 6. August bis zum 29. September (Michaelis)
sollten in Nürnberg 1515 Prozessionen stattfinden.[337] Festhalten läßt sich,
daß für Bittprozessionen der Montag, der Mittwoch und der Freitag bevorzugt wurden, da Friedensbitte oder Bußcharakter durch die liturgischen und
theologischen Inhalte des Wochentages unterstrichen werden konnten.

Messen, Gesänge und Stationen: Die Liturgie

Auftakt der Erfurter Prozessionen waren Messen in der Marienkirche und
in den Pfarr- und Stiftskirchen. Die samstägliche Votivmesse *zu unser lieben
frowen*, die 1482 erklang, war den Erfurtern und Erfurterinnen nicht zuletzt
aufgrund der Marienverehrung wohl bekannt, doch auch das Patronat der
Hauptkirche Erfurts wird die Wahl dieser Messe beeinflußt haben. Mit dem
- allerdings einmaligen - Hinweis, Maria sei die Patronin von Hochstift,
Stadt und Land, begründete der Straßburger Rat die Forderung, die Prozession am 23. Mai 1474 mit einer Frauenmesse zu beginnen.[338] Eine Marien-

---

334 Vgl. SIGNORI, Ritual, 33; FRONING, Chroniken, 97, 153. Vgl. auch LUBECUS, Annalen,
      141.
335 Vgl. SCHREIBER, Wochentage, 89-112.
336 Zum „Blauen Montag" vgl. KOEHNE, Studien; WESOLY, Lehrlinge, 170-179.
337 Vgl. SCHLEMMER, Gottesdienst, 274. Zum Samstag vgl. SCHREIBER, Wochentage, 207-
      220, bes. 207-211.
338 Vgl. SIGNORI, Ritual, 15. Marienmessen wurden auch bei Prozessionen 1438 und 1473
      gesungen. Vgl. PFLEGER, Ratsgottesdienste, 29-32. Zu Maria als Stadtpatronin von
      Straßburg vgl. SCHREINER, Maria, 350-354; SIGNORI, Maria, 247-269. Zu Marienmessen
      vgl. BEISSEL, Verehrung Marias, 312f.

messe erklang auch bei einer Augsburger Prozession 1389 oder 1398.[339] Die Messe von 1483, die sonntägliche Messe *von der heilgen dry faldickeit*,[340] wurde in einigen deutschen Diözesen, wie in Köln, fast das gesamte Jahr an Sonntagen und besonders an den Sonntagen nach Pfingsten, auf die kein höheres Fest fiel, an Stelle der eigentlichen Messe gesungen. Auch als Votivmesse für besondere Anlässe wurde die Trinitätsmesse häufig gewählt; die hl. Brigitta hatte in ihren Offenbarungen die monatliche Feier dieser Messe in Notzeiten empfohlen.[341] Die Messe zu Beginn oder am Ende einer Prozession konnte auch politische Inhalte transportieren. In Straßburg forderte der Rat für die Prozession am 22. März 1474, nach der Frühmesse das „Salus Populi" zu singen. Der Introitus entstammte der Türkenmesse, die in der Mitte des 15. Jahrhunderts eingeführt worden war. Gesungen im Kontext der Burgunderkriege wurden die Gegner Straßburgs mit den Türken gleichgesetzt und der Krieg zu einem Kreuzzug stilisiert.[342] Die Wahl - auch bei späteren Prozessionen erklang häufig das „Salus Populi" - erweist sich angesichts des Verbreitungsgrades, den die Türkenfurcht nach 1453 erreicht hatte, als geschickter Schachzug.

Auch die Gesänge transportierten ausgewählte religiöse Inhalte, wobei unsere Kenntnis über die Auswahl durch den Chronisten vorgegeben ist, der, im Gegensatz zu liturgischen Quellen, nicht alle Lieder notierte, sondern jene, die ihm besonders wichtig und augenfällig für die Bittprozessionen erschienen.[343] Bei der ersten Station der Erfurter Bittprozession 1482 in der Kirche St. Peter sangen die Stiftsherren und die Priesterschaft die Antiphon „Alma Redemptoris Mater", den Schlußgesang des Officiums vom ersten Advent bis Mariä Lichtmeß.[344] In der Regler-Kirche erklang das

---

339 St.Chr. Bd. 4, 228. Der Chronist berichtet mit fast gleichem Wortlaut über Bittprozessionen 1389 und 1398, so daß es sich wahrscheinlich um die gleiche Prozession mit Verdrehung der Jahreszahl handelt.

340 STOLLE, Memoriale, 499.

341 Vgl. FRANZ, Messe, 136-152, 288; KLAUS, Dreifaltigkeitsmesse; SCHREIBER, Wochentage, 47ff.

342 Vgl. SIGNORI, Ritual, 12f.

343 Vgl. ALTENBURG, Musik, 14.

344 Zum „Alma Redemptoris" vgl. DREVES, Analecta Hymnica, Bd. 50, 317f. (Edition); MONE, Hymnen, Nr. 483; SZÖVERFFY, Annalen, Bd. 1, 376f.; BRUNHÖLZL, Antiphon; ADAM, Te Deum, 172 (Edition), 226; M. PÖRNBACHER, Art. Alma redemptoris mater quae pervia caeli Porta manes, in: Marienlexikon Bd. 1 (1988), 104; M. MELNICKI, D. v. HUEBNER, TH. MAAS-EWERT, Art. Antiphonen, in: Marienlexikon Bd. 1 (1988), 174ff.; EDWARD NOVACKI, Art. Antiphon, in: MGG Bd. 1 (1994), 657f. - Das „Alma Redemptoris Mater" wurde auch bei der Kirchweihprozession in Hildesheim, bei der Fronleichnamsprozession in Bamberg und Trier sowie in Frankfurt bei der Bittprozessi-

„Salve Regina", das im klösterlichen Rahmen seit dem 12. Jahrhundert für Prozessionen verwendet wurde und auch bei städtischen Umgängen äußerst beliebt war. In Straßburg bildete diese Antiphon den Abschluß aller Bittprozessionen.[345] Nach der Rückkehr in die Marienkirche schließlich wurde in Erfurt die Antiphon „Recordare Mater" und abschließend der Hymnus „Te Deum Laudamus" gesungen, der häufig Prozessionen beendete.[346] Nicht nur mit der Messe, sondern auch in allen von Stolle namentlich erwähnten Liedern der Stationsfeiern - mit Ausnahme des Gotteslobes „Te Deum" - verehrten die Erfurter und Erfurterinnen 1482 die Mutter Gottes, doch erklangen während der Prozession auch Sakramentslieder. Die Verehrung des Leibes Christi trat im folgenden Jahr stärker hervor. Das Altarsakrament wurde in der Prozession mitgeführt; neben den Antiphonen und dem Hymnus des Vorjahres wurde zur Station beim Siechenhaus die Antiphon der zweiten Vesper des Fronleichnamoffiziums „O sacrum convivium" gesungen.[347] Auch beim Umgang sangen die Teilnehmenden Lieder zu

---

on 1480 gesungen. In Mainz gehörte es zum Formular für Bitt- und Dankprozessionen. Vgl. UB Hildesheim VIII, Nr. 86; HAIMERL, Prozessionswesen, 16; KURZEJA, Liber Ordinarius, 288; FRONING, Chroniken, 219; KLEIN, Prozessionsgesänge, 39.

345 SIGNORI, Ritual, 13f. Außer der in der vorigen Anmerkung aufgeführten Literatur vgl. zum „Salve Regina": DREVES, Analecta Hymnica, Bd. 50, 318f. (Edition); MONE, Hymnen, Nr. 491; BEISSEL, Verehrung Marias, 122; ADAM, Te Deum, 174 (Edition), 226; D. V. HUEBNER, TH. MAAS-EWERD, Art. Salve Regina, in: Marienlexikon Bd. 5 (1993), 648f. - Das „Salve Regina" wurde unter anderem im Stift Essen vor der Prozession am Vorabend vom Palmsonntag und zur Markusprozession, in Hof zur Fronleichnamsprozession und bei der Bittprozession 1480 in Frankfurt gesungen. Im Mainzer Dom gehörte es zum Formular für außerordentliche Prozessionen. Beim Stift St. Aposteln in Köln wurde das „Salve" zur Markus- und Himmelfahrtsprozession sowie am Mittwoch der Rogationen gesungen. Vgl. ARENS, Liber ordinarius, 23, 45; LINDNER, Kirchenordnung, 224; FRONING, Chroniken, 219; KLEIN, Prozessionsgesänge, 39; ODENTHAL, Liber Ordinarius, 240.

346 Zum „Recordare Mater" vgl. CHEVALIER, Repertorium hymnologicum, Nr. 17047. Die Antiphon wurde auch 1474 bei der Straßburger Bittprozession gesungen. Vgl. SIGNORI, Ritual, 15. Zum „Te Deum" vgl. KÄHLER, Studien; SZÖVERFFY, Annalen, Bd. 1, 75; W. KIRSCH, Art. Te Deum Laudamus, in: LThK Bd. 9 (1964), 1336f.; ADAM, Te Deum, 16 (Edition), 208. - Der Verfasser ist ungeklärt; früher wurde der Hymnus Ambrosius zugeschrieben. Das „Te Deum" wird unter anderem bei den Fronleichnamsprozessionen in Bamberg, Göttingen, Hof und Speyer sowie bei der Göttinger Bittprozession 1494 erwähnt. Vgl. SCHNAPP, Fronleichnams-Oktavprozessionen, 50; Göttinger Statuten, 304, Nr. 225; LINDNER, Kirchenordnung, 225; SIBEN, Fronleichnamsfest, 359; LUBECUS, Annalen, 257.

347 Zum „O Sacrum convivium" vgl. CHEVALIER, Repertorium hymnologicum, Nr. 13677; JULIAN, Hymnology, 847; ADAM, Te Deum, 76 (Edition). Die Antiphon wurde bei der

Ehren Marias und des Leibes Christi. Von den unverheirateten Frauen berichtet Stolle: *sungen alle zu glich fele guter leyssen von unser lieben frowen unnd von deme heilgen woren lichnam unsers lieben hern jhesu cristo.*[348] Die Prozessionsgesänge schufen Gemeinsamkeiten; die Laien wurden aktiv in das Geschehen einbezogen. Gleichzeitig machten die Lieder Differenzierungen innerhalb der Teilnehmenden „hörbar"; jeder Gruppe waren die ihr angemessenen Gesänge zugewiesen: *unnd sungen alle zu gliche, dy scholer oren gesangk, dye prestere, dye monche, dye studenten, dye leygen, dye juncfrowen, unnd dye frowen, unnd was eynem iglichen zu stunt.*[349] Nicht verwendet - oder vom Chronisten nicht erwähnt - wurden Gesänge der Markusprozession oder der Rogationen.[350] Auch die Antiphon „Media vita", die eine der beliebtesten Prozessionslieder war, erklang in Erfurt nicht.[351] In den Gesängen, wie sie Stolle überliefert, orientierten sich die Erfurter Bittprozessionen nicht an den regelmäßigen Umgängen, sondern am ehesten konnten Mainzer Formulare für Bitt- und Dankprozessionen hergezogen worden sein. Vor allem aber wurden bekannte Prozessionslieder gewählt, die mit der Marien- und der Sakramentsverehrung populäre religiöse Inhalte aufgriffen.

Den liturgischen Ablauf einer Station beschreibt Stolle 1483 exemplarisch für die erste Zeremonie vor dem Brühler Tor: *do stunden dye geistlichen alle stille, unnd ouch der rath, unnd hilden eine stacien.* Vorbereitet war ein Tisch mit weißem Tuch, Rosen, Blumen und Gras, auf den der Abt von St. Peter das Sakrament stellte. Die Anwesenden knieten nieder und *huben alle mittenander an zu singen den lobelichen ge sangk, genant, das salve regina.* Der Abt schloß die Station mit einer Kollekte.[352] Die Stationen wurden 1482 nur von der Priesterschaft, 1483 von der Geistlichkeit und dem Rat gefeiert, während die übrige Bevölkerung durch Gesänge im Prozessionszug mitwirkte. Auch der Abschluß in der Marienkirche zeigt eine abgestufte Beteiligung. Die Schüler und die Stiftsherren standen in der Mitte der Kirche; die Studenten nahmen

---

Fronleichnamsprozession in Mainz und Münster gesungen. Vgl. KLEIN, Prozessionsgesänge, 36; ALTENBURG, Musik, 15.

348 STOLLE, Memoriale, 433.

349 STOLLE, Memoriale, 501. Vgl. STOLLE, Memoriale, 500: *dy alle zu sammene, schulere, pristere, studenten, monche, leyen, juncfrowen unnd frowen, sungen alle unnd lobeten got den almechtigen, eyn iglich in sunderheit, als ge ordent was von deme rate.*

350 Zu den entsprechenden Gesängen in Essen, Köln (Dom und St. Aposteln), Ingolstadt, Mainz und Würzburg vgl. ARENS, Liber ordinarius, 46-49; TORSY, Bittprozession, 75; ODENTHAL, Liber Ordinarius, 80-89; LINDNER, Kirchenordnung, 221f.; KLEIN, Prozessionsgesänge, 32-34; WEHNER, Gottesdienstordnung, 374-378.

351 Zum „Media Vita" vgl. oben S. 117, Anm. 271.

352 STOLLE, Memoriale, 501.

das rechte, die Mönche und der Rat das linke Seitenschiff ein. Während der Zeremonie zog die übrige Bevölkerung durch die Kirche, die nicht genug Platz für alle Prozessionsteilnehmer bot. Präsenz und aktive Mitwirkung der städtischen Bevölkerung wurde durch Beteiligung an der Prozession erwartet; die liturgischen Zeremonien vollzog ein exklusiver Kreis.

Bittprozessionen im System religiöser Praktiken

Die Liturgie der Prozessionen zeigt, daß Bittprozessionen in ein System von religiösen Handlungen eingebettet waren. 1483 begann der Umgang um 2 Uhr nachts mit der Matutin. Es folgte die Messe, die die Prozession eröffnete; Gesänge in der Marienkirche bildeten den Abschluß. Anders als in Erfurt konnte die Messe auch die Prozession beenden, so in Straßburg und Frankfurt. In Colmar wurden bei den drei Stationen gesungene und stille Messen gefeiert.[353] Wie sich Prozession, Messen und Gebete zu einem Ganzen formten, wird in einer Anordnung des Nürnberger Rates von 1488 deutlich: Die Pfarrer und alle Orden sollten ersucht werden, *mit einer procession in den kirchen und haltungen eins sundern göttlichen ampts der messe und mit andächtigen gebeten gott anzuruffen.*[354] Auch der Chronikbericht des Franciscus Lubecus zeigt die Verknüpfung verschiedener religiöser Praktiken, mit denen 1483 versucht wurde, Göttingen vor der Pest zu bewahren: man veranstaltete am 18. Juli eine Prozession, *und hilten messen, sungen die lytanie, und men hilt die bethmessen.*[355] Zu diesen Handlungen gehörten auch Arbeitsruhe, Fasten und Beichte. Während der Colmarer Prozession 1434/35 war explizit die Arbeit untersagt. Auch in Straßburg gehörte das Arbeitsverbot regelmäßig zu den Prozessionsankündigungen. Für die Prozession am 11. September 1389 beschloß der Rat, *daz do mengelich uff denselben tag viren sol und kein werg triben, bitz daz der crützegang geschiht.*[356] In den Prozessionsmandanten der 1470er Jahre taucht die Anordnung, die Arbeit während der Prozession ruhen zu lassen, wieder auf.[357] Die explizite Aufforderung zum Fasten findet sich dagegen relativ selten. Als die Mainzer Provinzialsynode 1261 wegen der Tatareneinfälle monatliche Prozessionen anordnete, forderte sie auch, am Prozessionstag zu fasten, wenn es kein Sonn- oder Feiertag wäre.[358] 1428 verbanden die Hansestädte ihren Prozessionsaufruf mit der For-

---

353 Vgl. SITTLER, Prozessionen, 138.
354 StAN Rep. 60b, Nr. 5, fol. 8. Vgl. SCHLEMMER, Gottesdienst, 276.
355 LUBECUS, Annalen, 228.
356 UB Straßburger Bd. 1,6, Nr. 549.
357 Vgl. SIGNORI, Ritual, 14.
358 Vgl. HEFELE, Conciliengeschichte, Bd. 6, 75.

derung, alle Volljährigen sollten fasten: *unde eyn islik, de to sinen jaren gekomen is, schal den sulven vrydach vasten.*[359] Das für jeden Freitag vorgegebene Fastengebot wurde nachdrücklich angemahnt. Auch die Dortmunder Bürger und Bürgerinnen samt ihrem Gesinde wurden für die Bittprozession am 7. Dezember 1506, einem Montag, zum Fasten angehalten.[360] In Straßburg erwartete der Rat die reinigende Beichte für die Prozession am 3. März 1476, möglicherweise um das Massaker der Schlacht von Grandson (2. März) zu büßen.[361] Zur Dortmunder Bittprozession 1506 schließlich gehörte eine Armenspeisung in der Marienkirche, zu der die Teilnehmenden mit Gaben beitragen sollten.[362] Fasten, Beichte, Gebete und Almosen waren feste Bestandteile sakramentaler Buße und galten als angemessene Vorgaben für Bittprozessionen. Die Anhäufung verschiedener religiöser Praktiken mochte nach mittelalterlichem Denken geeignet erscheinen, die Wirkung der Prozession zu verstärken.

Die Gestaltung einer Prozession und die Nutzung verschiedener religiöser Praktiken erlaubte es aber auch, abgestuft auf Krisensituationen zu reagieren und bei Nichterfolg den Einsatz der Mittel zu erhöhen. Nicht immer wurden deshalb Prozessionen angeordnet, wenn Messen und Gebete ausreichen mochten. Die Mobilisierung der Bevölkerung in einer Prozession barg auch Gefahren, die es zu vermeiden galt: Bestehende Spannungen konnten aufbrechen, Krisen öffentlich werden.[363] Als die Türken 1480 in Apulien gelandet waren, ordnete der Nürnberger Rat keine Prozessionen an, sondern forderte Pfarrer und Klöster auf, *messe von dem Hailigen Gaiste zu halten und gott in gebeten vlissiglich anzuruffen.*[364] Eine Prozession hätte den türkischen Erfolg bekannter gemacht als erwünscht. Auch die Niederlage Maximilians am 2. März 1508 bei Cadore, die zum Verlust Friauls und Istriens führte, versuchte der Nürnberger Rat zunächst geheim zuhalten. Die Klöster wurden am 18. März angehalten, in ihren Andachten auch für das Wohl des Reiches zu beten, doch der Rat erbat sich, *das solchs in geheim geschehe.*[365] Gebetshilfe, nicht aber die Öffentlichkeit einer Prozession war erwünscht. Die vergebliche Belagerung Paduas machte dann aber - nachdem die Liga

---

359 Recesse, Bd. 8, 233, Nr. 343.
360 St.Chr. Bd. 20, 388.
361 Vgl. SIGNORI, Ritual, 27.
362 St.Chr. Bd. 20, 388.
363 Vgl. auch SIGNORI, Ritual, 33f.
364 StAN Rep. 60b, Nr. 3, fol. 117'. Vgl. SCHLEMMER, Gottesdienst, 279.
365 StAN Rep. 60b, Nr. 8, fol. 432'. Vgl. SCHLEMMER, Gottesdienst, 277f. Zur Italienpolitik Maximilians vgl. ULMANN, Maximilian, 284-445; WIESFLECKER, Maximilian (1991), 153-187.

von Cambrai die Schwierigkeiten zunächst zu lösen schien und Maximilian Triest und Görz erobert hatte - das Scheitern der kaiserlichen Politik in Italien insbesondere durch die Auflösung des Heeres offenkundig und führte letztlich zum Verlust aller Eroberungen. Verschweigen war nicht mehr möglich und der Nürnberger Rat ordnete an, in den Pfarreien solle am 24. August 1509 *mit gaistlich und werntlicher priesterschafft procession gehalten* werden.[366] In dieser Anordnung wird eine weitere Differenzierungsmöglichkeit deutlich: Nicht immer mußte die gesamte Bevölkerung präsent sein, sondern der Rat konnte - quasi in Vertretung - die religiösen Spezialisten zu Bittgängen auffordern. Insbesondere in Nürnberg sprachen die Ratsbeschlüsse meist nur die Pfarrer und die Orden, zum Teil auch das Heilig-Geist-Spital und die Frauenkirche an, während die städtische Bevölkerung nur in Einzelfällen als Handlungsträger auszumachen ist. Um eine größere Beteiligung zu erreichen, konnte die Prozession unter der Predigt bekannt gemacht werden. Dies geschah jedoch nur wenige Male und nur bei den Wetterprozessionen vom 6. August bis zum 30. September 1515 wird die Teilnahme der Bevölkerung ausdrücklich gewünscht: *und dasselb zuvor auff der canntzel dem gemeinen volk verkündet, welches sich mit irer andacht darzu zefinden.*[367] Aber auch der Rat selbst nahm an den Prozessionen nicht immer teil, sondern sagte bei einer Prozession im März 1492 zu, *das ein rat in solchen processionen auch mit geen wölle.*[368] Wie die Teilnahme der Bevölkerung war die Beteiligung des Rates 1492 eine Ausnahme und wird hervorgehoben. Eine Differenzierung des Teilnehmerkreises läßt sich auch aus den Frankfurter Chroniken erkennen. Während meistens, wie nach der Überschwemmung 1480, *eine procesion von den stiften clöstern dem rat und gemeind* stattfand, werden bei der Pestprozession am 29. August 1482 nur die Schüler, die drei Bettelorden, alle weltlichen Geistlichen sowie der gesamte Rat, nicht jedoch die übrige Einwohnerschaft Frankfurts als Teilnehmer erwähnt.[369]

Wie bereits dargelegt, wurden differenzierte Antworten auf eine Krise auch über die räumliche Dimension gefunden. Insgesamt war es mit den Zeremonien - Gebete, Messen, Prozessionen -, den Handlungsträgern - Klerus, Rat oder gesamte Stadtbevölkerung - sowie der Nutzung des städtischen Raumes - dezentrale oder stadtweite Prozessionen - möglich, auf

---

366 StAN Rep. 60b, Nr. 9, fol. 109.
367 StAN Rep. 60b, Nr. 10, fol. 248'. Vgl. SCHLEMMER, Gottesdienst, 274. Auch die Prozessionen 1488 nach der Gefangennahme Maximilians sollten in der Predigt verkündet werden. Vgl. SCHLEMMER, Gottesdienst, 276.
368 StAN Rep. 60b, Nr. 5, fol. 215'. Vgl. SCHLEMMER, Gottesdienst, 276.
369 FRONING, Chroniken, 219, 225.

unterschiedliche Anlässe, Krisen und Gegebenheiten differenziert zu reagieren. Mit einer abgestuften Gestaltung behielten sich die Veranstalter auch Eskalationsstufen vor. Bei der Erfurter Prozession 1483 wurde gegenüber dem Vorjahr die Teilnehmerzahl erhöht und der Prozessionsweg verlängert. Nur für dieses Jahr erwähnt Stolle, daß das Sakrament mitgeführt wurde. 1482 war die erhoffte Wirkung nicht eingetreten. Hunger aufgrund des zweiten Dürrejahres und Seuchen bedrohten die Stadt stärker als zuvor, so daß sich Erfurter Rat genötigt sah, den „Mitteleinsatz" zu erhöhen.

4.3 Partizipationsmodell: Präsenz

Beteiligung der Bevölkerung als Ausdruck städtischer Eintracht

[E]*yn iglich mensche junck und alt, geistlichen unnd wertlichen* war 1482 aufgefordert, an der Erfurter Bittprozession teilzunehmen.[370] Auch bei den Augsburger Prozessionen nahmen nach Angaben des Chronisten *all purger und purgerin, rich und arm* teil.[371] Die Formulierungen - arm und reich, jung und alt, geistlich und weltlich - kennzeichnen die Stadt topisch als einträchtig verbundene, aber durch Vermögen, Alter und Stand differenzierte Gemeinschaft.[372] Hunger, Seuchen oder Kriege bedrohten die Stadt in ihrer Gesamtheit und entsprechend war zur Lösung der Krise die aktive Teilnahme aller notwendig. Gemeinschaftlich und in Eintracht gehaltene Gebete schienen effizienter zu sein als individuelle Bitten. Diesen Gedankengang macht ein Beschluß des Nürnberger Rates deutlich. Er begründete seine Entscheidung, für den 25. Januar 1524 eine Prozession wegen Unwetter, Erdbeben und anderer Schwierigkeiten anzuordnen, mit dem Hinweis auf den Wert einträchtiger Gebete: *und damit solich christenlich anruffen dester aintrechtiglicher und statlicher bescheh.*[373] Als Ursache der Schwierigkeiten, in denen sich nach mittelalterlichem Denken der Zorn Gottes ausdrückte, wurden immer auch Zwietracht und Unfrieden ausgemacht, und deshalb war es notwendig, in der Prozession das Bild einer einträchtigen Stadt zu präsentieren. Um diese Selbstdarstellung der Stadt zu gewährleisten, forderte der Colmarer Rat bei Bittprozessionen alle Leute über zwölf Jahren zur Teilnahme auf.[374] Im benachbarten Straßburg war offenkundige Nichtteilnahme unter Strafe ge-

---

370 STOLLE, Memoriale, 432. 1483 heißt es: *umme sunderlicher bethe willen eyns iglichen mensche,*
     STOLLE, Memoriale, 498.
371 St.Chr. Bd. 4, 63. Vgl. St.Chr. Bd. 4, 66; KIESSLING, Bürgerliche Gesellschaft, 291.
372 Zu den Doppelungen vgl. ISENMANN, Stadt, 245; BRANDT, Enklaven, 135-138.
373 StAN Rep. 60b, Nr. 12, fol. 217.
374 Vgl. SITTLER, Prozessionen, 139.

stellt. Bei der Prozession von 1401 sollte niemand unbeteiligt an Straßenrändern oder Fenstern stehen: *es was ouch verbotten bi 30 sol. d., daz nieman an keyme venster solte ligen noch an keinre türe ston.*[375] Diese Anweisung zieht sich durch die Straßburger Prozessionsmandate und wurde schließlich auch 1472 in die Ordnung zur Fronleichnamsprozession aufgenommen.[376] Ebenso war die florentinische Bevölkerung bei den Bußprozessionen des 14. Jahrhunderts vor die Wahl gestellt, teilzunehmen oder zu Haus zu bleiben.[377] „Die Teilnahmebereitschaft war offensichtlich nicht von selbst gegeben", wie Dieter Scheler feststellt. Sie mußte in den Prozessionsordnungen zum Teil unter Androhung von Geldstrafen eingeschärft werden.[378]

Die Pflicht zur Teilnahme verweist auf Legitimationsgrundlagen städtischer Herrschaft.[379] Die obrigkeitliche Stellung des Rates legitimierte sich durch den Anspruch, die Gemeinde zu repräsentieren und durch die Ausrichtung der Politik auf das Gemeinwohl. Vorstellungen vom „guten Regiment", wie sie mittelalterliche Theoretiker formulierten, orientierten sich „am Ideal einer durch den Konsens der Bürger getragenen Ordnung, die am besten den Bedürfnissen des Gemeinwohls (*bonum commune*) zu entsprechen schien."[380] Krisen wie Naturkatastrophen oder Kriege bedrohten die Legitimation. Das Handeln des Rates schien nicht mehr dem Gemeinwohl zu dienen; der Konsens einer Stadt war gefährdet. In einer Bittprozession konstituierte sich die Stadt durch die Präsenz der gesamten städtischen Bevölkerung neu als Gemeinschaft. Die Prozession materialisierte die notwendige Zustimmung der Gemeinde, die von der Obrigkeit eingefordert und organisiert wurde. Dies erklärt die Teilnahmepflicht. Wenn Teilnahme als Zustimmung angesehen wurde, standen Zuschauende außerhalb des städtischen Konsensus. Bittprozessionen spiegeln das Wechselverhältnis zwischen Mitwirkung der Gemeinde und Herrschaft des Rates wider. Sie sprachen jedoch nicht die Gemeinde mit politischen Partizipationsforderungen, die „communitas civium", sondern die durch gemeinsame religiöse Glaubensinhalte und Praktiken verbundene Gemeinde, die „communitas fideli-

---

375 St.Chr. Bd. 9, 774.
376 Vgl. PFLEGER, Ratsgottesdienste, 48; SIGNORI, Ritual, 8.
377 TREXLER, Public Life, 358.
378 SCHELER, Inszenierte Wirklichkeit, 124. Geldstrafe bei Nichtteilnahme wurde beispielsweise für die Viktorstracht in Xanten oder den Angehörigen der Freiburger Universität bei der Fronleichnamsprozession angedroht. Vgl. SCHELER, Inszenierte Wirklichkeit, 124; MAYER, Freiburger Fronleichnamsprozession, 341f.
379 Zum folgenden vgl. BLACK, Guilds; SCHILLING, Republikanismus; SCHREINER/MEIER, Regimen; SCHWERHOFF, Ratsherrschaft.
380 SCHREINER/MEIER, Regimen, 16.

um", an. An den Prozessionen waren auch politisch nicht berechtigte Mitglieder wie Frauen, Geistliche oder Einwohner beteiligt. Das Konsensprinzip, das sich auf politisch partizipierende Bürger bezog, die die Zustimmung verweigern konnten, war erweitert: Bittprozessionen sollten die Eintracht auch derjenigen Stadtbewohner manifestieren, die keine institutionalisierte Möglichkeit des Widerspruchs hatten. Zugleich riefen sie in Erinnerung, daß die Legitimationsgrundlagen städtischen Zusammenlebens - Eintracht, Frieden und Gemeinwohl - den christlichen Werten Brüderlichkeit und Nächstenliebe entsprangen; die Stadt wurde zur Sakralgemeinschaft.[381]

Die Unterscheidung von politischer und sakraler Gemeinde läßt unterschiedliche Formen der Inszenierung erkennen. Die Adolar- und Eoban-Prozession zielte auf den Konsens der „communitas civium". In ihr wie auch in Wahlen oder anderen rituellen Formen wurde die Stadt durch ihre Herrschaftsträger oder durch politisch partizipierende Zünfte und Bürger repräsentiert. Die Bittprozessionen hingegen klagten die Eintracht der gesamten Stadt, der „communitas fidelium" ein. Die Sakralgemeinschaft Stadt ist keine feste Größe, sondern findet sich je nach Anlaß und Interessenlage in unterschiedlichen Personengruppen und mit unterschiedlichen Inhalten inszeniert. Die Stadt Erfurt versicherte sich sowohl bei der regelmäßigen Reliquien- als auch bei einmaligen Bittprozessionen ihrer Identität, indem sie sich auf ihre Grundlagen berief, zugleich aber die Gemeinschaft über die Außengrenzen bestimmte. Aufgerufen zu den Bittprozessionen 1482 und 1483 war die städtische Bevölkerung. Die Erfurter Landbevölkerung sollte nach dem Willen des Rates eigene Flurumgänge abhalten.[382] Die Prozession der Stadt schloß Gäste, Fremde und die ländlichen Untertanen aus dem Kreis der Teilnehmer aus.

Wenn die Magistrate die Bevölkerung zur Teilnahme an einer Prozession aufforderten oder Teilnahmepflicht einklagten, bemühten sie sich um städtische Eintracht. Aber nicht nur die Ratsherren sorgten sich um die Teilnahme der gesamten Bevölkerung, sondern auch die Chronisten waren bemüht, das Bild einer einträchtigen Prozession mit allen Stadtbewohnern und -bewohnerinnen zu zeichnen. Beleg für Eintracht war ihnen eine hohe Teilnehmerzahl, die Konrad Stolle durch genaue Angaben zu beweisen sucht: 1483 sollen 2141 Universitätsangehörige, 948 Schüler und 2316 unverheiratete Frauen beteiligt gewesen sein. Die Zahlen halten einer Überprüfung

---

381 Vgl. RUBLACK, Grundwerte, 26; BLACK, Guilds, 44-73.
382 STOLLE, Memoriale, 498f.: *Item dy von erffort geboten allen oren undersessen, also wid also das lant ist in yrem gebiete, das sye ouch allemittenander uff denselbigen fritagk ouch solden gee umme ore flure mit der procession.*

nicht stand, doch ging es Stolle vor allem um einen Beweis für die Größe der Prozession und für seine eigene Anwesenheit.[383] Die hohe Beteiligung macht Stolle auch räumlich anschaulich: *Item also nu dy letczten an disser procession uss deme bruler thore uss gingen, do worn dy fordersten scholere gereite hinder dy karthusere hen.*[384] Aus Stolles Worten spricht Stolz und Staunen, die die große Menschenansammlung bei dem Betrachter auslöste. Daß die Beteiligung auf die Konstituierung von Eintracht zielt, kommt schließlich in der häufigen Verwendung des Wortes „alle" zum Ausdruck: *das folk, alle glich gingen uss unser lieben frowen kirchen,* so Stolle. An anderer Stelle heißt es: *alle mannes namen, als wid als dy stat was* gingen hinter dem Rat.[385] Wie die kontrastierenden Doppelformen „arm und reich" oder „jung und alt" geht es bei solchen Formulierungen „nicht um realistische Deskription eines Sachverhalts, sondern um die literarische Evozierung einer möglichst großen Geschlossenheit".[386] Stolle steht mit diesen Umschreibungen nicht allein. Der Göttinger Franciscus Lubecus berichtet über eine Prozession am 17. Juni 1404: *Musten das sacrament umherdragen alle geistliche, monniche, papen, calandespreister (...), auch all mahn, weib und gsind.*[387] Über die Dortmunder Bittprozession 1506 schreibt Dietrich Westhoff: In der Prozession gingen *die mans und die vrauwen mit ihren waskersen, vort alle volk, inwoner, knechte und megede.*[388] Die Beteiligung „aller" Einwohner und Einwohnerinnen bewies für die Chronisten das einträchtige Handeln; die Prozession war damit erfolgreich. Der tatsächliche Teilnahmekreis war nicht so umfassend, wie die Formulierungen oder auch die Einleitungsworte Stolles glauben machen. 1482 waren in Erfurt weder die Mönchsorden noch die Jungfrauen zur Teilnahme aufgefordert. Etliche unverheiratete Frauen waren dennoch anwesend, *werde wolde, sy worn nicht geheischet noch vor mant.*[389] Im folgenden Jahr sollten Mönche und Jungfrauen teilnehmen; die Nonnenklöster blieben dagegen beiden Prozessionen fern.

---

383 STOLLE, Memoriale, 499f. NEUBAUER, Verhältnisse, 11f., überprüfte die Zahlen und stellte im Vergleich mit den Studentenmatrikel fest, daß Stolle mindestens 300 Personen zuviel angibt. Zur Verwendung von Zahlen in mittelalterlichen Chroniken vgl. FLORI, Valeur.

384 STOLLE, Memoriale, 502.

385 Ebenda, 433, 500. Vgl. auch 433: *unnd sungen alle* [die unverheirateten Frauen] *zu glich.* 434: *unnd gingen alle glich wedder zu unser lieben frowen kerchen.* 499: *gingen alle pfarre crucze (...). Dor noch gingen alle schulere (...). alle doctores, meistere, baccalarien unnd studenten.*

386 BRANDT, Enklaven, 139.

387 LUBECUS, Annalen, 141.

388 St.Chr. Bd. 20, 387.

389 STOLLE, Memoriale, 433.

Geistlicher Stand und Geschlechtertrennung: die geordnete Prozession

Eintracht, Frieden und Gemeinwohl waren erst dann gegeben, wenn nicht nur die gesamte städtische Bevölkerung beteiligt war, sondern sich als geordnetes Ganzes zeigte. Die Magistrate achteten deshalb darauf, jedem Teilnehmer und jeder Teilnehmerin ihren angemessenen Platz zuzuweisen: *unnd dy alle zu sammene, schulere, pristere, studenten, monche, leyen, juncfrowen unnd frowen, sungen alle unnd lobeten got den almechtigen got, eyn iglich in sunderheit, als ge ordent was von deme rate.*[390] Ordnung beinhaltete Rangdifferenz; jemand gehörte dann zur Stadt, wenn er einer Gruppe im hierarchischen Gefüge zugeordnet war. Die Prozessionsordnung stellte 1482 die unverheirateten Frauen (*dy juncfrowen*) an den Anfang. Ihnen schlossen sich die Schüler, die Pfarrgeistlichkeit, die Stiftsherren von St. Severi und St. Marien, die Augustiner-Chorherren sowie die Universitätsangehörigen an. Danach kamen der Rat und die Männer. Den Schluß bildeten die verheirateten Frauen. 1483 waren die Jungfrauen den Laien im hinteren Teil der Prozession eingereiht. An der Spitze standen nun die Kreuze der Pfarreien, denen die Schüler, dann die Stiftsherren von St. Severi und St. Marien, die Augustiner-Chorherren und die Pfarrgeistlichkeit folgten. Die Universitätsangehörigen und die Mönchsorden - Serviten, Augustiner-Eremiten, Barfüßer, Dominikaner und Benediktiner - bildeten den Schluß der Geistlichen. Vor dem Sakrament wurden 44 lange Kerzen, die Lichter der Handwerke und acht Laternen auf hohen Stangen getragen. Ein Knabe mit einer Glocke kündigte das Sakrament an. Danach kam der Rat, gefolgt von den übrigen Männern, den Jungfrauen und den verheirateten Frauen.

Mit der Prozessionsordnung zeigte der Rat, wie er das Sozialgefüge der Stadt wahrnahm. Er folgte dabei sowohl sozialen als auch geistlichen Wertmaßstäben und drängte alternative Ordnungsvorstellungen - wie Familienbeziehungen - in den Hintergrund. Ein grundlegendes Kriterium war der geistliche Stand: Klerus und Laien gingen getrennt. 1483 trat diese Unterscheidung stärker als im Vorjahr in Augenschein, da die Geistlichen einen geschlossenen Block vor dem Sakrament bildeten, während die Jungfrauen bei den Laien zwischen den Männern und den verheirateten Frauen zu finden waren. Die Kanoniker von St. Marien führten nach den Schülern die Ordens- und Weltgeistlichen an. Sie gingen nicht direkt vor dem Sakrament und ihre Stellung war nicht so exponiert, wie bei der Adolar- und Eoban-Prozession. Die Rangfolge der Mönchsorden orientierte sich an der Ansässigkeit in der Stadt; die Benediktiner besetzten den besten Platz. Aus dem

---

390 Ebenda, 500.

Kreis der Geistlichen traten 1483 der Träger des Sakraments und sein Begleiter hervor. Diese Aufgaben hatten der Abt des Benediktinerklosters St. Peter, Gunther von Nordhausen, und der Abt des Schottenklosters St. Jacobi, ein gewisser Donatus, übernommen.[391] Sie geboten zwar über die beiden ältesten Männerklöster Erfurts, standen aber in der kirchlichen Hierarchie niedriger als der Weihbischof oder die Funktionsträger der Stifte. Anders als die Adolar- und Eoban-Prozession, die die Führungsrolle des Marienstiftes herausstellte, zeigt die Ordnung der Bittprozessionen eine Balance zwischen prinzipieller Gleichwertigkeit und auf Anciennität beruhendem Vorrang.

Zentrales Gliederungskriterium der Laien war die Geschlechterordnung. Im Gegensatz zur Adolar- und Eoban-Prozession nahmen an den Bittprozessionen Frauen teil. Die Gesamtheit der Stadt konstituierte sich nicht nur aus „arm und reich" oder „alt und jung", sondern auch aus Männern und Frauen. Frauen gehörten zu der städtischen Gemeinschaft, wie sie sich in Bittprozessionen darstellte: [A]*ll burger und burgerin, rich und arm* [gingen] *mit grozzer andacht all umb*, wie auch eine Augsburger Chronik schreibt.[392] Kirchliche Tradition machte es aber notwendig, daß Frauen - ebenso wie im geschlossenen Kirchenraum - eine von den Männern gesonderte Gruppe bildeten; Bindung des Familienverbandes gingen durch diese Aufteilung verloren. Einige Prozessionsankündigungen betonten die strikte Trennung der Geschlechter. Der Colmarer Rat versuchte bei der Bittprozession 1434 oder 1435 die Geschlechtertrennung mit Geldstrafen durchzusetzen: *Welliche frouwe namen aber under die manne oder mannes namen under die frouwen giengent, der yetweder bessert 30 schillinge.*[393] Geschlechtertrennung mahnten nicht nur Magistrate an, sondern auch eine Bürgerversammlung in Regensburg sorgte sich 1513 über Unordnung bei Prozessionen. Ursache seien die Frauen gewesen, *die sich untermengen und vordringen bis auf die Priesterschaft, daraus Zerrüttung der Andacht und andern gutes Fürnemens gegen Gott und seine Heiligen gehindert wird.*[394] Wie das Verbot, unbeteiligt am Rande zu stehen, zieht sich die Anweisung, daß Männer und Frauen getrennt gehen sollen, durch die Straßburger Prozessionsmandate des 14. bis 16. Jahrhunderts. Bereits 1396 heißt es: *gon*

---

391 Gunther von Nordhausen: Abt von 1458 bis 1500/11, Donatus von 1481 bis 1485. Vgl. FRANK, Peterskloster, 245f.; SCHOLLE, Schottenkloster, 76.

392 St.Chr. Bd. 4, 66

393 Vgl. SITTLER, Prozessionen, 139.

394 GEMEINER, Chronik IV, 221. Schon 1452 und 1492 wurde die Geschlechtertrennung bei Prozessionen besonders angemahnt. Vgl. GEMEINER, Chronik III, 202, 790 (Anm. 1542).

sunderliche die man mittenander und darnoch alle frowen und frowesnamen ouch mitten-ander.[395] In dieser Stadt folgten die Männer dem Kruzefix, das die Barfü-ßermönche trugen, während sich die Frauen der Marienstatue der Predi-germönche anschlossen.[396] Kreuzesverehrung und Marienfrömmigkeit waren den Geschlechtern zugeteilt.

Die Geschlechtertrennung beobachtet Trexler auch bei den Florentiner Bittprozessionen des Quattrocento. Der amerikanische Historiker interpretiert die strikte Beachtung der Geschlechtergrenze ebenso wie den Ausschluß von Zuschauenden und die betonte Unterscheidung zwischen Klerus und Laien als ein Charakteristikum von Krisenprozessionen. Er erklärt: „Just as laxness in maintaining distinct sexual roles and dress might be the cause of the crisis, its solution, the preacher could tell his audience, lay in processionally manifesting sexual clarity to the divinities."[397] Allerdings: Auch bei regelmäßigen Prozessionen gingen Frauen, wenn sie beteiligt waren, als gesonderte Gruppe.[398] Als der Straßburger Rat 1472 die Ordnung der Fronleichnamsprozession änderte, nahm er die Trennung von Männern und Frauen, die aus den Mandaten zu Bittprozessionen bekannt war, auf und verschärfte sie: *So sol kein man vnder die frowen gon, dann die manne söllent in irem proceß gon vnd die frowen zúlest.*[399] Die Neuordnung der Prozession mag in Straßburg aus einer Umbruchsituation entstanden sein, die zur Akzentuierung der Geschlechterordnung nötigte. Der Text deutet Rangstreitigkeiten der Handwerker an, nachdem 1470 die Ratshierarchie der Zünfte fixiert worden und die Verfassung in diesen Jahren in Bewegung geraten war.[400] Geschlechtertrennung war generell auch bei regelmäßigen Prozessionen üblich, so daß sie nicht als besonderes Merkmal von Krisenritualen interpretiert werden kann. Entscheidend für Bittprozessionen war nicht, daß Männer und Frauen getrennt gingen, sondern daß die Geschlechterordnung einen besonderen Stellenwert erhielt, indem differenziertere Rangfolgen und eine Vielschichtigkeit von Kriterien – z.B. nach Zünften – zurückgestellt wurden.

Als gesonderte Gruppe führten die sitzenden und nichtsitzenden Rats-herren - *der gancze rath* - die Laien an. Vor Beginn der Prozession zogen sie

---

395 UB Straßburger Bd. 1,6 Nr. 549.

396 Vgl. PFLEGER, Ratsgottesdienste, 31f. Zur bildlichen Darstellung dieser Geschlechter-trennung vgl. SIGNORI, Wörter, 20ff.

397 TREXLER, Public Life, 359. Zu Krisenprozessionen in Florenz vgl. ebenda, 354-364.

398 Beispielsweise bei den Fronleichnamsprozessionen in Biberach, Eichstätt oder Frankfurt. Vgl. ANGELE, Altbiberach, 95; FPO Eich, 110; KRIEGK, Bürgertum, 369.

399 Vgl. PFLEGER, Ratsgottesdienste, 48.

400 Vgl. WINCKELMANN, Straßburgs Verfassung; DOLLINGER, Ville libre.

gemeinsam zur Marienkirche, wo sie die Messe hörten: *do quam der erssame wisse rath zu erffort mit czweien langen kerczen zu unser lieben frowen kirchen gegangen, do sangk man eyne messe zu unser lieben frowen.*[401] Eine ähnliche Stellung des Rates findet sich bei vielen Bittprozessionen. Bei den stadtweiten Prozessionen in Straßburg gingen die Stett- und Ammeister mit dem Rat direkt hinter dem Sakrament. Ebenso führten in Göttingen der Rat und die Bürgermeister die Laien an. Getrennt von den übrigen Teilnehmern trat auch der Frankfurter Rat bei Bittprozessionen auf.[402] Aber obwohl der Rat in Erfurt an der Spitze der Männer und 1483 direkt hinter dem Sakrament ging, hebt Stolle seine Position nicht hervor, sondern zählt ihn als einen Teil der Prozession auf: *dar noch der gancze rath, dar noch dy gemeynen manne, dar noch dy andechtigen frowen.*[403] Auch die Baldachinträger spielen keine besondere Rolle und der Chronist hält ihre Namen nicht für auszeichnungswürdig. Dies zeigt eine deutliche Differenz zur Adolar- und Eoban-Prozession, bei der der Rat inmitten geistlicher Würdenträger an exponierter Stelle stand. Auch bei den Bittprozessionen ging der Rat im Zentrum der Zuges, blieb aber Teil der städtischen Gemeinde.

Während die Gliederung der Männer dem politischen Status folgte, unterschied Stolle bei den weiblichen Laien *dy juncfrowen* und *dy andechtigen frowen.*[404] Die Erfurter Bittprozessionen griffen somit auf ein Klassifikationsschema zurück, das schon die Kirchenväter genutzt hatten und dem, in Predigten und Moraltraktakten verbreitet, ein lang andauernder Erfolg beschieden war. Nach ihren Familienrollen und dem Verhältnis zum Ideal der Keuschheit wurden Frauen in Jungfrauen, Witwen und verheiratete Frauen unterteilt. Die Einteilung war wertend: Jungfrauen hatten die überlegene, herausragende Position inne, da sie vollkommener die Tugend der Keuschheit verwirklichten. Durch den Bezug zum Familienstand fanden die moralischen Kategorien Entsprechungen in der realen Situation von Frauen, doch zugleich drängte diese Klassifikation Gliederungsschemata nach sozialen Gesichtspunkten oder der Stellung in der Arbeitswelt in den Hintergrund.[405] Die Anbindung an die Alltagswelt und die religiösen Konnotationen machten die Klassifikation geeignet für Prozessionsordnungen. Die

---

401 STOLLE, Memoriale, 433.
402 Vgl. SIGNORI, Ritual, 22f.; LUBECUS, Annalen, 141, 157; FRONING, Chroniken, 216-219.
403 STOLLE, Memoriale, 433. Ähnlich beschreibt er die Prozession 1483. Vgl. STOLLE, Memoriale, 500: *Dar noch gingk der erbar rath unnd alle mannes namen.*
404 STOLLE, Memoriale, 433.
405 Zur Jungfräulichkeit vgl. BERNARDS, Speculum Virginum; BUGGE, Virginitas; ATKINSON, Precious Balsam; OPITZ, Jungfräulichkeitsideal; CASAGRANDE, Beaufsichtigte Frau, 87-95.

Göttinger Bittprozessionen übernahmen die traditionelle Dreigliederung in Jungfrauen, Witwen und Verheiratete. Entsprechend der Wertigkeit führten die Jungfrauen die Gruppe der Frauen an; die Verheirateten gingen zum Schluß. Auch bei einigen Fronleichnamsprozessionen findet sich das Dreierschema; gängig war aber auch eine Reduzierung auf die Gruppe der Jungfrauen und der verheirateten Frauen.[406] Andere Gliederungskriterien dagegen gab es für Frauen nicht. Häufig wurde auch unterhalb der Geschlechterordnung nicht weiter differenziert. Ebenso ist der Rat nicht überall gesondert aufgeführt, sondern geht in Formulierungen wie *und mit in* (Geistlichkeit und Schüler) *all purger und purgerin, rich und arm* unter.[407] Auch trat der Dortmunder Rat nicht als eigenständige Gruppe in Erscheinung, sondern der Chronist nimmt neben der Geschlechterordnung rechtliche Kriterien auf: *die mans und die vrauwen mit ihren waskersen, vort alle volk, inwoner, knechte und megede.*[408] Einwohner und Gesinde sind gesondert genannt. Doch die Scheidung von Bürgern und Einwohnern, die der Dortmunder Formulierung zugrunde liegt, ist eher die Ausnahme. Meist ist die städtische Bevölkerung ohne Ansehen des Bürgerrechts zur Teilnahme aufgefordert.

Geistlicher Stand und Geschlechterordnung, politische Partizipation und Verhältnis zu Ehe und Jungfräulichkeit sind die Kriterien, nach denen Stolle - wohl in Anlehnung an eine Ratsordnung - gliedert. Daneben läßt sich indirekt erschließen, daß die Männer und Frauen pfarrweise zusammenkamen. Sammelpunkte waren die Pfarrkirchen, in denen vor der Prozession Messen gefeiert wurden. Das Zusammenführen der Pfarrkreuze, die den Zug anführten, bildete 1483 den Auftakt zum gemeinsamen Umgang: *Item zu hant noch der messe worn do gesammt alle cruce uss den pfarren mit oren pfernern unnd orem volke, unnd do begunde dy processie zu gene, do der seyger funffe slug.*[409] Weiter berichtet Stolle, daß sich die unverheirateten Frauen nach Pfarreien geordnet auf dem Severi-Kirchhof versammelten, *uss iglicher pfarre sunderlichen, gingen unnd sungen ore leysson.*[410]

Die Pfarreien waren, wie bereits dargelegt, Teil der politischen Struktur Erfurts, die sich zwar bezüglich der wirtschaftlichen Möglichkeiten und der sozialen Stellung ihrer Bewohner unterschieden, doch im Vergleich zur Zunftgliederung weniger deutlich politische und gesellschaftliche Hierarchi-

---

406 LUBECUS, Annalen, 175; FPO Eich, 110; PIEL, Chronicon Domesticum, 125.
407 St.Chr. Bd. 4, 63 (Augsburg, 1379).
408 St.Chr. Bd. 20, 387. Das Gesinde wird auch bei einer Göttinger Bittprozession 1404 gesondert genannt. Vgl. LUBECUS, Annalen, 141.
409 STOLLE, Memoriale, 499.
410 Ebenda, 500.

en offenbarten.[411] Streitigkeiten von Pfarreien oder Stadtvierteln über ihren Rang in einer Prozession sind mir nicht bekannt. Die Eintracht der gesamten Stadt war deshalb eher bei einer Ordnung nach räumlichen Kriterien zu erwarten. Entsprechend waren die Zünfte - neben den Vierteln das zweite Gliederungsprinzip, das in Erfurt politische Teilhabe vermittelte - nur symbolisch präsent: 1483 wurden ihre Kerzen - *der hantwerge lechte* - vor dem Sakrament getragen.[412] Stolle verrät weder, welche Zünfte hier vertreten waren - nur die politisch berechtigten oder auch die übrigen -, noch nennt er die Reihenfolge. Die Zünfte setzten bei den Erfurter Bittprozessionen keine wirkungsmächtige Gliederung. Auch in Straßburg fehlten sie bei den Bittgängen, während in der Fronleichnamsprozession die Kerzen der Handwerke vor dem Sakrament getragen wurden und die Männer nach Zünften geordnet hinter dem Rat gingen: *Item so süllent donoch getragen werden vier der Stat kertzen vor allen antwercken mannespersonen die vnd ire sůne, kneht vnd knaben, welich oppferbar sint, süllent dann den selben vier kertzen zühtlich noch gon.*[413] Die Fronleichnamsprozession war ein Ausdrucksmittel für die Hierarchie und den gesellschaftlichen Rang der Zünfte, was jedoch Anlaß ständiger Streitigkeiten war und für die Bittprozessionen ausgeschaltet werden sollte. Gabriela Signori formuliert: „Nicht Repräsentation, sondern allgemeine Präsenz war gefragt."[414] Auch die Erfurter Prozessionen lassen sich mit dieser Formulierung charakterisieren. Während sich in der Prozession mit den Reliquien Adolars und Eobans die ratsherrliche Macht repräsentierte, war bei den Bittprozessionen die Teilnahme der Gesamtheit gefordert; Eintracht störende Differenzierungen wurden vermieden. Die Ordnung der Teilnehmenden reduzierte sich im wesentlichen auf die Kriterien geistlicher Stand und Geschlecht, die als unumstößlich galten und nicht Anlaß von Zwietracht gaben.

Gleichwohl verzichteten nicht alle Bittprozessionen auf die Ordnung nach Zünften oder auf Repräsentationsmöglichkeiten. In Göttingen gingen Vertreter der Gilden zwischen dem Rat und den übrigen Männern: *dan die burgemester und rad, denen die gilden und dan der gemeine mahn.*[415] In der Rangfolge orientierten sich die Bittprozessionen an der 1350 festgelegten Ordnung. Anders als im Straßburg der 1470er Jahre, wo die Zunfthierarchie gerade

---

411 Zur Sozialtopographie Erfurts liegt keine neuere Arbeit vor. Vgl. deshalb NEUBAUER, Verhältnisse.
412 STOLLE, Memoriale, 499.
413 PFLEGER, Ratsgottesdienste, 48.
414 SIGNORI, Ritual, 23.
415 LUBECUS, Annalen, 257.

neu geordnet wurde, konnte sich der Göttinger Rat auf eine bereits lange bestehende Rangordnung der Zünfte stützen. Verzicht auf Repräsentation zeigt auch die Dringlichkeit des Umgangs an. Galt eine Krise als besonders schwerwiegend, trat die Darstellung von Buße und Demut in den Vordergrund; individuelle oder kollektive Selbstdarstellung widersprach dem Anliegen. Der Frankfurter Patrizier und Chronist Bernhard Rorbach hebt in seinen Beschreibungen von Bittprozession ebenso wie bei den Fronleichnams- und Maria-Magdalena-Prozessionen meist die patrizischen Funktionsträger hervor. Ihre Namen machen den wesentlichen Teil seiner Notizen aus: *Anno 1469 uf den freitag sancti Blasii des bischoffens hat man eine procession mit allen stiftern und ordensleut. das heilige sacrament truge herr Hermann Anspurg und fürten in Weiker Frosch Heilmann Schildknecht. das seiden tuch über dem sacrament ware getragen von Adolf Knobelauch Bernhard Rorbach Philips Katzman und Heinrich Ergersheim.*[416] Nach der Überschwemmung im Juli 1480 hält allerdings auch Bernhard Rorbach die übliche Darstellungsweise für unangemessen. Eindrücklich beschreibt er, wie die Prozession wegen der Schwere des Unglücks auf Schmuck verzichtete: *item man trug kein heiltumb noch sacrament noch keine stebekerzen, sondern die hantwerk trugen schlechte wachskerzen, und gieng man und frawen ganz schlecht und ongeschmükt.* Doch selbst im Büßergewand gelang es Amtsträgern und anderen bedeutenden Frankfurtern, sich gegenüber den übrigen Teilnehmenden abzuheben, und sie fanden in Rorbach einen Chronisten, der die Zeichen verstand: *so hatt der rat, doctores und amptleute und alle die es vermogten ganz schwarz an.*[417]

Verhaltensanforderungen: Demut, Buße und Schweigen

Bei seiner Aufzählung der Teilnehmergruppen widmet der Erfurter Chronist Konrad Stolle nicht dem Rat oder den höheren Geistlichen, sondern den Jungfrauen besonders viel Aufmerksamkeit. Obwohl sie nach Stolles Worten 1482 unaufgefordert mitgingen, hatte der Rat ihre Teilnahme eingeplant, da er ihnen den Platz an der Spitze der Prozession reserviert hatte. Nur für die unverheirateten Frauen macht Stolle 1482 Zahlenangaben; auch auf ihr frommes Verhalten geht er genauer ein. Sie hatten ihr Haar aufgelöst, trugen Kränze aus Wermut und Beifuß und sangen Lieder zu Ehren Marias und des Leichnams Christi, *ereten unnd lobeten den ewigen got in synem rich.*[418] 1483 beschreibt Stolle die Jungfrauen noch ausführlicher; keiner anderen Gruppe räumt er soviel Platz ein. Der Chronist will 2316 Frauen

---

416 FRONING, Chroniken, 218, vgl. auch 216.
417 FRONING, Chroniken, 219.
418 STOLLE, Memoriale, 433.

gezählt haben. Mit ihrem gelösten Haar[419], den Wermut- und Beifußkränze[420], Kerzen tragend und barfuß gehend[421] waren sie mit den vielfältigen Symbolen des Leidens und der Buße versehen, die die didaktische Literatur von ihnen forderte. Auch ihre Gesten bewiesen Demut: *gingen gancz geczuchtig unde slugen ore ougen nedder uff dye erden.*[422] Ihr Vorbild bewegte die übrigen Teilnehmenden zu einem Verhalten, das dem Anliegen der Prozession angemessen war. Als sich die unverheirateten Frauen im Severi-Kirchhof und vor den Domstufen versammelten, standen sie so betrübt und Erbarmen erregend, *wer das sach unnd horte, der muste weyne; was ess nicht uffenberlich, so weinten sy doch in oren herczen.*[423] Am Beispiel der Jungfrauen beschreibt Stolle modellhaft die Ordnung innerhalb einer Gruppe. Zwei Frauen mit Fahnen gingen voraus. Ihnen folgten vier Frauen mit Laternen auf hohen Stäben und mit brennenden Lichtern. Eine einzelne Jungfrau in einem schwarzem Kleid trug ein Kruzifix. Bei ihnen ging der Ratsmeister Gotschalck von der Sachsen, *der hatte achte uff dy juncfrowen.*[424] Die unverheirateten Frauen unterstanden der Aufsicht und Obhut des Rates, vielleicht weil die Öffentlichkeit der Straßen ein für sie unpassender Ort war, vielleicht auch, weil ihr Ver-

---

419 Zu gelöstem Haar vgl. BERNHARD KÖTTING, Art. Haar, in: RAC Bd. 13 (1986), 177-203; H. HUNDSBIACHLER, Art. Haartracht, in: LdMA Bd. 4 (1989), 1813; Art. Haar, in: BECKER, Lexikon der Symbole (1992), 110f.

420 Wermut (Artemisia absinthium) ist eine Beifußart. Wermut und Beifuß wurden in der Heilkunde, insbesondere bei Frauenleiden, verwendet. Ihr Gebrauch bei den Prozessionen ist wohl biblisch begründet, wo Wermut wegen seiner Bitterkeit unter anderem bitteres Leiden und Erbitterung durch Unrecht symbolisiert (vgl. Kl 3, 15 und 19; Jr 3,19; Jr 9,14; Jr 23,15; Off 8,11; Spr 5,4; Am 5,7; Am 6,12). Magische und atropäische Wirkungen von Beifuß und Wermut, die die christliche Zauberliteratur aus der Antike rezipiert hatte, waren dagegen nicht angesprochen. Vgl. F. ECKSTEIN, Art. Beifuß, in: HWDA Bd. 1 (1927), 1004-1010; HEINRICH MARZELL, Art. Wermut, in: HDWA Bd. 9 (1938-1942), 497-503; TH. KLAUSER, Art. Beifuß, in: RAC Bd. 2 (1954), 103ff.; C.H. PEISKER, Art. Wermut, in: Biblisch-historisches Handwörterbuch, Bd. 3 (1966), 167; W.F. DAENS, Art. Beifuß, in: LdMA Bd. 1 (1980), 1820; HEPPER, Pflanzenwelt, 152; Art. Wermut, in: BECKER, Lexikon der Symbole (1992), 332.

421 Zu Barfüßigkeit gibt es kaum neuere Literatur. Vgl. GOUGAUD, Dévotions; ECKSTEIN, Art. Barfuß, in: HWDA Bd. 1 (1927), 912-922; PH. OPPENHEIM, Art. Barfüßigkeit, in: RAC Bd. 1 (1950), 1186-1193; GRAUWEN, Betekenis.

422 STOLLE, Memoriale, 500. Zur didaktischen Literatur für Frauen vgl. PALZKILL, Meditatio, 194ff.

423 STOLLE, Memoriale, 500.

424 Ebenda, 500. Gottschalk von der Sachsen war 1483 der dritte Ratsmeister. 1468 ist er das erste Mal als Ratsmitglied faßbar; 1473 und 1478 ist er vierter Ratsmeister. 1481 gehört er dem Senatsausschuß der Feuermeister an, 1491 ist er Brückenherr. Vgl. StAE 2-120/2 und StAE 2-120/4.

halten nicht so tugendhaft war, wie uns Stolle glauben machen will. Hinter Gotschalck kamen die übrigen unverheirateten Frauen; vier Frauen mit Lichtern und zwei Fahnen bildeten den Schluß. In den Jungfrauen sah Konrad Stolle beispielhaft die Anforderungen verwirklicht, die er an die Mitwirkenden einer Prozession stellte. Ihnen schreibt er bereitwillige und geordnete Teilnahme, Buße, demütiges und frommes Verhalten sowie einen positiven Einfluß auf die übrigen Teilnehmer zu.

Die Jungfrauen waren in vielfacher Hinsicht eine geeignete Projektionsfläche für vorbildliches Verhalten. Jungfräulichkeit wurde zwar theoretisch von beiden Geschlechter gewünscht, doch seit dem Hochmittelalter galt sie vor allem als Tugend von Frauen. Frauen werden, so schreibt Carla Casagrande, in Bezug auf Keuschheit „zu einer Art Prüfstein (...) mittels derer eine ganze Gesellschaft ein spezifisches Konzept der Sexualität gedacht und verwirklicht hat".[425] So präsentierten vornehmlich die Jungfrauen - daneben auch die Schüler - in Prozessionen die Tugend der Keuschheit. Mit seinem Blick auf die Gesten und Gebärden der Erfurter Jungfrauen stand Stolle in der Tradition von Erziehungstraktaten, Predigten oder Moralschriften, die schon lange Frauen als Adressatinnengruppe von Verhaltensanweisungen entdeckt hatten. Beherrschtes, sittsames Verhalten, das bereits Hieronymus bei Frauen angemahnt hatte, wurde seit dem 13. Jahrhundert „ausdrücklich und immer häufiger von Mädchen und Frauen aller Stände gefordert".[426] Der schamhaft gesenkte Blick, den auch Stolle bei den Jungfrauen bemerkt, galt als konstitutiver Bestandteil von Keuschheit.[427] Frömmigkeit, die sich in Demut und Schamhaftigkeit ausdrückte, wurde allgemein als Zeichen der Buße gefordert, aber Frauen und besonders jungen Frauen war dieses Verhalten qua Geschlecht zugeschrieben.

Schließlich läßt sich Stolles Wahrnehmung und Beschreibung der Jungfrauen auch auf seinen Status als Geistlicher und seine damit verbundenen Erfahrungen zurückführen. Konrad Stolle hatte 1464 nicht nur eine Vikarie in der Severi-Kirche erhalten, die er gerne herausstellt, sondern besetzte seit diesem Jahr auch eine Vikarstelle im Weißfrauenkloster. Die Büßerinnen waren seit ca. 1200 im ehemaligen Gebäude der Augustinerinnen am Anger ansässig. In der Mitte des 15. Jahrhundert wurde das Kloster, wie andere

---

425 CASAGRANDE, Beaufsichtigte Frau, 95. Zum Jungfräulichkeitsideal vgl. die in Anm. 405 genannte Literatur.
426 PALZKILL, Meditatio, 194. Vgl. auch BARTH, Jungfrauenzucht.
427 Vgl. PALZKILL, Meditatio, 196.

Nonnenkonvente Erfurts, reformiert.[428] Stolle hatte also Kontakt mit Frauen, zu deren Idealen Keuschheit und Demut zählten. Vielleicht sah er wie viele seiner Standesgenossen im Leben der Nonnen religiöse Werte und Verhaltensanforderungen verwirklicht, die er selbst als im städtischen Leben integrierter Geistlicher nicht erfüllen konnte.[429] Der tägliche Umgang mit Nonnen könnte seine Wahrnehmung der Jungfrauen bei den Bittprozessionen beeinflußt haben. Bei ihnen sah er Buße, Demut, Gebete und Gesänge und damit ein Verhalten, das von allen Teilnehmenden erwartet wurde, vorbildhaft verwirklicht.

Wenn die Jungfrauen aber die in sie gesetzten Erwartungen enttäuschten, konnten sie die Berechtigung auf den Ehrenplatz an der Spitze einer Prozession verlieren. Eine Begebenheit in Meßkirch (Schwaben), über die die Chronik des Grafen Froben Christoph von Zimmern berichtet, bildet das negative Gegenstück zu der Glorifizierung der Jungfrauen durch Stolle.[430] Traditionell führten die Jungfrauen in dieser Stadt die Prozessionen am Himmelfahrts- und am Fronleichnamstag an. Schon mehrmals hatte es Störungen gegeben, weil sich andere Personen neben oder unter die Frauen gedrängt hatten. Bei der Himmelfahrtsprozession 1508 nun gingen zwei unverheiratete Frauen mit, die einen Monat später Kinder gebaren, ihre Schwangerschaft bei der Prozession aber verschwiegen hatten. Der Stadtherr Freiherr Johann Werner von Zimmern und der Pfarrer Adrian Dornvogel sahen durch die Normverletzung das Ansehen der Prozession gestört und kamen überein, daß *hinfüro weder uf den uffart oder auch den herrn fronleichnams dag zu ewigen zeiten die jungfrawen nimmer mehr dem sacrament sollten vorgeen, obgehörte oder andere inconvenientia, auch die bösen reden damit zuvorkommen, wie es dann mit solcher ceremonia dannzumal ufgehört und an dessen statt etliche kerzenstangen sein gemacht worden, die von den fürnembsten handtwerkern mit brinnenden kerzen, Gott zu lob und ehren, in der procession werden vorgetragen.*[431] Die weibliche Tugend der Jungfräulichkeit wurde durch männliche Repräsentation zünftischer Ehre ersetzt.

Angemessenes Verhalten der Teilnehmenden war Bedingung für den Erfolg einer Prozession. Der Frankfurter Bittgang nach der schweren Überschwemmung 1480 zeigte ein Erscheinungsbild der Buße und Demut: So

---

428 Zum Weißfrauenkloster und zur Klosterreform vgl. ZUMKELLER. Weißfrauenkloster; WEISS, Bürger, 15, 39-44.

429 Vgl. MCGUIRE, Holy Women; RUHRBERG, Körper; SIGNORI (Hg.), Freundschaftsdokumente.

430 Zur Chronik und ihrem Verfasser vgl. JENNY, Graf Froben Christoph von Zimmern.

431 HERMANN, Zimmersche Chronik, 178.

trugen die Handwerker schlechte Wachs- anstelle der prunkvollen Zunftkerzen; Männer und Frauen gingen *ongeschmükt*.[432] Kleidung und Barfußlaufen signalisierte Buße. Der Göttinger Chronist Lubecus schreibt fast stereotyp bei allen Bittprozessionen: *Men ging wulln und barfuß*.[433] Da das richtige Auftreten entscheidend für die Wirkung der Prozession war, versuchten die Magistrate, darauf Einfluß zu nehmen. Auf Verhaltenskontrolle zielten die bereits erwähnten Anweisungen zur Geschlechtertrennung, zur Arbeitsruhe sowie das Verbot des Zuschauens. Erwartet wurde eine auf das Gebet konzentrierte Teilnahme; Reden störte die Prozession. So heißt es im Colmarer Prozessionsmandat von 1434/35: *Und sol ouch inn dem crutzgang nyemant mit dem andern reden, anders dann die Meisterschafft und ire dienere, die den crutzgang ordent*.[434] In Straßburg richtet sich 1480 der Appell, Unterhaltungen zu unterlassen, an die Ratsmitglieder selbst: Stettmeister, Ammeister und Ratsherren sollten zu zweit nebeneinander gehen, *vnd kein vnnotturffe rede mit einander haben*.[435] Statt dessen waren sie aufgefordert, *in cristenlicher andacht flißiglich zu beten*.[436] Bereits der erste erhaltene Prozessionsaufruf des Straßburger Rates vom 7. September 1389 versuchte, diese Verhaltenserwartungen durch Strafandrohung durchzusetzen: *und wer darüber unbescheidenliche ginge oder dehein unbescheiden ding dete,zu dem wellent es meister und rot strengliche und vesteklliche rihten und rehtvertigen noch den geschihten, also sú drinne ergangen sint*.[437] Doch auch bei den Prozessionen des Burgunderkrieges scheinen einige Teilnehmer die nötige Andacht gestört zu haben. In einem Gedicht lobt der Stiftsherr Konrad Pfettisheim die Frömmigkeit und den Prozessionseifer seiner Heimatstadt während des Burgunderkrieges. Der illustrierende Holzschnitt zeigt dagegen patrizische Teilnehmer und Stadtdiener mit zu kurzen Röcken, langen Haaren und Schnabelschuhen sowie Ratsherren und junge Teilnehmer im Gespräch.[438]

Das geforderte Verhaltensideal bringt die Straßburger Prozessionsordnung von 1472 auf den Punkt: *es sol yederman mit gûter andaht vnd mit ernsthafftigem gebett demütlich nochvolgen als ein jeglichem frommen cristen mönschen billich geburt*. Die Konzentration auf Gebete und Andacht setzte der Rat gegen Geschehnisse der vorangegangenen Jahre: Niemand solle in engen Gassen drängen,

432 FRONING, Chroniken, 219.
433 LUBECUS, Annalen, 185. Vgl. FRONING, Chroniken, 93; St.Chr. Bd. 20, 373.
434 SITTLER, Prozessionen, 139.
435 SIGNORI, Ritual, 41.
436 PFLEGER, Ratsgottesdienste, 36.
437 UB Straßburg I, 6, Nr. 549.
438 Vgl. SIGNORI, Wörter, 20ff.

niemand solle andere stossen, *ouch nyeman kein ander vnbescheidenheit triben weder mit worten noch mit wercken.*[439] Dem Verfasser der Kirchenordnung für die St. Lorenz-Kirche in Hof, Johann Lindner, erschien es notwendig, daß der Prediger die Gläubigen vor der Fronleichnamsprozession zu Anständigkeit und Demut, *ad discretionem in processione et devotionem,* anhalte.[440] Andächtiges Verhalten mußte aber nicht nur Laien angemahnt werden, sondern ein Statut des Frankfurter Liebfrauenstiftes von 1327 sah sich genötigt, Vikaren und Kanonikern das Lachen, Scherztreiben und Plaudern bei Prozessionen zu verbieten.[441] In Regensburg zeigte ein Bäcker durch sein Verhalten nicht nur mangelnde Andacht, sondern er scheint mit seinen Worten die Prozession oder andere Teilnehmer verhöhnt zu haben. Ott Hagenreuter mußte Urfehde schwören, *von unpillichs singens und sprechens wegen, das (er) getan hat, da man mit der proczessen mit dem wirdigen gotzleichnam unsers herren und mit dem heiltum umb di stat gegangen ist, damit (er) priesterlich wirdikait geunêret.*[442] Häufig wurden bestehende Konflikte vor der Öffentlichkeit der Prozession mit verbalen Attacken ausgetragen. Im Konflikt zwischen Rat und Geistlichkeit in Frankfurt gingen bei der Fronleichnamsprozession 1395, als der Erzbischof von Mainz die Stadt mit Interdikt belegt hatte, nur die Bettelorden und einige Stiftsschüler in der Prozession der Bürgerschaft mit. Diese sollen den Erzbischof mit einem Spottlied verhöhnt haben.[443] Auch Rangstreitigkeiten konnten, wie bereits gezeigt, zu beleidigenden Wortwechseln führen.

Prozessionen waren Kristallationspunkte für gottgefällige Handlungen. Sie boten Magistraten die Möglichkeit, auf das Verhalten der städtischen Bevölkerung reglementierend und kontrollierend einzuwirken. Ihre Begründung fanden die Regelungen in der Vorstellung, Unglücke und Krisen seien durch sündhaftes Verhalten hervorgerufen. Nach Erdbeben und anderen Schwierigkeiten kam der Nürnberger Rat im Januar 1524 zu der Erkenntnis, *das wir darauß annders nichts dann eine gewisse straff Gottes umb unnsere sunden zu vermerken* haben. Deshalb sollte „sündhafte Leichtfertigkeit, welche nur den Zorn Gottes provoziert, abgestellt" werden.[444] Es entsprach der ratsherrlichen Sorge für das Gemeinwohl, besonders bei Prozessionen Gesten und Gebärden der Buße und Demut anzumahnen, doch gingen die Bestrebungen weiter. Obrigkeitliche Initiativen wie Kleider- und Luxusordnungen

---

439 PFLEGER, Ratsgottesdienste, 48.
440 LINDNER, Kirchenordnung, 224.
441 Vgl. KRIEGK, Bürgertum, 372.
442 BASTIAN, Runtingerbuch, Bd. 3, 72.
443 Vgl. KRIEGK, Bürgerzwiste, 119.
444 Zitiert nach SCHLEMMER, Gottesdienst, 275.

oder die Verurteilung von Spielen, Ehebruch oder Wucher sollten auf ein
als sündhaft interpretiertes Verhalten einwirken.[445] In Prozessionen tat eine
Stadt ihren Willen kund, sich solchen Verhaltens zu enthalten. Gefordert
waren bereitwillige und geordnete Teilnahme, Zeichen der Buße sowie de-
mütige und fromme Handlungen.

4.4 Fazit: Bittprozessionen zwischen Ereignis, Partizipation und obrigkeitlicher Organisation

Die Bittprozession 1483 war in den Augen ihres Chronisten Stolle erfolgreich: *Item uff den sonnabend dar noch aller neest, do quam eyn gut fruchtig regen unnd
mancher dar noch, also das das korn, win, loub unnd grass zu guter moss eyn notorfft
wart.*[446] Er beschreibt den Regen als Folge der Prozession, verschweigt jedoch, daß im folgenden Jahr die Pest in Erfurt wütete. Kein Chronist hielt
es fest, wenn eine Prozession nicht die erwünschte Wirkung zeigte, sondern
nur positive Effekte fanden Erwähnung. Auch Bernhard Rorbach beendet
seinen Bericht über die Prozession 1480 mit der Feststellung: *und ward auch
darnach von stund ganz schön und drucken.*[447] Für Stolle war der Erfolg ein Beleg
für Gottes Wirken, das er seinen Lesern und Leserinnen vor Augen führen
will, und so schließt er mit den Worten: *Also hat disse lobeliche processie eyn ende.
Got musse uns zu sinem lieben hymmelriche sende! Sprechet alle: Amen!*[448]

Bittprozessionen waren eine Antwort auf als Krisen interpretierte Ereignisse, Nachrichten, Gerüchte oder Zeichen. Ein Ereignisbündel aus Teuerung,
drohender Seuche und Konflikten mit dem Stadtherrn bildete den Kontext
der Erfurter Prozessionen 1482 und 1483. Die Definitionsmacht über die
Problemlage und ihre angemessene Lösung lag beim Rat: Er veranlaßte und
organisierte in Erfurt, wie in vielen Städten, die Bittgänge. Damit bot er
sowohl eine Erklärung für die Schwierigkeiten als auch Handlungsmöglich-
keiten zu deren Beseitigung. Der Teilnehmerkreis und die Prozessionsroute bezogen in Erfurt 1482 und 1483 die städtische Bevölkerung unter
Ausgrenzung von Fremden und insbesondere der ländlichen Untertanen
ein. Handlungsträger war die gesamte Bevölkerung als „communitas fideli-

---

445 Vgl. BAADER, Polizeiordnungen; BRUCKER, Zunft- und Polizeiordnungen; BUCHHOLZ,
     Anfänge; BULST, Feste. Während des Burgunderkrieges betreffen nur sechs Mandate des
     Straßburger Rates zwischen 1474 und 1477 keine Prozessionen, Ratsmessen oder Sitten-
     fragen. Vgl. SIGNORI, Ritual, 2.
446 STOLLE, Memoriale, 502.
447 FRONING, Chroniken, 219.
448 STOLLE, Memoriale, 502.

um"; mit einer Prozession versuchte der Rat, den Konsens der städtischen Gemeinschaft zu erneuern. Die Umgänge zielten auf die religiösen Konnotationen von Eintracht: Zwietracht und Unfrieden galten als Ursache der Unglücke. Die durch die Prozession demonstrierte Eintracht war dagegen unabdingbare Voraussetzung, damit die Gebete effektiv waren und der Prozessionszweck erreicht wurde. Die Umgänge können so als Moment von Teilhabe interpretiert werden, doch zeigt sich in ihnen die Dialektik von gemeindlicher Mitwirkung und obrigkeitlicher Herrschaft: Zustimmung und Eintracht wurden vom Rat eingefordert und inszeniert. Dieser ergriff auch Maßnahmen, die eine geordnete Teilnahme gewährleisten sollten, wie die Rangfolge der Teilnehmenden. Die Erfurter Bittprozessionen waren vor allem nach den Kriterien geistlicher Stand und Geschlechterordnung sowie politische Partizipation und Familienstand gegliedert, während die Demonstration von Hierarchien, beispielsweise durch eine Ordnung nach Zünften, vermieden wurde. Schließlich setzte eine gelungene Prozession das angemessene Verhalten der Beteiligten - Arbeitsruhe, Konzentration auf die Gebete und Gesänge, Demut und Buße - voraus. Die Anforderungen gaben den Magistraten die Möglichkeit, reglementierend auf das Verhalten der Teilnehmer und Teilnehmerinnen einzuwirken. Prozessionsordnungen mahnten angemessenes Verhalten für alle Mitwirkenden an, der Chronist Konrad Stolle aber sah dies vorrangig bei den Jungfrauen verwirklicht. Mit der Präsentation von Eintracht und Ordnung versicherte sich eine spätmittelalterliche Stadt wie Erfurt angesichts einer Krise ihrer Identität und stellte gleichzeitig die Grundlagen städtischer Legitimation in einen religiösen Begründungszusammenhang.

5. Prozession und Konflikt

Gerade weil Prozessionen die Ordnung betonten und eindeutige Aussagen zu theologischen Inhalten und zur gesellschaftlichen Hierarchie machten, konnten sie Kritik und Widerspruch, aber auch unbeabsichtigte Parodie und unangemessenes Verhalten hervorrufen.[449] Über das Medium Prozession wurden Konflikte ausgetragen, zugleich waren die Umgänge selbst, vor allem die Rangfolge der Teilnehmer, Anlaß von Streitigkeiten. Diese Konflikte machen es möglich, dem eher obrigkeitlichen und auf Ordnung bedachten Blick von Prozessionsmandaten und Chronisten Aneignungen und Wahrnehmungen der Teilnehmenden gegenüberzustellen.

---

449 Insbesondere Miri Rubin sieht Brüche und Konflikte als inhärenten Bestandteil von Prozessionen an. Vgl. RUBIN, Corpus Christi, 261-267; DIES., Symbolwert, 314-318.

Zwei Ebenen von Konflikte lassen sich analytisch unterscheiden. Konflikthaft war zum einen Verhalten, das den geregelten Ablauf einer Prozession störte: Lachen, Gerede, zu prunkvolle Kleidung oder Auseinandersetzungen zwischen den Teilnehmenden, die von verbalen Attacken bis zu Schlägereien reichten, widersprachen der geforderten Andacht. Aber auch Nichtteilnahme einzelner Personen oder ganzer Gruppen stand den Intentionen einer Prozession entgegen. Zum anderen geht es um Auseinandersetzungen innerhalb der städtischen Gesellschaft, die mit Hilfe von Prozessionen ausgetragen wurden. Auf dieser Ebene sind die beiden Fallbeispiele angesiedelt, die im folgenden analysiert werden sollen. Mit den „gescheiterten" Prozessionen im Braunschweiger Pfaffenkrieg lassen sich Muster der Verstrickung von Prozessionen in Streitigkeiten zwischen Bürgerschaft und Klerus herausarbeiten. An Hand der Erfurter Adolar- und Eoban-Prozession 1514 soll gezeigt werden, wie sich deren Bedeutung durch die innerstädtischen Unruhen 1509/10 veränderte. Konflikte bieten so die Chance, den Stellenwert, den Prozessionen für mittelalterliche Stadtgesellschaften hatten, aus einem anderen Blickwinkel zu beschreiben und damit genauer zu fassen.

5.1 Konflikte zwischen Bürgerschaft und Geistlichkeit: Die Sommerprozessionen 1413 im Braunschweiger „Papenkrich"

Im November 1413 legten die Braunschweiger Stifte St. Blasius und St. Cyriax vor dem welfischen Landesherrn Herzog Bernd eine Klageschrift vor, in der sie sich unter anderem über die Abhaltung einer Prozession seitens des Rates beschwerten: *Vortmer makeden de Rad eyne unwontlike sunderlike processien myt den moniken, myt ichteswelken perneren unde de papheit de se van uns ghetogen hadden, unde ghingen de des negesten mydwekens na des hilghen lychames daghe.*[450] Auch der Rat legte Klage gegen das Verhalten der Stifte bei Prozessionen ein: *Dessem ghelik deden se uns ok, do me myt der processien den sark sancti Auctoris scholde umme de stad ghedragen hebben, dat we ok uppe eyne andere tiid na don mosten.*[451] Was war geschehen?

Nach innerstädtischen Unruhen, der „Großen Schicht" von 1374, die mit der Einsetzung eines neuen Rates 1396 endeten, kam es in Braunschweig zu Auseinandersetzungen zwischen der neuen Stadtführung und

---

450 St.Chr. Bd. 16, 43. - Zu den Stiften vgl. DÖLL, Kollegiatsstifte.
451 St.Chr. Bd. 16, 54.

geistlichen Instanzen.[452] Streitpunkte waren, wie in anderen Städten, die Steuerfreiheit der Geistlichkeit, damit zusammenhängend die Kontrolle von Stiftungen und Vermächtnissen, weiter die geistliche Gerichtsbarkeit, das Schulwesen und Pfarrbesetzungen. Um die Befestigungs- und Wasserbauten der Stadt, die geistliche Güter berührten, gab es zusätzliche Reibereien, die insbesondere das Kloster St. Ägidien, das als Verwahrort des Stadtpatrons St. Auctor bisher gute Beziehungen zur Stadt unterhalten hatte, auf die Seite der Stifte drängte. Schließlich bestanden Spannungen zwischen den Stiftsherrn und den Vikaren; letztere schlossen sich 1406/07 zu einem Bündnis gegen ihre Vorgesetzten zusammen. Der Konflikt eskalierte 1413 am Streit über die Pfarrbesetzung von St. Ulrich, dessen Patronats- und Abhängigkeitsverhältnisse nie eindeutig geklärt waren. 1349 hatte der Propst des Stiftes St. Blasien das Patronat erhalten, der es wiederum 1398 dem Gesamtkapitel übertrug. Der Rat bestritt die Rechtmäßigkeit der Übertragung und nach der Resignation des noch vom Propst eingesetzten Pfarrers kam es zum Streit um die Pfarrechte. Die zur Klärung eingeschaltete Kurie sprach die Stelle zunächst dem Kandidaten des Stiftes Johannes Munstede zu, entschied sich aber 1410 für Heinrich Herbodi, dem vom Rat unterstützten Geistlichen. Um den Beschluß durchzusetzen, wurden zwei Prokuratoren nach Braunschweig gesandt, die am 25. Mai 1413 den Pfarrhof St. Ulrich besetzten und zwei Stiftsherren mit dem Interdikt belegten. Unterstützung fanden die Stifte beim Bischof von Hildesheim, der den Bann gegen Herbodi aussprach. Verhandlungen zwischen Rat und Stiftskapitel scheiterten, zumal das Stift 1413 mit Ludolf von Berchfeld einen Dekan gewählt hatte, der das gemäßigte Vorgehen seines Vorgängers aufgab. Am 14. Juni ließ der Rat die Kirche St. Ulrich gewaltsam aufbrechen, um sie für die Gemeinde nutzbar zu machen. Von der Kanzel sprachen die Prokuratoren den Bann über die Stiftskanoniker von St. Blasien, den Dekan von St. Cyriax und den Pfarrer von St. Andreas aus. Die öffentliche Verkündigung des Banns, *also dat dat gantz statrochtich ward*, zog die anstehenden Prozessionen in den Konflikt hinein.[453]

---

452 Zur „Großen Schicht" vgl. REIMANN, Unruhe; PUHLE, Schichten. - Zum Braunschweiger Pfaffenkrieg vgl. HERGEMÖLLER, Pfaffenkriege, bes. 14-111; KINTZINGER, Bildungswesen, 245-270.

453 St.Chr. Bd. 16, 28. Quellen für die Prozessionen des Jahres 1413 sind das Papenbok von 1418 - eine offizielle Ratsdenkschrift (St.Chr. Bd. 16, 28-31) - und Gravamina beider Parteien vor Herzog Bernd am 15. November 1413 (St.Chr. Bd. 16, 43ff., 53ff.). Vgl. HERGEMÖLLER, Pfaffenkriege, 52-56. Der Verfasser des „Pfaffenbuches" ist unbekannt, muß aber ein Kenner der Verhältnisse im Braunschweiger Gesamtrat gewesen sein; er stand loyal zur Ratspolitik. Schreiber des Manuskriptes war Hans von Hollege. Vgl.

Am Freitag vor Johannis (23. Juni 1413), also eine Woche nach diesen Ereignissen, stand die jährliche Prozession zu Ehren des Stadtpatrons St. Auctor an. Gemäß dem „Ordinarius", der 1408 niedergeschriebenen Rats- und Verfassungsordnung von 1396, sollten die Räte der einzelnen Weich- bilder mit Klerus, Gilden, Zünften und Bruderschaften nach St. Ägidien ziehen, von wo aus Vertreter der Altstadt den Auctorsschrein um die Stadt trugen.[454] Als allerdings die Vorbereitungen der Prozession 1413 begannen, will der Rat Unmutsäußerungen der Bevölkerung gehört haben, die sich gegen eine Beteiligung der Gebannten wandte: *unde alse de Rad de murringhe van deme volke vornam, dat se nicht gherne in goddes denste wesen wolden myt den de to banne kundighet weren.*[455] Der Rat lud zu einer Versammlung des Klerus ein, dessen Vertreter sich aber nicht einigen konnte, welche Folgen die Anwe- senheit der gebannten Kanoniker habe. Unter Hinweis auf die Eintracht, *umme eyndracht willen,* und die Öffentlichkeit des Banns, *darumme dat de kun- deghinghe stadrochtich were,* bat der Rat deshalb die Stifte, der Prozession fern- zubleiben.[456] Da die Kanoniker aber die Rechtmäßigkeit des Banns bestrit- ten, gingen sie auf die Bitte nicht ein, worauf der Rat den Umgang absagte und statt dessen Messen singen ließ.

Kaum eine Woche später, am 29. Juni, sollte eine weitere Prozession stattfinden. Im Gedenken an die Schlacht bei Winsen an der Aller (1388) hatten Herzog Friedrich zu Lüneburg (gest. 1400) und Herzog Heinrich II. zu Braunschweig (gest. 1416) mit dem Braunschweiger Rat eine Sakra- mentsprozession für den Oktavtag des Fronleichnamsfestes eingesetzt, die von St. Blasien nach St. Cyriax und zurück gehen sollte.[457] Wie eine Woche zuvor ließ der Rat die Kanoniker bitten, daß die Gebannten der Prozession und der Messe in St. Blasien fernblieben. Wieder lehnte das Stift ab. Dies- mal sagte der Rat die Prozession jedoch nicht ab, sondern verlegte Datum und Route. Die Prozession zog am Mittwoch (28. Juni) von St. Katharina nach St. Martin. Beide Pfarrkirchen waren nicht zufällig gewählt. Die Route rief in Erinnerung, daß der Rat bei diesen Kirchen städtische Schulen plan- te. Die Kanoniker von St. Blasien und St. Cyriax sowie die Benediktiner von St. Ägidien nahmen nicht teil, sondern hielten am liturgisch korrekten Tag

---

MENKE, Geschichtsschreibung, 80f.; UTA REINHARDT, Art. Pfaffenbuch, in: VL Bd. 7 (1989), 549f.

454 UB Braunschweig I, 178.

455 St.Chr. Bd. 16, 28.

456 Ebenda, 29.

457 Die Prozessionsordnung findet sich ebenfalls im „Ordinarius", St.Chr. Bd. 16, 176f. Zur Ordnung der Zünfte bei dieser Prozession vgl. SPIESS, Fernhändlerschicht; EHBRECHT, Ordnung, 94.

die gewohnte Prozession ab, mußten aber auf die Beteiligung von Bürgern, Bürgerinnen und Schulkindern sowie auf Zunftkerzen vor dem Sakrament verzichten, wie sie sich im November 1413 beklagen, *daran dem hilghen lichame, dem hilghedome, den forsten unde uns grod hon unde smaheit ghescheyn is, dat ok sere wedder de ffryheit, wonheit unde ghude eninghe ghescheyn is.*[458] Während noch eine Woche vorher Neutralität möglich war, nötigte die Abhaltung zweier Prozessionen zur Parteinahme. Konfliktgegner und Allianzen wurden durch die Teilnahme am Umgang des Rates oder der Stifte sichtbar. Als gegen den Rat gerichteten Zusammenschluß deutete der Chronist der Ratsschrift folglich die Nichtteilnahme der Stiftsherren und der Mönche von St. Ägidien, *hebben sek tohope vorbunden tyghen den Rad unde de stad.*[459] Die Teilnahme der städtischen Bevölkerung, aber auch der übrigen Geistlichkeit konnte der Rat als Zustimmung zu seiner Politik interpretieren. Ihm gelang es, die Bürgerschaft und einen Teil des Klerus in seine Sicht der Dinge einzubinden, indem Zugehörigkeit sinnlich erfahrbar - „ergangen" - wurde. Gegenüber dem Landesherren geriet der Rat jedoch in Rechtfertigungszwänge, da die Kanoniker die Verlegung nicht nur als religiöses Fehlverhalten, sondern auch als Brüskierung des Fürsten darstellten. Zu seiner Verteidigung brachte der Rat vor, daß die Kanoniker mit ihrem Beharren teilzunehmen, ihn gehindert hätten, Gottesdienst und Prozession zur rechten Zeit abzuhalten, *doch wolden se uns hebben ghehindert in goddes denste, oft we uppe de rechten tiid myt der processien ghan hedden.*[460] Es sei ein Akt der Gottesverehrung gewesen, die Prozession dennoch abzuhalten, *[u]ppe dat godde alsodanne ere likewol scheghe.*[461]

Absage und Verlegung griffen einen grundsätzlichen Streitpunkt zwischen Rat und Geistlichkeit auf: Sie demonstrierten Zugriffsmöglichkeiten der bürgerschaftlichen Selbstverwaltungsgremien auf die Kirchenhoheit. Die religiösen Anliegen setzten solchen Eingriffen allerdings Grenzen. Ein völliger Verzicht auf die am 23. Juni abgesagte Auctorsprozession hätte eine Mißachtung des Stadtpatrons bedeutet, und der Rat beschloß, sie am 7. Juli nachzuholen. Diesmal mußte er sich nicht um die Teilnahme der Kanoniker sorgen. Vielmehr enthielt die Entscheidung für den 7. Juli eine Spitze gegen St. Blasien: Das Stift feierte am gleichen Tag sein Kirchweihfest, dem die Pfarrer und Priester, die gewöhnlich mit ihnen über den Kirchhof zogen, fernblieben. Ebenso fehlten die Schulkinder, *godde unde unsem patronen unde*

---

458 St. Chr. Bd. 16, 44.
459 Ebenda, 31.
460 Ebenda, 54.
461 Ebenda, 53.

uns to bone unde to smabeyt, wie die Kanoniker beanstandeten.[462] Die Entscheidung, die Prozession an diesem Tag abzuhalten, erwies sich als geschickter Schachzug des Rates, die Stiftsherren zu isolieren.

Höhepunkt der Auseinandersetzungen war die Prozession am Auctorstag. Nachdem alle bisherigen Prozessionen entgegen den Gewohnheiten abgelaufen waren und der Rat wohl schon 1413 Sühneleistungen gezahlt hatte,[463] schien eine Absage oder Verlegung nicht möglich. So zog am 20. August 1413 ein Teil des Braunschweiger Klerus - die Vikare, die Mönchsorden ohne die Benediktiner, die meisten Pfarrer und die Meßpfründner - mit Bürgern und Bürgerinnen wie gewohnt vor das Ulrichstor. Die Prozession sollte von dort nach St. Ägidien gehen, wo sich der Auctorsschrein befand. Der Fortgang wurde allerdings verhindert, als sich die gebannten Kanoniker einreihten. Nach dem bisherigen Verlauf der Dinge wollten sie wieder Handlungskompetenz beweisen. Doch der Rat gab auch diesmal das Heft nicht aus der Hand. Er löste die Prozession auf, wobei er die Verantwortung wiederum den Stiftsherren gab: *unde hinderden uns aver homodeliken de processien.*[464] Diese sahen die Dinge freilich anders: Sie hätten wie gewohnt teilgenommen, als der Bürgermeister Hermann von Vechtelde und einige andere Ratsherren die Prozession plötzlich beendeten, *also dat nement myt uns de processien gan moste.*[465] Sie monierten außerdem, einige Bürger hätten die Kanoniker bedroht.

Damit spielte sich keine der Prozessionen des Jahres 1413 in ihren normalen Bahnen ab. Vielmehr waren die Umgänge zu Instrumenten der Konfliktaustragung geworden.[466] Vor den gleichzeitig eingeschalteten gerichtlichen und vermittelnden Instanzen, zu denen Rat und Hochklerus Zugang hatten, wurden Anklagepunkte ausgetauscht und Kompromisse gesucht. Die Prozessionen dagegen waren ein Element in der Politik des Rates und der Geistlichkeit, um den Dissens öffentlich zu machen, Streitpunkte - wie die Schulen - zu thematisieren, Zustimmung einzufordern sowie Bündnisse und Konfliktparteien abzugrenzen und sinnlich erfahrbar zu machen. Gerade im Streit mit dem Klerus signalisierte der Zugriff des Rates auf Prozessionen kirchenhoheitliche Ansprüche. Zudem ermöglichten die Prozessionen, die eigene Position mit einer die weltliche Ordnung transzendierenden Legitimation zu stärken. Auffällig ist schließlich, daß sich die Streitigkeiten

---

462 Ebenda, 44.
463 Vgl. HERGEMÖLLER, Pfaffenkriege, 56.
464 St.Chr. Bd. 16, 54.
465 Ebenda, 45.
466 Vgl. HERGEMÖLLER, Pfaffenkriege, 370.

und Verhandlungen bis 1420 hinzogen, aber nur die Prozessionen des Jahres 1413 den beschriebenen Verlauf nahmen, also in der Eskalationsphase des Konfliktes in das Blickfeld von Rat und Stiftsgeistlichkeit gerieten. Mit einer solchen Einbindung von Prozessionen in Auseinandersetzungen zwischen Bürgerschaft und Klerus war Braunschweig kein Einzelfall, sondern Konflikte in anderen Städten zeigen ähnliche Muster.

Ansprüche von Laien auf das Kirchenregiment demonstrierte die Lübecker Bürgerschaft, als die Pfarrgemeinde St. Nikolai 1299 gegen den Widerstand des Domkapitels die Abhaltung der Rogationen durchsetzte.[467] Der schon länger bestehende Streit zwischen Stadt und Bischof entzündete sich 1296 an Gebietserweiterungswünschen der Stadt und dem Bau eines bischöflichen Hofes im Raum von Alt-Lübeck. Gegen den Spruch eines Schiedsgerichts, der 1298 die Stadt begünstigte, erwirkte der Lübecker Bischof Burkhard im März 1299 ein Urteil des Bremer Erzbischofs Giselbert. Am 29. März belegte Burkhard die Stadt mit dem Interdikt. Gegen diese Aussetzung gottesdienstlicher Zeremonien richtete sich die Aktion der Nikolaigemeinde, die Ende Mai versuchte, in die Kirche zu gelangen, um die Reliquien und Fahnen für die Prozession zu erhalten, *volebant intrare ecclesiam suam ad recipiendum relliquias et vexilla, ut cum sua processione aliis parrochiarum processionibus obuiarent*. Die Domherren versperrten daraufhin die Eingänge, die jedoch aufgebrochen wurden; Prozession und Bittgebete wurden ohne Klerus abgehalten, *quod lethanias et processiones fecerunt absque clericis*.[468] Auch in Lübeck thematisierte der Ort bestehende Streitpunkte. Im Laufe des 13. Jahrhunderts hatte die Lübecker Bürgerschaft Mitwirkungsrechte bei der Pfarrbesetzung von St. Marien, St. Petri und St. Jakobi erlangt. Die Kirche St. Nikolai dagegen blieb fester Bestandteil des Doms; das Domkapitel führte die Amtsgeschäfte. Die Aktion der Gemeinde mochte diese rechtliche Lage in Frage stellen. Wie in Braunschweig schließlich entbrannte der Streit um die Prozession in der Eskalationsphase des Konfliktes. Die Durchsetzung der Rogationen im Mai 1299 war der Auftakt zu weiteren Maßnahmen des Rates gegen das im März verhängte Interdikt. Wenige Wochen später setzten die Kirchenvorsteher des Rates bzw. ein Ausschuß der Kirchspielmitglieder von St. Nikolai kommissarische Pfarrer in allen Kirchen ein, die trotz Interdikts das gottesdienstliche Leben aufrechterhielten. Die Rogationen waren quasi ein Vorgriff auf diesen „gravierenden Übergriff in den Bereich der

---

467 UB Lübeck I, 643, Nr. 712. Zu den Lübecker Auseinandersetzungen vgl. HAUSSCHILD, Kirchengeschichte, 83-88; HOFFMANN, Lübeck, 286-290.
468 UB Lübeck I, 643, Nr. 712.

geistlichen Gewalt".[469] Auch das Ende dieser Streitigkeiten wurde mit einer Prozession begangen. Nach einem Vergleich 1314 und dem Abschluß des in Avignon anhängigen Prozesses 1317 feierten die Lübecker Bürgerschaft und die Geistlichkeit am 2. Juli 1317 die Aufhebung des Interdikts und die Wiederaufnahme des rechtmäßigen Gottesdienstlebens mit einer Prozession.[470]

Auch in Frankfurt 1395 und in Venedig 1606 signalisierten Prozessionen Widerspruch gegen ein Interdikt. Nach der verlorenen Schlacht bei Kronberg (1389), in deren Folge Frankfurt finanziell belastet war, versuchte der Rat die Geistlichen zur Steuer heranzuziehen. Ihren Höhepunkt erreichte die Auseinandersetzung, als Erzbischof Konrad von Mainz die Stadt Ende 1394 mit dem Interdikt bedrohte und Anfang 1395 die Gottesdienste einstellen ließ. In öffentlicher Widersetzung führte der Rat trotzdem die Fronleichnamsprozession ohne die Weltgeistlichkeit durch. Anstelle des Dekans des Bartholomäus-Stiftes trug der Dominikaner Johann Rosenbaum das Sakrament. Die Bettelorden und die wenigen Stiftsschüler, die auf Seiten des Rates standen, sollen dabei Spottlieder auf den Erzbischof gesungen haben.[471] Venedig veranstaltete 1606 die Fronleichnamsprozession trotz Interdikts in Anwesenheit auswärtiger Gäste, wobei einige Festwagen - seit Anfang des 16. Jahrhunderts waren Tragebühnen mit lebenden Bildern biblischen oder allegorischen Inhalts fester Bestandteil der venezianischen Fronleichnamsprozessionen - die Trennung von weltlicher und geistlicher Autorität und damit den Inhalt des Konfliktes thematisierten. Der Prunk und die stolze Mißachtung päpstlicher Anweisungen sollte gerade auswärtige Verbündete für die venezianische Sache gewinnen, die, so Edward Muir, durch die Prozession von einem isolierten Disput in eine „cause célèbre" transformiert wurde.[472]

Die Muster der Veröffentlichung und Dynamisierung von Konflikten in Prozessionen finden sich auch bei Streitigkeiten innerhalb der Geistlichkeit wieder. Bettelorden zeigten mit der Durchsetzung von Prozessionen an, daß sie im Streit mit der Weltgeistlichkeit gewillt waren, sich neben Predigt und Seelsorge weitere religiöse Kompetenzen anzueignen. In Augsburg kam es 1512/13 zum Streit, als die Barfüßer eine Fronleichnamsprozession in der

---

469 HAUSCHILD, Kirchengeschichte, 86.
470 Vgl. Ebenda, 88.
471 Vgl. KRIEGK, Bürgerzwiste, 105-119; DERS., Bürgertum, 372; KRAMER, Frankfurt-Chronik, 62f.; MEINERT, Frankfurts Geschichte, 40f.; BUND, Frankfurt, 100-104.
472 MUIR, Civic ritual, 230. Vgl. ebenda, 228ff.; VICENTINI, Venetian Soleri, 288f. Zu den Festwagen vgl. auch URBAN, Apparati scenografici.

Jakober-Vorstadt abhalten wollten.[473] Auch die Straßburger Dominikaner drangen 1517 darauf, die Sakramentsprozession einer Passionsbruderschaft durchzuführen, obwohl die Stifte dagegen Einspruch erhoben. Der Rat - wie fast überall auf Seiten der Bettelorden - beantwortete die Bitte der Stifte, die Prozession zu verhindern, mit dem Hinweis, die Eingabe sei zu spät erfolgt, *man (könne) die Bruderschafft irer procession nit wol dieses mol wendig machen.*[474] Der Streit des Konstanzer Bischofs Otto III. von Hachberg mit dem Domkapitel zeigt an, wie Rat und Bürgerschaft über die Teilnahme an konkurrierenden Prozessionen zu Parteinahme gezwungen werden sollten. Der Bischof setzte in diesem Konflikt am Fronleichnamstag 1435 (16. Juni) eine Prozession beim Stephansstift an, während die Domherren mit ihren Anhängern die übliche Route mit Beginn beim Münster nahmen. Nach vergeblichen Vermittlungsversuchen ordnete der Rat an, in keiner der Prozessionen zu gehen. Auch die Predigermönche beteiligten sich nicht. Der Rat mußte die Macht des Bischofs und des Domkapitels, die beide innerhalb der Mauern der Stadt residierten, berücksichtigen, und konnte sich nicht leisten, Partei zu ergreifen. Die religiöse Zielsetzung setzte auch in der Stadt am Bodensee der Instrumentalisierung Grenzen. Das Abhalten zweier zeitgleicher Prozessionen ohne Beteiligung der Bürgerschaft widersprach den erwarteten Formen und am 6. Juli, einen Tag, nachdem der Domdekan vom Bann freigesprochen wurde, holte die Stadt den Kreuzgang unter großer Beteiligung nach.[475]

Ein anschauliches Beispiel, wie eine Prozession einen Konflikt eröffnete und zugleich die Beteiligten zur Stellungnahme zwang, ist der „Stoppenberger Schleierstreit". Stoppenberg, ein vom Stift Essen abhängiges Prämonstratenserinnenkloster mit Frauen aus dem niederen Adel, hatte bis zur Mitte des 15. Jahrhundert weitgehende Unabhängigkeit und Gleichstellung mit der Lebensweise der Essener Kanonissen erlangt. Dagegen versuchte die 1459 gewählte Essener Äbtissin Sophia von Gleichen die Frauen wieder in die Lebensweise von Nonnen zu zwingen, ob aus religiösen Gründen oder um deren herrschaftliche Abhängigkeit und ständische Unterordnung

---

473 Vgl. KIESSLING, Bürgerliche Gesellschaft, 159.
474 ACHEUX, Annales, 40.
475 RIEDER, Regesta Episcoporum Constantiensium Bd. 3, 315f, Nr. 9432ff.; RUPPERT, Chroniken, 176. Vgl. BROWE, Verehrung, 117f; MAURER, Stift, 177; DERS., Konstanz, 93. Zum Verhältnis von Stadt und Bischof vgl. KRAMML, Konstanz. - Vgl. auch den Streit 1455 zwischen Bettelorden und Weltgeistlichkeit in Straßburg, bei dem der Rat den Bürgern die Teilnahme an der Fronleichnamsprozession verbot, die als Zustimmung zur Position der Weltgeistlichen hätte gewertet werden können. Vgl. PFLEGER, Ratsgottesdienst, 46; DERS., Untersuchungen, 151-155.

zu verdeutlichen, ist unklar. 1460 erschien Sophia bei der Reliquienprozession am Tag der Kreuzerhöhung (14. Sept.) vor dem Kloster Stoppenberg und forderte als Zeichen für die klösterliche Lebensweise, daß die Klosterfrauen den Schleier anlegen sollten. Die Dechantin lehnte ab, und Sophia setzte sich mit einigen verschleierten Nonnen an die Spitze der Prozession. Der Prediger führte den Widerstand der Dechantin weiter, in dem er von geschleierten und nicht geschleierten Nonnen sprach. Ihm wurde widersprochen: „er solle aufhören; es hätte ihn niemand da hergebeten." Darauf antwortete er *Tacete, fatuae estis; ad posteriora virgis corrigendae essetis.*[476] Dieser Wortwechsel machte einen Streit öffentlich, der 1488 mit der Bestätigung des Nonnenklosters als freiweltliches Kanonissenstift endete.

Während in Braunschweig, Lübeck oder Essen Prozessionen genutzt wurden, um Konflikte publik zu machen, galt die Fronleichnamsprozession in Regensburg bei Streitigkeiten zwischen Klerus und Bürgerschaft als zu vermeidender Gefahrenherd. 1486 sagte der Klerus die Fronleichnamsprozession aus Sorge ab, *die jungen Bürgerssohne möchten während des Umgangs ihre Häuser aufpochen.*[477] Mißtrauen gegenüber der Geistlichkeit bewegte den Rat umgekehrt dazu, die Prozession des Jahres 1504 ausfallen zu lassen. Im Landshuter Erbfolgekrieg galt der Klerus als unzuverlässig, zumal sich das Kriegsgeschehen der Stadt näherte und Regensburg zwischen beiden Parteien stand.[478] Hintergrund der Sicherheitsbedenken war die Überlappung des Konfliktes zwischen Geistlichkeit und Bürgerschaft mit sozialen Spannungen.[479] Wie häufig ging es im Streit mit dem Klerus um Steuerfreiheit sowie um das Schankrecht. Durch den Niedergang der Regensburger Wirtschafts- und Finanzkraft im 15. Jahrhundert erhielten die Privilegien der Geistlichkeit eine besondere Brisanz. Die Auseinandersetzungen schienen 1484 zunächst durch einen Vertrag über den Bier- und Weinausschank der Geistlichen beigelegt. Die Bürgerschaft war aber mit dem Kompromiß unzufrieden und die wirtschaftlichen und finanziellen Schwierigkeiten bestanden weiter. Eine neue Kleiderordnung war das auslösende Moment für

---

476 JAHN, Essener Geschichte, 95. Zum „Stoppenberger Schleierstreit" vgl. MEYER, Stoppenberger; BACKMUND, Forschungen, 71f.; JAHN, Essener Geschichte, 95.
477 GEMEINER, Chronik III, 749.
478 GEMEINER, Chronik IV, 82. Vgl. KRAUS, Geschichte, 183ff.
479 Zu den innerstädtischen Unruhen und den Konflikten zwischen Klerus und Bürgerschaft in Regensburg vgl. STRIEDINGER, Kampf; SCHWAB, Regensburg, 7-15; KRAUS, Geschichte, 67ff.; PANZER, Protest, 39-127; HAUSBERGER, Bistum Regensburg, 220f. Schwabs Darstellung ist allerdings nur begrenzt brauchbar, da er die Vorgänge populärwissenschaftlich auf der Grundlage von CHRISTIAN GOTTLIEB GUMPELZHAIMER, Regensburg's Geschichte, Sagen und Merkwürdigkeiten..., Regensburg 1830, beschreibt.

einen Aufruhr der Regensburger Handwerker, der mit der Übergabe der Stadt an den bayerischen Herzog Albrecht IV. vorerst abbrach. Durch diesen Schritt erhoffte sich Regensburg einen wirtschaftlichen Aufschwung, der jedoch ausblieb. Bischof Heinrich IV. von Absberg und das Hochstift sprachen sich gegen die Aufgabe der reichsstädtischen Freiheit aus; auch die Verdrossenheit über die Privilegien der Geistlichkeit gärte weiter. Aus der allgemeinen Unzufriedenheit mit der wirtschaftlichen Situation, die sich nach den innerstädtischen Unruhen auf den Klerus konzentrierte, ist die Furcht der Regensburger Geistlichkeit und die Absage der Fronleichnamsprozession 1484 verständlich. Die Regensburger Prozession war in den Sog von Oppositionsbewegungen geraten, denen der Zugang zu Instanzen der Klage und Vermittlung fehlte. Bei einer solchen Konstellation mußte gewalttätiges Handeln erwartet werden, so daß die Prozession zu einem Sicherheitsrisiko wurde.[480]

Prozessionen waren in mittelalterlichen Städten Orte, an denen Konflikte zwischen Klerus und Bürgerschaft publik gemacht und dynamisiert wurden. Die Magistrate, in Lübeck auch eine Pfarrgemeinde, versuchten mit der Durchsetzung, Absage oder Verlegung von Prozessionen Zugriffsmöglichkeiten auf die Kirchenhoheit zu demonstrieren. Diese Machtdemonstration unterstrich insbesondere Widerspruch gegen einen Kirchenbann. Teilnahme oder Nichtteilnahme an Prozessionen machte die Konfliktparteien und Verbündete sichtbar und rituell erfahrbar. Die Route oder auch Festwagen in Venedig thematisierten die Streitpunkte einer Auseinandersetzung. All diese Muster lassen Prozessionen als Öffentlichkeit erscheinen, allerdings nicht im Sinne von „bürgerlicher Öffentlichkeit", die nach Habermas ein Medium der Kritik oder Diskussion ist, sondern als öffentliche Zurschaustellung von Standpunkten und Anhängerschaft.[481] Rat und Klerus gestalteten diese Öffentlichkeit. In Prozessionen drücken sie ihre Standpunkte zeichenhaft und nonverbal aus, während Meinungsaustausch und Kompromißsuche mit verbalen Mitteln zu Verhandlungen gehörten. Prozessionen erwiesen sich auch deshalb als geeigneter Kommunikationsort, weil beide Konfliktparteien - Rat und Geistlichkeit - in sie eingreifen konnten.

---

480 Zur Beziehung zwischen dem Zugang zu gerichtlichen Instanzen und Gewalttätigkeit vgl. HERGEMÖLLER, Pfaffenkriege, 369.

481 Vgl. HABERMAS, Strukturwandel, passim, insbesondere 116-121. Vor allem aus der Altgermanistik kam Kritik an Habermas Darlegungen zu Öffentlichkeit im Mittelalter. Vgl. WENZEL, Öffentlichkeit; THUM, Öffentlich-Machen; DERS., Öffentlichkeit; BRANDT, Enklaven. Zur Aufnahme dieser Diskussionen in die Mediävistik vgl. MELVILLE/MOOS (Hg.), Öffentliche. Zu Öffentlichkeit und Prozessionen vgl. LÖTHER, Öffentlichkeit.

Prozessionen standen im Spannungsfeld von weltlichen und geistlichen Gewalten. Hier lagen aber auch die Grenzen, diese religiösen Rituale in Konflikte einzubinden. Klerus und Stadt waren wechselseitig aufeinander angewiesen, wie Bernd-Ulrich Hergemöller zusammenfassend beschreibt: „Blieb nun aber die Gemeinschaft der gläubigen Bürger fern, so fehlte der Stifter und Träger der religiösen Handlungen; verweigerte der Hochklerus die Teilnahme, mangelte es an rechtlicher und theologischer Legitimität."[482] Die Abhängigkeit machte Teilnahmeverweigerung zu einem Druckmittel, doch gleichzeitig war eine Prozession als Ganzes gestört, wenn die Bürgerschaft oder der Klerus fehlte. Zwietracht, wie sie in Braunschweig in den Prozessionen des Sommers 1413 offensichtlich wurde, widersprach dem eigentlichen Anliegen der Prozessionen, Gott und dem Stadtpatron Ehre zu erweisen und um Unterstützung für die Stadt zu bitten. Gestörte Prozessionen konnten der Auftakt zu Konflikten sein oder in Eskalationsphasen eine Öffentlichkeit schaffen, doch waren die Gegner trotz weiterbestehender Differenzen relativ schnell bemüht, die Umgänge in den traditionellen, geordneten Bahnen ablaufen zu lassen.

5.2 Prozessionen und innerbürgerschaftliche Konflikte: Das „Tolle Jahr" in Erfurt 1509/10 und die Adolar- und Eoban-Prozession 1514

Auch bei Verfassungskonflikten und sozialen Unruhen waren Prozessionen ein Element von Politik. Im Ciompi-Aufstand 1378 in Florenz verwoben sich politisches Geschehen und Prozessionen soweit, daß Richard Trexler zu dem Ergebnis kommt: „We have found that the procession *was* politics in the summer of 1378, as always in Florentine life, and that as in any internal crisis, it served to redefine and reaffirm civic identities."[483] Mit Prozessionen, aber auch mit Eiden, dem Besitz eines Banners und nachbarschaftlichen Kommunikationssystemen wie Kirchenglocken oder dem Grüßen schufen die Ciompi ihre Identität und Legitimität. Mit eben solchen Mitteln aber zerstörte die Regierung diese wieder.[484]

Welche Bedeutung Prozessionen im Verlauf innerstädtischer Unruhen in Städten nördlich der Alpen hatten, soll an Erfurter Vorfällen nach dem „Tollen Jahr" 1509/10 erarbeitet werden.[485] Hintergrund der Unruhen war

---

482 HERGEMÖLLER, Pfaffenkriege, 52.
483 TREXLER, Public Life, 347.
484 Vgl. dazu ebenda, 341-347.
485 Zum „tollen Jahr" vgl. BEYER, Erfurt, 319-346; NEUBAUER, Geschichte, 107-112; NEUBAUER, Jahr; KLEIN, Politik, 282-287; SCRIBNER, Civic Unity, 30-37. Zeitgenössische

die katastrophale Finanzsituation, die sich aus dem Konflikt mit dem Mainzer Stadtherrn in den 1470er Jahren und den Verträgen von 1483 ergeben
hatte. 1509 erreichte die Verschuldung eine solche Höhe, daß der Rat sich
gezwungen sah, die Gemeinde zu unterrichten. Als dabei bekannt wurde,
daß die obersten Achtherren Thilo Ziegler und Heinrich Kelner 1508 das
Reichslehen Kapellendorf heimlich verpfändet hatten, brachen im Juni 1509
Unruhen aus. Der Rat mußte Gemeindevertreter anerkennen und ihnen
Einsicht in die Rechnungsunterlagen gewähren. Der Mainzer Stadtherr unterstützte die Aufständischen und vergrößerte seine Macht in der Stadt,
indem er im Januar 1510 einen Rat einsetzte. Die gleichzeitig verabschiedete
Verfassungsänderung, die „Regimentsverbesserung", stärkte den politischen
Einfluß von Gemeinde und Zünften.[486] Die kleinen Handwerke erhielten
das passive Wahlrecht, die einzelnen Ratskollegien wurden getrennt und die
Machtposition der Achtherren wurde abgeschafft. Die neue Verfassung
griff auch in die Gestaltung von Prozessionen ein. Um die Trennung der
Ratskollegien sichtbar zu machen, sollten zukünftig der sitzende Rat und
ihm folgend die nichtsitzenden Räte je für sich gehen, wobei die Ratsmeister
und Vierherren den einzelnen Kollegien eingegliedert wurden, so daß die
Achtherren ihre herausgehobene Stellung innerhalb der Prozessionen verloren. Die Ordnung innerhalb eines Kollegiums sah vor, *das ein ratsmeister vnnd
ein vierherr neben einander gehenn sollen, dornach die ratskumpann als sy pflegen zcu
sittzenn.*[487] Eine Umverteilung der Weingabe für die Ratsherren, die an den
Prozessionen nach Schmidtstedt und Neuses teilnahmen, zielte ebenfalls auf
eine stärkere Gleichbehandlung: Aus den nichtsitzenden Räten sollten nicht
nur die Ratsmeister und Vierherren, sondern alle Ratskumpane Wein erhalten.[488]

Trotz des neuen Rates und der Verfassungsänderung blieb die Lage in
Erfurt unruhig. Die emigrierten Ratsherren agierten von Sachsen gegen die
neue politische Führung. Da das Kurfürstentum wenig Einflußmöglichkei-
ten innerhalb der Stadt hatte, trug es den Konflikt vor allem im Erfurter
Territorium aus, wo immer wieder Dörfer überfallen wurden. Dem Erfurter
Rat gelang es, die Erbitterung der Bevölkerung gegen den seit Juni 1509

Quelle sind die Aufzeichnungen des „Erphurdianus Antiquitatum Variloquus" (im fol-
genden VARILOQUUS), 142-162, hinter dessen Pseudonym der Herausgeber Richard
Thiele den Magister Johann Werlich vermutet, der Mitglied der Erfurter Universität und
Pfarrer von St. Michael war. Zum Verfasser vgl. VARILOQUUS, 6-18.

486 Die „Regimentsverbesserung" ist in neudeutscher Übersetzung ediert bei HEINEMANN,
Statuarische Rechte, 106-138.
487 StAE 0-1/I 114a, fol. 17'.
488 Ebenda, fol. 18.

gefangengehaltenen Heinrich Kelner zu lenken. Unter dem Vorwurf der
Veruntreuung und Bestechung wurde er zum Tode verurteilt. Auf seine
Hinrichtung am 28. Juni 1510 reagierte Sachsen mit Fortführung der Fehde
im Erfurter Gebiet. In Erfurt selbst scheint sich die Lage jedoch beruhigt zu
haben. Um die wiedergewonnene Eintracht zu dokumentieren und wohl
auch, um die eigene Legitimationsbasis zu erweitern, rief die neue Ratsfüh-
rung für den 15. September 1511 zu einer feierlichen Prozession um die
Stadt auf, *pro pace, concordia et republica huius civitatis*. Materiellen Sorgen folgend, sollte auch für eine gute Ernte gebetet werden.[489] Der Rat knüpfte an
vorgegebene Formen der Eintrachtstiftung an, wie sie beispielsweise durch
Bittprozessionen bekannt waren, nahm aber explizit innenpolitische Inhalte
auf.

Welche Ressonanz die Prozession in Erfurt fand, verrät der Chronist
leider nicht. Eine Regensburger Prozession, die bei innerstädtischen Unruhen 1513 Eintracht stiften sollte, gibt hier mehr Auskunft. Nach den Unruhen der 1480er Jahre spannte sich die innenpolitische Lage Regensburgs
erneut an, nachdem Kaiser Maximilian 1492 den bayerischen Herzog Albrecht zur Rückgabe der Stadt gezwungen hatte.[490] Streitpunkt zwischen
Rat und Gemeinde war der vom Kaiser eingesetzte Reichshauptmann, dessen Besoldung die bereits stark verschuldete Stadt übernehmen sollte. Der
Versuch, im Juni 1512 Thomas Fuchs als Nachfolger des 1511 verstorbenen
Hauptmannes einzusetzen, löste den Aufruhr aus, wobei der Streit zwischen
einer habsburgischen und einer bayerischen Partei mit sozialen Gegensätzen
verwoben war. Der Rat galt als kaisertreu; ein Teil der Bürger wollte dem
Kaiser Gehorsam leisten, ohne jedoch die Besoldung des Hauptmannes zu
zahlen. Gegen diese Bestrebungen bildete die Gemeinde aus ihren Organi-
sationen, den Wachtgedingen, einen 80-köpfigen Ausschuß, der die Finan-
zen überprüfen sollte und die Regierungsgeschäfte übernahm. Anders als
1485 radikalisierte sich die Bewegung. Die Aufständischen besetzten die
Stadttore; der Klerus mußte Plünderungen befürchten. Am 12. März 1514
wurde der Älteste des inneren Rates, Wolfgang Lyskircher, wegen Mängel in
der Amts- und Rechnungsführung hingerichtet.

In dieser Situation der Zwietracht wurde - vermutlich vom Rat organisiert - eine Prozession mit den Särgen der Heiligen Emmeram, Erhart und

---

489 VARILOQUUS, 162. Vgl. WEISS, Bürger, 104. Zur Datierung der Prozession auf 1510 oder
    1511 vgl. Anm. 251.
490 Zu den Auseinandersetzungen 1512/14 in Regensburg vgl. SCHWAB, Regensburg, 41-58;
    PANZER, Protest, 43-48. Chronikalisch sind die Ereignisse von Leonhart Widmann,
    St.Chr. Bd. 15, 16-26, aufgezeichnet.

Wolfgang abgehalten, *das got der almechtig sein genad wolt geben, damit dy unrue gestillt wurd.*[491] Der Einigungsversuch fand jedoch nicht die nötige Unterstützung, sondern die Aufständischen beschuldigten die Organisatoren, *man hielt procession, das man dy dieb nit hencken soll.*[492] Anders als in Erfurt 1511 war die Lage in Regensburg zum Zeitpunkt der Prozession noch äußerst angespannt. Kurze Zeit später ließ der Gemeindeausschuß alle Ratsherren für drei Tage gefangen setzen. Die Prozession mußte der Opposition unter diesen Umständen als Versuch erscheinen, unter der Parole von Eintracht die Position der alten Führung zu stärken. Bei offener Zwietracht förderte die Prozession nicht die städtische Einheit, sondern wurde als Stellungnahme für eine Konfliktpartei angesehen und rief Widerspruch hervor.

Anscheinend ohne Einwendungen fand eine Prozession nach der Beilegung der innerstädtischen Auseinandersetzungen Regensburgs statt. Bereits in der zweiten Jahreshälfte 1513 war der alte Rat wieder eingesetzt; ihm wurde ein um die Hälfte reduzierter Gemeindeausschuß von 40 Männern beigeordnet. Im Januar 1514 untersuchten kaiserliche Kommissare den Aufstand, setzten eine neue Verfassung und Zunftordnungen fest und klagten Gehorsam gegenüber dem Kaiser ein. Mehrere Aufständische wurden Ende Mai hingerichtet; andere flohen aus Regensburg; wieder andere wurden der Stadt verwiesen. Am 8. Juni luden die Kommissare die Gemeinde auf das Rathaus, um den Reichshauptmann einzusetzen, den neuen - alten - Rat auszurufen und den Treueschwur der Gemeinde einzuholen. Vor diesem Hintergrund ist die Prozession, die der Rat zwei Tage vorher, am 6. Juni, abhalten ließ, weniger ein Ausdruck der neu gewonnenen Eintracht als vielmehr ein Zeichen des Sieges der alten Kräfte. Die Prozession sollte Bitten an Gott richten, *umb kayserliche majestät und ein glückseligs ruelichs regiment.*[493]

In Erfurt konnte auch die Prozession 1511 die wirtschaftlichen Schwierigkeiten und die Uneinigkeit nicht beheben. Ein Großteil der früheren Ratsherren lebte weiterhin im Exil. Der gewachsene Einfluß des Mainzer Erzbistums wurde von den sächsischen Fürsten mißtrauisch beäugt. 1514 brachen die Gegensätze wieder auf.[494] Am 9. Februar starb der Mainzer Erzbischof Uriel und zu seinem Nachfolger wurde am 9. März Albrecht von Brandenburg, Erzbischof von Magdeburg und Administrator des Bistums

---

491 St. Chr. Bd. 15, 20f.
492 Ebenda, 21. Vgl. GEMEINER, Chronik IV, 216.
493 St.Chr. Bd. 15, 25. Vgl. GEMEINER, Chronik IV, 251.
494 Zu den Ereignissen 1514 vgl. VARILOQUUS, 177-194; BEYER, Geschichte, 338-342; MEHL, Erzbischofswahl, 58-62, 83ff.

Halberstadt, gewählt. Die Wahl des Hohenzollern und Bruders des bran-
denburgischen Kurfürsten Joachim war gegen die Wettiner gerichtet, um die
mainzische Herrschaft in Erfurt zu sichern.[495] In Erfurt entlud sich die
angespannte Situation am 17. Februar bei der Begräbnisfeier für den verstorbenen Uriel. Bei der Prozession, zu der der Klerus und die gesamte
Bevölkerung Erfurts zusammenkamen, führte der Ratssyndikus Dr. Berthold Bobenzahn die Reihen der Ratsherren an.[496] Gegen diese Auszeich-
nung widersetzte sich ein Kannengießer namens Hans Kühne; es kam zu
tätlichen Auseinandersetzungen und Bobenzahn wurde verhaftet. Im Prozeß wurde ihm Verrat der Stadt an den Kurfürsten von Sachsen vorgeworfen. Obwohl er seine unter der Folter gemachten Geständnisse widerrief,
ließ ihn das Gericht am 31. Mai hinrichten. Im Gefolge des Prozesses wurden weitere hohe Ratsmitglieder verhaftet und es kam das Gerücht auf,
Andreas Tuchheffer (erster Vierherr 1513), Dr. Wendelin Backhus (erster
Vierherr 1514) und Bobenzahn hätten für Sonntag Trinitatis, den Tag der
Adolar- und Eoban-Prozession, einen Umsturz geplant.[497] Der Verdacht
ließ sich nicht erhärten, brachte aber die seit den Unruhen von 1509/10
erstmalig wieder anstehende Reliquienprozession in das Blickfeld der Aufmerksamkeit.

Als diese Prozession am 11. Juni, kaum zwei Wochen nach der Hinrichtung Bobenzahns, stattfinden sollte, saßen drei der höchsten Vierherren im
Gefängnis, neben Tuchheffer und Backhus der Vierherr des Jahres 1511,
Georg Tusenbach.[498] Schon dieser Umstand mußte es erschweren, die Prozession in der geforderten Weise abzuhalten. Wie üblich wurde der Prozessionszug von bewaffneten Bürgern begleitet, *civibus tam in armis, bombardis ac
cassidelariis ordine debito*.[499] Auch die Geistlichkeit nahm wohl in gewohnter

---

495 Vgl. MEHL, Erzbischofswahl, 62-82; JÜRGENSMEIER, Bistum Mainz, 174.

496 Berthold Bobenzahn trat nach 1477 in die Erfurter Kanzlei ein, Stolle führt ihn zwischen
    1476 und 1480 als Schreiber; 1483 war er Stadtschreiber; 1503 ging er nach Leipzig, um
    dort zu promovieren; 1510 wurde er Nachfolger des nach Sachsen geflohenen Henning
    Goede. Vgl. SCHMIDT, Kanzlei, 41.

497 ARILOQUUS, 185: *et ibi* (bei Verlesung des Geständnisses Bobenzahns vor den Gemein-
    devertretern der Stadtteile) *mendaciter expositum, quomodo isti tres Bobenczan, Wendalinus et
    Andreas super futuro festo Trinitatis civitatem alienare intendissent; nam circuitum cum patronis am-
    pliare et interim ob id in cives aliquos et signanter in divites et pauperes irruere ac ita extirpare, qui non
    de secta eorum essent, diposuissent his et certis gladiis, quos ad hoc fecissent parari.*

498 Ebenda, 193: *Ex eo autem, quod tres summi decuriones Georgius Hallis, Andreas et doctor Wenda-
    linus tenebantur in vinculis.*

499 Ebenda, 193. Die Zahl der Bürger ist allerdings unklar, ein Manuskript gibt an „IXCLV",
    ein anderes Manuskript „MCLV". Im Vergleich mit früheren Jahren sind 1155 Bürger
    als Geleit unwahrscheinlich.

Weise teil, wenn auch der Chronist darüber schweigt. Schwierigkeiten bereitete es dagegen, die Plätze bei den beiden Reliquienschreine ordnungsgemäß zu besetzen. Den Schrein mit Severus und Innocentia hatten zwei oberste Ratsmeister sowie nachgeordnete Vierherren auf den Schultern, nicht, wie vorgesehen, die obersten Vierherren.[500] Beim Adolar- und Eoban-Schrein, dem ehrenvollsten Platz, gingen nur zwei Ratsherren, deren Namen der Chronist nicht einmal nennt: *Circa sanctos patronos vero non nisi duo iverunt de consulatu.*[501]

Die Nichteinhaltung der geforderten Ordnung läßt Ulman Weiß zu den Ergebnis kommen: „Freilich, der Umgang, der städtische Größe beschwören sollte, konnte nichts weiter sein als deren Parodie."[502] Es waren nicht allein Gerüchte eines Umsturzversuchs und Verhaftungen, die die Adolar- und Eoban-Prozession 1514 zu einem heiklen Unternehmen werden ließen, sondern die Prozession paßte als Repräsentation der ratsherrlichen Macht und der exponierten Stellung der Achtherren nicht mehr in die politische Landschaft. Die obersten Ratsherren - vor allem die Achtherren - und ihr anmaßendes Verhalten waren 1509 Zielscheibe der Kritik gewesen. Seit den Unruhen bildeten Gemeindevertreter ein Gegengewicht zum Rat, die sich, wenn wir dem Chronisten Glauben schenken dürfen, im Prozeß gegen Bobenzahn besonders hervorgetan hatten. Nach der Kritik an Bobenzahn, seiner Hinrichtung und den Verhaftungen mochte die Demonstration ratsherrlichen Führungsanspruches manchem Ratsherrn gefährlich erscheinen. Diese Befürchtungen hegte auch der Chronist, als er eine Erklärung für den Verlauf der Prozession suchte: „Da die drei obersten Vierherren Georg Haller, Andreas und Doktor Wendel im Gefängnis saßen, wollte keiner der anderen für sich die Ehre in Anspruch nehmen und ihren Platz ersetzen."[503] Zudem hatte die Regimentsverbesserung die Stellung der Achtherren beschnitten und Unterschiede zwischen den Ratsmitgliedern bei Prozessionen eingeebnet, so daß auch von der Verfassung her wenig Grund bestand, an der alten Ordnung festzuhalten. Die Botschaft der Prozession war unangemessen geworden. All diese Umstände lassen die Adolar- und Eoban-Prozession 1514 zu einem eher mühevollen Versuch werden, den Schein

500 Veit Beyer (erster Ratsmeister 1512), Adolarius Huttener (erster Ratsmeister 1513), Klaus Schilling (dritter Vierherr 1512, Vertreter einer der großen Handwerke), Johannes Knorr (dritter Vierherr 1513, Wollweber).
501 VARILOQUUS, 193.
502 WEISS, Bürger, 104.
503 ARILOQUUS, 193f. *Ex eo autem, quod tres summi decuriones Georgius Hallis, Andreas et doctor Wendalinus tenebantur in vinculis, nullus aliorum volebat sibi vindicare honorem et locum eorum supplere.*

der Normalität zu wahren, der trotzdem unternommen wurde, um den Reliquien die nötige Ehre zu erweisen. Auch mochten einige Ratsmitglieder hoffen, über die Anknüpfung an traditionelle Zeremonien die Legitimität des früheren Rates zu erheischen.

Die Botschaft und die Wahrnehmung einer Prozession waren abhängig vom politischen Kontext. Mit einer Prozession konnten politische Inhalte transportiert werden; ein verändertes politisches Umfeld ließ neue Lesarten dieser Inhalte zu. Solche Umdeutungen erlebte auch die Darstellung der Georgslegende, die eine Norwicher Bruderschaft jährlich aufführte. Im Zusammenhang mit Unruhen und Faktionen in der Mitte 15. Jahrhunderts um den Bürgermeister Thomas Wetherby, der Unterstützung vom mächtigsten Adeligen der Umgebung, dem Herzog von Suffolk, erhielt, konnte die Prozession mit der Georgsdarstellung als provokante Glorifizierung der Intervention eines auswärtigen Adeligen wahrgenommen werden.[504] Ein hervorragendes Beispiel für „Prozessionspolitik" ist auch die schon analysierte Kölner Prozession am Fastnachtsdienstag, die der Rat im Gedenken an den gescheiterten Aufstand von 1482 einsetzte. Die erfolgreiche Erhebung der Gaffeln 1512 beseitigte mit der Änderung des Termins und der Route sowie der Öffnung des Teilnehmerkreises die gegen die bürgerschaftliche Opposition gerichtete Spitze.[505] Die Aussage der Prozession - die Demonstration ratsherrlichen Machtanspruches - wurde gut verstanden und deshalb verändert, als sie den neuen politischen Bedingungen nicht mehr entsprach. Dennoch akzeptierte in Köln, wie in Erfurt, die siegreiche Gemeinde die Tradition bestehender Prozessionen, da sie trotz ihrer politischen Aussagen immer auch religiöse Anliegen ansprachen. Während in Köln und Erfurt oppositionelle Bewegungen die Aussage einer Prozession änderten oder zumindest fragwürdig erscheinen ließen, konnten auch alte Kräfte nach innerstädtischen Unruhen ihren Sieg in Prozessionen feiern und verewigen. Schließlich waren Prozessionen auch ein Versuch, Eintracht neu zu stiften, doch mußte der Zeitpunkt einer solchen Aktion wohl überlegt sein, um nicht ins Gegenteil umzuschlagen. Prozessionen stellten in spätmittelalterlichen städtischen Gesellschaften eine rituelle Form dar, die politische und religiöse Inhalten transportierte und wegen ihrer verschiedenen möglichen

---

504 McRee, Unity, 198-201.
505 Zu der Kölner Gedenkprozession vgl. S. 200.

Lesarten ein öffentlicher Ort waren, an dem Konflikte ausgetragen werden konnten.

V. Prozessionen in der Reformation

Eine Prozession läutete die Reformation in Göttingen ein. 1529 griff die Englische Schweißsucht, eine neue epidemische Krankheit, auf Göttingen über. In bekannter Weise riefen Rat und Klerus für den 24. August[1] zu einer Bittprozession auf, bei der neben der Ordens- und Weltgeistlichkeit jeder Haushalt mit mindestens einem Mitglied vertreten sein sollte. Der Zug nahm die übliche Route von der Marktkirche St. Johann ausgehend zu allen Göttinger Kirchen. Zwischen St. Nikolai und St. Marien wurde der geregelte Ablauf allerdings gestört: Vor dem Haus des Hans Bock stand eine größere Gruppe von Wollenwebern und begann den 130. Psalm in der Übersetzung Luthers, „Aus tiefer Not schrei ich zu Dir", zu singen.[2] Die Geistlichen waren dem Spott der Weber ausgesetzt: *Wann sie sungen: „Ora pro nobis", so sungen die andren ein: „Ohr ab, zum Dor aus" oder: „Der Haare bar, auf, der Kirchen Tattar".*[3] Vergeblich versuchte der Ratsschreiber die Handwerker mit der Drohung, sie zu inhaftieren, zum Schweigen zu bringen. Die Störer setzten vielmehr den Gesang deutscher Psalmen fort. Beim Paulinenkloster sangen die Geistlichen das „Te Deum Laudamus"; die gegnerische Seite antwortete mit der deutschen Übersetzung.[4] Erst nach diesem „Singekrieg" zerstreuten sich die Wollenweber und die Geistlichen und der Rat konnten die Prozession beenden.[5]

Prozessionen waren in spätmittelalterlichen Städten wie Braunschweig und anderswo ein Kommunikationsort, um Konflikte öffentlich auszutragen und zuzuspitzen. Gegenüber den vorherigen Auseinandersetzungen hatten die Göttinger Vorfälle allerdings folgenschwerere Konsequenzen, wie die Schlußbemerkung des Chronisten Franciscus Lubecus deutlich macht:

---

1 Der Chronist Lubecus ist sich allerdings des Datums nicht sicher: *Dies geschach eben auf S. Bartholomäi oder ungfähr 14 Dage zuvor.* LUBECUS, Bericht, 15.

2 WA 35, 419-422; Luthers geistliche Lieder, 188-193.

3 LUBECUS, Bericht, 15. „Der Haare bar" bezog sich auf die Tonsur der Geistlichen. Der „Tattar" war in der Reformationszeit neben den Türken der Inbegriff für Gottlosigkeit und galt als Schimpfwort. Vgl. dazu die Anmerkungen des Herausgebers Hans Volz zu LUBECUS, Bericht, 42.

4 Es handelt sich nicht um Luthers Übersetzung „Herr Gott, dich loben wir" (WA 36, 458f.), das erst 1529 erschien, sondern um eine seit 1526 verbreitete Prosaübersetzung oder um eine niederdeutsche Übertragung. Vgl. WA 36, 250-253.

5 LUBECUS, Bericht, 15f. Zu der Prozession vgl. EHRECHT, Verlaufsformen, 27; MÖRKE, Rat, 151f.; MOELLER, Reformation, 492f. Zur Reformation in Göttingen vgl. die genannten Arbeiten von Mörke und Moeller. Zum „Singekrieg" in norddeutschen Städten, besonders in Lübeck, vgl. JANNASCH, Reformationsgeschichte, 272-286; MAGER, Lied.

Dies ist der Anfang des Evangelii.[6] Ihre reformatorische Gesinnung brachten die Wollenweber insbesondere in der Wahl des 130. Psalms in der lutherischen Übertragung zum Ausdruck. Dieser Text war bereits im Mai 1524 in Magdeburg zusammen mit dem Lied „Es wollt Gott uns gnädig sein" als Einzeldruck verkauft und vom Verkäufer der Menge vorgesungen worden.[7] Über diese Quellen können auch die Göttinger das Lied gelernt haben, da besonders die Wollenweber, die in Magdeburg, Braunschweig, Goslar oder anderswo gearbeitet hatten, die deutschen Lieder und Psalmen sangen.[8] Nicht allein das Singen in Volkssprache zeigt die reformatorische Überzeugungen der Göttinger Handwerker an, sondern der Inhalt des Bußpsalms führt in das Zentrum der lutherischen Theologie. 1532/33 bezeichnet Luther diesen Psalm als den wichtigsten, da er den Hauptartikel der protestantischen Lehre, die Rechtfertigung, behandele.[9] Die Göttinger hatten ihre Gesänge also wohlüberlegt gewählt, um die Frömmigkeitspraxis der Prozessionen zu kritisieren.

Auch in anderen Städten wurden Prozessionen während der Reformation verhöhnt, parodiert und kritisiert. Sie verloren an Teilnehmerschaft; mit der Durchsetzung der lutherischen Lehre schafften protestantische Magistrate sie ab. Und nicht nur in Göttingen endeten Prozessionen im Eklat. Um sich den Angriffen zu widersetzen, beharrte die katholische Seite auf den Umgängen: Bischöfe oder altgläubige Magistrate ordneten Prozessionen wegen der Zwietracht in der Kirche an; Protestanten blieben den Umgängen fern. Kurz, die reformatorischen Auseinandersetzungen machten Prozessionen zu einem Zeichen der Konfessionszugehörigkeit. Dieser Prozeß soll im folgenden nachgezeichnet werden, indem zunächst die theologischen Grundlagen und die Kritik am Prozessionswesen bei Luther beleuchtet werden. In einem zweiten Schritt wird am Beispiel Nürnbergs beobachtet, wie sich die Abschaffung der Prozessionen vollzog. Die folgenden Ausführungen zu Prozessionen in der Reformation beschreiben zum einen das Ende des mittelalterlichen Prozessionswesens in protestantischen Städten und sind damit notwendiger Schlußpunkt dieser Arbeit. Zum anderen tritt während der Reformation die Bedeutung mittelalterlicher Prozessionen nochmals wie in einem Brennspiegel zutage. Ihre rasche und problemlose

---

6 LUBECUS, Bericht, 16.
7 St.Chr. Bd. 27, 107. Zu dem Lied vgl. die Einleitung von W. Luck zu den Liedern Luthers, WA 36, 97-109; JENNY, Psalmlied; DEDEKIND, Luthers Lied; STALMANN/HEINRICH, Handbuch, 44-48. Zum lutherischen Kirchenlied vgl. VEIT, Kirchenlied.
8 LUBECUS, Annalen, 340.
9 WA 40 III, 335. Vgl. DEDEKIND, Luthers Lied.

Abschaffung warnt vor vorschnellen funktionalistischen Interpretationen ihrer Bedeutung für mittelalterliche Städte.

1. Luthers Kritik an Sakramentsfrömmigkeit und Heiligenverehrung

Darumb bin ich kainem Fest nye feinder gewest wenn disem Fest und unser frawen emp-fengknüß, so predigte Martin Luther zu Fronleichnam 1523.[10] Seine Feind-schaft gründete jedoch nicht in der Ablehnung der Realpräsenz, sondern entstand aus einem geänderten Verständnis der Messe. Die Kritik am Fronleichnamsfest führt in das Zentrum von Luthers Theologie und seiner Auseinandersetzung mit dem Papsttum.[11] Zunächst war Luthers Abend-mahlverständnis noch durch Augustin bestimmt gewesen.[12] Die Eucharistie hatte für ihn signikativen Charakter, „als es das Heilsgeschehen, konkret: das Kreuz Christi, repräsentiert."[13] Notwendige Vorbereitung auf das Abendmahl sei wahre Reue. Von diesen Vorstellungen löste sich Luther seit 1518. Indem er das neue Verständnis des Bußsakramentes auf das Abend-mahl übertrug, rückte er die Absolution, verstanden als Gottes Zusage auf Vergebung, in das Zentrum seines Denkens. Seine Überlegungen zu Messe und Sakrament entwickelte Luther in zahlreichen Predigten und Schriften; beispielhaft sei sein Argumentationsgang in der Schrift „De captivitate Babylonica ecclesiae praeludium" von 1520 erläutert.[14] Die Verweigerung des Laienkelchs, die Transsubstantionslehre und die Vorstellung von der Messe als Opfer und gutem Werk beschreibt Luther als die drei Gefängnisse des Altarsakraments. Ausgangspunkt ist nicht mehr die Definition des Sa-kraments, sondern er interpretiert die Messe von den Einsetzungsworten her: „Denn in diesem Wort und sonst in gar keinem anderen liegt die Kraft,

---

10 WA 12, 581.

11 Für die oberdeutschen und schweizerischen Städten wäre es wichtig, die Positionen Zwinglis und Bucers zu betrachten, doch kann dies aus Platzgründen hier nicht geschehen. Auch auf andere lutherische Reformatoren kann nicht eingegangen werden. Zu früh-neuzeitlicher Kritik an Ritualen im Protestantismus und im Katholizismus vgl. BURKE, Kultur, 186-200.

12 Zum reformatorischen Abendmahlverständnis vgl. MEYER, Elevation; DERS., Luther, 109-113; HAUSAMMANN, Realpräsenz; HANS BERNHARD MEYER, Art. Abendmahl III/3. Re-formationszeit, in: TRE Bd. 1 (1977), 106-122; SCHWAB, Entwicklung; CLARK, Eucharistic Sacrifice; DAVIS, Development; MANN, Abendmahl; JONES, Christ's Eucharistic Presence, 117-134; B.A. GERRISH, Eucharist, in: OER Bd. 2 (1996), 71-81.

13 HAUSAMMANN, Realpräsenz, 160.

14 WA 6, 497-573, zum Altarsakrament vgl. 502-526. Als deutsche Übersetzung vgl. Luther deutsch (LD), Bd. 2, 171-238, zum Altarsakrament: 173-201.

Natur und das ganze Wesen der Messe."[15] Die Messe und das Sakrament sind für ihn Testamentum Christi; sie belegen als ersten Schritt Gottes die Verheißung auf Sündenvergebung. Auf Gottes Vorleistung sollen die Menschen mit Glauben, nicht mit guten Werken oder Verdiensten antworten. Verheißung und Glauben sind die zentralen Momente in Luthers Meßverständnis: „Jeder sieht leicht ein, daß diese zwei Dinge zugleich nötig sind, die Verheißung und der Glaube."[16] Das Sakrament ist Zeichen und Siegel für die Verheißung; wichtiger als das Sakrament sind ihm die Worte der Verheißung. Aus dem dargelegten Meßverständnis heraus polemisiert er gegen die Vorstellung, die Messe sei gutes Werk oder Opfer und greift die hergebrachte Meßfrömmigkeit - die Privatmessen, Jahrbegängnisse, Fürbitten oder Bruderschaften - an. Der rechte Gebrauch der Messe liegt für ihn im Glauben, verstanden als Vertrauen auf die Vergebung durch Gott ohne eigene Werke oder Leistungen.

Wegen seines Abendmahlverständnisses mußte sich Luther mit dem Vorwurf auseinandersetzen, er sei gegen die Anbetung des Sakraments und lehne die Realpräsenz ab. 1523 antwortet er auf diesen Vorwurf mit der Schrift „Vom Anbeten des Sakraments des heiligen Leichnams Christi" in differenzierter Weise.[17] Luther hielt an der Realpräsenz fest: Christus sei wahrhaftig mit Fleisch und Blut im Sakrament vorhanden. Gegen Karlstadt, Zwingli und andere reformatorische Theologen verteidigte er die Realpräsenz im innerprotestantischen Abendmahlsstreit, der zur Trennung der protestantischen Kirchen führte.[18] Allerdings widersprach Luther der Transsubstantionslehre, indem er aus der Bibel die Weiterexistenz des Brotes mit dem Leib Christi sowie die Identität von Brot und Leib Christi ableitet. Die Transsubstantionslehre, gegen die er in der Schrift „De captivitate" heftig polemisiert, sah er als Eindringen der aristotelischen Philosophie in die Kirche an, die eine mögliche Meinung, aber ohne Schriftgrundlage sei.[19] Wenn Luther auch - anders als mittelalterliche Kritiker des Sakramentes - die Realpräsenz anerkannte, so forderte er aus seinem auf Verheißung und Glauben beruhenden Meßverständnis heraus eine andere Form und

---

15 LD Bd. 2, 184. WA 6, 512: *Nam in eo verbo et prorsus nullo alia sita est vis, natura et tota substantio Missae.*

16 LD Bd. 2, 191. WA 6, 517: *Quilibet enim facile intellegit, quod haec duo sunt simul necessaria, promissio et fides.*

17 WA 11, 431-456.

18 Zum Abendmahlsstreit vgl. MEYER, Abendmahl, in: TRE Bd. 1 (1977), 107-119, mit weiterer Literatur.

19 WA 6, 508-512. Vgl. SCHWAB, Entwicklung, 226-231; WANEGFFELEN, L'eucharistie; JONES, Christ's Eucharistic Presence, 119-121.

Praxis der Sakramentsverehrung. Er unterscheidet mit Verweis auf Joh 4,20 äußerlich-leibliche und innerlich-geistliche Anbetung. Die äußerliche Anbetung ist ihm Heuchelei und Spott, *sonderlich geschicht solcher spott Christo auff Ostern und auff des heyligen leychnams tag ynn allen Messen unnd ynn dem sacrament hewßlin.* Deshalb möchte Luther zuerst Sakramentshäuser und Fronleichnamsprozessionen abstellen, *weyl der keyns nott noch nütze ist und groß heuchley und spott dem sacrament widderferet.*[20] Gegen diese Verehrung setzt Luther den Glauben: Aus ihm ergebe sich das richtige Anbeten. Wer glaube, daß im Sakrament Christi Leib und Blut sei, könne ihm die Anbetung nicht versagen. Diese sei jedoch kein Gebot, sondern liege in der Freiheit jedes Christen.

Luther verwirft die Realpräsenz nicht, sondern nimmt ihr ihre zentrale Stellung im theologischen Verständnis der Eucharistie, indem er die Betonung auf die Einsetzungsworte und den Glauben legt. Damit aber entzieht er der Sakramentsfrömmigkeit und der eucharistischen Andacht ihre Grundlage. Er kritisiert, daß die Fixierung auf die Realpräsenz den rechten Gebrauch des Sakraments in den Hintergrund gedrängt habe. Das Fronleichnamsfest ist ihm immer wieder der deutlichste Ausdruck für diese falsche Sicht. Bei all dem Pomp des Festes wisse niemand mehr, weshalb die Eucharistie eingesetzt sei, wie er sich in einer Predigt zu Fronleichnam 1519/20 beklagt. Es sei deshalb besser, daß Fest nicht zu halten, als Gott so zu entehren, *ut bis millies foret melius non esse festum, quam Deum coeli sic dehonestare.*[21] Das Sakrament sei nicht zur Aussetzung oder zum Herumtragen bestimmt, sondern zum Genuß durch den Menschen: *Das aber mügen sy nit erhalten noch erzwingen, seitmal er nichts redt von der auffsetzung des Sacraments, wie ir dann gehört, sondern es müß ain ander essen sein, das nit eüsserlich, sonder im hertzen geschicht.*[22] Wichtiger als die äußerliche und auf den natürlichen Leib Christi gerichtete, herkömmliche Sakramentsverehrung ist ihm die innerliche Anbetung des geistlichen Leibs Christi. In seiner Predigt am Fronleichnamstag 1523 mag Luther zwar noch nicht verwehren, in Prozessionen zu gehen, *man lass allain das Sacramemt hinnen steen.* Auch gibt er jedem Teilnehmer auf den Weg, *er thů besser, wenn er dahaim in seiner kammer ain pater noster bettet oder den armen leüten ainen pfenning gebe.*[23]

---

20 WA 11, 445.
21 WA 4, 705.
22 WA 12, 584. Vgl. Tischrede zu Fronleichnam 1532: *denn er es nicht befohlen hat also umher zu tragen.* WA Tr 3, 193.
23 WA 12, 581f.

Weiter mußte die Diskussion um den Laienkelch und das Abendmahl unter zwei Gestalten Auswirkungen auf die Sakramentsfrömmigkeit haben. Indem die lutherischen Reformatoren die Integrität des Sakraments im Brot und im Wein betonten, gaben sie die Fixierung auf die Hostie auf. So argumentierte die Augsburger Konfession, die Sakramentsprozession würde unterlassen, weil die Teilung des Sakraments der Einsetzung durch Christi widerspräche.[24] Ebenso verurteilte Luther in einem Brief an Kurfürst Joachim II. von Brandenburg im Dezember 1539 Sakramentsprozessionen mit Hinweis auf die zwei Gestalten: *denn das man das Sacrament einerley gestalt solt in der Procession umbher tragen, Ist Gottes spott, wie E.C.F.G. selbst wissen, wie es ein halb, ja kein Sacrament ist, Soll man aber beide gestalt vmbtragen, ist noch erger vnnd eine solche newerung, die aller welt maul vnd augen auff sperren würde, auch den Papisten vrsach geben zu spötterey.*[25]

Die Verurteilung eucharistischer Prozessionen führt in das Zentrum lutherischer Theologie. Dagegen spielte die Ablehnung von Reliquienprozessionen eine nicht so zentrale Rolle, da die Heiligenverehrung - anders als die Sakramentslehre - nicht dogmatisch festgelegt war und sich der in dieser mittelalterlichen Frömmigkeit verwurzelte Luther nur zögernd davon löste.[26] Bis 1519 finden sich sowohl Argumente, die die Heiligenanrufung verteidigen als auch erste Einwände. Die Kritik richtete sich zum einen gegen bestimmte Legenden und gegen Mißbräuche wie beispielsweise gewinnbringende Wallfahrten. Zum anderen entwickelte Luther seit 1516 aus dem ersten Gebot sein wichtigstes theologisches Argument gegen die Anrufung von Heiligen.[27] Die Heiligenverehrung widersprach der lutherischen Vorstellung des „Solus Deus". Sie habe sich zwischen den Menschen und Gott gedrängt, obwohl der Mensch den direkten Zugang zu Gott suchen und ihm allein trauen solle. Engel und Heilige sollten nicht angerufen werden, ihnen keine Kirchen gebaut werden, da diese Ehre Gott allein gebühre. So heißt es in den Schmalkaldischen Artikeln: *Anruffung der Heiligen ist auch der End Christischen Misbreuche einer, und streitet wider den ersten Heuptartikel, und tilget die erkentnis Christi.*[28] Dennoch verwarf Luther die Heiligen nicht grundsätz-

---

24 Bekenntnisschriften, 86: *Et quia divisio sacramenti non convenit cum institutione Christi, solet apud nos omitti processio, quae hactenus fieri solita est.*

25 WA Br. 8, 622.

26 Zur Heiligenverehrung bei Luther vgl. PINOMAA, Weg; DERS., Heiligen; MANNS, Luther; EVANS, Cult, 15-75; ISERLOH, Verehrung; KÖPF, Protestantismus.

27 Vgl. WA 1, 398-430 (Decem Praecepta Wittenbergensi predicta populo, 1516/18); WA 56, 218f. (Schmalkaldische Artikel); WA 30 I, 134 (Großer Katechismus).

28 WA 50, 210.

lich, sofern sie zu Gott hinführten und als Vorbild dienten.[29] Auch sah er Schwierigkeiten, die Ablehnung der Heiligen rasch in den Gemeinden umzusetzen. In einem Brief an die Erfurter Gemeinde gestattete er, daß die Schwachen weiterhin Heilige anriefen.[30] Seine Kritik richtete sich vorrangig gegen ein Übermaß an Heiligenverehrung, insbesondere gegen den Reliquienkult und die Prozessionen.

Kritik an Prozessionen bezog sich nicht nur auf die theologischen Inhalte, sondern auch auf die Praxis.[31] Bereits in der 1518 gedruckten Römerbriefvorlesung von 1516 beschwerte sich Luther, Christen würden sich mit Nichtigkeiten abgeben und auf solche Dinge - er zählt neben Kirchenbau, Erweiterung des Kirchenbesitzes, Vermehrung der Meßgewänder auch Prozessionen auf - ihre ganze Frömmigkeit gründen.[32] In seiner Predigt zur Kreuzwoche (Rogationen) 1519 befürwortete Luther zwar grundsätzlich Prozessionen, kritisiert aber, daß diese zu einem lästerlichen Mißbrauch geworden seien, *das man yn der procession nur sehen und gesehn seyn will, eytell unnutz geschwetz und lechrey treyb. Ich will geschweygen großere stuck und sund, dar zu die dorff procession allererst doll worden seyn, da man mit sauffen und yn tabernen so handelt, mit den Creutzen und fanen so feret, das nit wunder were, das uns gott yhn eynem jar vorterben lies.*[33] Wiederholt beschreibt Luther Prozessionen als falschen Gottesdienst. Im „Magnificat" von 1521 beklagt er sich, daß das Wort „Gottesdienst" mißbraucht sei, *das, wer es horet, gar nichts an solche werck denckt, szondern an den glockenn klang, an steyn und holtz der kirchen, an das reuchsaltz, an die flammen der liecht, an das geplerre der kirchen, an das golt, seyden, edelstein der korkappen und meszgewandt, an die kilch und monstrantzen, an die orgeln und taffeln, an die procession und kirchgang, und das grossist, an das maulpleppern und pater noster steyn zelen.*[34] Deshalb sollten, so predigte er 1519, die Bischöfe und die weltliche Obrigkeit entweder die Mißbräuche abschaffen oder die Prozessionen aufgegeben, *ist viell besser keynn procession dan solche procession.*[35] Ablauf und Organisation von Prozessionen verweist Luther damit in obrigkeitliche Verant-

---

29 Vgl. KÖPF, Protestantismus, 328
30 WA 10 II, 166.
31 Zu Luthers Kritik an weltlichen und kirchlichen Festbräuchen vgl. auch KOHLER, Martin Luther. Bezüglich der Prozessionen geht die Autorin allerdings nur auf Luthers Ablehnung der Markusprozession und der Rogationen ein. KOHLER, Martin Luther, 127.
32 WA 56, 452: *Et nescio, quibus aliis nugis occupamur in struendis Ecclesiis, in dilatandis possessionibus Ecclesiasticis, In cumulandis pecuniis, In multiplicandis ornamentis et vasis aureis et argenteis, In parandis organis pompisque aliis visibilibus. Et in iis Summam totius pietatis constitutuimus.*
33 WA 2, 178. Zur Prozessionskritik Luthers vgl. SCHELER, Inszenierte Wirklichkeit, 127.
34 WA 7, 596.
35 WA 2, 178.

wortung. Mit seiner Kritik und seiner Aufforderung, eine schlechte Prozessionspraxis einzustellen, steht Luther in der Tradition von Reformtheologen wie Dionysius Cartusianus aus dem 15. Jahrhundert. Prozessionen waren durch Menschen eingesetzt und es stand Menschen - genauer der Obrigkeit - deshalb frei, diese zu beenden. Luther beschreibt hier die Grundlagen, aufgrund derer weltliche Obrigkeiten bei den kommenden reformatorischen Auseinandersetzungen in das Prozessionswesen eingreifen konnten. Solche Eingriffe ergaben sich nicht nur aus dem ratsherrlichen Kirchenregiment, sondern oblagen den Magistraten geradezu als religiöse Pflicht.

2. Gerede, Tumulte und ‚unҙuchtig wort widder das hellig sacrament‘

Luthers Kritik an Sakramentsfrömmigkeit und Prozessionswesen stand in einem dialektischen Verhältnis zu den reformatorischen Ereignissen. Seine Theologie und Kritik wurde einerseits in Aktionen gegen Prozessionen umgesetzt, andererseits reagierte Luther in seinen Schriften auf solche Vorfälle. Doch lassen sich Geschehnisse wie in Göttingen nicht auf die lutherische Theologie reduzieren, sondern folgten als rituelle Handlungen einer eigenen Logik. Robert Scribner spricht von „reformation as a ‚ritual process‘", um deutlich zu machen, daß evangelische Überzeugung und reformatorische Ideen in Formen und Ritualen der katholischen Praxis ausdrückt und angeeignet wurden.[36] Gleichzeitig aber richtete sich der so zum Ausdruck gebrachte Protest gegen die traditionellen Frömmigkeitsformen selbst. Magistrate beendeten nach dem Übergang zum Luthertum schnell das Prozessionswesen, wie für Nürnberg, eine Stadt mit guter Quellenlage und reichhaltigem Schrifttum zur Reformation, nachgezeichnet werden soll.[37]

Erste Ansätze einer reformatorischen Bewegung in Nürnberg finden sich in der Oberschicht.[38] Im Anschluß an Predigten des Generalvikars der Augustiner-Observanten und Beichtvaters Luthers, Johannes von Staupitz,

---

36 SCRIBNER, Reformation, 141f, Zitat: 141.
37 Hier sei nur die grundlegende Literatur angegeben: SEEBASS, Reformation; STRAUSS, Protestant Dogma; SCHMIDT, Reichsstädte; SCHINDLING, Nürnberg; VOGLER, Nürnberg. Als detaillierte Darstellung der Ereignisse ist ENGELHARDT, Reformation, zu nutzen. Für 1524/25 sind die Quellen bei PFEIFFER, Quellen, ediert. - Zu Stadt und Reformation vgl. grundlegend MOELLER, Reichsstadt. Als Diskussion der Thesen Moellers und als neuere Forschungsüberblicke vgl. GREYERZ, Stadt; GOERTZ, Reichsstadt; HAMM, Bürgertum.
38 Zu den Anfängen der Reformation in Nürnberg vgl. ENGELHARDT, Reformation, 25-61; KANTZENBACH, Gottes Ehre, 1-4; SCHMIDT, Reichsstädte, 31-32. Zum Staupitz-Kreis und zu einzelnen Personen vgl. SCHUBERT, Lazarus Spengler; KOHLS, Durchdringung; HAMM, Hieronymus-Begeisterung.

in der Adventszeit 1516 kam ein humanistischer, religiöse Fragen diskutierender Kreis zusammen, zu dem Ratsmitglieder wie Anton Tucher oder Hieronymus Ebner, Patrizier wie Martin Tucher, weiter der Ratskonsulent Dr. Christoph Scheurl, der Ratsschreiber Lazarus Spengler oder auch Albrecht Dürer gehörten. Über Wenzel Linck, der im Frühjahr 1517 als Augustinerprediger von Wittenberg nach Nürnberg kam, öffnete sich die „Sodalitas Staupitziana" reformatorischen Gedanken.[39] Der Kreis diskutierte Luthers Römerbriefvorlesung und die 95 Thesen; im Oktober 1518 hielt sich Luther selbst in Nürnberg auf. Die Frömmigkeit dieser Männer blieb zunächst aber noch altkirchlich. Noch am 1. Oktober 1517 erlangte Nürnberg einen päpstlichen Ablaß, der volle Absolution bei einer Spende an das Spital oder Aussätzige versprach.[40] Anton Tucher, Mitglied der Sodalitas, stiftete 1517 eine Altartafel für die Sebastiankapelle und eine Orgel für das Kloster St. Klara. 1517/18 stellte Veit Stoß den „Englischen Gruß" für St. Lorenz fertig, ebenfalls eine Stiftung von Anton Tucher.[41] Peter Vischer vollendete 1519 das Sebaldusgrab; Mitglieder der Sodalitas nahmen weiterhin Ehrenplätze bei den Fronleichnams- und Reliquienprozessionen ein.

Die Situation änderte sich 1520.[42] Der Rat duldete nun den Druck lutherischer Schriften. Auch fanden Spengler und Pirckheimer Unterstützung beim Rat, als Johann Eck die beiden Nürnberger auf die Bulle „Exsurge Domini" setzte, weil sie Luther verteidigt hatten. Obwohl der Streit nicht die hergebrachten Bahnen der kirchenrechtlichen Konfliktaustragung - Bischof, Papst und Eck wurden als zuständige Gerichtsinstanzen anerkannt - verließ, wirkte die Auseinandersetzung als Katalysator für die reformatorische Bewegung. So meint Scheurl, als Anhänger Luthers wohl sehr optimistisch, am 1. April 1520 an Melanchthon schreiben zu können, daß das Patriziat, die meisten übrigen Bürger und alle Gelehrten auf Luthers Seite ständen.[43] Einen entscheidenden Impuls für die Verbreitung reformatorischer Gedanken brachte die Besetzung der Propst- und Prädikantenstellen 1520/22. Mit Hektor Pömer und Dr. Georg Peßler als Pröpste von St. Lorenz und St. Sebald wählte der Rat im Juni bzw. im Herbst 1520 Theologen, die in Wittenberg studiert hatten. Ebenso waren die 1522 berufenen Predi-

---

39 Zu Wenzel Linck vgl. LORZ, Wirken.
40 Vgl. BLICKLE, Reich, 88; GÜNTER VOGLER, Art. Nuremberg, in: OER Bd. 3 (1996), 160.
41 Vgl. Ernst MUMMENHOFF, Art. Anton Tucher, in: ADB Bd. 38 (1894), 762; RASMUSSEN, Englischer Gruß. Zu Stiftungen in Nürnberg vgl. SCHLEIF, Donatio.
42 SCHMIDT, Reichsstädte, 31. Zu den Ereignissen 1520-1522 vgl. ENGELHARDT, Reformation, 62-92; VOGLER, Nürnberg, 39-46; SCHMIDT, Reichsstädte, 45-56.
43 SCHEURL, Briefbuch, Bd. 2, 113: *Nostri optimates et ferme plebei quoque cives, item etiam docti omnes favent domino Martino.* Vgl. SEEBASS, Reformation, 256.

ger der beiden Pfarrkirchen und der Spitalskirche - Dominikus Schleupner, Andreas Osiander und Thomas Venatorius - Schüler Luthers. Die Anstellungen lassen sich allerdings nicht als zielstrebiges Vorantreiben der Reformation interpretieren, sondern der Rat suchte vornehmlich Theologen, *das heilig ewangelium zu predigen*.[44] Gleichwohl wirkten die Prediger und Pröpste als entscheidende Multiplikatoren für reformatorische Ideen in Nürnberg und stießen auf offene Ohren: Seit Ende 1522 nahm der Gottesdienstbesuch spürbar zu.

Obwohl die Ratsmitglieder mehrheitlich lutherisch waren, zögerten sie in der Umsetzung dieser Ideen. Der Rat hoffte zum einen, daß die als notwendig erachteten Reformen sich in der alten Kirche und mit den vorhandenen Rechtsnormen verwirklichen ließen.[45] Zum anderen mußte er Rücksicht auf Kaiser und Reich nehmen, die die Rechtsstellung der Stadt garantierten und mit Reichsregiment und Reichstagen in den frühen 1520er Jahren in der Stadt präsent waren.[46] Kaisertreue war das bestimmende Moment der Nürnberger Außenpolitik, so Heinrich Schmidt.[47] Die Rücksichtnahme zeigt sich unter anderem in der Zensurpolitik. Der Rat ging gegen öffentliche Übertretungen des Verbots von Lutherschriften vor, tolerierte aber die heimliche Verbreitung. 1522/23 waren die Schriften verboten; bei geringerem äußeren Druck blieben sie unbeanstandet.[48] Auch die Prozessionen spiegeln die Ratspolitik wider, Konflikte mit dem Reich zu meiden und an hergebrachten religiösen Praktiken festzuhalten. Die Fronleichnamsprozession 1522 wurde wegen der Anwesenheit des Reichsregiments prachtvoll gefeiert. Anstelle der ursprünglich vorgesehenen Ratsmitglieder gaben Pfalzgraf Friedrich und Herzog Wilhelm von Bayern dem Erzbischof Albrecht von Mainz mit dem Sakrament Geleit. Die Baldachinträger kamen aus den Reihen der Fürsten; die übrigen Mitglieder des Reichsregiments sowie Kammerrichter und Beisitzer folgten dem Allerheiligsten.[49] Weiter ordnete der Rat für den zweiten Pfingsttag (9. Juni 1522) eine Wetterprozession an. Am 24. Juni fand auf Bitten des Reichsregiments eine weitere Prozession mit der gesamten Welt- und Ordensgeistlichkeit - außer den Kartäusern - von der Sebalds- zur Lorenzkirche statt, um für eine glückliche

---

44 Zit. nach SCHMIDT, Reichsstädte, 51.

45 Vgl. ebenda, 55.

46 Vgl. dazu SEYBOTH, Reichsinstitutionen.

47 SCHMIDT, Reichsstädte, 53.

48 Vgl. MÜLLER, Zensurpolitik, 77-82; SCHMIDT, Reichsstädte, 45-48.

49 StAN Rep. 60b, Nr. 12, fol. 80'; MÜLLNER, Annalen III, fol. 1709.

Überfahrt des Kaisers aus Spanien zu beten. Eine ähnliche Prozession wurde während des Reichstages 1522/23 wegen der Türkengefahr abgehalten.[50] Blieb die religiöse Praxis bis 1522 weitgehend in den alten Bahnen, kam es 1523 zu ersten Änderungen und zu Kritik seitens der Gemeinde. Zu Ostern 1523 reichte der Prior des Augustinerklosters Johann Volprecht im kleinen Kreis das Abendmahl in beiden Gestalten, nachdem der Rat ein entsprechendes Ansinnen der Pröpste mit der Begründung abgelehnt hatte, daraus entstünde, *zertailung, erweckung allerlei ... aufrurn und widerwillen dann christliche ainikait*.[51] Neben diesem gängigen Argumentationsstrang - Einigkeit wird der Gefahr von Aufruhr, Unruhe und Zwietracht entgegengestellt - verwies der Rat in seiner Antwort auf ein wichtiges Moment seiner Politik: Reichsregiment und Kammergericht sowie Kurfürsten, Fürsten und Stände im Reich seien Neuerungen abgeneigt.[52] Bereits zu diesem Zeitpunkt änderte der Rat dagegen Bräuche, die nicht, wie die Messe, den Kern kirchlicher Zeremonien trafen: Das Passionsspiel im Heilig-Geist-Spital am Karfreitag und nach der Ostermette wurde aufgegeben. Ebenso verbot der Rat das Umherziehen der Schüler mit dem Palmesel.[53] Die Verbote begründete der Rat nicht theologisch, sondern argumentierte, die Bräuche verhinderten die nötige Andacht.

Weitergehende Kritik an den kirchlichen Zeremonien dieses Jahres kam aus der städtischen Bevölkerung. Als der Rat das Fleischessen in der Fastenzeit verbot, wurden die Anschläge niedergerissen. Einen Handwerker, der sich öffentlich zum Fleischgenuß bekannte, ließ der Rat inhaftieren.[54] Für die Heiltumsweisung mußte der Rat Vorsorge treffen, *damit zum heiltum kain vnrue entstee*.[55] Auch bei den Fronleichnamsprozessionen befürchtete der Rat Spott und üble Rede; dem Rat war zu Ohren gekommen, *das etlich personen sich von wegen der zeremonien, so zum fest corporis christi mit dem heiligen sacrament aus altem lanngen herkomen geprauche, werden etlich ungeschickt vernemen lassen*. Den Predigern befahl er deshalb, die Gemeinde zu ermahnen, von solchen Handlungen abzusehen, *wiewol villeicht pesser sein mochte, dergleichen eusserlich geprengh abzustellen*, wie er einräumte. Für die Beibehaltung sprach jedoch die lange Tradition, *weil solchs so viel zeit gebrauch sey, unmuglich das so*

---

50 MÜLLNER, Annalen III, fol. 1709'. Vgl. SCHMIDT, Reichsstädte, 54.
51 Zitiert nach SCHMIDT, Reichsstädte, 53.
52 Vgl. ENGELHARDT, Reformation, 122f; SCHMIDT, Reichsstädte, 53.
53 StAN Rep. 60b, Nr. 12, fol. 210'; MÜLLNER, Annalen III, fol. 1719'. Vgl. ENGELHARDT, Reformation, 119.
54 Vgl. SCHMIDT, Reichsstädte, 52; ENGELHARDT, Reformation, 120.
55 StAN Rep. 60b, Nr. 12, fol. 66.

potzlich abzustellen. Weiter sollte man mit den Schwachen noch länger Geduld haben, eine Argumentation, die auch Luther gebrauchte. Viele, die mitgingen, wären zwar über die richtige Anbetung unterrichtet, trotzdem *müssen sie got zu eren, weil ir der fronleichnam christi dar sey, auch den armen schwachen christen zu gut gedult haben.*[56] Schließlich versuchte der Rat, Kritik an der Prozession und eigenmächtige Eingriffe mit dem Hinweis zu verhindern, *durch dergleichen ungeschicklichkeit nit ursach geben, daß bruderliche lieb, und ainigkeit zerrissen werde.*[57] In seiner Stellungnahme erweist sich der Rat also bereits gut lutherisch: Die Prozessionen waren ihm äußerliche Anbetung. Dennoch besetzte er 1523 in der üblichen Weise die Posten der Führer und der Baldachinträger. Nur zwei Männer, die 1522 noch für Aufgaben vorgesehen waren, wirkten in diesem Jahr nicht mehr mit: Anstelle von Leonhard Grundherr führte Endres Tucher den Priester der Frauenkirche. Auch Caspar Nützel, ein ausgewiesener Anhänger der Reformation, gab 1523 nicht mehr bei St. Lorenz Geleit, sondern Hans Ebner übernahm seine Stelle. Der Großteil der Ratsmitglieder beteiligte sich jedoch 1523, obwohl mehrheitlich lutherisch gesinnt, an den Fronleichnamsprozessionen.

Auch die Deocarusprozession am 27. Mai war in der üblichen Weise abgelaufen. Erste Änderungen nahm der Rat bei der Prozession mit den Reliquien des Stadtpatrons St. Sebald am 19. August vor, möglicherweise aufgrund der Kritik an den Fronleichnamsprozessionen. Der Schrein wurde auf Anordnung des Rates nur noch in der Kirche umgetragen, *allein zum weihbrunnen aus dem chor in der kirche herumb, und wider in den chor.* Weitere Zeremonien und die Beteiligung der Stadtpfeifer fehlten. Auch benannte der Rat keine Schreinträger mehr.[58] In einer Notsituation griff der Nürnberger Rat aber auch 1523 noch auf Prozessionen als Form der Krisenbewältigung zurück. Für Samstag, den 25. Juli und nachfolgend für alle Freitage bis Ende September rief der Rat wegen des Wetters zu Prozessionen in den Pfarrkirchen, der Frauenkirche, dem Heilig-Geist-Spital und den Klöstern auf.[59] Am 25. Januar 1524 fand die letzte Bittprozession Nürnbergs auf Anordnung des Reichsstatthalters und der versammelten Reichsstände - seit dem 14. Januar tagte der Reichstag in Nürnberg - statt: Der Rat befahl die Prozession *auff berichts unsers gnedigsten her stadhalter und ander stannd des heiligen reichs ytzo alhie versamelt.* Anlaß waren das ungünstige Wetter, Erdbeben und

---

56 Ebenda, fol. 170'.
57 MÜLLNER, Annalen III, fol. 1720. Vgl. ENGELHARDT, Reformation, 120f.
58 MÜLLNER, Annalen III, fol. 1720.
59 StAN Rep. 60b, Nr. 12, fol. 180'. Vgl. MÜLLNER, Annalen III, fol. 1720; SCHLEMMER, Gottesdienst, 274f.

die Türkengefahr.[60] Schlemmer interpretiert die Prozession als echtes Anliegen der Ratsherren.[61] Die Anwesenheit des Reichstages spricht allerdings mehr für eine Rücksichtnahme auf die Konstellationen im Reich. Die Anordnung durch den Reichsstatthalter und den Reichstag kann als Machtdemonstration altgläubiger Autoritäten gesehen werden, wie auch in Straßburg Bischof Wilhelm von Honstein 1522 eine Prozession unter anderem wegen Unfrieden in Reich und Kirche durchsetzen wollte.[62]

Auch wenn sich der Rat seit dem Sebaldstag 1523 nicht mehr an Prozessionen beteiligte und mit dem bisherigen Ablauf brach, blieben die übrigen kirchlichen Strukturen trotz einer lutherisch gesinnten Ratsmehrheit, reformatorischer Pröpste und Prediger und breiten Zulaufs der Bevölkerung zur lutherischen Lehre zunächst aus Rücksicht gegenüber dem Kaiser und dem bis Anfang 1524 in Nürnberg residierenden Reichsregiment - der Reichstag verweilte bis zum 18. April 1524 - sowie aus Furcht vor Zwietracht und Uneinigkeit unverändert. Der Umbruch erfolgte in der ersten Jahreshälfte 1524.[63] Zu Ostern (27. März) gaben die Pröpste von St. Sebald und St. Lorenz die Kommunion unter beiden Gestalten aus.[64] Die Heiltumsweisung in der Woche nach Ostern wurde nicht mehr durchgeführt; 2000 Personen aus Ungarn und slavischen Ländern - Müllner spricht von *Wenden* -, die auf Wallfahrt nach Aachen waren, wurde das Heiltum auf dem Altar des Spitals gezeigt.[65] Tiefgreifende Änderungen der kirchlichen Zeremonien unternahmen die Pröpste eigenmächtig zum 5. Juni 1524: Sie hielten den Gottesdienst in deutscher Sprache ab; Seelmessen und Jahrtage hoben sie auf; Salz und Wasser wurden nicht mehr geweiht, das „Salve Regina" nicht mehr gesungen. Vor allem aber wurde die Messe abgeschafft und somit die kirchliche Zeremonie der lutherischen Abendmahlslehre angepaßt. Der Rat widersetzte sich dem Vorgehen der Pröpste und verlangte die Herstellung des alten Zustandes. Nur die deutsche Sprache und die Austeilung des Abendmahls in beiden Gestalten wollte er zulassen. In seiner Begründung vom 16. Juni verwies er auf die fehlende Rücksprache mit dem Rat, auf den Alleingang Nürnbergs - nur Wittenberg hatte bisher den Gottesdienst geändert -

---

60 StAN Rep. 60b, Nr. 12, fol. 217-217'. Vgl. MÜLLNER, Annalen III, fol. 1732; SCHLEMMER, Gottesdienst, 275.
61 SCHLEMMER, Gottesdienst, 532.
62 Vgl. DACHEUX, Annales, 57.
63 Zum folgenden vgl. ENGELHARDT, Reformation, 127-162; VOGLER, Nürnberg, 60-64; SCHMIDT, Reichsstädte, 152-180.
64 ENGELHARDT, Reformation, 153.
65 MÜLLNER, Annalen III, fol. 1735'.

und auf außenpolitische Schwierigkeiten.[66] Am 15. April hatte der Rat ein
Schreiben des Kaisers erhalten, in dem dieser unter Androhung des Privile-
gienverlustes - vielleicht in Reaktion auf die Abendmahlsfeier zu Ostern -
forderte, „Nürnberg solle vom Luthertum abstehen".[67] Die Pröpste lehnten
eine Rücknahme der Zeremonienänderung jedoch ab und der Rat widersetzte sich nicht weiter.

Den unerwarteten Schritt des Rates, der damit einen Bruch mit dem
Reich riskierte, erklären Schmidt und Vogler mit Druck der Gemeinde und
akuter Aufstandsgefahr.[68] Im Mai 1524 waren die Bauern des Nürnberger
Territoriums in einen Zehntstreit getreten. Unterstützung fanden sie bei der
städtischen Bevölkerung, und der Rat reagierte mit Zugeständnissen bei
Ungeld und Losung, aber auch mit militärischen Sicherheitsvorkehrungen.
In Verhandlungen mit den Handwerksmeistern der vornehmsten Zünfte,
den Genannten und den Viertelshauptleuten versicherte er sich deren Unterstützung. Gegenüber der Bürgerschaft griff der Rat das Schlagwort
„Evangelium" auf, interpretierte es aber in seinem Sinne als Frieden, Einigkeit und Gehorsam. Die Annahme der Zeremonienänderung war Teil dieser
Politik. Der Rat bedurfte der Unterstützung durch Pröpste und Prediger,
die seine Sicht in Predigten verbreiteten. Der Schritt war aber auch ein Zugeständnis auf kirchlichem Gebiet an die Gemeinde und die reformatorische Bewegung, um diese von sozialen und politischen Forderungen abzuhalten. Schmidt kommt deshalb zu dem Ergebnis: „Die Reformation ist
nicht vom Rat durchgeführt, sondern nur geduldet worden."[69] Er wendet
sich damit gegen die Aussage von Gottfried Seebaß, eine „evangelische
Volksbewegung gegen einen widerstrebenden Rat hätte in Nürnberg allerdings auch keine Aussicht auf Erfolg gehabt."[70] Schmidt betont die Aufstandsgefahr und den Druck der Gemeinde, die durch die von ihm und
Vogler erstmalig ausgewerteten Kriegsherrenprotokolle belegt sind. Seebaß
legt dagegen den Akzent auf die institutionellen Maßnahmen des Rates. Die
Positionen beleuchten das Spannungsverhältnis, in dem die Reformation in
Nürnberg verlief: Der Impuls ging 1524 von den Pröpsten und Predigern
aus. Sie konnten die Situation nutzen, die durch die reformatorische und
soziale Bewegung in Stadt und Land gegeben war. Der Rat hatte aus Rücksichtnahme auf Reichsautoritäten den entscheidenden Schritt zur Loslösung

---

66 PFEIFFER, Quellen, 5f., Nr. 22 und 23.
67 SCHMIDT, Reichsstädte, 153.
68 VOGLER, Nürnberg, 83-134; SCHMIDT, Reichsstädte, 154-161.
69 SCHMIDT, Reichsstädte, 161.
70 SEEBASS, Reformation, 257.

von der römischen Kirche trotz lutherischer Gesinnung bisher nicht getan. Der Abzug des Reichsregiments und das Ende des Reichstages im April mögen den äußeren Druck vermindert haben. Die Kursänderung des Rates sicherte den Schritt der Theologen institutionell ab, geschah aber unter Druck der städtischen und bäuerlichen Bewegung.[71]

Vor den entscheidenden Neuerungen am 5. Juni 1524 hatte der Rat bereits in das Prozessionswesen eingegriffen. Der Deocarusschrein wurde am 18. Mai nicht mehr öffentlich umgetragen, sondern das Fest fand in der Kirche statt.[72] Auch die Fronleichnamsprozessionen am 26. Mai wurden eingeschränkt. Der Rat ordnet an, daß man *aller eusserlich geprenge mit den hofieren furen himeltragen und rosenstreuen soll abstellen.* Am Fronleichnamstag und am Oktavtag sollte nur noch mit dem Sakrament um die Kirche gegangen werden. Das Festmahl bei den Kirchenmeistern wurde *zu ersparung vergebene costen* ebenfalls abgeschafft.[73] Die Prozession beim Heilig-Geist-Spital fand unter Verzicht auf Hofierer, Engel und Rosenstreuer statt.[74] Mit der Abschaffung der Führer und des Baldachins entfielen auch die vom Rat übernommenen Aufgaben. Das Sebaldsfest wurde wie das Deocarusfest in der Kirche gefeiert, ohne die Reliquienschreine umzutragen.[75] Während sich der Rat gegen die Maßnahmen der Pröpste wenige Tage nach dem Fronleichnamsfest zunächst heftig sperrte, schienen ihm die Eingriffe in das Prozessionswesen nicht so gravierend zu sein. Prozessionen begriff der Nürnberger Rat als in seinem Aufgabengebiet liegend, die er ohne bischöfliche Erlaubnis, die er für die Abschaffung der Messe zunächst einforderte, ändern konnte. Eingriffe der städtischen Obrigkeit in Prozessionen gingen dabei konform mit Vorstellungen mittelalterlicher Theologen, wie sie Dionysius Cartusianus im 15. Jahrhundert geäußert hatte. Das Hauptargument - das *eusserlich geprenge* - war lutherisch, konnte sich aber auch mittelalterlicher Kritik an Mißbräuchen bei Prozessionen anschließen. Die Einschränkung der Prozessionen erfolgte zeitlich parallel, wenn auch unabhängig von den Änderungen im Meßwesen, mag aber gleichsam eine Reaktion auf Unruhen und Kritik im Vorjahr und ein Zugeständnis an die städtische Bewegung des

---

71 Zu Trägerschichten der Reformation und den Begriff „Ratsreformation" vgl. VOGLER, Nürnberg, 311-336; SCHMIDT, Reichsstädte, 6-9; BLICKLE, Reich, 89f., 102-105. Vgl. auch die Rezensionen zu den Arbeiten von Vogler und Schmidt: GOTTFRIED SEEBASS, Geschichte (Rez. Vogler); IRMGARD HÖSS, Rez. Heinrich Richard Schmidt, Reichsstädte, in: MVGN 75 (1988), 250-255.

72 StAN Rep. 60b, Nr. 12, fol. 239.

73 Ebenda, fol. 239'. Vgl. ENGELHARDT, Reformation, 162.

74 StAN Rep. 60b, Nr. 12, fol. 240'.

75 Vgl. MÜLLNER, Annalen III, fol. 1735'.

Frühjahrs 1524 gewesen sein. Nach der Begrenzung der Sebaldsprozession 1523 auf einen Umgang in der Kirche ohne Ratsbeteiligung standen die Maßnahmen von 1524 zudem in einer Kontinuität zum Vorjahr. Vom 3. - 14. März 1525 hielt der Nürnberger Rat ein Religionsgespräch ab, da ein allgemeines Konzil nach dem Verbot durch Karl V. nicht mehr zu erwarten war.[76] Altgläubige und reformatorische Theologen sollten die Konformität ihrer Lehre mit der Bibel beweisen, doch stand die Entscheidung gegen die römische Lehre von vornherein fest. Die Klosterprediger - 1525 befand sich nur noch eine kleine Gruppe um die Bettelorden auf Seiten der katholischen Kirche - sagten deshalb am letzten Tag die weitere Beteiligung ab. Motiv des Rates für das Religionsgespräch war es, eine einheitliche, evangelische Predigt durchzusetzen. Städtische Einheit beruhte auf dem gemeinsamen, gleichen Bekenntnis. Dem Ziel bürgerschaftlicher Eintracht entsprach es, daß die Genannten des Großen Rates zu der Entscheidung geladen waren. Die übrige städtische Bevölkerung konnte das Gespräch vor dem Rathaus am offenen Fenster beobachten.

Mit der Entscheidung des Religionsgesprächs legitimiert, traf der Rat Maßnahmen für eine einheitliche Konfession in der Stadt.[77] Die katholischen Theologen wurden an Predigt und Beichte gehindert. Im April 1525 schaffte der Rat die Heiligentage ab und verbot die katholische Messe. Die Agende der Pfarrkirchen galt nun verbindlich für die gesamte Stadt. Die Klöster löste der Rat auf und führte den Klosterbesitz in das „Große Almosen" über, aus dem unter anderem die Lehrer und die Leibgedinge für ausgetretene Mönche und Nonnen bezahlt wurden. Nur die vier Frauenklöster - allerdings mit evangelischen Predigern - und zwei Männerklöster blieben bestehen, durften aber keine neuen Ordensleute aufnehmen. Schließlich wurden die Sonderrechte der Geistlichen durch Eingliederung in die Bürgerschaft aufgehoben. Mit den Maßnahmen des Jahres 1525 gelang es dem Rat „die Kirche als weiteren Hoheitsbereich zu erschließen".[78] In diesem Jahr wurde die Reformation in Nürnberg zu einer Ratsangelegenheit, allerdings auch unter dem Druck des Bauernkrieges und innerstädtischer Forderungen. Indem der Rat die Führung der Reformation übernahm, setzte er deren inhaltliche Ausrichtung auf Luther gegen andere reformatorische

---

76 Zum Nürnberger Religionsgespräch vgl. ENGELHARDT, Reformation, 163-182; SEEBASS, Reformation, 261f.; PFEIFFER, Quellen, 105-152; SEEBASS, Rat; ZIMMERMANN, Religionsgespräch; SCHMIDT, Reichsstädte, 165ff.

77 Zum folgenden vgl. ENGELHARDT, Reformation, 179f., 213-251; SCHMIDT, Reichsstädte, 175-180.

78 SCHMIDT, Reichsstädte, 174.

Richtungen durch. Dabei konnte er sich auf die Prediger stützen, die wie Osiander Gehorsam gegenüber der weltlichen Obrigkeit predigten und im Abendmahlsstreit auf Seiten Luthers standen.[79] Wirksames Mittel, um die lutherische Lehre durchzusetzen, waren die Visitationen, die 1528/29 mit dem Markgrafen von Ansbach im Stadt- und Landgebiet durchgeführt wurden.[80] Die geltenden Gebräuche der Kirche ließ der Rat 1528 zusammenstellen und 1531 als Kirchenordnung festschreiben. In der Umwandlung von liturgischen Formen gab sich Nürnberg konservativ: Der äußere Ablauf des Gottesdienstes blieb erhalten. Neu war nur die deutsche Lesung von Epistel und Evangelium und der Wegfall des Meßkanons. In Nürnberg gab es keinen Bildersturm, sondern der Rat war bedacht, die Inneneinrichtung der Kirchen zu erhalten. Auch die Sakramentshäuser wurden nicht entfernt.[81]

Nachdem 1523 Kritik des Rates und der Bevölkerung an Prozessionen laut geworden war und der Rat mit dem Sebaldsfest seine Beteiligung an regelmäßigen Umgängen aufgegeben hatte, gleichwohl noch zuletzt am 25. Januar 1524 zu einer Bittprozession aufrief, wurden seit 1525 keine Prozessionen außerhalb von Kirchen, spätestens seit 1527 auch nicht mehr in Kirchen durchgeführt. Ein vermutlich in diesem Jahr zusammengestelltes Verzeichnis faßt die geänderten Bräuche zusammen und vermeldet, daß das Sakrament und die Reliquienschreine nicht mehr umgetragen würden. Kritisiert wird der frühere Aufwand: *wie hievor mit vil geprengs, hochfart, saytenspilen und grossem uncosten.* Solche Formen der Anbetung hätten Christus *zu einem spilman gemacht.* Für die Abschaffung der Sakramentsprozessionen argumentiert der Verfasser lutherisch: Christus habe nicht befohlen, *seinen leichnam in einer püchsen gleich einem tyriack umbzutragen (...), sunder zu seiner gedechtnus zu empfahen.*[82] Auch bei den Reliquienprozessionen wird auf das grosse *gepreng* früherer Zeiten verwiesen.[83] Gleichwohl zeigten Nürnberger Münzen bis 1686 den Stadtpatron St. Sebald, doch nahm der Rat seinen Festtag 1548

---

79 Zu Osiander vgl. SEEBASS, Werk; ZIMMERMANN, Hieronymus Baumgartner.
80 Zu den Visitationen vgl. ENGELHARDT, Reformation, Bd. 2, 69-107; SCHMIDT, Reichsstädte, 276.
81 Vgl. SCHNELBÖGL, Sebald, 159; SEEBASS, Reformation, 266f.
82 PFEIFFER, Quellen, 444, Nr. 262 (*Verzaichnus der geenderten mißpreuch und ceremonien, so in kraft des wort Gottes zu Nurmberg abgestellt und gepessert seyen.* [1527 ?]). „Tyriack", lat. „theriacum", bezeichnet ursprünglich eine Arznei aus Schlangengift, dann eine Vielzahl von Arzneien. Wegen ihrer Verkäufer kann „tyriack" auch als „Betrügerei", „Quacksalber" oder „Marktschreier" verstanden werden. Hier meint es „Wundermittel, Arznei" mit negativer Assoziation. Vgl. Art. Dreiacker, in: Deutsches Wörterbuch, Bd. 2 (1860), 1373.
83 PFEIFFER, Quellen, 444, Nr. 262.

nicht als Feiertag auf, als er in Reaktion auf das Augsburger Interim das Fronleichnamsfest, einige Marienfeste sowie die Heiligentage Maria Magdalena, Laurentius, Michael und Martini wieder einführte. Der vordem so beliebte Sebald barg die Gefahr, die Reliquienverehrung wieder aufleben zu lassen.[84]

Der Übergang zur lutherischen Lehre verlief in Nürnberg ungewöhnlich schnell. In Frankfurt/Main dagegen erstreckte sich dieser Prozeß über einen längeren Zeitraum, und es kam dabei zu heftigen Auseinandersetzungen um die Prozessionen, wie Wolfgang Königstein, Stiftsherr und später Dechant an der Liebfrauenkirche, ausführlich in seinem Tagebuch dokumentierte.[85] Frankfurt hatte mit seiner patrizischen Verfassung und der engen Bindung an den Kaiser ähnliche Strukturen wie Nürnberg, mußte allerdings auf eine zweite Autorität, den Erzbischof von Mainz, Rücksicht nehmen. Auch in Frankfurt fanden reformatorische Ideen zuerst in humanistisch gebildeten Patrizierkreisen Aufnahme.[86] Erstes Ergebnis war 1520 die Gründung einer vom Klerus unabhängigen Lateinschule unter der Leitung von Wilhelm Nesen, einem Anhänger Luthers. Sein Einfluß bewirkte, daß im März 1522 mit dem ehemaligen Barfüßermönch Hartmann Ibach erstmals evangelische Predigten in Frankfurt zu hören waren. Ihre Wirkung zeigten die Predigten bei einer Bittprozession im Mai 1522: *ist mancherlei rede gescheen von dem gemein fölk.*[87] Auf Druck des Mainzer Erzbischofs wurde Ibach allerdings der Stadt verwiesen. Nesen verließ Frankfurt nach bischöflichen Angriffen im Frühjahr 1523, so daß die reformatorische Bewegung mit dem Fehlen von Predigern und Theologen zum Stillstand kam. Eine Bittprozession wegen Stürmen und Überschwemmung konnte am 16. Januar 1524 mit großer Beteiligung stattfinden.[88] Dennoch war die Frankfurter Bevölkerung zunehmend lutherisch gesinnt. Der Druck einer reformatorischen Bewegung ging vor allem von den Vorstädten aus, die wiederholt die Einstellung kompetenter, evangelischer Pfarrer sowie Gemeindehoheit forderten. Der Rat widersetzte sich jedoch aufgrund äußerer Interventionen und aus Furcht, die Messeprivilegien zu verlieren, den lutherischen Ideen und geriet dadurch zunehmend

---

84 SCHNELBÖGL, Sebald, 160f.
85 Das Tagebuch (1520-1548) edierte JUNG, Frankfurter Chroniken, 27-173. Zu den Prozessionen während der Reformationszeit vgl. KRIEGK, Bürgertum, 373-377; BEUMER, Prozessionen.
86 Zur Reformation in Frankfurt vgl. JAHNS, Frankfurt; PANZER, Protest; SCHMIDT, Reichsstädte; SCHINDLING, Frankfurt.
87 JUNG, Frankfurter Chroniken, 55, Nr. 120.
88 Ebenda, 78, Nr. 187. Vgl. KRIEGK, Bürgertum, 374; BEUMER, Prozessionen, 108.

in Konflikt mit der Gemeinde. Vor dem Hintergrund des Bauernkrieges legten die Zünfte im April 1525 Beschwerdeartikel mit reformatorischen, wirtschaftlichen und politischen Zielen vor, die Rat und Geistlichkeit in einen Vertrag vom 22. April annehmen mußten. Nach der Niederlage der Bauern erzwangen die siegreichen Kurfürsten jedoch am 2. Juli die Widerrufung der Artikel. Die im Juni 1525 eingestellten evangelischen Prediger blieben aber im Amt, während auf wirtschaftlichem und politischem Gebiet die alten Zustände wiederhergestellt wurden.

Die innerstädtischen Unruhen des Frühjahrs 1525 hatten Auswirkungen auf die Prozessionen: Die Markusprozession fiel aus; an den Pfingsttagen (4./5. Juni) mußte das Liebfrauenstift seine Prozessionen auf einen Umgang innerhalb der Kirche einschränken. Auch die Fronleichnamsprozession wurde in diesem Jahr anscheinend nicht abgehalten. Dagegen konnte die Maria-Magdalenen-Prozession am 22. Juli, also nach Niederschlagung des Aufstandes, stattfinden. Die lutherische Gesinnung der Bevölkerung und des Rates verhinderten jedoch die bisherige Pracht, da nur der Rat, wohl aus Rücksicht gegenüber dem Erzbischof, den Reichsständen und dem Kaiser, sowie die Gärtner, anscheinend die einzige katholische Zunft, Kerzen stifteten.[89] In den folgenden Jahren wurden die Prozessionen zum Focus der reformatorischen Auseinandersetzungen: Sie eigneten sich zur Zielscheibe reformatorischer Kritik; zugleich war der Rat gezwungen, ihre Durchführung zunehmend einzuschränken. Der „Autoritätsschwund der Stadtregierung", so Sigrid Jahns, wurde in den Prozessionen sichtbar.[90]

Unruhe und Gerede gab es bereits bei der Markusprozession des Jahres 1526. An den kurze Zeit später stattfindenden Rogationen (6. Mai) beteiligten sich nur wenige Laien. Die Prozession wurde in solcher Weise verspottet, daß der Rat durch die lutherischen Prediger Strafe androhen ließ.[91] Der Fronleichnamsprozession am 31. Mai blieben bereits einzelne Ratsmitglieder fern. Auch diese Prozession war wieder dem Spott ausgesetzt, der sich gegen das Sakrament selbst richtete: Es wurden *etlich unzuchtig wort widder das hellig sacrament geret*, wie Königstein notiert. Mißachtung wurde auch in der Verrichtung von Werktagsarbeiten zum Ausdruck gebracht.[92] Kritik und

---

89 JUNG, Frankfurter Chroniken, 96, Nr. 234. Vgl. KRIEGK, Bürgertum, 374; BEUMER, Prozessionen, 108f.

90 JAHNS, Frankfurt, 79.

91 JUNG, Frankfurter Chroniken, 103f., Nr. 257, 104, Nr. 261. Vgl. KRIEGK, Bürgertum, 375; BEUMER, Prozessionen, 109.

92 JUNG, Frankfurter Chroniken, 105, Nr. 265. Vgl. KRIEGK, Bürgertum, 375; BEUMER, Prozessionen, 109.

Verspottung nahmen im folgenden Jahr zu, obwohl der Rat bei den Rogationen 1527 einzelne Spötter verhaften ließ. Die Verhöhnung der Prozession kam diesmal aus den Ratsreihen selbst. Bei der Prozession am Himmelfahrtstag stellten einige Ratsherren in das Fenster des Hauses von Bechthold von Rheins einen ausgestopften Wolf, der bei der aus Sachsenhausen zurückkehrenden Prozession einen Tumult verursachte.[93] Es blieb jedoch nicht bei Störungen, sondern zum Fronleichnamsfest 1527 forderten einige Bürger die Einstellung der Prozession. Der Rat folgte der Eingabe nicht, erlaubte aber, an diesem Tag zu arbeiten. Nur zwölf von 52 Ratsmitgliedern begleiteten das Sakrament, doch selbst der Rat meinte, es bestehe kein Grund zur Heilighaltung, *man trag do ein stock brots umbher.*[94] Spott und Verhöhnung wiederholten sich bei der Maria-Magdalenen-Prozession, die einige Ratsherren lieber abgeschafft sehen wollten. Die Ratsmehrheit lehnte den Antrag zwar ab, aber ein Großteil des Rates blieb der Prozession fern.[95]

Die Prozessionen spiegeln die zwiespältige Religionspolitik des Rates wider. Obwohl lutherisch gesinnt, enthielt er sich definitiver Entscheidungen. Ähnlich zögerlich gab er sich in Bezug auf die Taufordnung oder das Abendmahl.[96] Indem er aber 1528 die Prozessionen auf das Kircheninnere einschränkte und seine Beteiligung absagte, zog der Rat Konsequenzen aus der Kritik und den Ereignissen des Vorjahres.[97] In diesem Jahr endeten die stadtweiten Prozessionen in Frankfurt. Nach dem Reichstag in Speyer, bei dem Frankfurt noch auf Seiten der kaisertreuen Reichsstände geblieben war, leitete der Rat im Sommer 1529 Maßnahmen gegen die altgläubige Geistlichkeit ein. Auch bei den Prozessionen ging der Rat einen Schritt weiter: Mit dem Läuten des „Salve" zeigte er an, daß Rat und Gemeinde das Fronleichnamsfest als Werktag ansahen. Verspottung verbot der Rat allerdings durch Anschlag.[98] Im Oktober 1529 schließlich widersetzte sich der Rat einem bischöflichen Prozessionsaufruf. Die Stifte waren an ihn mit einem Mandat des Erzbischofs von Mainz herangetreten, in dem dieser zu einer Prozession wegen Krieg, Hunger und Krankheit aufrief. Wie in anderen

---

93 JUNG, Frankfurter Chroniken, 112, Nr. 288; vgl. ebenda, 282. Vgl. KRIEGK, Bürgertum, 375f; BEUMER, Prozessionen, 109f.; JAHNS, Frankfurt, 79f.

94 JUNG, Frankfurter Chroniken, 112f., Nr. 291, Zitat: 113; vgl. ebenda, 282. Vgl. KRIEGK, Bürgertum, 376; BEUMER, Prozessionen, 110.

95 JUNG, Frankfurter Chroniken, 114, Nr. 296; vgl. ebenda, 282.

96 Vgl. JAHNS, Frankfurt, 80-84.

97 JUNG, Frankfurter Chroniken, 119, Nr. 324; vgl. ebenda, 283. Vgl. KRIEGK, Bürgertum, 376; BEUMER, Prozessionen, 110f..

98 JUNG, Frankfurter Chroniken, 130, Nr. 361. Vgl. KRIEGK, Bürgertum, 376; BEUMER, Prozessionen, 111.

Städten versuchten in Frankfurt altgläubige Kräfte mit einer Prozession
ihren Standpunkt zu behaupten. Der Rat gestattete zwar Zeremonien in der
Kirche, *aber die procession zu halten wollen sie uns nit rathen*.[99] 1531 erlaubte der
Rat schließlich das Abendmahl unter beiden Gestalten. Eine Abstimmung
der Bürgerschaft am 21. April 1533 über die Abschaffung der Messe markiert den endgültigen Übergang Frankfurts zur Reformation.

Wie bereits in den vorangegangenen Jahrhunderten waren Prozessionen
auch in der Reformationszeit ein Ort, um Konflikte und Ansichten publik
zu machen. Kritik wurde dabei verbal und nonverbal geäußert. Für die Bittprozession 1522 berichtet Königstein von *gerede*, ohne dies näher zu bestimmen. Auf einer ähnlich unspezifischen Ebene liegt die Kritik der Nürnberger Bevölkerung 1523, als sich *etlich ungeschickt vernemen lassen*. Gezielter
gegen die Prozession gerichtet waren Spottworte und Verhöhnungen, so die
unzuchtig wort gegen das Sakrament bei der Fronleichnamsprozession in
Frankfurt 1526. Einige Chronisten notierten die Spottworte und geben so
Einblick in die Inhalte. Einen ähnlichen Antiklerikalismus wie die Reime der
Göttinger Wollenweber zeigt die Bezeichnung *schelmspfaffen*, dem die Regensburger Geistlichen 1543 ausgesetzt waren, als sie zwei Jahre nach der
Einführung der Reformation eine Fronleichnamsprozession abhalten wollten. Der Chronist Leonhart Widmann notierte aber vor allem die gegen das
Sakrament gerichteten Worte, die ihn als Katholiken besonders schmerzten:
‚sich zue, mainen dy schelmspfaffen, sy tragen got da, so es doch nichz dan der wütende
teufl ist; hei nu werest doch nit got, wen du dich also einspirren liest'. einer saget: ‚brangen
es dy pfaffen mit irem monstranzngot, mit irem protgötzen, mit irem lateinischen her-
got'.[100] Kritisiert wird die falsche Anbetung des Sakraments mit dem lutherischen Argument, Christus habe sich nicht zum Einsperren gegeben. Während einer Prozession wurde jedoch keine theologische Diskussion geführt,
sondern die Spötter sprachen die Monstranz direkt an und testeten deren
göttlichen Charakter. Mit den spöttischen Worten wird der bisher heilige
Gegenstand - das Altarsakrament - entsakralisiert und auf seine materielle
Basis, den „Brotgötzen"[101], reduziert, ja er wird zum Gegenbild, dem Teufel, umgekehrt.[102] Gerade das Ritual eröffnete Möglichkeiten der Entwei-
hung und Umkehrung. Der Katholik Widmann erlebte den Spott der Re-

99 JUNG, Frankfurter Chroniken, 140f., Nr. 393, Zitat: 141. Vgl. KRIEGK, Bürgertum, 376f;
   BEUMER, Prozessionen, 111.
100 St.Chr. Bd. 15, 205. Vgl. GÜNTNER, Fronleichnamsprozession, 14f. Zur Reformation in
   Regensburg vgl. SCHWARZ, Reformation; PETER SCHMID, Regensburg.
101 Vgl. auch das Argument in Frankfurt, man würde ein Stück Brot umtragen.
102 Zu Desakralisierung und Umkehrung in Ritualen vgl. SCRIBNER, Reformation, 133-137.

gensburger als Kritik gegen Christus selbst: *ist Christo persönlich von den Juden kaum so hart verspot, in seiner unschuldigen marter verspeit worden, als das hochwürdigist sacrament verspeit und verspott ist worden.*[103] Ein Kölner Lutheraner hingegen wagte 1555 bei der Gottestracht einen öffentlichen, theologischen Diskurs, als er auf den Altermarkt *geroifen uber die abgotterei, wie er es nannte, das man das heilich sacrament umb die stat troig.*[104]

Über Spott und Gerede hinaus konnten Prozessionen Anlaß zu „antirituellen Handlungen" geben.[105] Solche Gegenrituale fanden die Göttinger Wollenweber, wie eingangs berichtet, in ihren Liedern, die mit der lutherischen Übersetzung des 130. Psalm sowohl auf theologische Inhalte - die Rechtfertigungslehre - hinwiesen, als auch mit dem deutschen Gesang die Forderung nach Volkssprache bei Zeremonien unterstrichen. Gegenrituelle Züge weist auch die Aktion der Frankfurter Ratsherren um Bechthold von Rheins 1527 auf. Statt dem Sakrament ehrerbietig gegenüberzutreten, weckte der ausgestellte Wolf Assoziationen an den Teufel, Häretiker oder falsche Propheten.[106] Die Anspielungen waren zum einen gegen die Kleriker gerichtet, die, in Umkehrung der Vorstellung, Christus schütze die Herde vor den Wölfen (Jo 10, 1-16), in der Reformation als Wölfe bezeichnet wurden, die die Herde anfielen. Zum anderen verkehrte die Wolfsfigur auch die Kennzeichnung der Eucharistie als Lamm Gottes in satirischer Weise.[107] Unabhängig von inhaltlichen Aussagen provozierten die Ratsherren einen Tumult, der dem geordneten Ablauf der Prozession zuwiderlief und die Ablehnung der altgläubigen Zeremonien in drastischer Weise sichtbar machte.

Es waren jedoch nicht immer solche spektakulären Aktionen notwendig, um katholische Kulte zu entweihen. Eine Entsakralisierung des Rituals - der Zeit, der Gegenstände und der Personen - war es auch, wenn an den Festtagen Werktagsarbeiten verrichtet wurden. Richtig deutet der Frankfurter Kanoniker Königstein die fehlende Arbeitsruhe nicht als Notwendigkeit, sondern als Widerspruch gegen die katholische Lehre: *doch der meher teil hat gearbeit, mehe aus boßheit und mutwiel, dan nottorft.*[108] Anders als Spott und Verhöhnung konnten solche Formen des Protestes die Unterstützung der Ma-

---

103 St.Chr. Bd. 15, 205f.
104 WEINSBERG II, 75.
105 SCRIBNER, Reformation, 123.
106 Vgl. WOLFGANG SCHILD, Art. Wolf, in: HdR Bd. 5 (1995), 1497-1507. Die Assoziation von Wolf mit falschen Propheten ist neutestamentarisch und findet sich bei Mt 7,15 und 10,16.
107 Vgl. SCRIBNER, Reformation, 137.
108 JUNG, Frankfurter Chroniken, 113, Nr. 291.

gistrate finden: Der Frankfurter Rat erlaubte am Fronleichnamstag 1527 Arbeit und gab 1528 darüber hinaus dem eher stummen Protest mit dem Läuten des „Salve" ein hörbares Zeichen.

Spott und Verhöhnung gipfelten schließlich in der Schaffung einer Gegenliturgie, der parodistischen Kopie von Prozession.[109] In Lippstadt begleitete 1531 eine solche Parodie den Aufstand der Gilden, der am Fastnachtsdienstag (21. Februar) begann, als sich der Magistrat zur Neuwahl im Rathaus versammelte: Die Gilden läuteten die Sturmglocken, besetzten die Stadttore und brachten den Stadtschlüssel an sich. Es gelang ihnen, altgläubige Ratsmitglieder durch reformatorische zu ersetzen und einen Reformationsausschuß anerkennen zu lassen. Parallel zu dieser Aktion wurde eine Prozessionsparodie veranstaltet. Die städtische Bevölkerung zog mit zwei Puppen, die den Papst und den Kaiser abbildeten, und weiteren Darstellungen zu geistlichen und weltlichen Themen, *myt wideren geistliken unnd werltliken geruste*, durch die Straßen. Auch parodistische Nachahmungen von Reliquien wurden mitgeführt, *der gelyken myt tucht beistliker gebeente in gestalt reliquien myt schellen ock dorch de stadt gedragen.*[110] Prozessionsparodien knüpften an mittelalterliche Traditionen gerade der Fastnachtszeit an, richteten sich aber im Kontext einer reformatorischen Bewegung gegen die katholischen Zeremonien selbst.[111]

Wenn Protestanten Prozessionen verhöhnten, ihnen demonstrativ fernblieben, die theologischen Inhalte kritisierten und die heiligen Objekte entweihten oder die Umgänge parodierten, erhoben sie Anspruch auf die Kontrolle des städtischen rituellen Lebens. Entsprechend stark beharrten Katholiken auf Durchführung dieser Frömmigkeitspraxis, und so ist es nicht verwunderlich, daß altgläubige Autoritäten gerade zu einem Zeitpunkt Bittprozessionen anordneten, als sich reformatorische Ideen in einer Stadt soweit ausgebreitet hatten, daß der Übergang zu reformierten Zeremonien kurz bevorstand, so 1522 in Straßburg, 1524 in Nürnberg oder 1529 in Frankfurt.[112] Die Räte in Straßburg und Frankfurt schränkten dieses öffent-

---

109 Vgl. SCRIBNER, Reformation, 124, 139 mit zahlreichen Beispielen für parodistische Prozessionen.

110 HAMELMANN, Geschichtliche Werke, 333. Die Beschreibung stammt nicht von Hamelmann, sondern aus einem Bericht der Amtleute Frank und Jost von Hörde. Vgl. auch SCHRÖER, Reformation, 298ff.

111 Vgl. beispielsweise eine Prozession mit einer Strohpuppe, die die Bewohnerinnen des Frauenhauses in Leipzig regelmäßig zu Fastnacht durchführten. WUSTMANN, Frauenhäuser, 480f. Für diesen Hinweis danke ich Peter Schuster.

112 Vgl. auch den Versuch der Lübecker Franziskaner, ihr Provinzialkapitel, das als Auseinandersetzung mit dem Luthertum gedacht war, mit einer Prozession zu beginnen. Der

liche Bekenntnis katholischen Glaubens und Verhaltens allerdings auf Umgänge in den Kirchen ein. Auch die Fronleichnamsprozessionen des
Reichstages 1530 in Augsburg und Kaiser Karls V. 1532 und 1541 in Regensburg sind als Machtdemonstrationen gegenüber protestantischen
Reichsständen und gegenüber einer reformatorischen Stadtbevölkerung zu
verstehen. Prozessionen waren so nicht nur ein Forum für reformatorische
Kritik, sondern auch Altgläubige nutzten sie, um Präsenz und Wahrheit der
katholischen Lehre zu beweisen. Gerade weil Prozessionen Öffentlichkeit
herstellten, Zugriff auf den städtischen Raum ermöglichten und Bestandteil
der symbolischen Ordnung einer Stadt waren, wurden sie zu einem Streitpunkt der Konfessionen und einem konfessionellen Unterscheidungsmerkmal. Dadurch aber bedrohten Spott, Verhöhnung oder Tumulte den
städtischen Frieden und die bürgerliche Einigkeit, so daß auch ein lutherisch
gesinnter Rat hierin eine Gefahr für die Ordnung sehen mußte. Einerseits
leiteten Magistrate, wie in Nürnberg oder Frankfurt, obrigkeitliche Maßnahmen gegen solche Attacken ein, andererseits konnte die Unruhegefahr
aber auch ein Motiv sein, die Prozessionen einzuschränken.

Trotz dieser Gefahren und massiver Kritik wurden Prozessionen in protestantischen Städten nicht schlagartig aufgegeben, sondern ihre Abschaffung
verlief schrittweise, beginnend mit einer geringer werdenden Beteiligung
von Bevölkerung und Ratsmitgliedern. Für Nürnberg läßt sich dieser Prozeß weniger gut nachzeichnen, da zum einen die Quellen nichts über die
aktive Teilnahme der städtischen Einwohnerschaft an den Prozessionen
berichten und zum anderen nur vermutet werden kann, daß der Rückzug
zweier Ratsherren 1523 in ihrer religiösen Überzeugung begründet war. In
Frankfurt ist dagegen deutlich erkennbar, daß zunächst einfache Bürger und
Bürgerinnen, dann auch immer mehr Ratsmitglieder den Prozessionen
fernblieben. Auch mittelalterliche Prozessionen kannten das Problem der
Nichtbeteiligung, die Indifferenz, aber auch Konflikte ausdrückte. Im reformatorischen Kontext signalisierte solches Verhalten die Zugehörigkeit
zur neuen Lehre und in diese Richtung deutet Hermann Weinsberg das
Verhalten bei der Gottestracht 1595, als er klagt, daß sich die Kölner Bürger
zwar katholisch geben würden, *aber vil, besonder der fremder, hilten sich still in*

Rat lehnte das Ansinnen jedoch ab. JANNASCH, Reformationsgeschichte, 189ff. In Neuss
wiederum versuchte der reformatorisch gesinnte Gemeindeausschuß in den 1550er Jahren den Rat an der Teilnahme an Prozessionen zu hindern, interessanterweise mit der
Begründung, der Rat wäre zum Regieren gewählt und für Prozessionen seien Priester
und Klöster zuständig. Vgl. LAUX, Reformationsversuche, S. 132. Ich danke Stephan
Laux, der mir Vorabzüge seiner Arbeit zur Verfügung stellte.

heusern.[113] Die protestantischen Fürsten gaben sichtbar ihre Konfession zu erkennen, als sie nicht an der Fronleichnamsprozession des Reichstages 1530 teilnahmen. Anders als Worte oder Bekenntnisse war die Anwesenheit oder Abwesenheit bei Prozessionen sinnlich erfahrbar und bestärkte so Zugehörigkeiten, besonders wenn die fehlenden Fürsten 1530 zeitgleich zusammenkamen, um die Begründung für ihr Fernbleiben zu verfassen.[114]

Einem altgläubigen Rat signalisierte die Nichtteilnahme nicht nur Anhängerschaft zur reformatorischen Lehre, sondern auch innerstädtische Kritik. Der Lübecker Rat glaubte am 19. Juni 1530 die große stadtweite Prozession durchführen zu können, nachdem er am 7. April in einer Einigung mit dem Bürgerausschuß die evangelische Predigt und das evangelische Abendmahl in einer Kirche gestattet hatte, aber auf Rücknahme der Maßnahmen durch den Augsburger Reichstag hoffte. Die Handwerker waren aber schon der Fronleichnamsprozession wenige Tage vorher ferngeblieben und widersetzten sich auch der Aufforderung zur Prozession am Sonntag nach Fronleichnam. Der Rat griff daraufhin auf Gesandte des Hansetages zurück, so daß die paradoxe Situation entstand, daß Vertreter evangelischer Städte wie Bremen und Hamburg den altgläubigen Lübecker Rat in seiner Machtdemonstration gegen eine lutherische Gemeinde unterstützten.[115] Das Fernbleiben der Handwerker minderte nicht nur den Teilnehmerkreis, sondern auch die Pracht und die Wirkung der Prozession, da mit ihnen auch deren Kerzen und andere Utensilien fehlten. In Regensburg wirkte der Rat auf die Handwerker 1543 ein, vor der Fronleichnamsprozession ihre Kerzen aus den Kirchen zu holen und zu verkaufen, da er trotz des Übergangs zur lutherischen Lehre aus Rücksicht gegenüber äußeren Autoritäten den Umgang der Geistlichkeit nicht verbieten konnte. Innerhalb einer Stunde sollen alle Handwerkerkerzen aus den Kirchen entfernt worden sein, wie Leonhart Widmann klagt. Weiter weigerten sich sowohl die

---

113 WEINSBERG IV, 232.
114 Vgl. FÖRSTEMANN, Urkundenbuch 265-272; SCHIRRMACHER, Briefe, 59-65. Nur eine kleine Gruppe aus der städtischen Bevölkerung folgte der Prozession. Vgl. auch die Fronleichnamsprozessionen mit Kaiser Karl V. 1532 und 1541 in Regensburg. 1532 ist nichts über eine Teilnahme der Bevölkerung berichtet; 1541 begleiteten Bürger im Harnisch die Prozession, die Zünfte blieben fern. Vgl. St.Chr. Bd. 15, 116f., 179f; GÜNTNER, Fronleichnamsprozession, 13f.
115 Vgl. JANNASCH, Reformationsgeschichte, 311ff. Zur Reformation in Lübeck vgl. JANNASCH, Reformationsgeschichte; HAUSCHILD, Frühe Neuzeit; DERS., Kirchengeschichte, 377-391; GRASSMANN, Lübeck.

Schneiderzunft als auch der Rat, ihre Baldachine zur Verfügung zu stellen.[116]

Die Verminderung der Kerzen und die Verweigerung des Baldachins verweisen auf einen weiteren Schritt bei der Beendigung von Prozessionen, die Einschränkung der Pracht. 1524 verbot der Nürnberger Rat das *eusserlich geprenge* bei den Fronleichnamsprozessionen, worunter er die Musikanten, das Geleit des Sakraments, den Baldachin, die Rosenstreuer und die Engelknaben verstand. Ebenso reduzierte der Frankfurter Rat bei der Maria-Magdalenen-Prozession 1525 die Festlichkeit: Die Fußknechte gingen nicht mit, die Ratsdiener traten nicht in feierlicher Kleidung auf und *der rath ist sunder ceremonien gangen.*[117] Die Einschränkung traf sich mit der lutherischen Überzeugung, daß äußerliche Anbetung des Sakraments abzulehnen sei. Gleichzeitig reiht sich die Verringerung der bisherigen Pracht in die Diskussion um Mißbräuche bei Prozessionen ein und auch einige Katholiken konnten der Kritik zustimmen. Ein Kölner Pfarrer, der von den Jesuiten durchaus geschätzt wurde, kritisierte 1583 in einer Predigt den Bilderkult und den Aufwand bei Prozessionen: *Bedenkt doch, ob es nicht ein recht abgöttisches und heidnisches Wesen ist, die Bilder also zu schmücken und durch schöne junge Mädchen, von denen jedes einen Coculoeris oder Stabträger bei sich hat, mit vorangehendem Spiel, Pfeifen und Trommeln in der Prozession, wie hier zu Köln gebräuchlich, umzutragen und umzuschleifen.*[118] Als Konsequenz seiner offenen Worte mußte der Kölner die Stadt verlassen. Die Minderung der Pracht mochte zwar auf mittelalterlicher Kritik am Prozessionswesen gründen, im reformatorischen Kontext liefen diese Maßnahmen jedoch darauf hinaus, die Verehrung gegenüber den heiligen Objekten zu reduzieren und ihnen ihre Heiligkeit abzusprechen.

Der entscheidende Schritt zur Abschaffung der Prozessionen war schließlich deren räumliche Beschränkung auf die unmittelbare Umgebung der Kirchen oder das Kircheninnere, wie in Nürnberg 1523 bei der Sebaldsprozession und im folgenden Jahr bei den Fronleichnamsprozessionen oder in Frankfurt mit der Einschränkung der Pfingstprozession des Liebfrauenstiftes 1529 geschehen. Für Regensburg notiert Gemeiner zur Fronleichnamsprozession im Jahre 1525: *Dis jar ist man nit mer nach altem brauch umb dy stat gangen.*[119] Allerdings blieben kleinere Umgänge des Doms und der Stifte erhalten, zumal sich wegen Interventionen Österreichs und Bayerns

---

116 St.Chr. Bd. 15, 204f. Vgl. Güntner, Fronleichnamsprozession, 14f.
117 Jung, Frankfurter Chroniken, 96, Nr. 234.
118 Zitiert nach Cox, Prozessionsbrauchtum, 64.
119 Gemeiner, Chronik IV, 69.

der Übergang zur Reformation in Regensburg bis 1541 hinzog und von 1548 bis 1552 nochmals evangelische Gottesdienste untersagt waren. Die auf den städtischen Raum ausgreifenden Prozessionen gehörten zum Kompetenzbereich des Rates, während er auf das Geschehen im Kircheninneren weniger Einfluß hatte. Vor allem aber stellte der städtische Raum die Öffentlichkeit der Prozessionen her. So heißt es zur Einschränkung einer bischöflichen Bittprozession 1522 in Straßburg: *Man stund aber bereits in solchen terminis, daß sie nicht offentlich gehalten worden.*[120] In den räumlichen Beschränkungen der Prozessionen gingen die protestantischen Magistrate zum einen gegen die öffentliche - stadtweite - Präsentation katholischer Zeremonien, zum anderen gegen die Unruhegefahr vor, die durch Spott und Tumulte entstand. Mit dem Sicherheitsrisiko argumentierte der Colmarer Rat, als er 1588 - die Reformation war 1575 eingeführt - Prozessionen auf Umgänge in Kirchen einschränkte: Der Rat äußerte die Ansicht, *dass wo der offen Creitzgang ausserhalb der kirch auff der Strassen oder gassen furter gestattet, dass daraus gefarliche weiterung entstohn unnd balde ein lermen werden mochte.*[121]

Das Problem von Prozessionen im städtischen Raum stellte sich in Erfurt in besonderer Weise, da diese Stadt bereits vor 1555 gemischtkonfessionell war. Zu Beginn der 1520er Jahre verbreitete sich hier die reformatorische Bewegung schnell und hatte mit dem Pfaffensturm am 11./12. Juni 1521 einen ersten Ausbruch. Bereits im Juli 1523 wurde die erste Abendmahlsfeier unter beiden Gestalten gefeiert. 1523/24 beteiligte sich der Rat zwar noch an Prozessionen, verzichtete aber auf die Weingabe. Scribner deutet dies als Bemühen um Konsens in einem in Lutheraner und Altgläubige geteilten Rat, der trotzdem gemeinsame Interessen gegenüber dem Stadtherrn und dem Klerus vertrat.[122] 1525 wurden die städtischen Prozessionen nach Neuses und Schmidtstedt aber endgültig aufgegeben. Die Rechnungsbücher führen zwar noch Jahre später - von 1521-1527 sind die Bücher nicht erhalten - den Posten *zw der procession Schmidested vnd nuseß,* doch ohne daß die Rubrik ausgefüllt ist.[123]

---

120 DACHEUX, Annales, 57.
121 SITTLER, Prozessionen, 142. Vgl. BEUCHOT, Fronleichnamsfest, 8f, der die Abschaffung der Prozessionen auf 1575 datiert. Zur späten Reformation in Colmar vgl. GREYERZ, City. In Minden verbot der Rat den Bürgern 1553 die Teilnahme an den weiterhin im Dom stattfindenden Prozessionen. Die Prozessionen außerhalb des Domes entfielen damit. Vgl. PIEL, Chronicon Domesticum, 123.
122 SCRIBNER, Civic Unity, 42f. Zur Reformation in Erfurt vgl. SCRIBNER, Civic Unity, 38-60; WEISS, Bürger, 112-244; SCRIBNER, Eigentümlichkeit; BLICKLE, Stadt; MÄGDEFRAU/GRATZ, Anfänge.
123 Vgl. WEISS, Bürger, 171.

Nach dem zunächst raschen Übergang zur Reformation zwang nach 1525 die Sorge um städtische Einheit und Unabhängigkeit - die Einführung der Reformation barg die Gefahr, die Balance zwischen dem Mainzer Stadtherrn und dem sächsischen Territorialherrn zu verschieben - den Rat zu einer Änderung der Religionspolitik. 1526 wurde die Messe wieder begrenzt eingeführt. Der Vertrag von Hammelburg von 1530 erkannte die Mainzer Herrschaft an, sah die Rückgabe oder Entschädigung von eingezogenem Kirchengut vor und akzeptierte die gleichberechtigte Stellung von Lutheranern und Altgläubigen. In eingeschränktem Umfang waren auch Prozessionen möglich. Neben Umgängen der Stifte liegen für das 16. Jahrhundert vor allem Nachrichten über die Fronleichnamsprozession in Brühl vor, wo mit der kurfürstlichen Beamtenschaft der katholische Bevölkerungsanteil besonders hoch war. Die Prozession ging von der Pfarrkirche St. Martin extra über den Mainzer Hof nach St. Severi. 1578 forderte der Rat allerdings auf Veranlassung seiner calvinistischen Syndici, die Prozession auf Gassen um des Friedens und der Einheit willen einzustellen. Bis 1584 ging die Prozession nur über den Martinsfriedhof und der Erfurter Historiker Falckenstein schreibt, allerdings unter der falscher Jahresangabe 1576: *Ingleichen wurde auch in diesem Jahre von dem Magistrat die öffentliche Procession am Fronleichnams-Feste verboten, die Catholischen hielten aber dieselbige auf dem S. Martins-Kirchhof jährlich auf 6 Jahr, hernach hielt man sie wiederum öffentlich.*[124] Das Ausgreifen von Prozessionen auf städtischen Raum - beispielsweise bemühten sich die Erfurter Katholiken seit 1660, über den Markt zu ziehen, was ihnen 1665 angesichts einer drohenden kaiserlichen Belagerung nicht mehr verwehrt werden konnte - gab bis in das 20. Jahrhundert hinein immer wieder Anlaß zu Konflikten zwischen den Konfessionen und zwischen katholischer Kirche und staatlicher Obrigkeit.[125]

Prozessionen wurden während der Reformation als ein öffentlicher Ort genutzt, um die konfessionellen Auseinandersetzungen auszutragen. Dies bestätigt Peter Blickles Bemerkung zum reformatorischen Kommunikationsprozeß: Nach ihm könne als sichergestellt gelten, „daß Liturgie und Volkskultur - die Prozession und die Fastnacht etwa - viel dazu beigetragen haben, der Gesellschaft reformatorisches Gedankengut zu vermitteln."[126] Ähnlich stellt auch Robert Scribner fest, daß neben Predigten, Schriften oder Gebet die Aneignung der evangelischen Überzeugungen durch rituelles

---

124 FALCKENSTEIN, Civitatis Erfurtensis Historia, 651.
125 Zu Erfurt vgl. MEISNER, Frömmigkeitsformen, 109ff.
126 BLICKLE, Reich, 5.

Handeln erfolgte.[127] Die Reformation führt hierin mittelalterliche Charakteristika von Prozessionen fort: Sie fielen in den Aufgabenbereich der Obrigkeit, vor allem der Magistrate, waren aber gleichzeitig durch ihre Öffentlichkeit eine Form, in der und mit der Konflikte ausgetragen wurden. Während
der Reformation richteten sich die Auseinandersetzung gegen die Frömmigkeitspraxis selbst. Die Kritik war lutherisch begründet, schloß aber gleichzeitig an mittelalterliche Diskussionen über Mißbräuche von Prozessionen
an. Als Rituale gingen Prozessionen allerdings über theologische Kritik hinaus: Spott, Verhöhnung, Gegenrituale oder Parodien benannten nicht nur
die protestantischen Inhalte, sondern waren Akte der Desakralisierung und
Umkehrung von kultischen Objekten, heiligen Zeiten und Orten sowie von
liturgischen Handlungen.

Spott, Parodie oder Verweigerung der Teilnahme kamen aus der städtischen Bevölkerung. Eingriffe in das Prozessionswesen und dessen Beendigung waren dagegen eine Angelegenheit des Rates, der die notwendigen
Kompetenzen besaß, vor allem wenn die Prozessionen im städtischen Raum
stattfanden. Anders als bei Veränderungen des Meßwesens oder des
Abendmahls, bei denen bischöfliche Belange berührt waren, konnten Magistrate in der Beschränkung von Prozessionen aus eigener Kompetenz und
weniger zögerlich handeln. Die vorliegenden Ergebnisse präzisieren Peter
Burkes Aussagen zur Reform von Festen: Nach ihm wurde Widerspruch
gegen Feste bei Katholiken und Protestanten im 16. und 17. Jahrhundert in
den gleichen Begriffen formuliert und nicht theologisch, sondern moralisch
begründet. Er ordnet die Einschränkungen in einen langfristigen Werte-
wandel ein, der sich mit Elias als „Prozeß der Zivilisation" oder mit
Foucault als Entstehung einer disziplinierten Gesellschaft beschreiben ließe.
Widerstand der Bevölkerung hätte die obrigkeitliche Reform der Feste weitgehend wirkungslos gemacht.[128] Auch wenn protestantische Kritik an Prozessionen mittelalterliche Kritik aufgriff und auch von einzelnen Katholiken
im 16. Jahrhundert übernommen wurde, war sie theologisch begründet und
zielte mit der Ablehnung der Sakramentsfrömmigkeit auf den Kern lutherischen Denkens. Sakramentsprozessionen im 16. und 17. Jahrhundert gerieten nicht in die Kritik katholischer Autoritäten, sondern wurden als Konfes-
sionsmerkmal, zu dem sie durch die Auseinandersetzungen der Reformation
geworden waren, von katholischer Seite um so prächtiger gefeiert. Auf Prozessionen läßt sich die Gegenüberstellung von Festen des Volkes und Re-
formversuchen der Obrigkeit, eine Gegenüberstellung, die bei Burke durch-

---

127 SCRIBNER, Reformation, 143f.
128 PETER BURKE, Art. Festivals, in: OER Bd. 2 (1996), 105f.

scheint, nicht anwenden. Prozessionen waren zugleich Kommunikationsort einer städtischen Öffentlichkeit und Element obrigkeitlicher Politik. Mit der Reformation entwickelten sie sich von einer Selbstdarstellung der Stadt als „civitas christiana" zu einer Präsentation der „civitas catholica" und einem Bekenntnis des katholischen Glaubens.[129] Diesen Bedeutungswandel bestätigte das Konzil von Trient, das Sakramentsprozessionen erstmals verbindlich für die gesamte katholische Kirche anordnete.[130] Doch konnten mittelalterliche Prozessionen auch für einen protestantischen Historiker jenseits religiöser Überzeugung vom Glanz und von der Größe seiner Heimatstadt erzählen, und so beschreibt der Nürnberger Historiker Johannes Müllner in seinen Relationen zu Kirchen- und Klosterzeremonien in vorreformatorischer Zeit Fronleichnamsprozessionen mit den Worten: *das fronleichnamsfest oder aber festum corporis christi wurd in der ganzen christenheit mit aller ehrerbietigkeit, und schonen herrlichen umgängen gefeyert.*[131]

---

129 Vgl. REMLING, Prozession, 232.
130 SMETS, Concil von Trient, 13. Sitzung, 5. Hauptstück.
131 MÜLLNER, Relationen, fol. 239.

VI. Resümee: Partizipation und Sinngebungen

Mit der Untersuchung von Prozessionen in spätmittelalterlichen Städten sollten die Handlungen und Rituale ermittelt werden, die eine Stadt als Sakralgemeinschaft konstituierten. Ziel war es, einerseits die Bedeutung von Prozessionen in Städten des 14. bis 16. Jahrhunderts zu erfassen, andererseits war beabsichtigt, an Hand der Frömmigkeitspraxis die Strukturen und das Selbstverständnis städtischen Zusammenlebens zu erkennen. Zentrale Kriterien waren dabei Partizipation und Sinngebung. Da die Quellen häufig über die Gesamtheit der Teilnehmer und Teilnehmerinnen schweigen, erwies es sich als notwendig, den Begriff Handlungsträger einzuführen, der diejenigen Personen oder Gruppen bezeichnet, deren Teilnahme die Quellen als bedeutend für den Ablauf und die Effizienz der Prozession ansehen.

Zu Beginn des Untersuchungszeitraums, an der Wende vom 13. zum 14. Jahrhundert, fand ein Bruch in der Trägerschaft von Prozessionen statt. Bis dahin waren an den meisten Umgängen von Stiften, Kirchen und Klöstern nur Geistliche beteiligt; der Klerus war auch Organisator und Träger der wenigen Prozessionen mit Laienbeteiligung. Seit der Wende zum 14. Jahrhundert erlangte die Bürgerschaft - vor allem der Rat, aber auch einzelne Bürger wie Konrad Groß in Nürnberg - Mitwirkungs- und Gestaltungsmöglichkeiten. Zwar gab es weiterhin klerikale Umgänge, doch einige städtische Prozessionen wurden zu Ereignissen der Bürgerschaft. Die seit dem Ende des 13. Jahrhunderts entstehenden Fronleichnamsprozessionen ebenso wie Gedenk- und Reliquienprozessionen knüpften in ihrer Gestaltung an bestehende Umgänge an. Handlungsträger war jedoch meist der Rat oder die gesamte Bürgerschaft. Mit ihnen gewannen die bürgerschaftlichen Selbstverwaltungsorgane zunehmend Zugriff auf das rituelle Leben und den Symbolbestand einer Stadt. Dieser Einfluß entfaltete sich, wie vor allem am Beispiel von Erfurt ausgeführt werden konnte, vor dem Hintergrund der zunehmenden Emanzipation von der Stadtherrschaft, stand aber auch in Abhängigkeit zur Existenz von (Dom-) Stiften.

Die gesamte städtische Bevölkerung nahm nicht durchgängig teil, wie die Forschung häufig unterstellt. Eine solche Annahme prüfend und korrigierend, konnten zwei Partizipationsmodelle herausgearbeitet werden: Dem Modell der Exklusivität und Repräsentation steht ein Modell gegenüber, bei dem die Präsenz der gesamten städtischen Bevölkerung gefordert war. Handlungsträger der Nürnberger Fronleichnams- und Reliquienprozessionen sowie der Erfurter Adolar- und Eoban-Prozession war ein exklusiver

Kreis der geistlichen und weltlichen Führungsspitze. In der Erfurter Prozession brachten der Rat und besonders dessen Spitze, die Achtherren, ihren Machtanspruch und ihre Position im politischen Gefüge Erfurts im Zusammenwirken mit der geistlichen Spitze, dem Marienstift, öffentlich zum Ausdruck. Die Analyse derjenigen, die die Aufgaben des Geleits und der Baldachinträger erfüllten, lassen die Nürnberger Prozessionen als Instrumente der Abgrenzung, Integration und inneren Differenzierung der patrizischen und der nichtratsfähigen Oberschicht erkennen. Wichtigstes Kriterium für die Verteilung der Ehrenplätze war der politische Status. In Prozessionen mit exklusivem Teilnehmerkreis machte der Rat seinen Anspruch auf Herrschaft und Vertretung der Stadt sichtbar, zum Teil explizit gegen Partizipationsforderungen der Gemeinde gerichtet, wie bei der 1482 gestifteten Kölner Gedenkprozession am Fastnachtsdienstag. Die Exklusivität dieser Prozessionen wird auch in der Route erkennbar, die häufig kleinräumig und auf das Zentrum der Städte orientiert waren. In Erfurt verband die Adolar- und Eoban-Prozession die Gebäude der politischen und geistlichen Führungsspitze, das Rathaus und die Marienkirche. Auch die Nürnberger Prozessionen beschränkten sich auf den Raum um Sebalds- und Frauenkirche bzw. Lorenzkirche, Rathaus und Marktplatz.

In Prozessionen mit exklusivem Teilnehmerkreis konstituierte sich die Sakralgemeinschaft Stadt, indem die Teilnehmer nicht in Stellvertretung der Bürger handelten, sondern die Stadt in dem Bewußtsein repräsentierten, identisch mit dem Ganzen zu sein.[1] Dabei rekrutierten sich die teilnehmenden Laien aus der Gruppe derjenigen, die politische Partizipationsrechte hatten, die „communitas civium". Ausgeschlossen waren Frauen und Einwohner; Teilnehmer dieser Prozessionen waren ausschließlich Männer. Der Repräsentationscharakter zog der Exklusivität allerdings Grenzen. Auch ein Rat, der seinen Herrschaftsanspruch demonstrierte, mußte als Repräsentant der Stadt angesehen werden. Zudem funktionierte die Zurschaustellung sozialer und politischer Positionen nur, wenn sie gesehen wurde, auch wenn die Zuschauenden in den Quellen vornehmlich als Behinderung beschrieben werden. Attraktiv konnten Prozessionen für Außenstehende sein, wenn Bedürfnisse nach Schaulust befriedigt wurden. Nicht nur die unverhüllte Hostie und die Reliquien kamen den Zuschauenden entgegen, sondern militärisches Geleit erhöhte den Prunk und die Schönheit der Prozessionen, konnte aber auch als Vertretung der Stadtviertel und damit der Bürgerschaft wahrgenommen werden.

---

1 Vgl. HOFMANN, Repräsentation, 209-219.

Gegenpol zu Exklusivität und Repräsentation sind Prozessionen, an denen die gesamte städtische Bevölkerung teilnahm. Die Korporation Stadt war in diesen Umgängen nicht durch einen Teil repräsentiert, sondern in ihrer Gesamtheit präsent. Die Sakralgemeinschaft konstituierte sich in der Frauen, Einwohner und Gesinde einschließenden „communitas fidelium". Handlungsträger einer Prozession konnte die städtische Bevölkerung jedoch nur werden, wenn sie - nach Pfarreien oder Zünften, nach Geschlechtern, geistlichem Stand oder politischer Partizipation - gegliedert auftrat. Eine spätmittelalterliche städtische Prozession setzte sich aus Korporationen und sozialen Gruppen, nicht aus Einzelpersonen zusammen. Auch die Präsenz der gesamten städtischen Bevölkerung war obrigkeitlich gestaltet. Der Rat klagte Teilnahme durch entsprechende Verpflichtung ein; es war verboten, zuzuschauen oder am Rande zu stehen. Eine Teilnahmeverpflichtung wurde gerade in Krisenzeiten oder bei Bittprozessionen angemahnt, da die Prozessionen den Konsens und die Neukonstituierung der Gemeinde materialisierten und Fernbleiben als Dissens verstanden werden konnte. Der Rat organisierte und gestaltete mit diesen Prozessionen die Rückbindung seiner Politik an die „communitas fidelium".

Demnach waren sowohl Prozessionen mit exklusivem Teilnehmerkreis als auch solche, bei denen die gesamte städtische Bevölkerung als Handlungsträger fungierte, eine obrigkeitliche Veranstaltung. Bittgänge in Notzeiten mochten auf Bedürfnisse der Bevölkerung antworten, aber in erster Linie waren sie obrigkeitliches Krisenmanagement. Da einer Stadt verschiedene Alternativen offenstanden, wie auf eine Krise zu reagieren sei, sicherte sich der Rat mit der Anordnung von Prozessionen die Definitionsmacht über Probleme und deren Lösung. Ebenso wie die Stiftung von Gedenkprozessionen nach überstandenen Gefahren oder innerstädtischen Unruhen zeigt auch die Absage, Verlegung oder eigenmächtige Durchführung von Prozessionen durch den Rat in Konflikten mit dem Klerus an, daß die städtischen Umgänge zum ratsherrlichen Kirchenregiment gehörten. Allerdings, die obrigkeitliche Organisation und Inszenierung erfolgte in dem Selbstverständnis, dem Wohl der Gemeinde zu dienen und benötigte die Partizipation der gesamten städtischen Bevölkerung.

In krisenhaften Situationen und bei der Erinnerung an überstandene Krisen schloß sich eine städtische Gemeinschaft in besonderer Weise zusammen. Hungersnöte, Seuchen oder Kriegsgefahr bedrohten eine Stadt und ihre Bevölkerung existentiell. Gegen diese Bedrohung sollten Bittprozessionen, in denen sich eine Stadt in Eintracht präsentierte und mit deren Anordnung der Rat sein Bemühen um das Gemeinwohl bewies, die Beachtung städtischer Werte anzeigen und göttlichen Schutz sichern. Im Gedenken an überstandene Krisen konstituierte sich eine Stadt als Erinnerungsgemeinschaft. Die Erfurter Prozessionen nach Schmidtstedt und Neuses, die an die Hungersnot 1315/17 und an die Pest 1350/51 erinnerten, waren als kollektives Totengedenken gestaltet; anderswo riefen Gedenkprozessionen exemplarisch die Überwindung äußerer und innerer Gefahren ins Gedächtnis. Auch wenn - oder gerade weil - Erinnerung auf die Einheit der Stadt zielte, war sie in ihrer rituellen Gestaltung obrigkeitlich gesteuert.

Die Prozession brachte die Verbundenheit der Handlungsträger - eines exklusiven Teilnehmerkreis, der die Stadt repräsentierte, oder der gesamten städtischen Bevölkerung - mit städtischen Werten und religiösen Zielen zum Ausdruck. Wesentliches Anliegen war dabei, Eintracht als Fixpunkt bürgerlichen Handelns zu demonstrieren und erfahrbar zu machen. Zugleich wurde Eintracht religiös konnotiert und damit politischer und sozialer Auseinandersetzungen enthoben. Prozessionen übersetzten städtische Werte in rituelle Handlungen; Eintracht wurde erfahren und „ergangen". Wenn Konrad Stolle stolz berichtet, „alle", „jung und alt", hätten an den Erfurter Bittprozessionen von 1482 und 1483 teilgenommen, erlebte er die in Szene gesetzte Eintracht, dem Gegenbild von Unfrieden und Zwietracht, die als Ursachen von Krisen galten.

Prozessionen, an denen die gesamte städtische Bevölkerung als Handlungsträger auftrat, scheinen die integrative Funktion von Ritualen zu bestätigen. Die Einordnung der Einwohner und Einwohnerinnen in eine einträchtige Stadtgemeinschaft - ihre Integration - läßt sich tatsächlich als eine Sinngebung von Prozessionen ausmachen. Zeitgenössisch wurde Integration jedoch als Eintracht verstanden, die nicht nur Teilnahme, sondern weitergehend Ordnung und angemessenes Verhalten erforderte. Integrationsmechanismen finden sich auch bei Prozessionen mit exklusivem Teilnehmerkreis. Bestimmte Ehrenaufgaben bei den Nürnberger Prozessionen integrierten nichtratsfähige Aufsteiger sowie unverheiratete, noch nicht politikfähige Patrizier in die Nürnberger Oberschicht. Dies verdeutlicht, daß Integration immer auch Aus- und Abgrenzung beinhaltete. Sakralgemeinschaft verlangte nach einem klar definierten, bestimmbaren Kreis von Zugehörigen. Ausgeschlossen waren Teile der Bürgerschaft, Frauen und Einwohner oder - bei Prozessionen der gesamten städtischen Bevölkerung - die ländliche Bevölkerung und Fremde. Häufig machte die Prozessionsroute entlang der Stadtmauern die Abgrenzung von Innen und Außen erfahrbar.

Integration, im Selbstverständnis spätmittelalterlicher Städte verstanden als Eintracht und Ordnung, konnte nur gelingen, wenn jede teilnehmende

Person einer Gruppe im hierarchischen Gefüge der Stadt zugeordnet war. Aus einer Vielzahl von sozialen Gliederungs- und Unterscheidungsmerkmalen spätmittelalterlicher Städte wurden in den Prozessionsordnungen einige wenige Prinzipien ausgewählt. Grundlegende Kriterien unter den Laien waren die Geschlechterordnung und der Stand, weiter politische Partizipation, Zünfte oder Bruderschaften, die Pfarreien sowie der Familienstand. Es wäre zu überlegen, ob mit diesen Gliederungen segmentäre Beziehungen wie Familienbindungen, die für den Zusammenhalt einer Stadt bedrohlich werden konnten, zugunsten einer stratifikatorischen Gliederung aufgebrochen werden sollten. Prozessionsordnungen bildeten soziale und politische Strukturen nicht ab, sondern waren eine obrigkeitliche Inszenierung und Interpretation des städtischen Gefüges. Die Nähe und Ferne zu Kultobjekten schuf eine hierarchische Ordnung, die sich an vorhandenen Wertigkeiten wie wirtschaftlichem Reichtum, sozialem Prestige und politischem Status orientierte, jedoch eine eigene Realität besaß, die nicht notwendig mit anderen Rangfolgen in eins fallen mußte. Prozessionen machten hierarchische Abstufungen, die im alltäglichen Leben gegenüber weniger klar strukturierten Familien- oder Nachbarschaftsbindungen in den Hintergrund treten konnten, sichtbar und rituell erfahrbar. Da Prozessionsordnungen soziale Realität gleichermaßen abbildeten und hervorbrachten, war die Rangfolge von Zünften oder auch geistlichen Institutionen Quelle ständiger Streitigkeiten. Mit dem Platz in der Prozession war die Position im sozialen Gefüge genau festgelegt und ablesbar; der Rang wurde zu einer Frage der Ehre. Aufgrund daraus resultierender Konflikte konnte die hierarchische Gliederung der geforderten Eintracht widersprechen.

Innere Differenzierungen und Trennlinien innerhalb einer Stadt wurden nicht nur durch die Rangfolge, sondern auch durch Kleidung, Schmuck und militärische Ausrüstung demonstriert. Auch die Pracht der mitgeführten Reliquienschreine, die Größe und der Wert der Kerzen oder - wie in Halle/Saale - die Monstranzen einzelner Pfarreien veranschaulichten wirtschaftliche Möglichkeiten und Anspruch auf soziale Positionen. Prachtentfaltung, Schaulust und Festfreude waren dabei nicht nur auf den weltlichen Bereich gerichtet, sondern konnten auch religiös motiviert sein. Die auf das Schauen des Sakraments gerichtete spätmittelalterliche Eucharistiefrömmigkeit fand in den Fronleichnamsprozessionen eine Ausdrucksform. Die Kultgegenstände, die in einer Prozession mitgeführt wurden, sakralisierten und strukturierten den städtischen Raum und wurden einem großen Publikum vorgeführt. Sie konnten auch individuell genutzt werden, wie beispielsweise für magische Riten bei der Nürnberger Sebaldsprozession.

Schließlich und quasi als Klammer zielten Prozessionen auf die Verehrung Gottes, des Sakraments, Marias sowie - in einigen Städten - des Stadtpatrons und erbaten göttlichen Schutz und Hilfe.

Die Darstellung von Herrschaft, Hierarchie und sozialen Unterschieden trat vor allem bei regelmäßigen Prozessionen, die auf Festlichkeit und Fröhlichkeit zielten in den Vordergrund. Bei Bittgängen in Krisenzeiten sowie bei regelmäßigen Prozessionen, die an überstandene Gefahren erinnerten und stärker Bußcharakter hatten, wie die Maria-Magdalenen-Prozession in Frankfurt, war die Prunk- und Repräsentationslust unangemessen. Kleidung, religiöse Objekte und Verhalten zielten auf Demut und Buße. Auch eine Einordnung der männlichen Bevölkerung nach Zünften konnte - als Quelle von Konkurrenz und Streitigkeiten - dem Anliegen von Bittprozessionen widersprechen. Gefordert war Präsenz, die Eintracht ausdrückte, nicht Visualisierung von sozialen Differenzierungen.

Wegen der Präsentation von Herrschaft und Ordnung und der Möglichkeit, soziale Positionen kundzutun, lassen sich Prozessionen in Anlehnung an Jürgen Habermas als repräsentative Öffentlichkeit charakterisieren. Diese meint bei Habermas - in Abgrenzung und als Kontrastfolie zur bürgerlichen Öffentlichkeit - Repräsentation von Herrschaft. Städtische Prozessionen bildeten ein Kommunikationsfeld, in dem Ordnung, Hierarchie und Herrschaft abgebildet, bestätigt und hergestellt, aber auch verhandelt wurden. Gegen Habermas, der Kritik und Diskussion nur der bürgerlichen Öffentlichkeit zuspricht, ist einzuwenden, daß auch repräsentative Öffentlichkeit die Gefahr barg, Widerspruch gerade durch das Sichtbarmachen von Plazierungen hervorzurufen, Kritik freilich, die sich nicht im „politischen Räsonnement", sondern in Spott, Rangeleien, Aufruhr und Nichtteilnahme äußerte. Der öffentliche Charakter von Prozessionen erklärt ihre Verstrickung in Konflikte. Mit ihnen konnten Inhalte von Streitigkeiten thematisiert werden. Durch Teilnahme und Nichtteilnahme, möglicherweise an konkurrierenden Prozessionen, zeigten sie Bündnispartner und Konfliktparteien an. Prozessionen stellten vor allem in der Eskalationsphase einen öffentlichen Ort dar, um Konflikte zu dynamisieren. Die religiösen Ziele sowie das Ideal der Eintracht setzten solchen Instrumentalisierungen allerdings Grenzen. Nach den gescheiterten Prozessionen 1413 im Braunschweiger Pfaffenkrieg scheinen schon im nächsten Jahr die Umgänge in gewohnter Weise abgelaufen zu sein, obwohl sich der Streit zwischen der Bürgerschaft und den Stiften bis 1420 hinzog. In Erfurt schlug sich die Verschlechterung der Beziehung zwischen der Stadt und den Stiften im Gefolge der Auseinandersetzungen mit dem Mainzer Stadtherrn im letzten Viertel des 15. Jahrhunderts

nicht in der Adolar- und Eoban-Prozession nieder; jedenfalls berichten die
Quellen von keinen Störungen. Das Ritual Prozession konnte Eintracht
regelmäßig auch dann beschwören, wenn die tatsächlichen Beziehungen
dem Ideal nicht entsprachen.

Eintracht, Präsentation von Herrschaft, Ordnung und Hierarchie, Schaulust
und Prunk, die Nutzung der Kultobjekte für magische Riten, Öffentlichkeit
und Kommunikationsort sowie religiöse Ziele und Krisenbewältigung lassen
sich als Sinngebungen von Prozessionen ausmachen, die je nach Handlungsträgern, Anliegen und Gestaltung unterschiedlich stark hervortraten.
Damit aber waren Prozessionen und die mitgeführten Symbole immer
mehrdeutig, so daß unterschiedliche Aneignungen und Wahrnehmungen
möglich waren. Der Geistliche Konrad Stolle nahm die Bittprozessionen
1482 und 1483 als Ausweis der Frömmigkeit der Erfurter Bevölkerung
wahr, wobei er vorbildhaftes Verhalten insbesondere den Jungfrauen zu-
sprach. Der Mindener Protestant Heinrich Piel berichtete vor allem über die
Prachtentfaltung der Fronleichnamsprozessionen. Nur seine Standesgenossen und ihre ehrenvollen Aufgaben sah der Frankfurter Patrizier Bernhard
Rorbach. Prozessionsordnungen des Erfurter oder Straßburger Rates
schließlich stellten den geregelten Ablauf, die Ordnung und die Eintracht in
den Vordergrund. Gerade die Mehrdeutigkeiten und unterschiedlichen
Wahrnehmungsmöglichkeiten boten verschiedenen Gruppen und Teilnehmern Anknüpfungspunkte, so daß Prozessionen eine der beliebtesten kollektiven Frömmigkeitsformen spätmittelalterlicher Städte waren.

Die Sakralgemeinschaft Stadt konstituierte sich durch gemeinsame
Glaubensinhalte und kollektive rituelle Handlungen. Eine dieser Praxisfor-
men waren Prozessionen, in denen die gesamte städtische Bevölkerung oder
lediglich die Repräsentanten der politischen Gemeinde die städtische Sakralgemeinschaft hervorbrachten, soziale Bindungen herstellten und ein sakral-
genossenschaftliches Selbstverständnis ausdrückten. Die Reformation zerbrach dieses Selbstverständnis. Gleichzeitig aber scheinen in der Art und
Weise, wie Prozessionen im reformatorischen Kontext von Protestanten
und Altgläubigen genutzt wurden, ein letztes Mal die Bedeutungen auf, die
die Umgänge für spätmittelalterliche Städte hatten. Ähnlich wie in früheren
Jahrhunderten wurden in der Öffentlichkeit der Prozessionen Konflikte
ausgetragen. Gespött, Aufruhr und Nichtteilnahme waren bekannte Verhaltensweisen, um Kritik kundzutun und Konfliktgegner sichtbar zu machen. Diese Handlungen machten Prozessionen zu einem Ort, an dem reformatorische Ideen verbreitet wurden. Indem sich jedoch die Kritik gegen
die Frömmigkeitspraxis Prozession selbst richtete und Luthers Angriffe auf

Sakramentsfrömmigkeit und Heiligenverehrung den Umgängen ihre theologische Basis entzogen, wurden die Grenzen, die die religiösen Anliegen und die geforderte Eintracht der bisherigen Einbindung von Prozessionen in Konflikte gesetzt hatten, überschritten. Kritik und Gegenrituale entweihten und desakralisierten die Prozessionen und ihre Kultgegenstände. Das Ideal der Eintracht sprach eher für eine Abschaffung der Prozessionen, da ihre weitere Durchführung seitens der Katholiken, die mit dem öffentlichen Umgang ihren Anspruch auf religiöse Wahrheit und Kontrolle des rituellen Lebens deutlich machten, in einer Stadt mit mehrheitlich reformatorisch eingestellter Bevölkerung Zwietracht nährte. Die Beendigung des Prozessionswesen stand in der Kontinuität des ratsherrlichen Kirchenregiments, das auch weiterhin einen einheitlichen Glauben in der Stadt zu verwirklichen suchte. Prozessionen waren nun nicht mehr Ausdrucksform der Sakralgemeinschaft, sondern Kennzeichen der Konfessionszugehörigkeit.

Mit ihrem Charakter von Öffentlichkeit, ihren Mehrdeutigkeiten und ihrer sinnlichen Erfahrbarkeit blieben Prozessionen auch in den nächsten Jahrhunderten eine religiöse Praxis, die Menschen katholischen Glaubens rituell miteinander verbinden und die in unterschiedlichen historischen Kontexten je eigene Bedeutungen aufnehmen und ausdrücken konnte. In der Gegenreformation, im Kulturkampf, in der Zeit der nationalsozialistischen Herrschaft oder gegenüber kommunistischen Machthabern konnten Prozessionen religiöse und politische Inhalte auf subtile und zugleich provozierende Weise zum Ausdruck bringen. Es wäre reizvoll, Kontinuitäten und Brüche weiterzuverfolgen oder auch Ähnlichkeiten mit Demonstrationen des 19. und 20. Jahrhunderts zu untersuchen.[2] Dies muß jedoch weiteren Untersuchungen vorbehalten bleiben. Möge eine genauere Kenntnis der Prozessionen in spätmittelalterlichen Städten solche Forschung befruchten und vor Mythen bewahren.

---

2   Zu Prozessionen im 19. und 20. Jahrhundert vgl. KIMMINICH, Prozessionsteufel; SCHLIERF, Fronleichnamsprozession; GÜNTNER, Gottestracht. Zu Entstehung von Demonstrationen im 19. Jahrhundert vgl. KASCHUBA, Rotte. Arpad von Klimo machte mich darauf aufmerksam, daß im Ungarn der Nachkriegszeit religiöse Prozessionen eine Demonstration gegen die kommunistischen Machthaber waren.

VII. Anhang

1. Skizzen zur Verfassungsstruktur Nürnbergs und Erfurts

Verfassungsstruktur und Ämterhierarchie Nürnbergs seit 1370

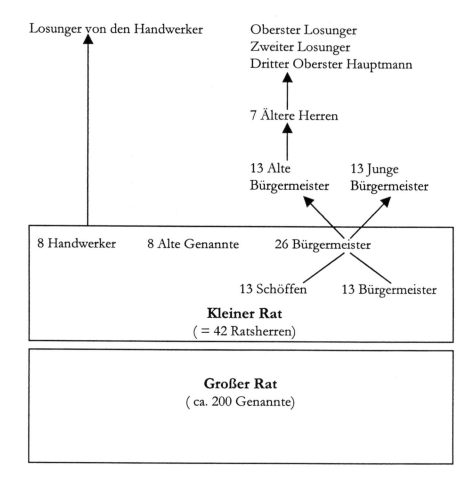

Wahlmodus in Nürnberg im 15. und 16. Jahrhundert

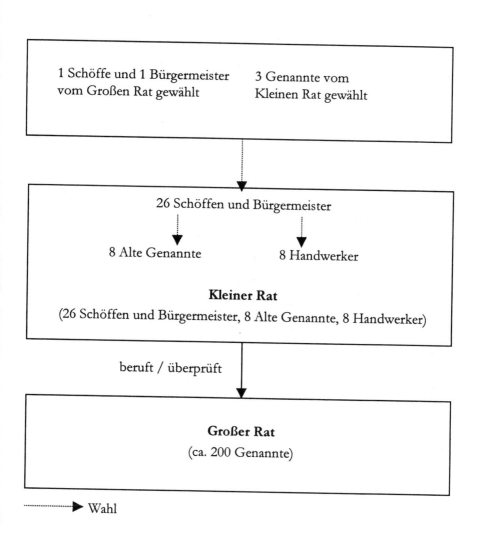

1 Schöffe und 1 Bürgermeister vom Großen Rat gewählt

3 Genannte vom Kleinen Rat gewählt

26 Schöffen und Bürgermeister

8 Alte Genannte

8 Handwerker

Kleiner Rat
(26 Schöffen und Bürgermeister, 8 Alte Genannte, 8 Handwerker)

beruft / überprüft

Großer Rat
(ca. 200 Genannte)

Wahl

Verfassungsstruktur Erfurts im 15. Jahrhundert

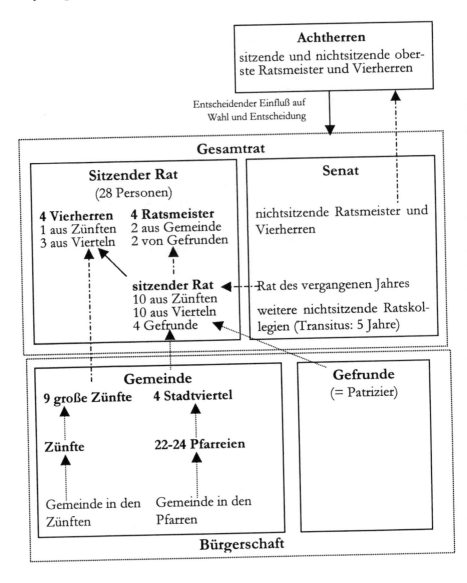

Achtherren

sitzende und nichtsitzende oberste Ratsmeister und Vierherren

Entscheidender Einfluß auf
Wahl und Entscheidung

Gesamtrat

Sitzender Rat
(28 Personen)

4 Vierherren   **4 Ratsmeister**
1 aus Zünften   2 aus Gemeinde
3 aus Vierteln   2 von Gefrunden

Senat

nichtsitzende Ratsmeister und Vierherren

sitzender Rat
10 aus Zünften
10 aus Vierteln
4 Gefrunde

Rat des vergangenen Jahres

weitere nichtsitzende Ratskollegien (Transitus: 5 Jahre)

Gemeinde
9 große Zünfte   **4 Stadtviertel**

Gefrunde
(= Patrizier)

Zünfte

22-24 Pfarreien

Gemeinde in den
Zünfte

Gemeinde in den
Pfarren

Bürgerschaft

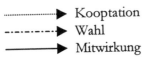 Kooptation
--------▶ Wahl
———————▶ Mitwirkung

2. Karten und Pläne zu den Prozessionsrouten

Nürnberg im 15. und 16. Jahrhundert

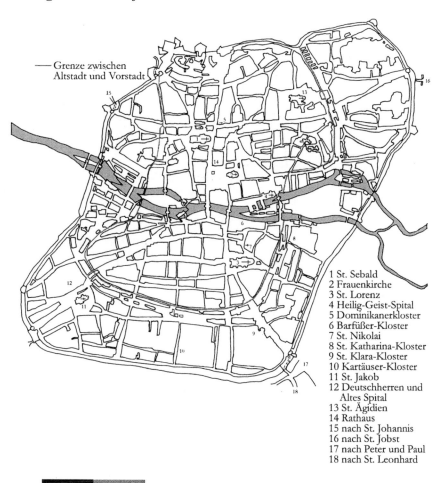

—— Grenze zwischen
Altstadt und Vorstadt

1 St. Sebald
2 Frauenkirche
3 St. Lorenz
4 Heilig-Geist-Spital
5 Dominikanerkloster
6 Barfüßer-Kloster
7 St. Nikolai
8 St. Katharina-Kloster
9 St. Klara-Kloster
10 Kartäuser-Kloster
11 St. Jakob
12 Deutschherren und
   Altes Spital
13 St. Ägidien
14 Rathaus
15 nach St. Johannis
16 nach St. Jobst
17 nach Peter und Paul
18 nach St. Leonhard

250   500m

Nürnberg: Fronleichnamsprozessionen von St. Sebald, St. Lorenz und dem Heilig-Geist-Spital

St. Sebald

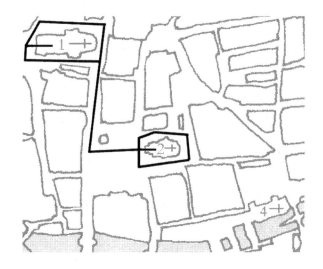

St. Lorenz

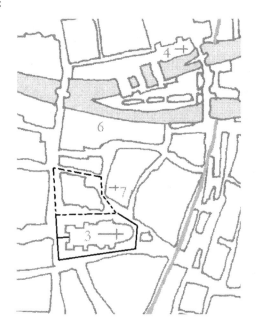

Heilig-Geist-Spital

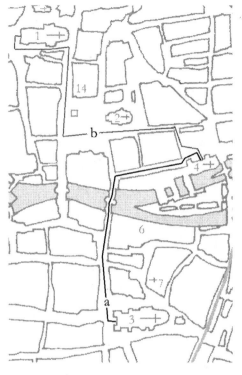

a) samstags nach St. Lorenz
b) sonntags nach St. Sebald

Nürnberger Fronleichnamsprozessionen 1487 und 1522

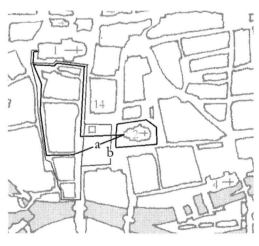

a) Fronleichnamsprozession 1487
b) Fronleichnamsprozession 1522

Erfurt im 15. und 16. Jahrhundert

1 St Marien
2 St. Severi
3 Peters-Kloster
4 Augustiner-Kloster
5 Dominikaner-Kloster
6 Franziskaner-Kloster
7 Wigbert-Kirche
8 Bartholomäus-Kirche
9 Viti-Kirche
10 Neuwerks-Kloster
11 Martins-Kloster
12 Kartause
13 zum Cyriaks-Kloster
14 Augustiner-Chorherren
15 Rathaus
16 nach Neuses
17 Siechen-Haus
18 Äußeres Kämpfer-Tor
19 Schmidtstedter Tor

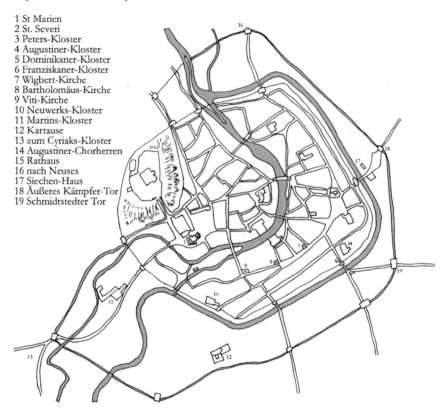

250   500m

Erfurt: Adolar- und Eobanprozession

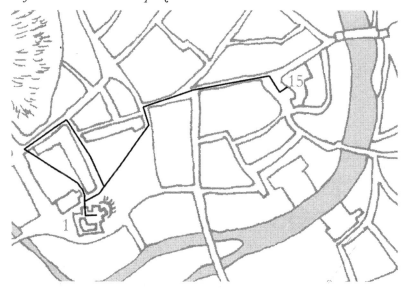

Erfurt: Adolar- und Eobanprozession (Rundgang um den Domberg)

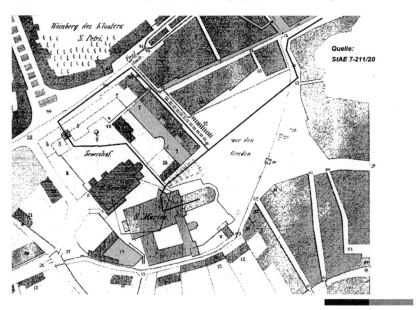

Erfurt: Bittprozession 1482

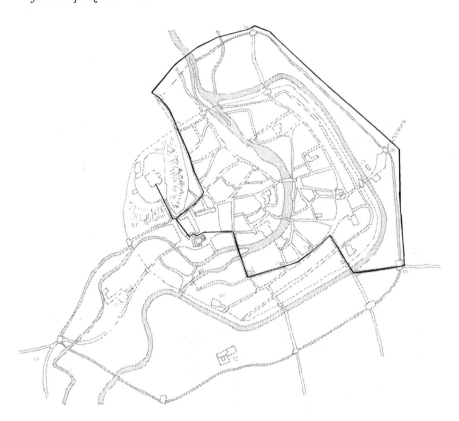

Erfurt: Bittprozession 1483

3. Tabellen

Tab. 1 Fronleichnamsprozession von St. Sebald, Baldachinträger
  - Häufigkeit der Teilnahme

Jahre	*Anzahl*	*Prozente*
1	6	17,14%
2	8	22,86%
3	9	25,71%
4	5	14,29%
5	2	5,71%
6	3	8,57%
7	1	2,86%
8	0	0,00%
9	1	2,86%
gesamt	35	100 %

Mittelwert: 3,23 Jahre

Tab. 2 Fronleichnamsprozession von St. Lorenz, Baldachinträger
  - Häufigkeit der Teilnahme

Jahre	*Anzahl*	*Prozente*
1	12	34,29%
2	8	22,86%
3	10	28,57%
4	1	2,86%
5	2	5,71%
6	2	5,71%
gesamt	35	100 %

Mittelwert: 2,31 Jahre

Tab. 3 Fronleichnamsprozession der Frauenkirche, Baldachinträger
  - Häufigkeit der Teilnahme

Jahre	Anzahl	Prozente
1	19	67,86%
2	5	17,86%
3	3	10,71%
4	1	3,57%
Gesamt	28	100 %

Mittelwert: 1,5 Jahre

Tab. 4 Deocarusprozession, Schreinträger
  - Häufigkeit der Teilnahme

Jahre	Anzahl	Prozente
1	8	22,86%
2	9	25,71%
3	4	11,43%
4	8	22,86%
5	3	8,57%
6	2	5,71%
7	1	2,86%
gesamt	35	100 %

Mittelwert: 2,97 Jahre

Tab. 5 Sebaldsprozession, Schreinträger
  - Häufigkeit der Teilnahme

Jahre	Anzahl	Prozente
1	5	11,90%
2	7	16,67%
3	5	11,90%
4	5	11,90%
5	6	14,29%
6	5	11,90%
7	9	21,43%
gesamt	42	100 %

Mittelwert: 4,2 Jahre

Tab. 6 Fronleichnamsprozession von St. Sebald, Baldachinträger
   - Ratsmitgliedschaft

	Anzahl	*Prozente*
Ratsmitglied	33	94,29%
nicht Ratsmitglied	1	2,86%
nach der Teilnahme im Rat	1	2,86%
Gesamt	35	100 %

Tab. 7 Fronleichnamsprozession von St. Lorenz, Baldachinträger
   - Ratsmitgliedschaft

	Anzahl	*Prozente*
Ratsmitglied	1	2,86%
nicht Ratsmitglied	33	94,29%
Keine Angabe	1	2,86%
gesamt	35	100 %

Tab. 8 Fronleichnamsprozession von St. Lorenz, Baldachinträger
   - Ratsmitgliedschaft nach der Teilnahme an der Prozession

	Anzahl	*Prozente*
nach der Teilnahme im Rat	10	30,30%
nach der Teilnahme nicht im Rat	23	69,70%
gesamt (ohne Ratsmitglieder)	33	100 %

Tab. 9 Fronleichnamsprozession der Frauenkirche, Baldachinträger
   - Ratsmitgliedschaft nach der Teilnahme an der Prozession

	Anzahl	*Prozente*	*Gültige Prozente*
nach der Teilnahme im Rat	7	25,00%	28,00%
nach der Teilnahme nicht im Rat	18	64,29%	72,00%
Keine Angabe	3	10,71%	
gesamt	28	100 %	100 %

Tab. 10 Fronleichnamsprozession von St. Lorenz, Baldachinträger
  - Mitgliedschaft im Großen Rat

	Anzahl	Prozente
Genannter	31	88,57%
nicht Genannter	4	11,43%
gesamt	35	100 %

Tab. 11 Fronleichnamsprozession der Frauenkirche, Baldachinträger
  - Mitgliedschaft im Großen Rat

	bei Teilnahme		nach der Teilnahme		gesamt	
	Anzahl	Prozente	Anzahl	Prozente	Anzahl	Prozente
Genannter	1	3,57%	14	53,85%	15	53,57%
nicht Genannter	26	92,86%	12	46,15%	12	42,86%
Genannter im Laufe der Teilnahme	1	3,57%			1	3,57%
gesamt	28	100 %	26	100 %	28	100 %

Tab. 12 Deocarusprozession, Schreinträger
  - Mitgliedschaft im Kleinen und Großen Rat

	Kleiner Rat		Großer Rat	
	Anzahl	Prozente	Anzahl	Prozente
Mitglied	34	100 %	33	97,06%
nicht Mitglied	0	0,00%	1	2,94%
gesamt	34	100 %	34	100 %

Anmerkung: Nicht in den Genanntenlisten war Nikolaus Groß zu finden.

Tab. 13 Sebaldsprozession, Schreinträger
  - Mitgliedschaft im Kleinen und Großen Rat

	Kleiner Rat		Großer Rat	
	Anzahl	Prozente	Anzahl	Prozente
Mitglied	41	97,62%	42	100 %
nicht Mitglied	1	2,38%	0	0,00%
gesamt	42	100 %	42	100 %

Tab. 14 Fronleichnamsprozession von St. Sebald, Baldachinträger
- erste Teilnahme im Jahr der Wahl in den Kleinen Rat

	Anzahl	*Prozente*	*Gültige Prozente*
Teilnahme im Jahr der Wahl	20	60,61%	83,33%
Teilnahme nicht im Jahr der Wahl	4	12,12%	16,67%
Keine Angabe	9	27,27%	
gesamt (ohne Nichtratsmitglieder)	33	100 %	100 %

Tab. 15 Deocarusprozession, Schreinträger
- erste Teilnahme im Jahr der Wahl in den Kleinen Rat

	Anzahl	*Prozente*	*Gültige Prozente*
Teilnahme im Jahr der Wahl	18	52,94%	81,82%
Teilnahme nicht im Jahr der Wahl	4	11,76%	18,18%
Keine Angabe	12	35,29%	
gesamt	34	100 %	100 %

Tab. 16 Fronleichnamsprozession von St. Lorenz, Baldachinträger
- erste Teilnahme im Jahr der Wahl in den Großen Rat

	Anzahl	*Prozente*	*Gültige Prozente*
Teilnahme im Jahr der Wahl	9	25,71%	60,00%
Teilnahme nicht im Jahr der Wahl	6	17,14%	40,00%
Keine Angabe	16	45,71%	
nicht Mitglied des Großen Rates	3	8,57%	
Mitgliedschaft unbekannt	1	2,86%	
gesamt	35	100 %	100 %

Tab. 17 Fronleichnamsprozession von St. Sebald, Baldachinträger
- Ratsrang

Ratsrang	Anzahl	Prozente	Gültige Prozente
Junger Bürgermeister	29	78,38%	87,88%
Alter Bürgermeister	0	0,00%	0,00%
Älterer Herr	0	0,00%	0,00%
Oberster Hauptmann	0	0,00%	0,00%
Losunger	0	0,00%	0,00%
Alter Genannter	4	10,81%	12,12%
Keine Angabe	4	10,81%	
gesamt	37	100 %	100 %
Mehrfachnennungen	3		

Tab. 18 Deocarusprozession, Schreinträger
- Ratsrang

Ratsrang	Anzahl	Prozente
Junger Bürgermeister	33	94,29%
Alter Bürgermeister	0	0,00%
Älterer Herr	1	2,86%
Oberster Hauptmann	0	0,00%
Losunger	0	0,00%
Alter Genannter	1	2,86%
Keine Angabe	0	0,00%
gesamt	35	100 %
Mehrfachnennungen	1	

Tab. 19 Sebaldsprozession, Schreinträger
   - Ratsrang

Ratsrang	Anzahl	Prozente
Junger Bürgermeister	13	26,53%
Alter Bürgermeister	15	30,61%
Älterer Herr	10	20,41%
Oberster Hauptmann	4	8,16%
Losunger	3	6,12%
Keine Angabe	2	4,08%
unklar, ob Ratsherr	1	2,04%
kein Ratsherr	1	2,04%
gesamt	49	100 %
Mehrfachnennungen	7	

Tab. 20 Fronleichnamsprozession von St. Sebald, Führer
   - Alter

Jahre	Anzahl	Prozente	Gültige Prozente
30 - 40	1	12,50%	14,29%
40 - 50	2	25,00%	28,57%
50 - 60	1	12,50%	14,29%
60 - 70	3	37,50%	42,86%
Keine Angabe	1	12,50%	
gesamt	8	100 %	100 %

Mittelwert: 52,86 Jahre

Tab. 21 Fronleichnamsprozession von St. Lorenz, Führer
   - Alter

Jahre	Anzahl	Prozente	Gültige Prozente
30 - 40	0	0,00%	0,00%
40 - 50	3	37,50%	42,86%
50 - 60	1	12,50%	14,29%
über 60	3	37,50%	42,86%
Keine Angabe	1	12,50%	
gesamt	8	100 %	100 %

Mittelwert: 55,5 Jahre

Tab. 22 Fronleichnamsprozession der Frauenkirche, Führer
- Alter

Jahre	Anzahl	Prozente	Gültige Prozente
30 - 40	1	10,00%	12,50%
40 - 50	1	10,00%	12,50%
50 - 60	2	20,00%	25,00%
60 - 70	4	40,00%	50,00%
Keine Angabe	2	20,00%	
gesamt	10	100 %	100 %

Mittelwert: 56 Jahre

Tab. 23 Fronleichnamsprozession von St. Sebald, Baldachinträger
- Alter

Jahre	Anzahl	Prozente	Gültige Prozente
20 - 30	5	14,29%	20,83%
30 - 40	12	34,29%	50,00%
40 - 50	4	11,43%	16,67%
50 - 60	3	8,57%	12,50%
60 - 70	0	0,00%	0,00%
Keine Angabe	11	31,43%	
gesamt	35	100 %	100 %

Mittelwert: 36,75 Jahre

Tab. 24 Fronleichnamsprozession von St. Lorenz, Baldachinträger
- Alter

Jahre	Anzahl	Prozente	Gültige Prozente
20 - 30	6	17,14%	46,15%
30 - 40	3	8,57%	23,08%
40 - 50	2	5,71%	15,38%
50 - 60	1	2,86%	7,69%
über 60	1	2,86%	7,69%
Keine Angabe	22	62,86%	
gesamt	35	100 %	100 %

Mittelwert: 35,46 Jahre

Tab. 25 Fronleichnamsprozession der Frauenkirche, Baldachinträger
- Alter

Jahre	Anzahl	Prozente	Gültige Prozente
unter 20	3	10,71%	33,33%
20 - 30	4	14,29%	44,44%
30 - 40	2	7,14%	22,22%
Keine Angabe	19	67,86%	
gesamt	28	100 %	100 %

Mittelwert: 24,1 Jahre

Tab. 26 Deocarusprozession, Schreinträger
- Alter

Jahre	Anzahl	Prozente	Gültige Prozente
20 - 30	5	14,29 %	22,73 %
30 - 40	11	31,43 %	50,00 %
40 - 50	2	5,71 %	9,09 %
50 - 60	4	11,43 %	18,18 %
Keine Angabe	13	37,14 %	
gesamt	35	100 %	100 %

Mittelwert: 36,9 Jahre

Tab. 27 Sebaldsprozession, Schreinträger
- Alter

Jahre	Anzahl	Prozente	Prozente
20 - 30	0	0,00%	0,00%
30 - 40	7	16,67%	25,00%
40 - 50	7	16,67%	25,00%
50 - 60	8	19,05%	28,57%
60 - 70	5	11,90%	17,86%
über 70	1	2,38%	3,57%
Keine Angabe	14	33,33%	
gesamt	42	100 %	100 %

Tab. 28 Heirat und Politikfähigkeit
- Verheiratete und Ledige im Großen Rat

	Anzahl	Prozente	Summen	Prozente
Wahl im Jahr der Heirat	23	35,38%		
Wahl im folgenden Jahr	25	38,46%		
Wahl nach 2 J. / mehr	7	10,77%		
Heirat nach der Wahl			55	84,62%
Heirat vor der Wahl	5	7,69%	5	7,69%
nicht Genannter	4	6,15%		0,00%
ledig / nicht Genannter	1	1,54%	5	7,69%
gesamt	65	100 %	65	100 %
Keine Angabe	21			

Tab. 29 Fronleichnamsprozession der Frauenkirche, Baldachinträger
- Familienstand

	Anzahl	Prozente	Gültige Prozente
verheiratet	1	3,57%	10,00%
ledig	9	32,14%	90,00%
Keine Angabe	18	64,29%	
gesamt	28	100 %	100 %

Tab. 30 Fronleichnamsprozession von St. Lorenz, Baldachinträger
- soziale Herkunft

	Anzahl	Prozente
patrizisch	24	68,57%
nichtpatrizisch	11	31,43%
gesamt	35	100 %

Tab. 31 Fronleichnamsprozession der Frauenkirche, Baldachinträger
- soziale Herkunft

	Anzahl	Prozente
patrizisch	25	89,29%
nicht patrizisch	3	10,71%
gesamt	28	100 %

Tab. 32 Sozialtopographie
- Verteilung der Ratsherren auf die Pfarreien St. Sebald und St. Lorenz

	gesamter Rat		patrizische Ratsherren		Handwerker im Rat	
	An-zahl	Prozente	An-zahl	Prozente	Anzahl	Prozent
Sebald	25	56,82%	24	66,67%	1	12,50%
Lorenz	17	38,64%	11	30,56%	6	75,00%
Keine Angabe	2	4,55%	1	2,78%	1	12,50%
gesamt	44	100 %	36	100 %	8	100,00 %

ausgewertete Ratsjahrgänge: 1496-1498

Tab. 33 Sozialtopographie
Verteilung der Ratsherren auf die Altstadt und Vorstadt

	gesamter Rat		patrizische Ratsherren		Handwerker	
	An-zahl	Prozente	An-zahl	Prozente	An-zahl	Prozent
Sebald - Altstadt	22	50,00%	22	61,11%	0	0,00%
Lorenz - Altstadt	15	34,09%	10	27,78%	5	62,50%
Altstadt gesamt	37	84,09%	32	88,89%	5	62,50%
Sebald - Vorstadt	3	6,82%	2	5,56%	1	12,50%
Lorenz - Vorstadt	2	4,55%	1	2,78%	1	12,50%
Vorstadt gesamt	5	11,36%	3	8,33%	2	25,00%
Keine Angabe	2	4,55%	1	2,78%	1	12,50%
gesamt	44	100 %	36	100 %	8	100,00 %

ausgewertete Ratsjahrgänge: 1496-1498

Tab. 34 Sozialtopographie
- Verteilung der Genannten St. Sebald und St. Lorenz

	Anzahl	Prozente	Gültige Prozente
Sebald	41	52,56%	69,49%
Lorenz	18	23,08%	30,51%
Keine Angabe	19	24,36%	
gesamt	78	100 %	100 %

ausgewertete Jahrgänge: 1490-1498 in den Großen Rat gewählte Männer

Tab. 35 Fronleichnamsprozession von St. Sebald, Führer
   - Wohnort

	Anzahl	Prozente
Sebald	7	87,50%
Lorenz	0	0,00%
Keine Angabe	1	12,50%
gesamt	8	100 %

Tab. 36 Fronleichnamsprozession von St. Lorenz, Führer
   - Wohnort

	Anzahl	Prozent	Teilnehmer selbst	Vater des Teilnehmers
Sebald	3	37,50%	2	1
Lorenz	4	50,00%	4	
Keine Angabe	1	12,50%		
Gesamt	8	100 %	6	1

Tab. 37 Fronleichnamsprozession der Frauenkirche, Führer
   - Wohnort

	Anzahl	Prozente	Gültige Prozente	Teilnehmer selbst	Vater des Teilnehmers
Sebald	7	63,64%	87,50%		1
Lorenz	1	9,09%	12,50%	1	
Keine Angabe	3	27,27%			
gesamt	11	100 %		7	1

Tab. 38 Fronleichnamsprozession von St. Sebald, Baldachinträger
   - Wohnort

	Anzahl	Prozente	Gültige Prozente	Teilnehmer selbst	Vater des Teilnehmers
Sebald	17	48,57%	77,27%	13	4
Lorenz	5	14,29%	22,73%	5	1
Keine Angabe	13	37,14%			
gesamt	36	100 %	100 %	18	5

Tab. 39 Fronleichnamsprozession von St. Lorenz, Baldachinträger
- Wohnort

	An-zahl	Prozente	Gültige Pro-zente	Teilnehmer selbst	Vater des Teil-nehmers
Sebald	9	25,71%	42,86%	8	1
Lorenz	12	34,29%	57,14%	9	3
Keine Angabe	14	40,00%			
gesamt	35	100 %	100 %	17	4

Tab. 40 Fronleichnamsprozession der Frauenkirche, Baldachinträger
- Wohnort

	Anzahl	Prozente	Gültige Prozente
Sebald	6	21,43%	54,55%
Lorenz	5	17,86%	45,45%
Keine Angabe	17	60,71%	
Gesamt	28	100 %	

Für die Baldachinträger der Frauenkirche konnte nur der Wohnort der Väter ermittelt werden.

Tab. 41 Deocarusprozession, Schreinträger
- Wohnort

	An-zahl	Prozente	Gültige Pro-zente	Teilnehmer selbst	Vater des Teil-nehmers
Sebald	15	42,86%	68,18%	11	4
Lorenz	7	20,00%	31,82%	6	1
Keine Angabe	13	37,14%			
gesamt	35	100 %	100 %	17	5

Tab. 41 Sebaldsprozession, Schreinträger
- Wohnort

	An-zahl	Prozente	Gültige Pro-zente	Teilnehmer selbst	Vater des Teil-nehmers
Sebald	24	57,14%	77,42%	20	4
Lorenz	7	16,67%	22,58%	6	1
Keine Angabe	11	26,19%			
gesamt	42	100 %	100 %	26	5

4. Sample: Bittprozessionen

1349 Sept. 14 (exalitatio crucis, Montag), Pest
1356 Sept. 21 (Mittwoch), Pest
1379 Juni 4 (Samstag nach Pfingsten), Augsburg, große Gebrechen
1380 Sept. 15 (Samstag nach Hl. Kreuztag), Augsburg, Pest
1389 Sept. 11 (Samstag), Straßburg, Gott möge Zorn vergessen
1398 Okt. 31 (Freitag), Straßburg, Pest
1401 Feb. 7 (Montag), Straßburg, Wetter (Regen)
1404 Juni 17 (Mittwoch), Göttingen
1409 Jan. 10 (Donnerstag), Straßburg, Schisma, Krieg
1428 nach Jan. 22 (am nächsten Freitag nach Auslaufen der Schiffe), Hansestädte, Krieg
1437 Feb. 2 (Lichtmeß, Samstag), Straßburg, Reliquienprozession
1438 Juni 23 (Vorabend Joh.Bapt., Montag), Straßburg, Wetter (Regen), Teuerung
1438 Sept. 22 (Montag nach Matthäus), Straßburg, Uneinigkeit beim Konzil
1438 Dez. 26 (Stephan, Freitag), Straßburg, Pest
1444 Sept. 21 (Matthäus, Montag), Straßburg, Krieg (Armagnaken)
1460 Juni 13 (Freitag), Göttingen, Wetter (Hagel), Pest, Krieg
1463 Mai 13 (Freitag), Göttingen, Pest, Tod Herzog Ottos
1463 Juli 5 (St. Katharina, Dienstag), Regensburg, Pest
1467 Okt. 2 (Freitag), Frankfurt, Pest
1468 Nov. 4 (Freitag), Frankfurt, Hussiten
1469 Feb. 3 (Blasius, Freitag), Frankfurt
1471 März 6 (Mittwoch), Straßburg, Krieg (Burgunder)
1474 März 22 (Dienstag), Straßburg, Krieg (Burgunder)
1474 Mai 23 (Montag), Straßburg, Krieg (Burgunder)
1473 Aug. 9 (Montag), Straßburg, Krieg (Burgunder)
1473 Aug. 9 (Montag), Frankfurt, Wetter (Trockenheit), Krieg (Burgunder)
1474 Aug. 23 (Dienstag), Straßburg, Krieg (Burgunder)
1474 Sept. 26 (Montag), Straßburg, Krieg (Burgunder)
1475 März 20 (Montag), Straßburg, Krieg (Burgunder)
1475 Mai 12 (Mittwoch), Straßburg, Krieg (Burgunder)
1476 März 26 (Freitag), Basel, Krieg (Burgunder)
1476 Sept. 28 (Samstag), Bern, Krieg (Burgunder)
1476 Sept. 29, (Sonntag), Bern, Krieg (Burgunder)
1476 Juni 26 (Mittwoch), Straßburg, Krieg (Burgunder)
1476 Okt. 6 (Sonntag), Bern, Krieg (Burgunder)
1476 Okt. 8 (Mittwoch), Straßburg, Krieg (Burgunder)
1480 Juli 23 (Sonntag), Bern, Überschwemmung
1480 Juli 24 (Montag), Basel, Überschwemmung
1480 Aug. 9 (Samstag vor Laurentius), Straßburg, Frieden, Wetter
1482 Mai 12 (Sonntag), Straßburg, Wetter, Teuerung, Frieden
1482 Juni 7 (Freitag nach Bonifatius), Erfurt, Wetter (Dürre), Teuerung, Pest, Frieden
1482 Juli 29 (Donnerstag), Frankfurt, Pest
1483 Juli 18 (Freitag), Göttingen, Pest
1483 Juni 20 (Freitag vor Joh. Bapt.), Erfurt, Wetter (Dürre), Teuerung, Pest
1485 Juli 12 (Dienstag), Straßburg, Wetter, Seuche
1488 Feb. (auf einem Montag), Straßburg, Gefangennahme Maximilians
1488 März 24 (Hl. Blutstag, Montag), Erfurt, Ablaßprozession
1490 Aug. 16 (Montag nach Mariae Himmelfahrt), Straßburg, Seuchen
1490 Okt. 20 (Mittwoch), Straßburg, Seuchen

1491 Aug. 11 (Tag nach St. Lorenz, Donnerstag), Erfurt, Wetter (Regen), Überschwemmung
1494 Juni 14 (Montag), Göttingen, Wetter (Dürre), Teuerung
1499 Jan. 11 (Donnerstag), Straßburg, Syphilis
1499 Juni 26 (Mittwoch), Straßburg, Kriege im Reich
1502 Aug. 19 (Freitag), Straßburg, Türken
1503 Juni 26 (Montag), Straßburg, Kreuzzeichen auf Kleidern
1505 alle Freitage, Regensburg, Kriegsgefahr
1506 Dez. 7 (Montag), Dortmund, Verrat
1507 an drei Freitagen, Nürnberg, Kaiserkrönung Maximilians
1509 Aug. 24 (Bartholomäus, Freitag), Nürnberg, Kriege im Reich
1509 Sept. 21 (Matthäus, Freitag), Nürnberg, Kriege im Reich
1509 Sept. 29 (Michael, Samstag), Nürnberg, Kriege im Reich
1511 Juli 23 (Mittwoch), Straßburg, Wetter, Krankheit, Krieg
1511 Juli 28 (Dienstag nach Jacobi), Regensburg, Wetter
1511 Aug. 1 (Peter, Freitag), Nürnberg, Wetter (Regen)
1511 Sept. 15 (Maria Nat., Montag), Erfurt, Eintracht (innerstädt. Unruhen)
1511 Sept. 21 (Matthäus, Montag), Regensburg, Wetter
1515 alle Samstage vom 6. Aug. bis 30. Sept., Nürnberg, Wetter
1517 Mai 13 (Mittwoch), Straßburg, Wetter, Frieden
1518 Mai 31 (Montag), Nürnberg, Wetter
1518 Juni 15 (Vitus, Dienstag), Nürnberg
1519 Feb. 4 (Freitag), Nürnberg, Tod Maximilians
1519 alle Freitage, Nürnberg, Besserung der Luft
1520 Mai 14 (Montag), Straßburg, Reise Kaiser Karls, Frieden
1522 März 28 (Freitag), Straßburg, Türken, Reichsregiment in Nürnberg
1522 Juni 9 (2. Pfingsttag, Montag), Nürnberg, Wetter
1522 Juni 24 (Sonntag nach Johannis), Nürnberg, Reise Kaiser Karls, Frieden
1523 Juli 25 (Jacobi, Samstag), Nürnberg, Wetter
1523 alle Freitage vom Ende Juli bis 30. Sept., Nürnberg, Wetter
1524 Jan. 25 (Paul. Conv., Montag), Nürnberg, Wetter, Erdbeben, ungünstige Entwicklungen

Quellen: Kießling (Augsburg); St. Chr. 20, 387 (Dortmund); Cammermeister (Erfurt); Stolle (Erfurt); Froning (Frankfurt); Lubecus, Annalen (Göttingen); Rezesse Bd. 8, Nr. 343 (Hanse); Schlemmer (Nürnberg); Gemeiner (Regensburg); Pfleger, Ratsgottesdienste (Straßburg); Signori, Ritual (Straßburg)

5. Abkürzungsverzeichnis

ADB	Allgemeine Deutsche Biographie
AEAl	Archives de l'Eglise d'Alsace
AEKG	Archiv für Elsässische Kirchengeschichte
AHR	American Historical Review
AMRhKG	Archiv für mittelrheinische Kirchengeschichte
BAEf	Bistumsarchiv Erfurt
CCL	Corpus Christianorum seu Nova Patrum collectio series latina
DACL	Dictionnaire d'archéologie chrétien et de liturgie
DSAM	Dictionnaire de spiritualité: ascétique et mystice
GG	Geschichte und Gesellschaft
GNM	Germanisches Nationalmuseum
FDA	Freiburger Diözesan-Archiv
HAStK	Historisches Archiv der Stadt Köln
HDWA	Handwörterbuch des deutschen Aberglaubens
HRG	Handwörterbuch der deutschen Rechtsgeschichte
HZ	Historische Zeitschrift
JEGP	Journal of English-German Philology
JfL	Jahrbuch für fränkische Landesforschung
LD	Luther Deutsch
LdMa	Lexikon des Mittelalters
LKAN	Landeskirchenarchiv Nürnberg
LThK	Lexikon für Theologie und Kirche
MB	Monumenta Boica
MGG	Musik in Geschichte und Gegenwart
MonErphes	Monumenta erphesfurtensia saec. XII. XIII. XIV.
MVGN	Mitteilungen des Vereins für Geschichte der Stadt Nürnberg
MVGAE	Mitteilungen des Vereins für Geschichte und Altertumskunde von Erfurt
NDB	Neue Deutsche Biographie
NUB	Nürnberger Urkundenbuch
OER	The Oxford Encyclopedia of the Reformation
RdK	Reallexikon der deutschen Kunstgeschichte
StA	Stadtarchiv
StadtAN	Stadtarchiv Nürnberg
StAN	Staatsarchiv Nürnberg
St.Chr.	Die Chroniken der deutschen Städte
TRE	Theologische Realenzyklopädie
VSWG	Vierteljahresschrift für Wirtschafts- und Sozialgeschichte
WA	Luther, Weimarer Ausgabe
ZBKG	Zeitschrift für bayerische Kirchengeschichte
ZBLG	Zeitschrift für bayerische Landesgeschichte
ZGO	Zeitschrift für die Geschichte des Oberrheins
ZHF	Zeitschrift für historische Forschung

6. Quellen- und Literaturverzeichnis

6.1 Ungedruckte Quellen

BAEf Depositium St. Lorenz, Einnahmen- und Ausgabenbuch 1430, unsigniert.

BAEf Depositium St. Lorenz, Zins- und Rechnungsbuch 1498-1513, unsigniert.

BAEf Depositium St. Lorenz, Zins- und Einnahmenbuch 1539, unsigniert.

BAEf Geistliches Gericht VI k 36 (Nachrichten über die S. Lorenzkirche und Pfarrei in Erfurt).

BAEf Hs. liturg. 5 (Rituale und Choralbuch, 15., 17. und 18 Jh.).

BAEf Hs. liturg. 6 (Graduale, 15. Jh.).

BAEf Hs. liturg. 6a (Antiphonar, 15. Jh.).

BAEf Hs. liturg. 11 (Gesangsbuch, 1649, Kanoniker von St. Severi).

BAEf Hs. liturg. 16 (Processionale, 18. Jh.).

BAEf St. Marien, Stift XV 27 (Kopialbuch).

BAEf St. Marien, Stift, Urk. I 1117 (1464 Juni 3).

GNM Archiv, Reichsstadt Nürnberg, Nr. XV, ZR 7115 (Kirchenordnung St. Sebald, Lazarus Holzschuher, nach 1503).

GNM Archiv, Reichsstadt Nürnberg, Nr. XIV 2/3 (Amtsbuch des Heilig-Geist-Spitals, Nürnberg).

GNM Hs. 18026 (Müllner, Relationen).

GNM Merkel-Hss., Nr. 100 (Kirchenordnung St. Sebald, Sebald Schreyer).

HAStK Verfassung und Verwaltung V 126b, fol. 1-2.

LKAN Nr. 184 (=StAN Rep. 59, Nr. 2, Salbuch St. Sebald).

LKAN Pfarramt(PfA) Nürnberg - St. Sebald, Nr. 463, alte Nummer: Sebald 252 (Rechungsbuch St. Sebald, Sebald Schreyer, 1482-1494).

Müllner, Annalen III, s. StAN Rep. 52a, Nr. 31.

Müllner, Relationen, s. GNM Hs. 18026.

StA Fulda, Urkunden Nr. 4 (1350 Aug. 9).

StA Mühlhausen, Urk. 0/483 (1351 Sept. 6).

StadtAN A1 (Urkunden, 1343 Feb. 14).

StadtAN A21, Nr. 74-2° (Einnahme- und Ausgabebuch St. Sebald, 1482-1503).

StadtAN A21, Nr. 169-2° (St. Sebald, Amtsbuch und Mesnerpflichtordnung, Sebald Schreyer).

StadtAN A21, Nr. 214-2° (Ablaßkalender St. Sebald).

StadtAN B11, Nr. 71 (Ratstransitus).

StadtAN B11, Nr. 74 (Verzeichnis der ratsfähigen Geschlechter).

StadtAN D2/II, Nr. 1-4, 15 (Heilig-Geist-Spital, Amtsbücher).

StadtAN D2/III (Heilig-Geist-Spital, Rechnungsbücher).

StAE 0-0/A 25, Nr. 16 (1502 Nov. 28).

StAE 0-0/C Neuses 3, 4 (1449 September 7; 1451 Juni 5).

StAE 0-0/C Schmidtstedt 1, 2 (1341 Sept. 10; 1389 Mai 21).

StAE 0-1/I 114a (Regimentsverbesserung, 1510).

StAE 1-1 XXII-2, Nr. 1 (Große Mater, 1505).

StAE 1-1 XXII-3, Nr. 1a, Nr. 2-7 (Hilfs- und Nebenrechnungen zur Großen Mater, 1486, 1512, 1516, 1518-1520, 1528, 1530).

StAE 1-VI-b/5, Nr. 1 und 2 (Erbbücher über die Kirche St. Cosmas et Damian in Schmidtstedt; Rechnung der Kirche zu Schmidtstedt, 1505-1514).

StAE 2-100/16 (Sammelhandschrift, u.a. Willkür von 1303, Patronatsverzeichnis des Rates).

StAE 2-120/2 und 4 (Ratstransitus; Chronologische Zusammenstellung aller Raths-Transitus der Stadt Erfurt, 1212-1637).

StAE 2-122/5 (Instruktionen des Rates, um 1500).

StAE 2-155/5 (Statuenbuch, 1465).

StAE 2-210/3 (Sammelhandschrift).

StAE 2-270/1 (Liber presentationum 1505).

StAE 4-1/IV-A-12 (Die Prozession nach Schmidtstädt, Erfurt, 1847).

StAE 5-100/3, 4, 45 (Chroniken).

StAE Clemens-Milwitz-Familienbuch.

StAN Rep. 8 (Kirchen in Nürnberg), Nr. 42 (1429 Mai 26), Nr. 75 (1448 Okt. 26).

StAN Rep. 19 (D-Akten), Nr. 248.

StAN Rep. 52a (Nbg. Handschriften), Nr. 31 (Müllner, Annalen III, 1470-1544).

StAN Rep. 59 (Nbg. Salbücher), Nr. 1-3 (Salbücher St. Sebald, 1450, 1493 und St. Lorenz, 1460).

StAN Rep. 60a (Nbg. Ratsverlässe) Nr. 211 und 212.

StAN Rep. 60b (Nürnberger Ratsbücher), Nr. 1-12.

StAN Rep. 67, Nr. 1 (Krönungsakten).

6.2 Gedruckte Quellen

ABT BERTHOLD MEIERS Legenden und Geschichten des Klosters St. Ägidien zu Braunschweig, hg. von Ludwig Hänselmann, Wolfenbüttel 1900.

ACTA CUSANA. Quellen zur Lebensgeschichte des Nikolaus von Kues, Bd. 3,1, hg. von Erich Meuthen, Hamburg 1996.

AMBERG, GOTTFRIED, Ceremoniale Coloniense. Die Feier des Gottesdienstes durch das Stiftskapitel an der hohen Domkirche zu Köln bis zum Ende der Reichsstädtischen Zeit, Siegburg 1982.

ANDREAS VON REGENSBURG, Sämtliche Werke, hg. von Georg Leidinger, Aalen 1969, Nd. der Ausgabe München 1903.

ANGELE, ALBERT (Bearb.), Altbiberach um die Jahre der Reformation. Erlebt und für die kommenden Generationen der Stadt beschrieben von den Zeitgenossen und edlen Brüdern Joachim I. und Heinrich VI. von Pflummern, Patrizier der Freien Reichsstadt Biberach (= Schilling, Zustände, Erstdruck FDA 19, 1887), Biberach 1962.

ARENS, FRANZ, Der Liber ordinarius der Essener Stiftskirche (= Beiträge zur Geschichte von Stadt und Stift Essen 21), Essen 1901.

AUGUSTINUS, De baptismo libri septem, in: Corpus Scriptorum Ecclesiasticorum Latinorum Bd. 51, Sancti Aureli Augustini, Scripta contra donatistas, hg. von M. Petschenig, New York - London 1963, Nd. der Ausgabe Wien - Leipzig 1908, 143-375.

AVITUS, Homilia de rogationibus, in: Migne PL 59, 289-294.

BAADER, JOSEPH, Nürnberger Polizeiordnungen aus dem 13. bis 15. Jahrhundert, Amsterdam 1966, Nd. der Ausgabe Stuttgart 1861.

BADER, JOSEF, Urkunden und Regesten zur Geschichte der Stadt Villingen (13.-15. Jahrhundert), in: ZGO 8 (1857), 463-481.

BASTIAN, FRANZ (Hg.), Das Runtingerbuch: 1383-1407, 3 Bde., Regensburg 1935-1944.

DIE BEKENNTNISSCHRIFTEN DER EVANGELISCH-LUTHERISCHEN KIRCHE, hg. im Gedenkjahr der Augsburgischen Konfession 1930, Göttingen 1967 (6. durchgesehene Auflage).

BELETH, JOHANNES, Summa de ecclesiasticis officiis, hg. von Heribert Douteil (= Corpus Christianorum Continuatio Mediaevalis 41a), Turnhout 1976.

BERGDOLT, KLAUS (Hg.), Die Pest 1348 in Italien. Fünfzig zeitgenössische Quellen, Heidelberg 1989.

BERNHARD VON CLAIRVAUX, In Ramis Palmarum, in: Sancti Bernardi Opera, hg. von Jean Leclercq und H. Rochais, Bd. V: Sermones II, Rom 1968, 42-55.

Ders., In Purificatione Sanctae Maria, Sermo Secundus. De modo processionis et significatione, in: Ders., Sämtliche Werke lateinisch/deutsch, Bd. VII, hg. von Gerhard B. Winkler, Innsbruck 1996, 338-341.

BERTHOLD VON REGENSBURG, Vollständige Ausgabe seiner Predigten, hg. von Franz Pfeiffer, 2 Bde., Berlin 1965, Nd. der Ausgabe Wien 1862.

BOCCACCIO, GIOVANNI, Das Dekameron, übersetzt von Karl Witte, München 1966.

BROWE, PETER (Hg.), Textus antiqui de festo Corporis Christi (= Opuscula et textus historiam Ecclesiae ejusque vitam atque doctrinam illustrantio, Series Liturgica, Bd. 4), Münster 1934.

BRUCKER, JOHANN, Strassburger Zunft- und Polizeiordnungen des 14. und 15. Jahrhunderts, Straßburg 1889.

BUIJSSEN, GERARD HARRIE (Hg.), Durandus Rationale in spätmittelhochdeutscher Übersetzung, 4 Bde. (= 8 Bücher), Assen 1974.

BURG, ANDRÉ MARCEL, Les „Consuetudines" de Baldolf (XIᵉ siècle) 1. Le texte latin et sons adaptation en francais, 2. Commentaires, in: AEAl 43 (1984), 1-50, 44 (1985), 1-18.

Ders., Le coutumier anonyme (XIIIᵉ siècle) de la cathédrale de Strasbourg, in: AEAl 47 (1988), 31-65.

BUSCH, JOHANNES, Des Augustinerprobstes Johannes Busch Chronicon Windeshemense und Liber de reformatione monasteriorum, hg. von Karl Grube, Halle 1886.

CAMMERMEISTER, HARTUNG, Die Chronik Hartung Cammermeisters, bearb. von Robert Reiche, Halle 1896.

DIE CHRONIKEN DER DEUTSCHEN STÄDTE vom 14. bis ins 16. Jahrhundert, hg. durch die Historische Kommission bei der bayerischen Akademie der Wissenschaften, 36 Bde., Göttingen 1961-1968, Nd. der Ausgabe Leipzig 1862-1931.

CRONICA REINHARDSBRUNNENSIS, in: MGH SS 30,1, 515-656.

CYPRIAN, Sententia episcoporum numero LXXVII de haereticis baptizandis, in: S. Thasci Caecili Cypriani, Opera Omnia Bd. 1, hg. von Wilhelm Hartel (=CSEL Bd. 3,1), New York 1965, Nd. der Ausgabe Wien 1868.

DACHEUX, LEON, Annales de Sébastien Brant, in: Bulletin de la société pour la conservation des monuments historiques d'Alsace, 2. Folge, Bd. 19, Straßburg 1899.

DIEL, FLORENTIUS, Die pfarramtlichen Aufzeichnungen (Liber consuetudinum) des Florentius Diel zu St. Christoph in Mainz (1491-1518), hg. von Franz Falk, in: Erläuterungen und Ergänzungen zu Janssens Geschichte des deutschen Volkes, hg. von Ludwig Pastor, Bd. 4, 3. Heft, Freiburg i. Br. 1904, 1-63.

DIONYSIUS CARTUSIANI, De modo agendi processionis sanctorumque veneratione, in: Ders., Opera Omnia, Bd. 4, Tournai 1908, 197-209.

DURANDUS, GULIELMUS, Rationale Divinorum Officiorum, benutzte Ausgaben: Paris 1505 und Venedig 1572.

FALCKENSTEIN, JOHANN HEINRICH VON, Civitatis Erfurtensis Historia Critica et Diplomatica, Oder vollständige Alt= Mittel= und Neue Historie von Erffurth, Erfurt 1739.

FLEISCHMANN, PETER (Bearb.), Das Reichssteuerregister von 1497 der Reichsstadt Nürnberg (und der Reichspflege Weissenburg), Nürnberg 1993.

FÖRSTEMANN, KARL EDUARD (Hg.), Urkundenbuch zu der Geschichte des Reichstages in Augsburg im Jahr 1530, 2. Bde., Hildesheim 1966, Nd. der Ausgabe Halle 1833/35.

FRONING, Richard (Bearb.), Frankfurter Chroniken und annalistische Aufzeichnungen des Mittelalters (= Quellen zur Frankfurter Geschichte, 1. Bd.), Frankfurt/Main 1884.

DIE FRONLEICHNAMS-PROZESSIONS-ORDNUNG des Bischofes Johann v. Eich, c. 1451 (FPO Eich), in: Pastoral-Blatt des Bisthums Eichstätt, Nr. 26, 25. Juni 1859, 109-111.

GEMEINER, CARL THEODOR, Regensburgische Chronik Bd. I-IV, hg. von Heinz Angermeier, München 1971, Nd. der Ausgabe Regensburg 1800-1924.

GERSTENBERG, WIGAND, Landeschronik von Thüringen und Hessen, in: Die Chroniken des Wigand Gerstenberg von Frankenberg, hg. von Hermann Diemar, Marburg 1989², 1-355.

GÖTTINGER STATUTEN. Akten zur Geschichte der Verwaltung und des Gildewesens der Stadt Göttingen bis zum Ausgang des Mittelalters, hg. von Goswin Frhr. von der Ropp, Hannover - Leipzig 1907.

GREGOR VON TOURS, De virtutibus Sancti Martini Episcopi, in: MGH Scrip. Rer. Mer., Bd. 1, 2, 134-210.

Ders., Historiam Libri Decem / Zehn Bücher Geschichte, hg. von Rudolf Buchen, 2 Bde., Darmstadt 1967.

GÜMBEL, ALBERT, Das Mesnerpflichtbuch von St. Sebald in Nürnberg vom Jahre 1482, München 1922.

Ders., Das Mesnerpflichtbuch von St. Lorenz in Nürnberg vom Jahre 1493, München 1928.

HAMELMANN, HERMANN, Hermann Hamelmanns geschichtliche Werke, Bd. 2 Reformationsgeschichte Westfalens, hg. von Klemens Löffler, Münster 1913.

HARTZHEIM, JOSEPH; JOHANN FRIEDRICH SCHANNAT, Concilia Germaniae, 8 Bde., Aalen 1970, Nd. der Ausgabe Köln 1759.

HEINEMANN, K.W.A., Die statuarischen Rechte für Erfurt und sein Gebiet, Erfurt 1822.

HERDEGEN, KONRAD, Nürnberger Denkwürdigkeiten des Konrad Herdegen, 1409-1479, hg. von Theodor von Kern, Erlangen 1874.

HERRMANN, PAUL (Hg.), Zimmerische Chronik, urkundlich berichtet von Graf Froben Christof von Zimmern (gest. 1567) und seinem Schreiber Johannes Müller (gest. 1600), 2. Bd., Meersburg 1932.

HOFFMANN, HERMANN (Hg.), Würzburger Polizeisätze. Gebote und Ordnungen des Mittelalters, 1125 - 1495, Würzburg 1955.

HORROX, ROSEMARY (Hg. und Übersetzung), The Black Death, Manchester 1994.

HRABANUS MAURUS, Homilia XIX. In Litaniis, in: Migne PL 110, 37-39.

ITINERAIRUM EGERIAE, in: CCL 175, 29-103.

JACOBUS A VORAGINE, Legenda Aurea, hg. von Johann Georg Theodor Graesse, Osnabrück 1969, Nd. der Ausgabe von 1890.

JUNG, RUDOLF, Frankfurter Chroniken und annalistische Aufzeichnungen der Reformationszeit (= Quellen zur Frankfurter Geschichte, 2. Bd.), Frankfurt/Main 1888.

KNIPPING, RICHARD (Bearb.), Die Kölner Stadtrechnungen des Mittelalters mit einer Darstellung der Finanzverwaltung, Bd. 2: Die Ausgaben, Bonn 1898.

KURZEJA, ADALBERT, Der älteste Liber Ordinarius der Trierer Domkirche, Münster 1970.

LINDNER, JOHANN, Johann Lindner's Kirchenordnung von S. Lorenz zu Hof (Registrum sive directorium rerum agendarum parochialis ecclessiae sancti Laurentii in Hof conscriptum anno 1479 per magistrum Johannem Linthner protunc vicegerentem), in: Quellen zur alten Geschichte des Fürstenhums Bayreuth, Bd. 1, hg. von Christian Meyer, 209-240, Bayreuth 1895.

LOESCH, HEINRICH VON, Die Kölner Zunfturkunden nebst anderen Kölner Gewerbeurkunden bis zum Jahre 1500, 1. Bd., Bonn 1907.

LÖHR, GABRIEL M., Beiträge zur Geschichte des Kölner Dominikanerklosters im Mittelalter, Bd. 1 Darstellung, Bd. 2 Quellen (= Quellen und Forschungen zur Geschichte des Dominikanerordens in Deutschland, Bd. 15-17), Leipzig 1920.

LUBECUS, FRANZISKUS, Franz Lubecus Bericht über die Einführung der Reformation in Göttingen im Jahre 1529, hg. von Hans Volz, Göttingen 1967.

Ders., Göttinger Annalen. Von den Anfängen bis zum Jahr 1588, bearb. von Reinhard Vogelsang, Göttingen 1994.

LUTHER, MARTIN, Werke. Kritische Gesamtausgabe (Weimarer Ausgabe), Weimar 1883ff.

Ders., Luther Deutsch. Die Werke Martin Luthers in neuer Auswahl für die Gegenwart, hg. von Kurt Aland, Stuttgart - Göttingen 1957ff.

Ders., Luthers geistliche Lieder und Kirchengesänge. Vollständige Neuedition in Ergänzung zu Band 35 der Weimarer Ausgabe, bearb. von Markus Jenny, Köln 1985.

MANSI, GIOVANNI DOMENICO, Sacrorum conciliorum nova et amplissima collectio, Graz 1960, Nd. der Ausgabe 1901-1927.

MERCKLEN, PAUL-ALFRED, Les boulangers de Colmar, épisode inédit des coalitions ouvrières en Alsace au Moyen-Age, in: Notes et documents tirés des archives de la ville de Colmar, par X. Mossmann, Colmar 1872.

MICHELSEN, ANDREAS LUDWIG JAKOB, Die Ratsverfassung von Erfurt im Mittelalter, Jena 1855.

MONE, FRANZ JOSEPH, Lateinische Hymnen des Mittelalters, 3 Bde., Aalen 1964, Nd. der Ausgabe Freiburg 1853-1855.

MONUMENTA BOICA, bisher 54 Bde., hg. von der Academia Scientierum Boica, ab Bd. 47 hg. von der Königlichen Bayerischen Akademie der Wissenschaften, Bd. 54 hg. von der Kommission für bayerische Landesgeschichte bei der Bayerischen Akademie der Wissenschaften, München 1747ff.

MONUMENTA ERPHESFURTENSIA Saec. XII. XIII. XIV. (MonErphes), hg. von Oswald Holder-Egger (= Scriptores rerum germanicarum in usum scholarum, Bd. 42), Hannover - Leipzig 1899.

MÜLLNER, JOHANNES, Die Annalen der Reichsstadt Nürnberg von 1623, 2 Bde., hg. von Gerhard Hirschmann, Nürnberg 1972 und 1984.

MÜLLNER, Annalen III (1470-1544), s. ungedruckte Quellen: StAN Rep., Nr. 31.

MÜLLNER, Relationen, s. ungedruckte Quellen: GNM Hs. 18026.

NIKOLAUS VON SIEGEN, Chronicon ecclesiasticum, hg. von Franz X. Wegele, Jena 1855.

DIE NÜRNBERGER BÜRGERBÜCHER I, Die pergamentenen Neubürgerbücher 1302-1448, hg. vom Stadtarchiv Nürnberg, Nürnberg 1974.

NÜRNBERGER URKUNDENBUCH (1290 - 1300), Nürnberg 1959.

ODENTHAL, ANDREAS, Der älteste Liber Ordinarius der Stiftskirche St. Aposteln in Köln, Siegburg 1994.

OEDIGER, FRIEDRICH WILHELM, Der ältestes Ordinarius des Stiftes Xanten, Kevelaer 1963.

OVERMANN, ALFRED (Bearb.), Urkundenbuch der Erfurter Stifter und Klöster, Teil 1 (706-1330), hg. von der Historischen Kommission für die Provinz Sachsen und für Anhalt, Magdeburg 1926.

PFEIFFER, GERHARD, Quellen zur Nürnberger Reformationsgeschichte: Von der Duldung liturgischer Änderungen bis zur Ausübung des Kirchenregiments durch den Rat (Juni 1524 - Juni 1525), Nürnberg 1968.

PIEL, HEINRICH, Das Chronicon Domesticum et gentile des Heinrich Piel, hg. von Martin Krieg, Münster 1981.

DIE RECESSE UND ANDERE AKTEN DER HANSETAGE von 1256 - 1430, Bd. VIII, Leipzig 1897.

RIEDER, KARL (Bearb.), Regesta Episcoporum Constantiensium, 3. Bd. (1384-1436), Innsbruck 1913.

ROTH, FRIEDRICH WILHELM EMIL, Lateinische Hymnen des Mittelalters, Augsburg 1887.

ROTH, JOH. FERDINAND, Verzeichnis aller Genannten des größeren Rats zu Nürnberg, Nürnberg 1802.

ROTHE, JOHANN, Düringische Chronik des Johann Rothe, hg. von Rochus von Liliencron, Jena 1859.

RUPPERT, PHILIPP (Hg.), Die Chroniken der Stadt Konstanz, Konstanz 1891.

SACHS, HANS, Werke, hg. von Adelbert von Keller, 26 Bde., Hildesheim 1964, Nd. der Ausgabe Stuttgart 1870-1908.

SCHEURL, CHRISTOPH, Christoph Scheurl's Epistel über die Verfassung der Reichsstadt Nürnberg, 1516, in: St.Chr. Bd. 11, 785-804.

Ders., Briefbuch, ein Beitrag zur Geschichte der Reformation und ihrer Zeit, 2 Bde., hg. von Franz Frh. von Soden und J.K.F. Knaake, Aalen 1962, Nd. der Ausgabe Potsdam 1867ff.

SCHIEBER, MARTIN (Hg.), Die Nürnberger Ratsverlässe, Heft 2, 1452-1471, Neustadt/Aisch 1995.

SCHIRRMACHER, FRIEDRICH WILHELM, Briefe und Acten zu der Geschichte des Religionsgesprächs in Marburg 1529 und des Reichstages in Augsburg 1530, Amsterdam 1968, Nd. der Ausgabe Gotha 1876.

SCHULER, STEPHAN, Stephan Schulers Salbuch der Frauenkirche in Nürnberg, hg. von J. Metzner, in: Zweiunddreissigster Bericht über das Wirken und den Stand des historischen Vereins zu Bamberg im Jahre 1869, Bamberg 1869.

SCHULTHEISS, WERNER (Hg.), Satzungsbücher und Satzungen der Reichsstadt Nürnberg aus dem 14. Jahrhundert, Nürnberg 1965.

SMETS, WILHELM (Hg. und Übersetzer), Des hochheiligen, ökumenischen und allgemeinen Concils von Trient Canonces und Beschlüsse, benest den darauf bezüglichen päpstlichen Bullen und Verordnungen und einem vollständigen Inhaltsverzeichnisse. Mit gegenüberstehendem lateinischem Texte nach den besten Ausgaben, mit besonderer Berücksichtigung der neuesten römischen Ausgaben vom Jahre 1845, 4. Auflage, mit Stereotypen, Bielefeld 1854.

STAHL, IRENE (Hg.), Die Nürnberger Ratsverlässe, 1449-1450, Neustadt/Aisch 1983.

STECHELE, ULRICH, Registrum Subsidii Clero Thuringiae anno 1506 impositi, in: Z. des Vereins für thüringische Geschichte und Altertumskunde, N.F. 2 (1882), 1-182.

STEIN, WALTHER (Bearb.), Akten zur Geschichte der Verfassung und Verwaltung der Stadt Köln im 14. und 15. Jahrhundert, 2 Bde., Düsseldorf 1993, Nd. der Ausgabe Bonn 1893/1895.

STOLLE, KONRAD, Memoriale - thüringisch-erfurtische Chronik von Konrad Stolle, bearb. von Richard Thiele, Halle 1900.

TRIBBE, HEINRICH, Des Domherrn Heinrich Tribbe Beschreibung von Stadt und Stift Minden (um 1460), hg. von Klemens Löffler, Münster 1932.

URKUNDENBUCH DER STADT AUGSBURG, hg. von Christian Meyer, 2 Bde., Augsburg 1874-1878.

URKUNDENBUCH DER STADT BRAUNSCHWEIG, 4 Bde., hg. von Ludwig Hänselmann und Heinrich Mack, 1975, Nd. der Ausgabe Braunschweig 1873-1812.

URKUNDENBUCH DER STADT ERFURT, bearb. von Carl Beyer, 2 Bde., Halle 1889-1897.

URKUNDENBUCH DER STADT GÖTTINGEN, hg. von Karl Gustav Schmidt, 2 Bde., Aalen 1974, Nd. der Ausgabe Hannover 1863.

URKUNDENBUCH DER STADT HILDESHEIM, hg. von Richard Doebner, 9 Bde., Hildesheim 1980, Nd. der Ausgabe Hildesheim 1881-1901.

URKUNDENBUCH DER STADT LÜBECK, hg. von dem Vereine für Lübeckische Geschichte, 11 Bde., teilweise Nd. Osnabrück 1976, Lübeck 1843-1905.

URKUNDENBUCH DER STADT OSNABRÜCK 1301-1400, bearb. von Horst Rüdiger Jarck, Osnabrück 1989.

URKUNDENBUCH DER STADT STRASSBURG, 7 Bde., Straßburg 1879-1900.

VARILOQUUS, Erphurdianus Antiquitatum Variloquus incerti Auctoris, nebst einem Angange historischer Notizen über den Bauernkrieg in und um Erfurt im Jahre 1525, hg. von Richard Thiele, Halle 1906.

VOGEL, CYRILLE mit REINHARD ELZE, Le Pontifical Romano-Germanique du dixième siècle, Bd. 2, Vatikan 1963.

WEHNER, RITA, Die mittelalterliche Gottesdienstordnung des Stiftes Haug in Würzburg, Neustadt/Aisch 1979.

WEINSBERG, HERMANN, Das Buch Weinsberg. Kölner Denkwürdigkeiten aus dem 16. Jahrhundert, 4 Bde., bearb. von Konstantin Höhlbaum und Friedrich Lau, Leipzig 1886-1898.

6.3 Benutzte Lexika und Wörterbücher

Allgemeine Deutsche Biographie, 2. unveränderte Auflage, Berlin 1967, Nd. der Ausgabe Leipzig 1875-1912.

Becker, Udo, Lexikon der Symbole, Freiburg 1992.

Bibel-Lexikon, hg. von Herbert Haag, Einsiedeln 1968.

Biblisch-historisches Handwörterbuch, hg. von Bo Reicke und Leonhard Rost, 4 Bde., Göttingen 1962-1979.

Deutsches Wörterbuch, von Jacob und Wilhelm Grimm, ab 1935 bearb. Von (...) und der Arbeitsstelle des deutschen Wörterbuchs, ab 1951 hg. von der Deutschen Akademie der Wissenschaften zu Berlin, 16 Bde., Leipzig 1854ff.

Dictionnaire d'archéologie chrétien et de liturgie, hg. von Fernand Chabrol und Henri Leclerq, 15 Bde., Paris 1920-1953.

Dictionnaire de droit canonique, hg. von Raoul Naz, 7 Bde., Paris 1935-1965.

Dictionnaire de spiritualité: ascétique et mystice; doctrine et histoire, hg. von Marcel Villier, 16 Bde., Paris 1937-1994.

The Encyclopedia of Religion, hg. von Mircea Eliade, 16 Bde. New York 1987.

Encyclopedia of Cultural Anthropology, hg. von David Levinson und Melvin Ember, 4 Bde., New York 1996.

Germania Judaica, Bd. 2: Von 1238 bis zur Mitte des 14. Jahrhunderts, hg. von Zvi Avneri, Tübingen 1968; Bd. 3: 1350-1519, hg. von Arye Maimon in Zusammenarbeit mit Yacov Guggenheim, Tübingen 1987.

Handwörterbuch der deutschen Rechtsgeschichte, hg. von Adalbert Erler, bisher 5 Bde., Berlin 1971-1998.

Handwörterbuch des deutschen Aberglaubens, hg. Hanns Bächtold-Stäubli, 10 Bde., Berlin - Leipzig 1927-1942.

HEPPER, FRANK NIGEL, Pflanzenwelt der Bibel: eine illustrierte Enzyklopädie, Stuttgart 1992.

International Encyclopedia of the Social Science, hg. von David L. Sills, 18 Bde., New York 1968.

Lexikon des Mittelalters, 9 Bde., München 1980-1998.

Lexikon für Theologie und Kirche, 2. neu bearb. Auflage des Kirchlichen Handlexikons, hg. von Michael Buchberger, 10 Bde., Freiburg 1930-1938; 3. völlig neu bearb. Auflage, hg. von Walter Kasper, bisher 7 Bde., Freiburg 1993-1998.

Marienlexikon, hg. von Remigius Bäumer, 6 Bde., St. Ottilien 1988-1994.

Neue Deutsche Biographie, hg. von der Historischen Kommission bei der Bayerischen Akademie der Wissenschaften, bisher 18 Bde., Berlin 1953-1997.

The Oxford Encyclopedia of the Reformation, hg. von Hans J. Hillerbard, 4 Bde., Oxford 1996.

Reallexikon der deutschen Kunstgeschichte, hg. von Otto Schmidt, bisher 8 Bde., München 1937-1987.

SCHMELLER, JOHANN ANDREAS, Bayerisches Wörterbuch, 2 Bde., Aalen 1966, Nd. der Ausgabe München 1872-1877.

Theologische Realenzyklopädie, hg. von Gerhard Krause, ab Bd. 22 von Gerhard Müller, bisher 29 Bde., Berlin 1977-1998.

6.4 Sekundärliteratur

ABEL, WILHELM, Agrarkrisen und Agrarkonjunkturen, Hamburg - Berlin 1966².

ADAM, ADOLF, Te Deum Laudamus. Grosse Gebete der Kirche (lateinisch - deutsch), Freiburg 1986.

ADAMSKI, MARGARETE, Herrieden. Kloster, Stift und Stadt im Mittelalter bis zur Eroberung durch Ludwig den Bayern im Jahre 1316, Lassleben 1954.

AIGN, THEODOR, Die Ketzel. Ein Nürnberger Handelsherren- und Jerusalempilgergeschlecht, Neustadt/Aisch 1961.

ALIOTH, MARTIN, Gruppen an der Macht. Zünfte und Patriziat in Straßburg im 14. und 15. Jahrhundert. Untersuchungen zu Verfassung, Wirtschaftsgefüge und Sozialstruktur, 2 Bde., Basel - Frankfurt/Main 1988.

ALTENBURG, DETLEF, Die Musik der Fronleichnamsprozessionen des 14. und 15. Jahrhunderts, in: A. Carapetyan, Musica Disciplina 38 (1984), 5-24.

ALTHOFF, GERD, Der friedens-, bündnis- und gemeinschaftsstiftende Charakter des Mahles im frühen Mittelalter, in: Essen und Trinken im Mittelalter und Neuzeit, hg. von Irmgard Bitsch, Sigmaringen 1987, 14-25.

Ders., Colloquium familiare - Colloquium secretum - Colloquium publicum. Beratung im politischen Leben des frühen Mittelalters, in: Frühmittelalterliche Studien 24 (1990), 145-167.

Ders., Zur Verschriftlichung von Memoria in Krisenzeiten, in: Memoria in der Gesellschaft des Mittelalters, hg. von Dieter Geuenich und Otto Gerhard Oexle, Göttingen 1994, 56-73.

ANGENENDT, ARNOLD, Heilige und Reliquien. Die Geschichte ihres Kultes vom frühen Christentum bis zur Gegenwart, München 1994.

ATKINSON, CLARISSA W., „Precious Balsam in a Fragile Glass": The Ideology of Virginity in the Later Middle Ages, in: Journal of Family History 8 (1983), 131-143.

BABINGER, FRANZ, Mehmed der Eroberer und seine Zeit, München 1987, Erstauflage: 1953.

BACKMUND, NORBERT, Neuere Forschungen zur Geschichte der deutschen Praemonstratenser, in: Analecta Praemonstratensia 15 (1939), 65-83.

BALDOVIN, JOHN F., The Urban Character of Christian Worship. The Origins, Development and Meaning of Stational Liturgy, Rom 1987.

BARTH, MÉDARD, Die Einführung des Fronleichnamsfestes und der Fronleichnamsprozession in der Stiftskirche Rheinau im J. 1308 bzw. 1314, in: AEKG 12 (1937), 391-393.

Ders., Fronleichnamsfest und Fronleichnamsbräuche im mittelalterlichen Straßburg, in: AEAl 25 (1958), 233-235.

BARTH, SUSANNE, Jungfrauenzucht. Literaturwissenschaftliche und pädagogische Studien zur Mädchenerziehungsliteratur zwischen 1200 und 1600, Stuttgart 1994.

BASSETT, STEVEN (Hg.), Death in Towns, London 1992.

BAUERREISS, ROMERALD, Zur Entstehung der Fronleichnamsprozession in Bayern, in: Festgabe des Vereins für Diözesangeschichte von München und Freising zum Münchener Eucharistischen Weltkongreß 1960, hg. von W.A. Ziegler, München 1960, 94-101.

BAYLEY, T., The processions of Sarum and the Western church, Toronto 1971.

BEISSEL, STEFAN, Geschichte der Verehrung Marias in Deutschland während des Mittelalters, Darmstadt 1972, Nd. der Ausgabe Freiburg/Br. 1909.

BELKER, JÜRGEN, Aussätzige - „Tückischer Feind" und „Armer Lazarus", in: Randgruppen der spätmittelalterlichen Gesellschaft: ein Hand- und Studienbuch, hg. von Bernd-Ulrich Hergemöller, Warendorf 1994², 253-283.

BELL, THOMAS J., The Eucharistic Theologies of Lauda Sion and Thomas Aquina's ‚Summa Theologiae', in: The Thomist 57 (1993), 163-186.

BENARY, FRIEDRICH, Die Vorgeschichte der Erfurter Revolution von 1509. Ein Versuch. I.
Bis zu den Friedensschlüssen von Amorbach und Weimar, Erfurt 1911.

BERGDOLT, KLAUS, Der Schwarze Tod in Europa. Die Große Pest und das Ende des Mittelalters, München 1994.

BERGER, BLANDINE-DOMINIQUE, Le drame liturgique de Pâques du Xe au XIIIe siècle. Liturgie et théâtre, Paris 1976

BERLIÈRE, URSMER, Les stations liturgiques dans les anciennes villes épiscopales, in: Revue
liturgique et bénedictine 5 (1920), 213-216, 242-248.

Ders., Les processions des croix banales, in: Académie royale de Belgique, Bulletin de la classe
des lettres et des sciences morales et politiques 5/8 (1922), 419-426.

Ders., L'antienne Media Vita au moyen âge, in: Revue liturgique et monastique 11 (1925), 25-
28.

BERNARDS, MATTHÄUS, Speculum Virginum. Geistigkeit und Seelenleben der Frau im
Hochmittelalter, Köln - Graz 1955.

BERNING, WILHELM, Das Bistum Osnabrück vor der Einführung der Reformation, Osnabrück 1940.

BERTRAM, MAX PAUL, Der Erfurter Kaland. Ein Beitrag zur Charakteristik der Pfarrgeistlichkeit und des kirchlichen Kultus der Stadt im 14./15. Jahrhundert, in: MVGAE 27 (1906),
52-72.

Ders., Der Erfurter Dorfpfarrer im ausgehenden Mittelalter, in: Zeitschrift des Vereins für
Kirchengeschichte in der Provinz Sachsen 5 (1908), 159-185.

Ders., Das Kirchenwesen Erfurts und seines Gebietes gegen Ausgang des Mittelalters. Ein
erster Entwurf auf Grund der Quellen, in: Zeitschrift des Vereins für Kirchengeschichte
in der Provinz Sachsen 7 (1910), 1-25.

BEUCHOT, I., Das Fronleichnamsfest zu Colmar vor alten Zeiten, Colmar 1916.

BEUMER, JOHANNES, Die Prozessionen im katholischen Frankfurt während der Reformationszeit, in: AMRhKG 21 (1969), 105-118.

BEYER, HEINRICH, Kurze Geschichte der Stiftskirche Beatae Mariae Virginis zu Erfurt, in:
MVGAE 6 (1873), 125-166.

Ders., Geschichte der Stadt Erfurt von der ältesten bis auf die neueste Zeit, Erfurt
1900-1911.

BIEDERMANN, JOHANN GOTTFRIED, Geschlechtsregister des Patriziats in Nürnberg, Neu-
stadt/Aisch 1982, Nd. der Ausgabe 1748-1854.

BIEREYE, JOHANNES, Erfurt in seinen berühmten Persönlichkeiten, Erfurt 1937.

BIHL, MICHAEL, Die Pestsäule am Frauenberg bei Fulda, in: Fuldaer Geschichtsblätter 6
(1907), 17-24.

BILFINGER, GUSTAV, Die mittelalterlichen Horen und die Modernen Stunden, Wiesbaden
1969, Nd. der Ausgabe 1892.

BIRABEN, JEAN-NOEL, Les hommes et la peste en france et dans les pays européens et médi-
terranéens, 2 Bde., Paris 1976.

BIRCKENBACH, HANNE-MARGRET, Mit schlechtem Gewissen. Wehrdienstbereitschaft von
Jugendlichen, zur Empirie der psychosozialen Vermittlung von Militär und Gesellschaft,
Baden-Baden 1985.

BLACK, ANTONY, Guilds and Civil Society in European Political Thought from the Twelfth
Century to the Present, Cambridge 1984.

BLICKLE, PETER (Hg.), Landgemeinde und Stadtgemeinde in Mitteleuropa. Ein struktureller
Vergleich, München 1991.

Ders., Die Reformation im Reich, Stuttgart 1992^2.

Ders., Die Reformation in Stadt und Landschaft Erfurt. Ein paradigmatischer Fall, in: Weiß
(Hg.), Erfurt (1995), 253-274.

BLOHM, KATHARINA, Die Frauenkirche in Nürnberg (1352-1358): Architektur, Baugeschichte, Bedeutung, Diss. Berlin 1990.

BOCK, FRANZ, Die Geschichte der liturgischen Gewänder des Mittelalters, Graz 1970, Nd. der Ausgabe Bonn 1859-1871.

BOCK, FRIEDRICH, Der Chronist Wolfgang Lüder, in: MVGN 47 (1956), 297-312.

BOHATTA, HANNS, Liturgische Bibliographie des XV. Jahrhunderts mit Ausnahme der Missale und Livres d'heures, Wien 1911.

BOIS, JEAN-PIERRE und MINOIS, GEORGES, Vieillesse et pouvoir politique à l'époque de la Renaissance, in: Revue Historique 273 (1985), 97-115.

BOLLE, MAX, Die Wüstung Neuses am roten Berg, in: Jahrbücher der Akademie gemeinnütziger Wissenschaften zu Erfurt 3 (1937), 57-85.

BOOCKMANN, HARTMUT, Über „Ablaß-Medien", in: Geschichte in Wissenschaft und Unterricht 34 (1983), 709-721.

BOONE, MARC, Städtische Selbstverwaltungsorgane vom 14. bis 16. Jahrhundert. Verfassungsnorm und Verwaltungswirklichkeit im spätmittelalterlichen Raum am Beispiel Gent, in: Ehbrecht (Hg.), Verwaltung, 21-46.

BORST, ARNO, Die Sebaldslegenden in der mittelalterlichen Geschichte Nürnbergs, in: JfL 26 (1966), 33-173.

Ders., Das Erdbeben von 1348, in: Ders., Barbaren, Ketzer und Artisten. Welten des Mittelalters, München 1988, 528-563.

Ders., Drei mittelalterliche Sterbefälle, in: Ders., Barbaren, 567-598.

Ders., GRAEVENITZ, GERHARD VON, PATSCHOVSKY, ALEXANDER und STIERLE, KARLHEINZ, Tod im Mittelalter, Konstanz 1993.

BOWLES, EDMUND A., Musical Instruments in Civic Processions during the Middle Ages, in: Acta Musicologica 33 (1961), 147-161.

Ders., Musikleben im 15. Jahrhundert (= Musikgeschichte in Bildern, Bd. III), Leipzig 1977.

BRADY, THOMAS, Rites of Autonomy, Rites of Dependence. South German Civic Culture in the Age of Renaissance and Reformation, in: Religion and Culture in the Renaissance and Reformation, hg. von Steven Ozment, Ann Arbor 1989.

BRAKMANN, HEINZGERD, Synaxis katholikê. Zur Verbreitung des christlichen Stationsgottesdienstes, in: Jahrbuch für Antike und Christentum 30 (1987), 74-89.

Ders., Muster bewegter Liturgie in kirchlicher Tradition, in: Volk Gottes auf dem Weg: Bewegungselemente im Gottesdienst, hg. von Wolfgang Meurer, Mainz 1989, 25-51.

BRANDT, HANS-JÜRGEN, St. Reinoldus in Dortmund, in: Dortmund. 1100 Jahre Stadtgeschichte, hg. von Gustav Luntowski, Dortmund 1982, 81-105.

BRANDT, RÜDIGER, Enklaven - Exklaven. Zur literarischen Darstellung von Öffentlichkeit und Nichtöffentlichkeit im Mittelalter, München 1993.

BRÄUER, HELMUT, Artikulationsformen, Aktionsfelder und Wirkungsgrenzen der Bürgerschaftsvertretungen in obersächsischen Städten des 15. bis 17. Jahrhunderts, in: Ehbrecht (Hg.), Verwaltung, 191-206.

BRAUN, JOSEPH, Die liturgischen Paramente in Gegenwart und Vergangenheit, Freiburg/Breisgau 1924.

BREIDECKER, VOLKER, Florenz oder: Die Rede, die zum Auge spricht, München 1990.

BRINKMANN, ALFONS, Liturgische und volkstümliche Formen im geistlichen Spiel des deutschen Mittelalters, Münster 1932.

BROD, HARRY und KAUFMAN, MICHAEL (Hg.), Theorizing Masculinities, London 1994.

BROOKS, NEIL C., The „sepulcrum Christi" and its ceremonies in late medieval and modern times, in: JEGP 27 (1928), 147-161.

Ders., Processional Drama and Dramatic Procession in Germany in Late Middle Ages, in: JEGP 32 (1933), 141-171.

Ders., An Ingolstadt Corpus Christi procession and the Biblia pauperum, in: JEGP 35 (1936), 1-16.

BROWE, PETER, Die Ausbreitung des Fronleichnamfestes, in: Jb. für Liturgiewissenschaft 8 (1928), 107-143.

Ders., Entstehung der Sakramentsprozession, in: Bonner Z. f. Theologie und Seelsorge 86 (1931), 97-117.

Ders., Die Verehrung der Eucharistie im Mittelalter, München 1933.

Ders., Die Pflichtkommunion im Mittelalter, Münster 1940.

BRUDER, PETER, Die Fronleichnamsfeier zu Mainz um das Jahr 1400, in: Der Katholik 81 = F.3, Bd. 23 (1901) 1, 489-507.

BRUNHÖLZL, FRANZ, Zur Antiphon „Alma redemptoris mater", in: Studien und Mitteilungen des Benediktinerordens und seiner Zweige 78 (1967), 321-324.

BRUNNER, OTTO, Souveräntitätsproblem und Sozialstruktur in den deutschen Reichsstädten der frühen Neuzeit, in: Ders., Neue Wege der Verfassungs- und Sozialgeschichte, Göttingen 1968[2], 294-321.

Ders., Stadt und Bürgertum in der europäischen Geschichte, in: Ders., Neue Wege, 213-224.

BRUYNE, G. DE, L'origine des processions de la Chandeleur et des Rogations à propos d'un sermon inédit, in: Revue bénédictine 34 (1922), 14-26.

BRYANT, LAWRENCE MCBRIDE, The King and the City in the Parisian Royal Entry Ceremony. Politics, Ritual and Art in the Renaissance, Genf 1986.

BUCHHOLZ, WERNER, Anfänge der Sozialdisziplinierung im Mittelalter. Die Reichsstadt Nürnberg als Beispiel, in: ZHF 18 (1991), 129-147.

BUGGE, JOHN, „Virginitas": An Essay on the History of a Medieval Ideal, La Hague 1975.

BÜHL, CHARLOTTE, Die Pestepidemien des ausgehenden Mittelalters und der Frühen Neuzeit in Nürnberg (1483/84 bis 1533/34), in: Nürnberg und Bern. Zwei Reichsstädte und ihre Landgebiete, hg. von Rudolf Endres, Erlangen 1990, 121-168.

BULST, NEITHARD, Der Schwarze Tod. Demographische, wirtschafts- und kulturgeschichtliche Aspekte der Pestkatastrophe von 1347 - 1352, in: Saeculum 30 (1979), 45-67.

Ders., Vier Jahrhunderte Pest in niedersächsischen Städten - Vom schwarzen Tod (1349-1351) bis in die erste Hälfte des 18. Jahrhunderts, in: Stadt im Wandel. Kunst und Kultur des Bürgertums in Norddeutschland 1150 - 1650, Bd. 4, hg. von Cord Meckseper, Braunschweig 1985, 251-270.

Ders., Feste und Feiern unter Auflagen. Mittelalterliche Tauf-, Hochzeits- und Begräbnisordnungen in Deutschland und Frankreich, in: Feste und Feiern im Mittelalter, hg. von Detlef Altenburg, Jörg Janut und Hans-Hugo Steinhoff, Sigmaringen 1991, 39-52.

BUND, KONRAD, Frankfurt am Main im Spätmittelalter 1311-1519, in: Frankfurt am Main: die Geschichte der Stadt in neun Beiträgen, hg. von der Frankfurter Historischen Kommission, Sigmaringen 1991, 53-150.

BURG, ANDRÉ MARCEL, Recherches sur les coutumiers manuscrits de la cathédrale de Straßbourg, in: AEAl 33 (1969), 1-32.

BURKE, PETER, Städtische Kultur in Italien zwischen Hochrenaissance und Barock, Berlin 1986.

Ders., Cities, Spaces, and Rituals in the Early Modern World, in: Mare und Vos (Hg.), Urban Rituals, 29-38.

BUSSE, INGRID, Der Siechkobel St. Johannis vor Nürnberg, 1234 bis 1807, Nürnberg 1974.

BUSZELLO, HORST, „Wohlfeile" und Teuerung am Oberrhein 1340 - 1525 im Spiegel zeitgenössischer erzählender Quellen, in: Bauer, Reich und Reformation, hg. von Peter Blickle, Stuttgart 1982, 18-42.

BYNUM, CAROLINE W., Women's Stories, Women's Symbols: A Critique of Victor Turner's Theory of Liminality, in: Dies., Fragmentation and Redemption. Essays on Gender and the Human Body in Medieval Religion, New York 1991, 27-51.

CAESAR, ELISABETH, Sebald Schreyer. Ein Lebensbild aus dem vorreformatorischen Nürnberg, in: MVGN 56 (1969), 1-213.

CANNADINE, DAVID (Hg.), Rituals of royality, power and ceremonial in traditionals societies, Cambridge 1987.

CARPENTIER, ELISABETH, Autour de la peste noire: Famines et épidemies dans l'histoire du XIVᵉ siècle, in: Annales 17 (1962), 1062-1082.

Dies., Une ville devant la peste: Orvieto et la peste noire de 1348, Brüssel 1993².

CASAGRANDE, CARLA, Die beaufsichtigte Frau, in: Geschichte der Frauen, Bd. 2, hg. von Christiane Klapisch-Zuber, Frankfurt/Main 1993, 85-117.

CHEVALIER, ULYSSE, Repertorium hymnologicum, catalogue des chants, hymns, proses, séquences, tropes en usage dans l'église latine depuis les origines jusqu'à nos jours, 6 Bde., Louvain 1892-1920.

CHIFFOLEAU, JACQUES, La comptabilité de l'au-delà. Les hommes, la mort et la religion dans la région d'Avignon à la fin du Moyen âge (vers 1320 - vers 1480), Rom 1980.

Ders., Les processions parisiennes de 1412. Analyse d'un rituel flamboyant, in: Revue Historique (1990), 37-76.

CHOIJNACKI, STANLEY, Political Adulthood in Fifteenth-Century Venice, in: AHR 91 (1986), 791-810.

Ders., Subaltern Patriarchs: Patrician Bachelors in Renaissance Venice, in: Lees (Hg.), Medieval Masculinities, 73-89.

CLARK, FRANCIS, Eucharistic Sacrifice and the Reformation, Devon 1980, Nd. der Ausgabe von 1960.

COHN, SAMUEL K., The Cult of Remembrance and the Black Death: Six Renaissance Cities in Central Italy, Baltimore 1992.

Ders., Burial in the Early Renaissance: Six Cities in Central Italy, in: Riti e rituali nelle società medievali, hg. von Jacques Chiffoleau, Lauro Martines und Agostino Paravicini Bagliani, Spoleto 1994, 39-58.

CONANT, KENNETH JOHN, Cluny: Les églises et la maison du chef d'ordre, Cambridge 1968.

CORNIDES, ELISABETH, Rose und Schwert im päpstlichen Zeremoniell, von den Anfängen bis zum Pontifikat Gregors XIII., Wien 1967.

COULET, NOEL, Les jeux de la Fête-Dieu d'Aix, une fête médiévale?, in: Provence historique (1981), 313-339.

Ders., Processions, espace urbain, communauté civique, in: Liturgie et musique (= Cahier de Fanjeaux 17), Toulouse 1982, 391-397.

COX, H.L., Prozessionsbrauchtum des späten Mittelalters und der frühen Neuzeit im Spiegel obrigkeitlicher Verordnungen in Kurköln und den vereinigten Herzogtümern, in: Rheinland-westfälische Zeitschrift für Volkskunde 22 (1976), 51-90.

CURSCHMANN, FRITZ, Hungersnöte im Mittelalter. Ein Beitrag zur deutschen Wirtschaftsgeschichte des 8. bis 13. Jahrhunderts, Aalen 1970, Nd. der Ausgabe Leipzig 1900.

DANIEL, UTE, „Kultur" und „Gesellschaft". Überlegungen zum Gegenstandsbereich der Sozialgeschichte, in: GG 19 (1993), 69-99.

DAVIS, NATALIE ZEMON, The Reasons of Misrule: Youth Groups and Charivari in Sixteenth-Century France, in: Past and Present 50 (1971), 41-75.

DAVIS, THOMAS, „His completely untrust worthy testament": The development of Luther's early eucharistic teaching, 1517-1521, in: Fides et Historia 25 (1993), 4-22.

DAVISON, NIGEL, So Which Way Round Did They Go? The Palm Sunday Procession at Salisbury, in: Music and Letters 61 (1980), 1-14.

DEDEKIND, GÜNTER, Luthers Lied „Aus tiefer Not schrei ich zu dir" als Quintessenz seiner Rechtfertigungslehre, in: Luther 54 (1983), 41-46.

DELARUELLE, ETIENNE, Les grandes processions de pénitents de 1349 et 1399, in: Ders., La piété populaire au moyen âge, Turin 1980, 277-314.

DELUMEAU, JEAN, Rassurer et Protéger. Le sentiment de sécurité dans l'Occident d'autrefois, Paris 1989.

DEVLIN, DENNIS S., Corpus Christi: A Study in Medieval Eucharistic Theory, Devotion and Practice, Diss. University of Chicago 1975.

DICKERHOFF, HARALD, REITER, ERNST und WEINFURTER, STEFAN (Hg.), Der hl. Willibald - Klosterbischof oder Bistumsgründer?, Regensburg 1990.

DICKSON, GARY, The Flagellants of 1260 and the Crusades, in: Journal of Medieval History 15 (1989), 227-267.

DIEFENBACHER, MICHAEL, 650 Jahre Hospital zum Heiligen Geist in Nürnberg, 1339-1989, Nürnberg 1989.

Ders., Stadt und Adel. Das Beispiel Nürnberg, in: ZGO 141 = neue Folge 102 (1993), 51-69.

DINGES, MARTIN, „Weiblichkeit" in „Männlichkeitsritualen"? Zu weiblichen Taktiken im Ehrenhandel in Paris im 18. Jahrhundert, in: Francia 18/2 (1991), 71-98.

Ders. (Hg.), Hausväter, Priester und Kastraten. Zur Konstruktion von Männlichkeit im Spätmittelalter und Früher Neuzeit, Göttingen 1998.

DÖBEREINER, MICHAEL, Ämterlisten der Reichsstadt Nürnberg aus den Jahren 1357/58, in: Quellen zur Sozial- und Wirtschaftsgeschichte bayerischer Städte in Spätmittelalter und Früher Neuzeit, München 1993, 371-398.

DÖLL, ERNST, Die Kollegiatsstifte St. Blasius und St. Cyriacus zu Braunschweig, Braunschweig 1967.

DOLLINGER, PHILIPPE, La ville libre à la fin du Moyen Age (1350 - 1482), in: Histoire de la ville de Strasbourg, Bd. 2, Strasburg 1981, 99-175.

DORMEIER, HEINRICH, Kirchenjahr, Heiligenverehrung und große Politik im Almosengefällbuch der Nürnberger Lorenzpfarrei (1454-1516), in: MVGN 84 (1997), 1-60.

DORN, J., Stationsgottesdienst in frühmittelalterlichen Bischofsstädten, in: Festgabe für Alois Knöpfler, hg. von Heinrich Gietl und Georg Pfeilschifter, Freiburg 1917, 43-55.

DÖRRER, ANTON, Tiroler Umgangsspiele. Ordnungen und Sprechtexte der Bozner Fronleichnamsspiele und verwandter Figuralprozessionen vom Ausgang des Mittelalters bis zum Abstieg des Aufgeklärten Absolutismus, Innsbruck 1957.

DOSTAL-MELCHINGER, IRIS, Blumenteppiche am Fronleichnamstag, München 1990.

DOUTEIL, HERIBERT, Johannes Beleth, Leben und Werk, in: Beleth, Summa, 29*-36*.

DREVES, GEORG MARIA (Hg.), Analecta Hymnica, 2 Bde., Leipzig 1886-1922.

DUDLEY, MARTIN R., Liturgy and Doctrine: Corpus Christi, in: Worship 66 (1992), 417-426.

DÜLL, GÜNTHER, Das Bürgerrecht der freien Reichsstadt Nürnberg vom Ende des 13. Jahrhunderts bis Anfang des 16. Jahrhunderts, Diss. Erlangen 1954.

DUMOUTET, EDOUARD, Le désir de voir l'hostie et les origines de la dévotion au saint-sacrement, Paris 1926.

DÜRRE, HERMANN, Geschichte der Stadt Braunschweig im Mittelalter, Aalen 1974, Nd. der Ausgabe Braunschweig 1861.

EBEL, WILHELM, Der Bürgereid als Geltungsgrund und Gestaltungsprinzip des deutschen mittelalterlichen Stadtrechts, Weimar 1958.

EBERHARD, WILFRIED, Der Legitimationsbegriff des „gemeinen Nutzens" im Streit zwischen Herrschaft und Genossenschaft im Spätmittelalter, in: Zusammenhänge, Einflüsse, Wirkungen. Kongreßakten zum ersten Symposium des Medävistenverbandes in Tübingen 1984, hg. von Jörg O. Fichte, Karl Heinz Göller und Bernhard Schimmelpfennig, Berlin 1986, 241-254.

EBERHARDT, HANS, Erfurt als kirchliches Zentrum im Früh- und Hochmittelalter, in: Fundamente. Thüringer kirchliche Studien, Berlin 1987, 11-28.

Ders., Archidiakontate und Sedes im mittleren Thüringen, in: Hessisches Jahrbuch für Landesgeschichte 39 (1989), 1-22.

EHBRECHT, WILFRIED, Zu Ordnung und Selbstverständnis städtischer Gesellschaft im späten Mittelalter, in: Bll. f. dt. Landesgeschichte 110 (1974), 83-103.

Ders., Verlaufsformen innerstädtischer Konflikte in nord- und westdeutschen Städten im Reformationszeitalter, in: Stadt und Kirche, hg. von Bernd Moeller, Gütersloh 1978, 27-47.

Ders. (Hg.), Städtische Führungsgruppen und Gemeinde in der werdenden Neuzeit, Köln 1980.

Ders., (Hg.), Verwaltung und Politik in Städten Mitteleuropas. Beiträge zur Verfassungsnorm und Verfassungswirklichkeit in altständischer Zeit, Köln 1994.

Ders., Stadtkonflikte um 1300. Überlegungen zu einer Typologie, in: Schicht - Protest - Revolution 1292 - 1992, hg. von Birgit Pollmann, Braunschweig 1994, 11-26.

Ders., Zum Ringen um bürgerliche Prinzipien in Erfurt um 1300, in: MVGAE 56 (1995), 37-67.

EIKENBERG, WILTRUD, Das Handelshaus der Runtinger zu Regensburg, Göttingen 1976.

EISENHOFER, LUDWIG und THALHOFER, VALENTIN, Handbuch der katholischen Liturgik, 2 Bde., Freiburg/Br. 1932/33.

EISENSTADT, SEMUEL NOAH, Archetypal Patterns of Youth, in: Youth: change and challenge, hg. von Erik H. Erikson, New York 1963, 24-42.

EMERY, KENT JR., Dionyssi Cartusiensis Opera Selecta. Prolegomena: Bibliotheca Manuscripta, 2 Bde.: Studia bibliographica (= Corpus christianorum Continuatio Mediaevalis 121), Turnholt 1991.

ENDRES, RUDOLF, Zur Einwohnerzahl und Bevölkerungsstruktur Nürnbergs im 15./16. Jahrhundert, in: MVGN 57 (1970), 242-271.

Ders., Zur Lage der Nürnberger Handwerkerschaft zur Zeit von Hans Sachs, in: JfL 37 (1977), 107-123.

Ders., Nürnberger Bildungswesen zur Zeit der Reformation, in: MVGN 71 (1984), 109-128.

Ders., Adel und Patriziat in Oberdeutschland, in: Ständische Gesellschaft und soziale Mobilität, hg. von Winfried Schulze, München 1988, 221-238.

Ders., Stadt- und Landgemeinde in Franken, in: Blickle, (Hg.), Landgemeinde, 101-118.

Ders., Verfassung und Verfassungswirklichkeit in Nürnberg, in: Ehbrecht (Hg.), Verwaltung, 207-220.

Ders., Die wirtschaftlichen Beziehungen zwischen Erfurt und Nürnberg im Mittelalter, in: Weiß (Hg.), Erfurt (1995), 471-482.

ENGELHARDT, ADOLF, Das Kirchenpatronat zu Nürnberg, seine Entstehung und Gestaltung im Wandel der Zeit, in: ZBKG 7 (1932), 1-16, 65-80.

Ders., Die Reformation in Nürnberg, in: MVGN 33 (1936), 1-258, 34 (1937), 1-402, 36 (1939), 1-184.

ERLER, MARY C., Palm Sunday Prophets and Processions and Eucharistic Controversy, in: Renaissance Quarterly 68 (1995), 58-81.

EVANS, GEORGE PETER, The Cult of the Saints in the Early Lutheran Reformation and in the Second Vatican Council: A comparision, Diss. Washinghton D.C. 1987.

FALK, LUDWIG, Geschichte der Stadt Mainz, Bd. 2, Düsseldorf 1972.

FELDKAMM, JACOB, Geschichtliche Nachrichten über die Erfurter Weihbischöfe, in: MVGAE 21 (1900), 7-67.

FISCHER, BALTHASAR (Hg.), Paschatis Sollemnia. Studien zu Osterfeier und Osterfrömmigkeit (Josef Andreas Jungmann zur Vollendung des 70. Lebensjahres von Schülern und Freunden dargeboten), Basel 1959.

FISCHER, JOSEPH ANTON, Über die Anfänge der Fronleichnamsfeier im alten Bistum Freising, in: Ziegler (Hg.), Festgabe (s. Bauerreiß), 89-93.

FISCHER, ROMAN, Aschaffenburg im Mittelalter: Studien zur Geschichte der Stadt von den Anfängen bis zum Beginn der Neuzeit, Aschaffenburg 1990.

FLACHENECKER, HELMUT, Eine geistliche Stadt. Eichstätt vom 13. bis zum 16. Jahrhundert, Regensburg 1988.

Ders., Verstädterung und Reichsunmittelbarkeit. Zur Geschichte des Nürnberger und Regensburger Schottenklosters im Spätmittelalter, in: Studien und Mitteilungen zur Geschichte des Benediktinerordens 103 (1992), 233-268.

Ders., Schottenklöster. Irische Benediktinerkonvente im hochmittelalterlichen Deutschland, Paderborn 1995.

FLORI, JEAN, La valeur des nombres chez les chroniqueurs du Moyen Age. A propos des effectifs de la première Croisade, in: Le Moyen Age 99 (1993), 399-422.

FOUQUET, GERHARD, Das Festmahl in den oberdeutschen Städten des Spätmittelalters. Zu Form, Funktion und Bedeutung öffentlichen Konsums, in: Archiv f. Kulturgeschichte 74 (1992), 83-123.

FRANK, BARBARA, Das Erfurter Peterskloster im 15. Jahrhundert, Göttingen 1973.

FRANZ, ADOLF, Die Messe im deutschen Mittelalter. Beiträge zur Geschichte der Liturgie und des religiösen Volkslebens, Darmstadt 1963, Nd. der Ausgabe Freiburg 1902.

FRANZ, ADOLPH, Die kirchlichen Benediktionen, 2 Bde., Graz 1960.

FRÖLICH, KARL, Zur Ratsverfassung von Goslar im Mittelalter, in: Hansische Geschichtsblätter 41 (1915), 1-98.

Ders., Verfassung und Verwaltung der Stadt Goslar im späteren Mittelalter, Goslar 1921.

Ders., Kirche und städtisches Verfassungsleben im Mittelalter, in: Zeitschrift für Rechtsgeschichte 53 (1933), 188-287.

FRUGONI, ARSENIO, Sui flagellanti del 1260, in: Ders., Incontri nel Medio Evo (Erstdruck: 1938), 179-209, Bologna 1979.

FÜRSTENBERG, P., Zur Geschichte der Fronleichnamsfeier in der alten Diözese Paderborn, in: Theologie und Glaube 9 (1917), 314-325.

GASTALDELLI, FERRUCCIO, „Optimus Praedictor". L'opera oratoria di San Bernardo, in: Analecta Cisterciensia 51 (1995), 321-418.

GEERTZ, CLIFFORD, Ritual und sozialer Wandel: ein javanesisches Beispiel, in: Ders., Dichte Beschreibung. Beiträge zum Verstehen kultureller Systeme, Frankfurt 1983, 96-132.

GEIGER, GOTTFRIED, Die Reichsstadt Ulm vor der Reformation. Städtisches und kirchliches Leben am Ausgang des Mittelalters, Ulm 1971.

GEIRINGER, KARL, Der Instrumentenname „Quinterne" und die mittelalterlichen Bezeichnungen der Gitarre, Mandola und des Coloscione, in: Archiv f. Musikwissenschaft 6 (1924), 103-110.

GEMPERLEIN, AUGUST, Konrad Groß, der Stifter des Nürnberger Heiliggeist-Spitals, und seine Beziehungen zu Kaiser Ludwig, in: MVGN 39 (1944), 82-126.

GERHARD, JOHANNES, 600 Jahre Große Prozession in Münster 1383-1983, Münster 1983.

GIBSON, MARGARET T., Lanfranc of Bec, Oxford 1978.

GIERKE, OTTO VON, Das deutsche Genossenschaftsrecht, Bd. 1 - 4, Berlin 1868.

GLEBA, GUDRUN, Die Gemeinde als alternatives Ordnungsmodell. Zur sozialen und politischen Differenzierung in den innerstädtischen Auseinandersetzungen des 14. und 15. Jahrhunderts (Mainz, Magdeburg, München, Lübeck), Köln 1989.

dies., Der mittelalterliche Bürgereid und sein Zeremoniell. Beispiele aus norddeutschen Städten, in: Anzeiger des Germanischen Nationalmuseums und Berichte aus dem Forschungsinstitut für Realienkunde 1993, Nürnberg 1993, 169-175.

GLUCKMAN, MAX, Ritual, in: Magic, Witchcraft, and Religion: an anthropological study of the supernatura (Erstdruck: 1970), hg. von Arthur C. Lehmann und James E. Myers, Palo Alto 1985, 50-53.

GOCKEL, MICHAEL, Erfurts zentralörtlichen Funktionen im frühen und hohen Mittelalter, in: Weiß (Hg.), Erfurt (1995), 81-94.

GOERTZ, HANS-JÜRGEN, Noch einmal: Reichsstadt und Reformation. Eine Auseinandersetzung mit Bernd Moeller, in: ZHF 16 (1989), 221-225.

GOETZ, HANS-WERNER, Die Einstellung zum Tode im Mittelalter, in: Der Grenzbereich zwischen Leben und Tod, hg. von der Joachim-Jungius-Gesellschaft der Wissenschaften in Hamburg, Göttingen 1976, 111-153.

GOLDMANN, KARLHEINZ, Pfalzgraf Friedrich II, Reichsstatthalter Kaiser Karl V. und die Nürnberger Fastnacht von 1522, in: MVGN 49 (1959), 177-185.

GOLL, KARL, Die Geißelfahrten im Jahre 1260 und 1261, Wien 1913.

GOODY, JACK, Religion and Ritual: The Definitional Problems, in: British Journal of Sociology 12 (1961), 142-164.

GOTTRON, ADAM B., Die Stationsfeiern in Mainzer Stiften, in: Mainzer Zeitschrift 48/49 (1953/54), 19-26.

GOUGAUD, LOUIS, Dévotions et pratiques ascétiques du moyen âge, Paris 1925.

GRAF, KLAUS, Schlachtengedenken in der Stadt, in: Stadt und Krieg, hg. von Bernhard Kirchgässner und Günter Scholz, Sigmaringen 1989, 83-104.

GRÄF, HERMANN JOSEF, Palmenweihe und Palmenprozession in der lateinischen Liturgie, Kaldenkirchen 1959.

GRASSMANN, ANTJEKATHRIN, Lübeck, Freie Reichsstadt und Hochstift, Wendische Hansestädte Hamburg, Wismar, Rostock, Stralsund, in: Die Territorien des Reichs im Zeitalter der Reformation und Konfessionalisierung, hg. von Anton Schindling und Walter Ziegler, Bd. 6: Nachträge, Münster 1996, 114-128.

GRAUS, FRANTIŠEK, Pest - Geißler - Judenmorde, Göttingen 1987.

GRAUWEN, W.M., De betekenis van het blootsvoets lopen in de middeleeuwen, voornamelijk in de 12de eeuw, in: Archief- en Bibliotheekwezen in Belgie 42 (1971), 141-155.

GRAZ, PETER (Hg.), Auctoritas und ratio: Studien zu Berengar von Tours, Wiesbaden 1990.

GRENDI, EDOARDO, La società dei giovani a Genova fra il 1460 e la riforma dei 1528, in: Quaderni Storici 80 (1992), 509-528.

GREVE, WERNER, Braunschweiger Stadtmusikanten. Geschichte eines Berufsstandes 1227 - 1828, Braunschweig 1991.

GREYERZ, KASPAR VON, The late city reformation in Germany. The Case of Colmar 1522 - 1628, Wiesbaden 1980.

Ders., Stadt und Reformation: Stand und Aufgaben der Forschung, in: Archiv f. Reformationsgeschichte 76 (1985), 6-63.

GRIMES, RONALD L., Research in Ritual Studies: a programmatic essay and bibliography, Metuchen 1985.

Ders., Victor Turner's Definition, Theory, and Sense of Ritual, in: Victor Turner and the Construction of Cultural Criticism. Between Literature and Anthropology, hg. von Kathleen M. Ashley, Bloomington (Indiana) 1990, 141-146.

GROEBNER, VALENTIN, Ökonomie ohne Haus. Zum Wirtschaften armer Leute in Nürnberg am Ende des 15. Jahrhunderts, Göttingen 1993.

Ders., Ratsinteressen, Familieninteressen. Patrizische Konflikte in Nürnberg um 1500, in: Schreiner/Meier (Hg.), Stadtregiment, 278-308.

GROTEN, MANFRED, Köln im 13. Jahrhundert. Gesellschaftlicher Wandel und Verfassungsentwicklung, Köln - Weimar 1995.

GRUBE, KARL, Johannes Busch. Augustinerprobst zu Hildesheim, ein katholischer Reformator des 15. Jahrhunderts, Freiburg 1881.

GRUPP, GEORG, Kulturgeschichte des Mittelalters, 6 Bde., Paderborn 1894-1925.

GUENÉE, BERAND und LEHOUX, FRANCOISE, Les entrées royales francaises de 1328 à 1515, Paris 1968.

GUEUSQUIN-BARBICHON, MARIE-FRANCE, Organisation sociale de trois trajets rituels (les Rogations, la Fête-Dieu et la Saint-Roch) à Bazoches, Moravan, in: Ethnologie francaise 7 (1977), 29-44.

GULIK, W. VAN, Ein mittelalterliches Formular der Letania major, in: Römische Quartalschrift für christliche Altertumskunde und Kirchengeschichte 18 (1904), 1-20.

GÜNTNER, JOHANN, Die Fronleichnamsprozession in Regensburg, München 1992.

GUTTENBERG, FRH. ERICH VON, Das Bistum Bamberg (Germania sacra, 2. Abt. Die Bistümer der Kirchenprovinz Mainz), Bd. 1, Berlin 1937.

Ders. und WENDEHORST, A., Das Bistum Bamberg (Germania sacra, 2. Abt. Die Bistümer der Kirchenprovinz Mainz), Bd. 2: Die Pfarrorganisation, Berlin 1966.

GY, PIERRE-MARIE, Collectaires, rituels, processional, in: Revue des sciences philosophiques et théologiques 44 (1960), 441-469.

Ders. (Hg.), Guillaume Durand, Évêque de Mende (von 1230-1296), Canoniste, liturgiste et homme politique. Actes de la Table Ronde du C.N.R.S., Mende 24-7 mai 1990, Paris 1992.

HABERMAS, JÜRGEN, Strukturwandel der Öffentlichkeit. Untersuchungen zu einer Kategorie der bürgerlichen Gesellschaft, Frankfurt/Main 1990, Erstausgabe: 1962.

HABERMAS, REBEKKA (Hg.), Das Schwein des Häuptlings: sechs Aufsätze zur historischen Anthropologie, Berlin 1992.

HAIMERL, XAVER, Das Prozessionswesen des Bistums Bamberg im Mittelalter, München 1937.

HALLER VON HALLERSTEIN, HELMUT FRH., Größe und Quellen des Vermögens von hundert Nürnberger Bürger um 1500, in: Beiträge zur Wirtschaftsgeschichte Nürnbergs, 1 (1956), 117-176.

HAMM, BERND, Humanistische Ethik und reichsstädtische Ehrbarkeit in Nürnberg, in: MVGN 76 (1989), 65-147.

Ders., Hieronymus-Begeisterung und Augustinismus vor der Reformation. Humanismus und Frömmigkeitstheologie in Nürnberg, in: Augustine, the harvest, and theology (1300-1650), Leiden 1990, 127-235.

Ders., Bürgertum und Glaube. Konturen der städtischen Reformation, Göttingen 1996.

HAMMERBACH, GEORG, St. Sebald der Schutzpatron Nürnbergs. Zum 500jährigen Feste seiner Heiligsprechung 1425-1925, Nürnberg 1925.

HAMMERTON, ELIZABETH und CANNADINE, DAVID, Conflict and Consensus on a Ceremonial Occasion: The Diamond Jubilee in Cambridge in 1897, in: Historical Journal 24 (1981), 111-146.

HANAWALT, BARBARA (Hg.), City and Spectacle in Medieval Europa, Minneapolis 1991.

HANNAPPEL, MARTIN, Das Gebiet des Archidiakonats Beate Mariae Virginis Erfurt am Ausgang des Mittelalters, Jena 1941.

HARTUNG, BERNHARD, Die Häuser-Chronik der Stadt Erfurt, 2 Bde., Erfurt 1878.

HAUPTMEYER, CARL-HANS, Probleme des Patriziats oberdeutscher Städte vom 14. bis zum 16. Jahrhundert, in: ZBLG 40/1 (1977), 39-58.

HAUSAMMANN, SUSI, Realpräsenz in Luthers Abendmahlslehre, in: Studien zur Geschichte und Theologie der Reformation, Festschrift für Ernst Bizer, hg. von Luise Abramowski und J.F. Gerhard Goeters, Neukirchen 1969, 157-173.

HAUSBERGER, KARL, Geschichte des Bistums Regensburg, I. Mittelalter und frühe Neuzeit, Regensburg 1989.

HAUSCHILD, WOLF-DIETER, Kirchengeschichte Lübecks, Lübeck 1981.

Ders., Frühe Neuzeit und Reformation: Das Ende der Großmachtstellung und die Neuorientierung der Stadtgemeinschaft, in: Lübeckische Geschichte, hg. von Antjekathrin Graßmann, Lübeck 1988, 341-432.

HÄUSSLING, ANGELUS ALBERT, Mönchskonvent und Eurcharistiefeier. Eine Studie über die Messe in der abendländischen Klosterliturgie des frühen Mittelalters und zur Geschichte der Meßhäufigkeit, Münster 1973.

Ders., Literaturbericht zum Fronleichnamsfest, in: Jahrbuch für Volkskunde 9 (1986), 228-238, 11 (1988), 243-250.

HAVERKAMP, ALFRED, Die Judenverfolgungen zur Zeit des Schwarzen Todes im Gesellschaftsgefüge deutscher Städte, in: Zur Geschichte der Judenverfolgungen in Deutschland des späten Mittelalters und der frühen Neuzeit, hg. von dems., Stuttgart 1981, 27-93.

HECKERT, UWE, Die Ratskapelle als religiöses, politisches und Verwaltungszentrum der Ratsherrschaft in deutschen Städten des Mittelalters, Bielefeld 1997 (CD-ROM).

HEERWAGEN, HEINRICH WILHELM, Zur Geschichte der Nürnberger Gelehrtenschulen in dem Zeitraume von 1485 bis 1526, Nürnberg 1860.

HEFELE, CARL J. VON, Conciliengeschichte, 9 Bde., Freiburg 1873-1890.

HEILIG, KONRAD JOSEF, Die Einführung des Fronleichnamsfestes in der Konstanzer Diözese nach einer vergessenen Urkunde Bischofs Heinrichs III. von Brandis, in: ZGO 49 (1935/36), 30-47.

HEIMANN, HEINZ-DIETER, Städtische Feste und Feiern. Manifestationen der Sakralgemeinschaft im gesellschaftlichen Wandel, in: Vergessene Zeiten. Mittelalter im Ruhrgebiet, hg. von Ferdinand Seibt u.a., Bd. 2, Essen 1990, 171-176.

HEINEMEYER, KARL, Erfurt im frühen Mittelalter, in: Weiß (Hg.), Erfurt (1995), 45-66.

HEINEN, HEINZ, Trier und das Trevererland in römischer Zeit (= 2000 Jahre Trier, Bd. 1), Trier 1985.

HEINZ, ANDREAS, Die Fronleichnamsfeier an der Stiftskirche St. Castor in Karden/Mosel im alten Erzbistum Trier, in: AMRhKG 33 (1981), 97-128.

Ders., Die von Erzbischof Egbert gestiftete Bannfeier. Ursprung und Ende eines trierischen Prozessionsbrauchs, in: Egbert - Erzbischof von Trier, hg. von Franz Ronig, Trier 1993, 67-80.

HEINZELMANN, MARTIN, Translationsberichte und andere Quellen des Reliquienkultes (= Typologie des sources du moyen âge occidental, Bd. 33), Turnhout 1979.

HEITZ, CAROL, Architecture et liturgie processionelle à l'époque pré-romane, in: Revue de l'art 24 (1974), 30-47.

HELD, WIELAND, Das Landgebiet Erfurts und dessen Wirkungen auf die Ökonomik der Stadt in der frühen Neuzeit, in: Weiß (Hg.), Erfurt (1995), 459-470.

HENDERSON, JOHN, The Flagellant Movement and Flagellant Confraternities in Central Italy, 1260 - 1400, in: Studies in Church History 15 (1978), 147-160.

HERBORN, WOLFGANG, Die politische Führungsschicht der Stadt Köln im Spätmittelalter, Bonn 1977.

Ders., Fast-, Fest- und Feiertage im Köln des 16. Jahrhunderts, in: Rheinisches Jahrbuch für Volkskunde 25 (1983/84), 27-61.

HERGEMÖLLER, BERND-ULRICH, Pfaffenkriege im spätmittelalterlichem Hanseraum. Quellen und Studien zu Braunschweig, Osnabrück, Lüneburg und Rostock, Köln 1988.

HERRMANN, KARL, Bibliotheca Erfurtina, Erfurt 1863.

HIBST, PETER, Utilitas Publica - Gemeiner Nutz - Gemeinwohl, Frankfurt/Main 1991.

HIERZEGGER. R., Collecta und Statio, in: Zeitschrift für katholische Theologie 60 (1936), 511-554.

HIRSCHMANN, GERHARD, Das Nürnberger Patriziat, in: Deutsches Patriziat 1430-1740, hg. von Hellmuth Rössler, Limburg/Lahn 1968, 57-276.

Ders., Einleitung, zu: Müllner, Annalen, Bd. 1, 1*-56*.

HISTORISCHES ARCHIV DER STADT KÖLN (Hg.), Stadtrat, Stadtrecht, Bürgerfreiheit. Ausstellung aus Anlaß des 600. Jahrestages des Verbundbriefes vom 14. September 1396, Köln 1996.

HOENIGER, ROBERT, Der schwarze Tod in Deutschland: ein Beitrag zur Geschichte des 14. Jahrhunderts, Walluf b. Wiesbaden 1973, Nd. der Ausgabe 1882.

HOEYNCK, FRANZ A., Geschichte der kirchlichen Liturgie des Bistums Augsburg, Augsburg 1889.

HOFFMANN, ERICH, Lübeck im Hoch- und Spätmittelalter: Die große Zeit Lübecks, in: Lübeckische Geschichte, hg. von Antjekathrin Graßmann, Lübeck 1988, 79-339.

HOFFMANN, HERRMANN, Würzburgs Handel und Gewerbe im Mittelalter, Diss. Würzburg 1940.

HOFMANN, HANNS HUBERT, Nobiles Norimbergenses. Beobachtungen zur Struktur der reichsstädtischen Oberschicht, in: ZBLG 28 (1965), 114-150.

HOFMANN, HASSO, Repräsentation. Studien zur Wort- und Begriffsgeschichte von der Antike bis ins 19. Jahrhundert, Berlin 1975.

HOFMANN, JOSEF, Die Fronleichnamsprozession in Aschaffenburg nach den Prozessionsbüchern des 14. und 16. Jahrhunderts, in: Würzburger Diözesangeschichtsblätter 26 (= FS Theodor Kramer), 109-125.

HOLDER-EGGER, OSWALD, Studien zu Thüringischen Geschichtsquellen I-VI, in: Neues Archiv 20 (1895), 373-421, 569-637, 21 (1896) 235-297, 441- 546, 685-735, 25 (1900), 81-127.

Ders., Aus Erfurter Handschriften, in: Neues Archiv 27 (1902), 177-207.

HOLENSTEIN, ANDRÉ, Obrigkeit und Untertanen. Zur Geschichte der Untertanenhuldigung im bernischen Territorium (15. - 18. Jahrhundert), in: Endres (Hg.), Nürnberg (s. Bühl), 261-282.

HOLTZ, EBERHARD, Erfurt und Kaiser Friedrich III. (1440 - 1493). Berührungspunkte einer Territorialstadt zur Zentralgewalt des späten Mittelalters, in: Weiß (Hg.), Erfurt (1992), 185-202.

Ders., Zur politischen und rechtlichen Situation Erfurts im 15. Jahrhundert im Vergleich mit anderen mitteldeutschen Städten, in: Weiß (Hg.), Erfurt (1995), 95-106.

HÖSS, IRMGARD, Das religiös-geistige Leben in Nürnberg am Ende des 15. Jahrhunderts und am Anfang des 16. Jahrhunderts, in: Miscellanea historiae ecclesiasticae, Louvain 1967, 17-36.

HUNTINGTON, RICHARD und METCALF, PETER (Hg.), Celebrations of Death: the Anthropology of Mortuary Ritual, Cambridge 1979.

HUYS, LAMBERT, Das Verhältnis von Stadt und Kirche in Osnabrück im späten Mittelalter, 1225-1500, Leipzig 1936.

IBS, JÜRGEN HARTWIG, Die Pest in Schleswig-Holstein von 1350 bis 1547/48, Frankfurt/Main 1994.

ILLI, MARTIN, Wohin die Toten gingen: Begräbnis und Kirchhof in der vorindustriellen Stadt, Zürich 1992.

IMHOFF, CHRISTOPH VON (Hg.), Berühmte Nürnberger aus neun Jahrhunderten, Nürnberg 1989 (2. ergänzte und erweiterte Auflage).

IRSIGLER, FRANZ und LASSOTTA, ARNOLD, Bettler und Gaukler, Dirnen und Henker: Randgruppen und Außenseiter in Köln 1300 - 1600, München 1989.

ISENMANN, EBERHARD, Die deutsche Stadt im Spätmittelalter. 1250 - 1500. Stadtgestalt, Recht, Stadtregiment, Kirche, Gesellschaft, Wirtschaft, Stuttgart 1988.

Ders., Die städtische Gemeinde im oberdeutsch-schweizerischen Raum, in: Blickle, (Hg.), Landgemeinde, 191-262.

ISERLOH, ERWIN, Die Verehrung Mariens und der Heiligen in der Sicht Martin Luthers, in: Ecclesia militans. Studien zur Konzilien- und Reformationsgeschichte. Festschrift für Remigius Bäumer, Bd. 2, Zur Reformationsgeschichte, hg. von Walter Brandmüller, Paderborn 1988, 109-115.

JAHN, ROBERT, Essener Geschichte. Die geschichtliche Entwicklung im Raum der Großstadt Essen, Essen 1952.

JAHNS, SIGRID, Frankfurt, Reformation und Schmalkaldischer Bund. Die Reformations-, Reichs- und Bündnispolitik der Reichsstadt Frankfurt am Main 1525-1536, Frankfurt/Main 1976.

JAMES, MERVYN, Ritual, Drama and Social Body in the late Medieval English Town, in: Past and Present 98 (1983), 3-29.

JANIN, RAYMOND, Les processions religieuses de Byzance, in: Revue des Etudes byzantines 24 (1966), 68-89.

JANNASCH, WILHELM, Reformationsgeschichte Lübecks vom Petersablaß bis zum Augsburger Reichstag, 1515 - 1530, Lübeck 1958.

JARACZEWSKY, ADOLF, Die Geschichte der Juden in Erfurt, Erfurt 1868.

JEGEL, AUGUST, Altnürnberger Hochzeitsbrauch und Eherecht besonders bis zum Ausgang des 16. Jahrhunderts, in: MVGN 44 (1953), 238-275.

JENKS, STUART, Die Prophezeiung von Ps.-Hildegard von Bingen: Eine vernachlässigte Quelle über Geißlerzüge von 1348/49 im Lichte des Kampfes der Würzburger Kirche gegen die Flagellanten, in: Mainfränkisches Jahrbuch für Geschichte und Kunst 29 (1977), 9-38.

JENNY, BEAT RUDOLF, Graf Froben Christoph von Zimmern: Geschichtsschreiber, Erzähler, Landesherr, Lindau 1959.

JENNY, MARKUS, Vom Psalmlied zum Glaubenslied, vom Glaubenslied zum Psalmlied. Historische und aktuelle Probleme zu Luthers „Aus tiefer Not schrei ich zu dir", in: Musik und Kirche 49 (1979), 267-278.

JESTAEDT, ALOYS, Die Fuldaer Pestwallfahrt im Wandel der Zeit, in: Fuldaer Zeitung, 8. August 1964.

JOHAG, HELGA, Die Beziehungen zwischen Klerus und Bürgerschaft in Köln zwischen 1250 und 1350, Bonn 1977.

JOHNSTON, ALEXANDRA, The Guild of Corpus Christi and the Procession of Corpus Christi in York, in: Medieval Studies 38 (1976), 372-385.

JONES, PAUL H., Christ's Eucharistic Presence. A History of the Doctrine, New York 1994.

JOOSS, RAINER, Schwören und Schwörtage in süddeutschen Städten. Realien, Bilder, Rituale, in: Anzeiger des Germanischen Nationalmuseums und Berichte aus dem Forschungsinstitut für Realienkunde 1993, Nürnberg 1993, 153-168.

JORISSEN, HANS, Wandlungen des philosophischen Kontextes als Hintergrund der frühmittelalterlichen Eucharistiestreitigkeiten, in: Streit um das Bild, das Zweite Konzil von Nizäa (787) in ökumenischer Perspektive, hg. von Josef Wohlmuth, Bonn 1989, 97-111.

JÖRRES, P., Beiträge zur Geschichte der Einführung des Fronleichnamsfestes im Nordwesten des alten deutschen Reiches, in: Römische Quartalschrift für christliche Altertumskunde und Kirchengeschichte 16 (1902), 170-180.

JULIAN, JOHN, A Dictionnary of Hymnology, New York 1958, Nd. der Ausgabe London 1907.

JUNGMANN, JOSEF ANDREAS, Missarium Solemnia. Eine genetische Erklärung der römischen Messe, Wien - Freiburg 1962.

JÜRGENSMEIER, FRIEDHELM, Das Bistum Mainz, Frankfurt/Main 1988.

JÜTTE, ROBERT, Das Stadtviertel als Problem und Gegenstand frühneuzeitlicher Stadtgeschichtsforschung, in: Bll. f. dt. Landesgeschichte 127 (1991), 235-269.

KADENBACH, JOHANNES, Zur schriftlichen Ersterwähnung Erfurts im Jahre 742, in: Aus der Vergangenheit der Stadt Erfurt, NF 7 (1989), 15-30.

KÄHLER, ERNST, Studien zum Te Deum und zur Geschichte des 24. Psalms in der alten Kirchen, Göttingen 1958.

KANTZENBACH, FRIEDRICH WILHELM, Gottes Ehre und der Gemeine Nutzen. Die Einführung der Reformation in Nürnberg, in: ZBKG 47 (1978), 1-26.

KARRER, OTTO, Zur Geschichte der Fronleichnamsprozession. Kritische Bemerkungen, in: Hochland 49 (1957), 528-534.

KASCHUBA, WOLFGANG, Von der „Rotte" zum Block. Zur kulturellen Ikonographie der Demonstration im 19. Jahrhundert, in: Massenmedium Straße: Zur Kulturgeschichte der Demonstration, hg. von Bernd Jürgen Warneken, Frankfurt/Main 1991, 68-94.

KELLER, HAGEN, „Kommune": Städtische Selbstregierung und mittelalterliche „Volksherrschaft" im Spiegel italienischer Wahlverfahren des 12.-14. Jahrhunderts, in: Person und Gemeinschaft im Mittelalter, Karl Schmid zum 65. Geburtstag, hg. von Gerd Althoff, Sigmaringen 1988, 573-616.

KELLER, KATRIN, Gemeine Bürgerschaft und Obrigkeit. Zu Mitwirkungsmöglichkeiten von Handwerksmeistern innerhalb städtischer Selbstverwaltungsorgane Leipzigs im 16. Jahrhundert, in: Ehbrecht (Hg.), Verwaltung, 183-190.

KELLNER, HEINRICH, Heortology: a history of the Christian festivals from their origin to the present day, London 1908.

KERNSTOCK, OTTOKAR, Ein Fronleichnamsfest im Chorherrenstifte Vorau aus dem 14. Jahrhundert, in: Der Kirchenschmuck. Blätter des christlichen Kunstvereines der Diöcese Seckau 6 (1875), 20-23.

KERSHAW, IAN, The Great Famine and Agrarian Crisis in England 1315 - 1322, in: Past and Present 59 (1973), 3-50.

KIESSLING, ROLF, Bürgerliche Gesellschaft und Kirche in Augsburg im Spätmittelalter, Augsburg 1971.

KIMMINICH, EVA, Prozessionsteufel, Herrgottsmaschinen und Hakenkreuzflaggen: zur Geschichte des Fronleichnamsfestes in Freiburg und Baden, Freiburg i. Br. 1990.

KINTZINGER, MARTIN, Bildungswesen in der Stadt Braunschweig im hohen und späten Mittelalter, Köln 1990.

KIRCHGÄSSNER, BERNHARD und BECHT, HANS-PETER (Hg.), Stadt und Repräsentation, Sigmaringen 1995.

KLAPPER, JOSEPH, Die Blutskapelle im Erfurter Dom, in: Miscellanea Erfordiana, hg. von Erich Kleineidam, Leipzig 1962, 279-283.

KLAUS, ADALBERT, Ursprung und Verbreitung der Dreifaltigkeitsmesse, Diss. Münster 1938.

KLAUSER, THEODOR, Eine Metzer Stationsordnung des 8. Jahrhunderts (Erstdruck: Ephemerides Liturgicae, Rom 1930), in: Ders., Gesammelte Arbeiten zur Liturgiegeschichte, hg. von Ernst Dassmann, Münster 1974, 162-193.

KLEIN, THEODOR HEINRICH, Die Prozessionsgesänge der Mainzer Kirche aus dem 14. bis 18. Jahrhundert, Speyer 1962.

KLEIN, THOMAS, Politik und Verfassung von der Leipziger Teilung bis zur Teilung des ernestinischen Staates (1485-1572), in: Geschichte Thüringens, Bd. 3, hg. von Hans Patze und Walter Schlesinger, Köln 1967, 166-294.

KLEINEIDAM, ERICH, Universitas Studii Erffordensis. Überblick über die Geschichte der Universität Erfurt, Bd. 1-4, Leipzig 1985-1992², Erstauflage: Leipzig 1964.

KLERSCH, JOSEF, Volkstum und Volksleben in Köln. Ein Beitrag zur historischen Soziologie der Stadt, 3 Bde., Köln 1965-1968.

KNEFELKAMP, ULRICH, Das Heilig-Geist-Spital in Nürnberg, 14. - 17. Jahrhundert. Geschichte, Struktur, Alltag, Nürnberg 1989.

Ders., Stiftungen und Haushaltsführung im Heilig-Geist-Spital in Nürnberg, 14. - 17. Jahrhundert, Bamberg 1989.

KOEHNE, CARL, Studien zur Geschichte des blauen Montags, in: Zeitschrift für Sozialwissenschaft 11 (1920), 268-287, 394-414.

KOHL, WILHELM, Die Windesheimer Kongregation, in: Reformbemühungen und Observanzbestrebungen im späten Ordenswesen, hg. von Kaspar Elm, Berlin 1989, 83-106.

KOHLER, ERIKA, Martin Luther und der Festbrauch, Köln - Graz 1959.

KOHLS, ERNST-WILHELM, Die Durchdringung von Humanismus und Reformation im Denken des Nürnberger Ratsschreibers Lazarus Spengler, in: ZBKG 36 (1966), 13-109.

KOLDE, THEODOR, Das religiöse Leben in Erfurt beim Ausgang des Mittelalters. Ein Beitrag zur Vorgeschichte der Reformation, Halle 1898.

KÖPF, ULRICH, Protestantismus und Heiligenverehrung, in: Heiligenverehrung in Geschichte und Gegenwart, hg. von Peter Dinzelbacher und Dieter R. Bauer, Ostfildern 1990, 320-344.

KOSELLECK, REINHARD, Ereignis und Struktur, in: Geschichte - Ereignis und Erzählung, hg. von dems. und Wolf-Dieter Stempel, München 1973, 554-560.

KRAFT, WILHELM, St. Sebald in der älteren Geschichte Nürnbergs, in: MVGN 38 (1941), 165-186.

KRAMER, KARL-SIGISMUND, Volksleben im Hochstift Bamberg und im Fürstentum Coburg (1500 - 1800). Eine Volkskunde auf Grund archivalischer Quellen, Würzburg 1967.

KRAMER, WALDEMAR (Hg.), Frankfurt-Chronik, Frankfurt/Main 1977².

KRAMML, PETER F., Konstanz: Das Verhältnis zwischen Bischof und Stadt, in: Die Bischöfe von Konstanz, Bd. 1, hg. von Elmar L. Kuhn, Eva Moser, Rudolf Reinhard und Petra Sachs, Friedrichshafen 1988, 288-299.

KRAUS, ANDREAS, Geschichte Bayerns, München 1983.

KRAUS, JOSEF, Die Stadt Nürnberg in ihren Beziehungen zur römischen Kurie während des Mittelalters, in: MVGN 41 (1950), 1-154.

KRAUTWURST, FRANZ, Musik des 15. und der ersten Hälfte des 16. Jahrhunderts, in: Pfeiffer (Hg.), Nürnberg, 211-217.

KRIEGK, GEORG LUDWIG, Frankfurter Bürgerzwiste und Zustände im Mittelalter: ein auf urkundlichen Forschungen beruhender Beitrag zur Geschichte des deutschen Bürgerthums, Frankfurt/Main 1862.

Ders., Deutsches Bürgertum im Mittelalter, Bd. 1, Frankfurt/Main 1969, Nd. der Ausgabe Frankfurt/Main 1871.

KRUMWIEDE, HANS-WALTER, Die mittelalterlichen Kirchen- und Altarpatrozinien Niedersachsens, Bd. 1 und Ergänzungsband (hg. von der Gesellschaft für niedersächsische Kirchengeschichte), Göttingen 1960 und 1980.

KÜHNE, THOMAS (Hg.), Männergeschichte - Geschlechtergeschichte. Männlichkeit im Wandel der Moderne, Frankfurt/Main 1996.

Ders., Männergeschichte als Geschlechtergeschichte, in: Ders. (Hg.), Männergeschichte, 3-7.

KURT, JOACHIM, Die Geschichte der Kartause Erfurt Montis Sancti Salvatoris, 1372-1803, Salzburg 1989.

KYLL, NIKOLAUS, Pflichtprozession und Bannfahrten im westlichen Teil des alten Erzbistums Trier, Bonn 1962.

Ders., Tod, Grab, Begräbnisplatz, Totenfeier: zur Geschichte ihres Brauchtums im Trierer Lande und in Luxemburg unter besonderer Berücksichtigung des Visitationshandbuchs des Regio von Prüm (gestorben 915), Bonn 1972.

Ders., Zum volksfrommen Fronleichnamsbrauchtum im Trierer Lande und Luxemburg, in: Neues Trierisches Jahrbuch 1973, 60-69.

LANGE, JOSEF, Neusser Schützenwesen. Spiegelbild städtischer Geschichte und Kultur, Neuss 1991.

LAU, FRIEDRICH, Die Entwicklung der kommunalen Verfassung und Verwaltung der Stadt Köln bis zum Jahre 1396, Bonn 1911.

LAUX, STEPHAN, Reformationsversuche in Kurköln (1542-1549). Fallstudien zu einer Strukturgeschichte landstädtischer Reformationen (Neuss, Kempen, Andernach, Linz), Diss. Düsseldorf 1999.

LEDER, KLAUS, Nürnberger Schulwesen, in: Albrecht Dürers Umwelt, Festschrift zum 500. Geburtstag Albrecht Dürers am 21. Mai 1971, hg. vom Verein für Geschichte der Stadt Nürnberg, Nürnberg 1971, 29-34.

Ders., Kirche und Jugend in Nürnberg und seinem Landgebiet 1400 bis 1800, Neustadt/Aisch 1973.

LEES, CLARE A. (Hg.), Medieval Masculinities. Regarding Men in the Middle Ages, Minneapolis 1994.

LEHMANN, EDGAR, Dom und Severikirche Erfurt, Stuttgart 1980.

LEHNERT, WALTER, Nürnberg - Stadt ohne Zünfte. Aufgaben des Rugamtes, in: Deutsches Handwerk im Spätmittelalter, hg. von Rainer Elkar, Göttingen 1983, 71-82.

LEKAI, LUDWIG LOUIS JULIUS, Geschichte und Wirken der weißen Mönche: der Orden der Cistercienser, Köln 1958.

LENGELING, EMIL JOSEPH, Die Bittprozessionen des Domkapitels und der Pfarreien der Stadt Münster vor dem Fest Christi Himmelfahrt, in: Monasterium. Festschrift zum siebenhundertjährigen Weihegedächtnis des Paulusdomes zu Münster, hg. von Alois Schröer, Münster 1966, 153-220.

LENTZE, HANS, Der Kaiser und die Zunftverfassung in den Reichsstädten bis zum Tode Karls IV., Aalen 1964, Nd. der Ausgabe Breslau 1933.

Ders., Nürnbergs Gewerbeverfassung im Mittelalter, in: JfL 24 (1964), 207-282.

LEVI, GIOVANNI und SCHMIDT, JEAN-CLAUDE, Geschichte der Jugend, Bd. 1, Von der Antike bis zum Absolutismus, Frankfurt/Main 1996.

LIEBE, GEORG, Das Kriegswesen der Stadt Erfurt, Weimar 1896.

LINDNER, THEODOR, Geschichte des deutschen Reiches vom Ende des 14. Jahrhunderts bis zur Reformation, Bd. 1, Braunschweig 1975.

LIPSMEYER, ELIZABETH, The Imperial Abbey and the town of Zürich: the Benedictine nuns and the price of ritual in thirteenth, fourteenth, and fifteenth century Switzerland, in: Vox benedictina 5 (1988), 175-189.

dies., The Liber Ordinarius by Konrad von Mure and Palm Sunday observance in thirteenth-century Zürich, in: Manuscripta 32 (1988), 139-145.

LOACH, JENNIFER, The Function of Ceremonial in the Reign of Henry VII, in: Past and Present 142 (Feb. 1994), 43-68.

LOCHNER, GEORG WOLFGANG KARL, Geschichte der Reichsstadt Nürnberg zur Zeit Kaiser Karls IV. 1347-1378, Berlin 1873.

Ders., Topographische Tafeln zur Geschichte der Reichsstadt Nürnberg, Dresden 1874.

LÖFFLER, PETER, Studien zum Totenbrauchtum in den Gilden, Bruderschaften und Nachbarschaften Westfalens vom Ende des 15. Jahrhunderts bis zum Ende des 19. Jahrhunderts, Münster 1975.

LOOS-CORSWAREN, CLEMENS VON, Unruhen und Stadtverfassung in Köln an der Wende vom 15. zum 16. Jahrhundert, in: Ehbrecht (Hg.) Führungsgruppen, 53-97.

LORENZ, SÖNKE, Studium Generale Erfordensa. Zum Erfurter Schulleben im 13. und 14. Jahrhundert, Stuttgart 1989.

LORZ, JÜRGEN, Das reformatorische Wirken Dr. Wenzeslaus Lincks in Altenburg und Nürnberg, Nürnberg 1978.

LÖTHER, ANDREA, Die Inszenierung der stadtbürgerlichen Ordnung. Herrschereinritte in Nürnberg im 15. und 16. Jahrhundert als öffentliches Ritual, in: Wege zur Geschichte des Bürgertums, hg. von Kaus Tenfelde und Hans- Ulrich Wehler, Göttingen 1994, 105-124.

dies., Rituale im Bild. Prozessonsdarstellungen bei Albrecht Dürer, Gentile Bellini und in der Konzilschronik Ulrich Richentals, in: Mundus in imagine. Bildersprache und Lebenswel-

ten im Mittelalter. Festgabe für Klaus Schreiner, hg. von Andrea Löther, Ulrich Meier, Norbert Schnitzler, Gerd Schwerhoff und Gabriela Signori, München 1996, 99-123.

dies., Städtische Prozessionen zwischen repräsentativer Öffentlichkeit, Teilhabe und Publikum, in: Melville/Moos (Hg.), Öffentliche, 435-459.

LOUGNOT, CLAUDE, Cluny: Pouvoirs de l'an mille, Dijon 1987.

LUCAS, HENRY S., The great European Famine of 1315, 1316, and 1317, in: Speculum 5 (1930), 343-377.

LUHMANN, NIKLAS, Die Gesellschaft der Gesellschaft, Frankfurt/Main 1997.

LUKES, STEVEN, Political Ritual and Social Integration, in: Ders., Essays in social theory, London 1977, 52-73.

LUZ, GEORG, Beiträge zur Geschichte der ehemaligen Reichsstadt Biberach, Biberach 1876.

MACDONALD, ALLEN J., Berengar and the Reform of Sacramental Doctrine, London 1930.

MÄGDEFRAU, WERNER, Patrizische Ratsherrschaft, Bürgeropposition und städtische Volksbewegungen in Erfurt. Von der Herausbildung des ersten bürgerlichen Rates um die Mitte des 13. Jahrhunderts bis zu den innerstädtischen Auseinandersetzungen von 1309 bis 1310, in: Stadt und Städtebürgertum in der deutschen Geschichte des 13. Jahrhunderts, hg. von Bernhard Töpfer, Berlin (O) 1976, 324-371.

Ders. und LANGER, ERIKA, Die Stadtwerdung unter feudaler Herrschaft. Von der ersten urkundlichen Erwähnung bis zur Mitte des 11. Jahrhunderts in: Geschichte der Stadt Erfurt, Weimar 1986, 31-52.

Ders. und LANGER, ERIKA, Die Entfaltung der Stadt von der Mitte des 11. Jahrhunderts bis zum Ende des 15. Jahrhunderts, in: Geschichte der Stadt Erfurt, Weimar 1986, 53-120.

Ders., Erfurt in der Geschichte Thüringens. Von der ersten urkundlichen Erwähnung 742 bis zur Gründung der Universität 1392, in: Weiß (Hg.), Erfurt (1992), 21-37.

Ders. und GRATZ, FRANK, Die Anfänge der Reformation und die thüringischen Städte, Frankfurt/Main 1996.

MAGER, INGE, Lied und Reformation. Beobachtungen zur reformatorischen Singbewegung in norddeutschen Städten, in: Das protestantische Kirchenlied im 16. und 17. Jahrhundert: text-, musik- und theologiegeschichtliche Probleme, hg. von Alfred Dürr, Wolfenbüttel 1986, 25-38.

MÄHL, ANGELIKA, Kirche und Stadt in Halle a.d. Saale im 14. Jahrhundert, Diss. Berlin 1974.

MANN, FRIDO, Das Abendmahl beim jungen Luther, München 1971.

MANNS, PETER, Luther und die Heiligen, in: Reformatio Ecclesiae. Beiträge zu kirchlichen Reformbemühungen von der Alten Kirche bis zur Neuzeit, Festgabe für Erwin Iserloh, hg. von Remigius Bäumer, Paderborn 1980, 535-580.

MARE, HEIDE DE und VOS, ANNA (Hg.), Urban Rituals in Italy and the Netherlands. Historical Contrasts in the Use of Public Space, Architecture and the Urban Environment, Assen 1993.

MARMON, JOSEPH, Unserer lieben Frauen Münster zu Freiburg im Breisgau, Freiburg/Br. 1878.

MARTIN, HELMUT, Die Pest im spätmittelalterlichen Würzburg. Pesterwähnung in den Quellen. Vom Schwarzen Tod 1348 bis zum Tode Bischof Lorenz' von Bibra 1519, in: Mainfränkisches Jahrbuch für Geschichte und Kunst 46 (1994), 24-72.

MASCHKE, ERICH, Verfassung und soziale Kräfte in der deutschen Stadt des späten Mittelalters, vornehmlich in Oberdeutschland, in: Ders., Städte und Menschen. Beiträge zur Geschichte der Stadt, der Wirtschaft und Gesellschaft 1959-1977, Wiesbaden 1980, 170-274.

MASINI, PAOLO, Il maestro Giovanni Beleth: ipotsi di una traccia biografica, in: Studi Medievali, 3. serie 34 (1993), 303-314.

MAUR, HANSJÖRG AUF DER, Feiern im Rhythmus der Zeit, Bd. 1: Herrenfeste in Woche und Jahr (= Gottesdienst der Kirche, Teil 5), Regensburg 1983.

MAURER, HELMUT (Bearb.), Das Stift St. Stephan in Konstanz (= Germania Sacra, Die Bistümer der Kirchenprovinz Mainz, Das Bistum Konstanz, Bd. 1), Berlin - New York 1981.

Ders., Konstanz im Mittelalter. Bd. 2: Vom Konzil bis zum Beginn des 16. Jahrhunderts, Konstanz 1989.

MAUSS, MARCEL, Die Gabe. Form und Funktion des Austauschs in archaischen Gesellschaften, Frankfurt/Main 1968.

MAY, GEORG, Die geistliche Gerichtsbarkeit des Erzbischof von Mainz in Thüringen im späten Mittelalter. Das Generalgericht in Erfurt, Leipzig 1956.

MAYER, HERMANN, Zur Geschichte der Freiburger Fronleichnamsprozession, in: FDA neue Folge 12, alte Folge: 39, (1911), 338-362.

MCGUIRE, BRIAN, Holy Women and Monks in the Thirteenth Century: Friendship or Exploitation, in: Vox Benedictina 6/4 (1989), 342-373.

MCREE, BENJAMIN R., Unity or Division? The Social Meaning of Guild Ceremony in Urban Communities, in: Hanawalt (Hg.), City, 189-207.

MEDICK, HANS, „Missionare im Ruderboot"? Ethnologische Erkenntnisweisen als Herausforderung an die Sozialgeschichte, in: GG 10 (1984), 295-319.

MEGIVERN, JAMES J., Concomitance and Communio. A study in Eucharistic Doctrine and Practice, Fribourg 1963.

MEHL, FRITZ, Die Mainzer Erzbischofwahl vom Jahre 1514 und der Streit um Erfurt in ihren gegenseitigen Beziehungen, Diss. Bonn 1905.

MEHL, JÜRGEN, Aussatz in Rottweil. Das Leprosenhaus Allerheiligen der Siechen im Feld (1298-1810), Rottweil 1993.

MEHRING, GEBHARD, Kardinal Raimund Peraudi als Ablaßkommissar in Deutschland 1500 - 1504 und sein Verhältnis zu Maximilian I., in: Forschungen und Versuche zur Geschichte des Mittelalters und der Neuzeit, Festschrift für Dietrich Schäfer zum 70. Geburtstag dargebracht von seinen Schülern, Jena 1915, 334-405.

MEIER, ULRICH, Mensch und Bürger. Die Stadt im Denken spätmittelalterlicher Theologen, Philosophen und Juristen, München 1994.

Ders., Vom Mythos der Republik. Formen und Funktionen spätmittelalterlicher Rathausikonographie in Deutschland und Italien, in: Löther u.a. (Hg.), Mundus (s. Löther, Ritual), 345-387.

MEINERT, HERMANN, Frankfurts Geschichte, Frankfurt/Main 1984[6].

MEISNER, JOACHIM, Nachreformatorische katholische Frömmigkeitsformen in Erfurt, Leipzig 1971.

MELVILLE, GERT und MOOS, PETER VON (Hg.), Das Öffentliche und das Private in der Vormoderne, Köln 1998.

MENDE, MATTHIAS, Das alter Nürnberger Rathaus. Baugeschichte und Ausstattung des großen Saales und der Ratsstube, Nürnberg 1979.

Ders., Dürers Bildnis des Kaspar Nützel, in: MVGN 69 (1982), 130-141.

MENKE, JOHANNES BERNHARD, Geschichtsschreibung und Politik in deutschen Städten des Spätmittelalters, in: Jahrbücher des Kölner Geschichtsverein 33 (1958) 1-84, 34-35 (1960), 85-194.

MERTENS, DIETER, Europäischer Friede und Türkenkrieg im Spätmittelalter, in: Zwischenstaatliche Friedenswahrung in Mittelalter und Früher Neuzeit, hg. von Heinz Duchhardt, Köln - Wien 1991, 45-90.

MEUTHEN, ERICH, Der Fall von Konstantinopel und der lateinische Westen, in: HZ 237 (1983), 35-60.

MEYER, Der Stoppenberger Schleierstreit. Eine Episode aus der Geschichte des freiweltlichen adeligen Damenstiftes Stoppenberg, Vortrag am 10. März 1899 im Historischen Verein für Stadt und Stift Essen, gehalten von Herrn Bürgermeister Meyer, Essen 1899.

MEYER, HANS BERNHARD, Die Elevation im deutschen Mittelalter und bei Luther, in: Zeitschrift für katholische Theologie 85 (1963), 162-217.

Ders., Luther und die Messe. Eine liturgiewissenschaftliche Untersuchung über das Verhältnis Luthers zum Meßwesen des späten Mittelalters, Paderborn 1965.

MEYER, JOHANNES, Johannes Busch und die Klosterreform des 15. Jahrhunderts, in: Jahrbuch der Gesellschaft für niedersächsische Kirchengeschichte 47 (1949), 43-53.

MEYER, JULIE, Die Entstehung des Patriziats in Nürnberg, in: MVGN 27 (1928), 2-96.

MICHAELIS, HANS-THORALD, Schützengilden - Ursprung - Tradition - Entwicklung, München 1985.

MICHAUD-QUANTIN, PIERRE, Universitas: expressions du mouvement communautaire dans le moyen-âge latin, Paris 1970.

MICHELS, HELMUT, Das Gründungsjahr der Bistümer Erfurt, Büraburg und Würzburg, in: AMRhKG 39 (1987), 11-42.

MILITZER, KLAUS, Ursachen und Folgen der innerstädtischen Auseinandersetzungen in Köln in der zweiten Hälfte des 14. Jahrhunderts, Köln 1980.

Ders., Führungsschicht und Gemeinde in Köln im 14. Jahrhundert, in: Ehbrecht (Hg.), Führungsgruppen, 1-24.

MINER, JOHN N., Change and Continuity in the schools of later medieval Nuremberg, in: Catholic Historical Review 72 (1987), 1-22.

MITTERWIESER, ALOIS, Geschichte der Fronleichnamsprozession in Bayern, München 1930.

MOELLER, BERND, Reichsstadt und Reformation, Berlin 1987 (bearbeitete Neuauflage), Erstausgabe: 1962.

Ders., Die Reformation, in: Göttingen: Geschichte einer Universitäts-Stadt, hg. von Dietrich Denecke, Bd. 1: Von den Anfängen bis zum Ende des Dreißigjährigen Krieges, Göttingen 1987, 492-514.

MOHNHAUPT, HEINZ, Stadtverfassung und Verfassungsentwicklung, in: Denecke (Hg.), Göttingen (s. Moeller, Reformation), 231-259.

MOLLARET, HENRI H. und BROSSOLLET, JACQUELINE, La procession de saint Gregoire et la peste à Rome en l'an 590, in: Médecine de France 199 (1969), 13-21.

MONTCLOS, JEAN DE, Lanfranc et Bérengar, la controverse eucharistique du XIIᵉ siècle, Louvain 1971.

MORGAN, DAVID H.J., Theater of War: Combat, the Military and Masculinities, in: Brod/Kaufman (Hg.), Theorizing Masculinities, 165-182.

MÖRKE, OLAF, Rat und Bürger in der Reformation. Soziale Gruppen und kirchlicher Wandel in den welfischen Hansestädten Lüneburg, Braunschweig und Göttingen, Hildesheim 1983.

MOSER, DIETZ-RÜDIGER, Warum die Hölle „Hölle" heißt. Zur Geschichte und Bedeutung des Nürnberger Schembartlaufes, in: Fastnacht, Fasching, Karneval: das Fest der „verkehrten Welt", hg. von Dietz-Rüdiger Moser, Graz - Wien - Köln 1986, 180-203.

MOUGEL, A., Dionysius der Karthäuser. 1402-1471. Sein Leben, sein Wirken, eine Neuausgabe seiner Werke, Mühlheim/Ruhr 1898.

MUCHEMBLED, ROBERT, Die Jugend und die Volkskultur im 15. Jahrhundert. Flandern und Artois, in: Volkskultur des europäischen Mittelalters, hg. von Peter Dinzelbacher und Hans-Dieter Mück, Stuttgart 1987, 35-58.

MUIR, EDWARD, Civic ritual in Renaissance Venice, Princeton 1981.

MÜLLER, ARND, Zensurpolitik der Reichsstadt Nürnberg. Von der Einführung der Buchdruckerkunst bis zum Ende der Reichsstadtzeit, in: MVGN 49(1959), 34-66.

MÜLVERSTEDT, GEORGE ADALBERT VON, Hierographia Erfordensis oder Uebersicht der in der Stadt Erfurt und deren Gebiete früher und noch jetzt bestehenden Stifter, Klöster..., in: MVGAE 3 (1867), 145-175.

MUMMENHOFF, ERNST, Studien zu Topographie und Geschichte der Nürnberger Rathäuser, in: MVGN 5 (1884), 137-214.

Ders., Die Kettenstöcke und andere Sicherheitsmaßnahmen im alten Nürnberg, in: MVGN 3 (1899), 1-52.

Ders., Die Nürnberger Ratsbücher und Ratsmanuale, in: Archivalische Zeitschrift 17 (1910), 1-124.

Ders., Reliquien in Nürnberg, in: MVGN 18 (1918), 250-256.

NASS, KLAUS, Der Auctorskult in Braunschweig und seine Vorläufer im früheren Mittelalter, in: Niedersächsisches Jb. für Landesgeschichte 62 (1990), 153-207.

NAUJOKS, EBERHARD, Obrigkeit und Zunftverfassung in den südwestdeutschen Reichsstädten, in: Z. f. Württembergische Landesgeschichte 33 (1974), 53-93.

NEUBAUER, THEODOR, Die sozialen und wirtschaftlichen Verhältnisse der Stadt Erfurt vor Beginn der Reformation, in: MVGAE 34 (1913), 1-78.

Ders., Zur Geschichte der mittelalterlichen Stadt Erfurt, in: MVGAE 35 (1914), 3-95.

Ders., Wirtschaftsleben im mittelalterlichen Erfurt, in: VSWG 12 (1914), 521-548, 13 (1916), 132-152.

Ders., Das tolle Jahr von Erfurt, hg. von M. Wähler, Weimar 1948.

NEUHEUSER, HANNS PETER, Internationale Bibliographie „Liturgische Bücher", München 1991.

Ders., Typologie und Terminologie liturgischer Bücher, in: Bibliothek. Forschung und Praxis 16 (1992), 45-65.

NEUNHEUSER, BURKHARD, Die Eucharistie im Mittelalter und Neuzeit (= Hb. der Dogmengeschichte, Bd. 4), Freiburg 1963.

NIEDERMEIER, HANS, Über die Sakramentsprozessionen im Mittelalter. Ein Beitrag zur Geschichte der kirchlichen Umgänge, in: Sacris Erudiri 22 (1974/75), 401-436.

OEHMIG, STEFAN, Zur Getreide- und Brotversorgung der Stadt Erfurt in den Teuerungen des 15. und 16. Jahrhunderts. Ein Beitrag zur kommunalen Wohlfahrtspflege, in: Weiß (Hg.), Erfurt (1992), 203-224.

Ders., Bettler und Dirnen, Sodomiter und Juden, in: MVGAE 56 (1995), 69-102.

OERGEL, GEO., Das ehemalige erfurtische Gebiet, in: MVGAE 24 (1903), 161-190.

OEXLE, OTTO GERHARD, Die Gegenwart der Toten, in: Death in the Middle Ages, hg. von Herman Braet und Werner Verbeke, Löwen 1983, 19-77.

Ders., Memoria in der Gesellschaft und in der Kultur des Mittelalters, in: Modernes Mittelalter, hg. von Joachim Heinzle, Frankfurt/Main - Leipzig 1994, 297-323.

OPITZ, CLAUDIA, Hunger nach Unberührbarkeit? Jungfräulichkeitsideal und weibliche Libido im späten Mittelalter, in: Feministische Studien 5 (1986) 1, 59-75.

OVERMANN, ALFRED, Die Entstehung der Erfurter Pfarreien, in: Sachsen und Anhalt. Jahrbuch der Historischen Kommission für die Provinz Sachsen und Anhalt 3 (1927), 135-148.

OZOUF, MONA, Innovations et traditions dans les itinéraires des fêtes révolutionnaires: l'example de Caen, in: Ethnologie francaise 1 (1977), 45-54.

PALZKILL, MARGARETHA, ‚Meditatio' und ‚Modestia'. Der gesenkte Blick Marias auf italienischen Verkündigungsdarstellungen des 14. bis 16. Jahrhunderts, in: Löther u.a. (Hg.), Mundus (s. Löther, Rituale), 169-203.

PANZER, MARITA A., Sozialer Protest in süddeutschen Reichsstädten 1485 bis 1525. Anhand der Fallstudien: Regensburg, Augsburg und Frankfurt am Main, München 1982.

PASTOR, LUDWIG FREIHERR VON, Geschichte der Päpste seit dem Ausgang des Mittelalters, Bd. 1, Freiburg 1955[12].

PATZE, HANS, Landesgeschichtsschreibung in Thüringen, in: Jahrbuch für die Geschichte Mittel- und Ostdeutschlands 16/17 (1968), 95-168.

Ders. und SCHLESINGER, WALTER (Hg.), Geschichte Thüringens, Bd. 2, Teil 1, Köln - Wien 1974.

Ders., Bürgertum und Frömmigkeit im mittelalterlichen Braunschweig, in: Braunschweiger Jb. 58 (1977), 9-30.

PAULUS, NIKOLAUS, Geschichte des Ablasses im Mittelalter, 3 Bde., Paderborn 1922-1923.

PAXTON, FREDERICK, Christianizing Death. The Creation of a Ritual Process in Early Medieval Europe, Ithaca (N.Y.) 1990.

PETERS, FRANZ JOSEPH, Liturgische Feiern des St. Casiusstiftes in Bonn, Essen 1952.

PEYER, HANS CONRAD, Der Empfang des Königs im mittelalterlichen Zürich, in: ders., Könige, Stadt und Kapital. Aufsätze zur Wirtschafts- und Sozialgeschichte des Mittelalters, Zürich 1982 (Erstausgabe: 1958).

PFEIFFER, GERHARD, Die Anfänge der Egidienkirche, in: MVGN 37 (1940), 253-308.

Ders., Der Aufstieg der Reichsstadt Nürnberg im 13. Jahrhundert, in: MVGN 44 (1953), 14-24.

Ders., Nürnbergs Selbstverwaltung 1256-1956, in: MVGN 48 (1958), 1-13.

Ders., (Hg.), Nürnberg - Geschichte einer europäischen Stadt, München 1971.

Ders., Erfurt oder Eichstätt? Zur Biographie des Bischofs Willibald, in: Festschrift Walter Schlesinger, hg. von Helmut Beumann, Bd. 2, Köln - Wien 1974, 137-161.

Ders., Lazarus Spengler (1479-1534), in: Fränkische Lebensbilder, Bd. 11, Nürnberg 1984, 61-79.

PFLEGER, LUCIEN, Untersuchungen zur Geschichte des Pfarrei-Instituts im Elsass. I. Pfarrecht und Pfarrzwang. Kloster und Seelsorge. Der Kampf und die Pfarrechte, in: AEKG 5 (1930), 89-160.

Ders., Frühmittelalterliche Stationsgottesdienste in Straßburg, in: AEKG 7 (1932), 339-350.

Ders., Die Straßburger Erdbebenprozession im Jahr 1358, in: Elsaßland 14 (1934), 293-295.

Ders., Die Stadt- und Rats-Gottesdienste im Strassburger Münster, in: AEKG 12 (1937), 1-56.

PHYTHIAN-ADAMS, CHARLES, Ceremony and the citizens: The communal year at Coventry 1450-1550, in: Crisis and Order in English Towns, 1300-1700, hg. von Peter Clark und Paul Slack, London 1972, 57-85.

PILVOUSEK, JOSEF, Die Prälaten des Kollegiatstiftes St. Marien in Erfurt 1400-1555, Erfurt 1988.

PINOMAA, LENNART, Luthers Weg zur Verwerfung des Heiligendienstes, in: Luther-Jahrbuch 29 (1962), 35-42.

Ders., Die Heiligen bei Luther, Helsinki 1977.

PITZ, ERNST, Die Entstehung der Ratsherrschaft in Nürnberg im 13. und 14. Jahrhundert, München 1956.

Ders., Untertanenverband, Bürgerrecht und Staatsbürgerschaft in Mittelalter und Neuzeit, in: Bll. f. dt. Landesgeschichte 126 (1990), 263-282.

PLANITZ, HANS, Die deutsche Stadt im Mittelalter: von der Römerzeit bis zu den Zunftkämpfen, Wien 1975, Erstausgabe: 1954.

PROBST, MANFRED, Bibliographie der katholischen Ritualiendrucke des deutschen Sprachraums, Münster 1993.

PUCHNER, OTTO, Das Register des Gemeinen Pfennigs (1497) der Reichsstadt Nürnberg als bevölkerungsgeschichtliche Quelle, in: JfL 34/35 (1974/75), 909-948.

PUHLE, MATTHIAS, Die Braunschweiger „Schichten" des Mittelalters im Überblick und Vergleich, in: Pollmann (Hg.), Schicht (s. Ehbrecht, Stadtkonflikte), 27-33.

RACH, ALFRED, Die zweite Blütezeit des Erfurter Waidhandels, in: Jahrbücher für Nationalökonomie und Statistik 171 (1959), 25-88.

RAGOTZKY, HEDDA und WENZEL, HORST (Hg.), Höfische Repräsentation: Das Zeremoniell und die Zeichen, Tübingen 1990.

RASMUSSEN, JÖRG, Englischer Gruß, in: Veit Stoß in Nürnberg. Die Werke des Meisters und seiner Schule in Nürnberg und Umgebung, hg. vom Germanischen Nationalmuseum Nürnberg, Konzeption und Redaktion Rainer Kahsnitz, München 1993, 194-219.

RAYNA, HENRY, A Social History of Music, London 1972.

REICKE, EMIL, Geschichte der Reichsstadt Nürnberg, Nürnberg 1896.

REICKE, SIEGFRIED, Stadtgemeinde und Stadtpfarrkirchen der Reichsstadt Nürnberg im 14. Jahrhundert, in: MVGN 26 (1926), 1-110.

REIMANN, HANS LEO, Unruhe und Aufruhr im mittelalterlichen Braunschweig, Braunschweig 1962.

REINHARD, JAKOB, Schulen in Franken und in der Kuroberpfalz 1250 - 1520, Wiesbaden 1994.

REINLE, ADOLF, Zeichensprache der Architektur. Symbol, Darstellung und Brauch in der Baukunst des Mittelalters und der Neuzeit, Zürich - München 1976.

Ders., Die Ausstattung deutscher Kirchen im Mittelalter, Darmstadt 1988.

REINTGES, THEO, Ursprung und Wesen der spätmittelalterlichen Schützengilden, Diss. Bonn 1963.

REMLING, LUDWIG, Bruderschaften in Franken, Würzburg 1986.

Ders., Brauchtum, Feste und Volkskultur im alten Münster, in: Geschichte der Stadt Münster, unter Mitwirkung von Thomas Küster hg. von Franz-Josef Jakobi, Bd. 1, Münster 1993, 595-634.

Ders., Die „Große Prozession" in Münster als städtisches und kirchliches Ereignis im Spätmittelalter und in der frühen Neuzeit, in: Beiträge zur Stadtgeschichte, hg. von Helmut Lahrkamp, Münster 1984, 197-233.

RIEMECK, RENATE, Spätmittelalterliche Ketzerbewegungen in Thüringen, in: Zeitschrift des Vereins für Thüringische Geschichte 46 (1992), 95-132.

RÖCKELEIN, HEDWIG, Marienverehrung und Judenfeindlichkeit in Mittelalter und früher Neuzeit, in: Maria in der Welt. Marienverehrung im Kontext der Sozialgeschichte 10. - 18. Jahrhundert, hg. von Claudia Opitz, Hedwig Röckelein, Gabriela Signori und, Guy P. Marchal, Zürich 1993, 279-307.

ROHLAND, JOHANNES P., Der Erzengel Michael, Arzt und Feldherr, Leiden 1977.

ROLLER, HANS, Der Nürnberger Schembartlauf, Tübingen 1965.

RÖPCKE, ANDREAS, Geld und Gewissen - Raimund Peraudi und die Ablaßverkündigung in Norddeutschland am Ausgang des Mittelalters, in: Bremisches Jb. 71 (1992), 43-80.

ROPER, LYNDAL, Männlichkeit und männliche Ehre im 16. Jahrhundert, in: Journal f. Geschichte 1991, 28-37.

ROSENBERG, ALFONS, Engel und Dänomen, München 1986[2].

ROTH, ELISABETH, „Got und der lieb herr s. sebold". Nürnbergs Stadtpatron in Legende und Chronik, in: MVGN 67 (1980), 37-59.

ROTHERT, HERMANN, Die älteste erhaltene Strukturrechnung des Doms vom Jahre 1415, in: Osnabrücker Mitteilungen 39 (1916), 303-316.

RUBI, MIRI, Corpus Christi: The Eucharist in Late Medieval Culture, Cambridge 1991.

Ders., Symbolwert und Bedeutung von Fronleichnamprozessionen, in: Laienfrömmigkeit im späten Mittelalter, hg. von Klaus Schreiner, München 1992, 309-318.

RUBLACK, HANS-CHRISTOPH, Grundwerte in der Reichsstadt im Spätmittelalter und in der frühen Neuzeit, in: Literatur in der Stadt, hg. von Horst Brunner, Göppingen 1982, 9-36.

RUF, PAUL (Bear.), Mittelalterliche Bibliothekskataloge Deutschlands und der Schweiz, Bd. 3,3. Bistum Bamberg, München 1969, Nd. der Ausgabe München 1939.

RUHRBERG, CHRISTINE, Der literarische Körper der Heiligen. Leben und Viten der Christina von Stommeln (1242-1312), Tübingen - Basel 1995.

RUNCIMAN, STEVEN, The Fall of Constantinopel, New York 1970[2].

RÜTHING, HEINRICH, Höxter um 1500: Analyse einer Stadtgesellschaft, Paderborn 1986.

SAGITTARI, CASPAR, Gründliche und ausführliche Historia der Grafschaft Gleichen..., hg. von Ernst Salomon Cyprian, Frankfurt/Main 1732.

SAUERBREY, BEATE, Die Wehrverfassung der Stadt Braunschweig im Spätmittelalter, Braunschweig 1989.

SCHALL, KURT, Die Genannten in Nürnberg, Nürnberg 1971.

SCHANZ, GEORG, Zur Geschichte der deutschen Gesellen-Verbände, Glashütten 1973, Nd. der Ausgabe Leipzig 1876.

SCHELER, DIETER, Inszenierte Wirklichkeit: Spätmittelalterliche Prozessionen zwischen Obrigkeit und ‚Volk‘, in: Von Aufbruch und Utopie. Perspektiven einer neuen Gesellschaftsgeschichte des Mittelalters, hg. von Bea Lundt und Helma Reimöller, Köln - Weimar - Wien 1992, 119-129.

SCHILLING, A., Die religiösen und kirchlichen Zustände der ehemaligen Reichsstadt Biberach vor der Einführung der Reformation, in: FDA 19 (1887), 1-191.

SCHILLING, HEINZ, Gab es im späten Mittelalter und zu Beginn der Neuzeit in Deutschland einen städtischen „Republikanismus"? Zur politischen Kultur des alteuropäischen Stadtbürgertums, in: Republiken und Republikanismus im Europa der Frühen Neuzeit, hg. von Helmut Königsberger, München 1988, 101-143.

SCHIMMELPFENNIG, BERNHARD, Bamberg im Mittelalter: Siedelgebiete und Bevölkerung bis 1370, Lübeck 1964.

SCHINDLER, Norbert, „Und daß die Ehre Gottes mehrers befördert würde..." Mikrohistorische Bemerkungen zur frühneuzeitlichen Karfreitagsprozession in Traunstein, in: Mitteilungen der Gesellschaft für Salzburger Landeskunde 136 (1996), 173-202.

SCHINDLING, ANTON, Nürnberg, in: Die Territorien des Reichs im Zeitalter der Reformation und Konfessionalisierung. Land und Konfession 1500-1650, Bd. 1: Der Südosten, hg. von dems. und Walter Ziegler, Münster 1989, 33-42.

Ders. und SCHMIDT, GEORG, Frankfurt am Main, Friedberg, Wetzlar, in: Die Territorien des Reichs im Zeitalter der Reformation und Konfessionalisierung, Bd. 4: Mittleres Deutschland, hg. von dems. und Walter Ziegler, Münster 1992, 40-59.

SCHLEIF, CORINE, Bild- und Schriftquellen zur Verehrung des heiligen Deocarus in Nürnberg, in: Bericht des historischen Vereins Bambergs 119 (1983), 9-24.

Ders., Donatio et memoira. Stifter, Stiftungen und Motivationen an Beispielen aus der Lorenzkirche in Nürnberg, München 1990.

SCHLEMMER, KARL, Gottesdienst und Frömmigkeit in der Reichsstadt Nürnberg am Vorabend der Reformation, Würzburg 1980.

SCHLICHTING, MARY ELISABETH, Religiöse und gesellschaftliche Anschauungen in den Hansestädten des späten Mittelalters, Diss. Berlin 1935.

SCHLIERF, WILHELM, Die städtkölnische Gottestracht und die Fronleichnamsprozession in Köln im Lichte ihrer Geschichte, in: Kölner Diözesan-Blatt 5 (1991), 155-178.

SCHLUNK, ANDREAS, Stadt ohne Bürger? Eine Untersuchung über die Führungsschichten der Städte Nürnberg, Altenburg und Frankfurt um die Mitte des 13. Jahrhunderts, in: Hochfinanz, Wirtschaftsräume, Innovationen 1 (1972), 189-244.

SCHMID, ALOIS, Regensburg. Reichsstadt - Fürstbischof - Reichsstifte - Herzoghof (= Historischer Atlas von Bayern, Teil Altbayern, Heft 60), München 1995.

SCHMID, PETER, Regensburg, Freie Reichsstadt, Hochstift und Reichsklöster, in: Schindling/Ziegler (Hg.), Territorien, Bd. 6 (s. Graßmann), 36-56.

SCHMIDT, ALOYS, Die Kanzlei der Stadt Erfurt bis zum Jahre 1500, in: MVGAE 40/41 (1921), 3-88.

SCHMIDT, HEINRICH, Die deutschen Städtechroniken als Spiegel bürgerlichen Selbstverständnisses im Spätmittelalter, Göttingen 1958.

SCHMIDT, HEINRICH RICHARD, Reichsstädte, Reich und Reformation: korporative Religionspolitik 1521 - 1529/30 (Straßburg, Nürnberg), Stuttgart 1986.

SCHMIDT, KARL und WOLLASCH, JOACHIM, Die Gemeinschaft der Lebenden und Verstorbenen in Zeugnissen des Mittelalters, in: Frühmittelalterliche Studien 1 (1967), 365-405.

SCHMIDT, PAUL GERHARD, Das chronicon ecclesiasticum des Nikolaus von Siegen, in: Geschichtsbewußtsein und Geschichtsschreibung der Renaissance, hg. von August Buck, Leiden 1989, 77-84.

SCHMITZ, PH., La liturgie de Cluny, in: Spiritualità Cluniacense, Todi 1960, 83-99.

SCHNAPP, KARL, Fronleichnams-Oktavprozessionen bei Alt-St. Martin in Bamberg, in: Fränkische Bll. f. Geschichtsforschung und Heimatpflege 4 (1952) H. 12/13, 47-51.

SCHNEIDER, JOACHIM, Heinrich Deichsler und die Nürnberger Chronistik des 15. Jahrhunderts, Wiesbaden 1991.

SCHNELBÖGL, FRITZ, Sankt Sebald in Nürnberg nach der Reformation, in: ZBKG 32 (1963), 155-172.

Ders., Topographische Entwicklung Nürnbergs, in: Pfeiffer (Hg.), Nürnberg, 54-62.

Ders., Topographische Entwicklung Nürnbergs im 14. und 15. Jahrhundert, in: Pfeiffer (Hg.), Nürnberg, 88-92.

Ders., Kirche und Caritas, in: Pfeiffer (Hg.), Nürnberg, 100-106.

SCHNITZLER, THEODOR, Die erste Fronleichnamsprozession. Datum und Charakter, in: Münchener theologische Zeitschrift 24 (1973), 352-362.

SCHOENLANK, BRUNO, Sociale Kämpfe vor dreihundert Jahren, Leipzig 1907.

SCHOLLE, JOSEPH, Das Erfurter Schottenkloster, Düsseldorf 1932.

SCHONATH, WILHELM, Die liturgischen Drucke des Bistums und späteren Erzbistums Bamberg, in: Bericht des historischen Vereins Bamberg 103 (1967), 387-418.

SCHÖNTAG, WILFRIED, Untersuchungen zur Geschichte des Erzbistums Mainz unter den Erzbischöfen Arnold und Christian (1153-1193), Darmstadt - Marburg 1973.

SCHRAMM, PERCY E., Herrschaftszeichen und Staatssymbolik, Bd. 3, Stuttgart 1956.

SCHREIBER, GEORG, Die Wochentage im Erlebnis der Ostkirche und des christlichen Abendlandes, Köln- Opladen 1959.

SCHREINER, KLAUS, „Kommunebewegung" und „Zunftrevolution". Zur Gegenwart der mittelalterlichen Stadt im historisch-politischen Denken des 19. Jahrhunderts, in: Stadtverfassung, Verfassungsstadt, Pressepolitik. Festschrift für Eberhard Naujoks, hg. von Franz Quarthal und Wilfried Sezler, Sigmaringen 1980, 139-168.

Ders., Maria. Jungfrau, Mutter, Herrscherin, Wien 1994.

Ders. und MEIER, ULRICH (Hg.), Stadtregiment und Bürgerfreiheit: Handlungsspielräume in deutschen und italienischen Städten des späten Mittelalters und der frühen Neuzeit, Göttingen 1994.

Ders. und MEIER, ULRICH, Regimen civitatis. Zum Spannungsverhältnis von Freiheit und Ordnung in alteuropäischen Stadtgesellschaften, in: Dies. (Hg.), Stadtregiment, 11-34.

SCHRÖER, ALOIS, Die Reformation in Westfalen: der Glaubenskampf einer Landschaft, Bd. 1: Die westfälische Reformation im Rahmen der Reichs- und Kirchengeschichte. Die weltlichen Territorien und die privilegierten Städte, Münster 1979.

SCHUBERT, HANS VON, Lazarus Spengler und die Reformation in Nürnberg, Leipzig 1934.

SCHULTHEISS, WERNER, Das Weistum über das Nürnberger Schultheissenamt aus dem Jahre 1385, in: MVGN 35 (1937), 59-88.

Ders., Die Einrichtung der Herrentrinkstube 1497/8 und deren Ordnung von 1561/97, in: MVGN 44 (1953), 275-285.

Ders., Geschichte des Nürnberger Ortsrechtes, Nürnberg 1957.

Ders., Geld- und Finanzgeschäfte Nürnberger Bürger vom 13. - 16. Jahrhundert, in: Beiträge zur Wirtschaftsgeschichte Nürnbergs, 1 (1967), 49-116.

Ders., Konrad Groß, in: Fränkische Lebensbilder 2 (1968), 59-82.

Ders., Der Handwerkeraufstand von 1348/49, in: Pfeiffer (Hg.), Nürnberg, 73-76.

Ders., Das Bürgerrecht der Königs- und Reichsstadt Nürnberg. Beiträge zur Verfassungsgeschichte der deutschen Städte, in: Festschrift für Hermann Heimpel zum 70. Geburtstag am 19. September 1971, Bd. 2, Göttingen 1972, 159-194.

Ders., Kleine Geschichte Nürnbergs, Nürnberg 1987[2].

SCHULTZ, ALWIN, Deutsches Leben im XIV. und XV. Jahrhundert, Wien 1892.

SCHULZ, KNUT, Handwerksgesellen und Lohnarbeiter. Untersuchungen zur oberrheinischen und oberdeutschen Stadtgeschichte des 14. bis 17. Jahrhunderts, Sigmaringen 1985.

Ders., „Denn sie lieben die Freiheit so sehr...“: kommunale Aufstände und die Entstehung des europäischen Bürgertums im Hochmittelalter, Darmstadt 1992.

SCHULZE, WINFRIED, Vom Gemeinnutz zum Eigennutz. Über den Normenwandel der ständischen Gesellschaft der frühen Neuzeit, in: HZ 243 (1986), 591-626.

SCHÜTZ, JOSEF, Sankt Sebalds Name, in: JfL 34/35 (1975), 217-222.

SCHWAB, LUDWIG, Regensburg im Aufruhr. Der Freiheitskampf einer Stadt 1485 - 1521, Regensburg 1956.

SCHWAB, WOLFGANG, Entwicklung und Gestalt der Sakramententheologie bei Martin Luther, Frankfurt/Main 1977.

SCHWARZ, ERNST, Nochmals Sankt Sebalds Autor, in: ZBLG 39 (1976), 561-563.

SCHWARZ, HANS (Hg.), Reformation und Reichsstadt. Protestantisches Leben in Regensburg, Regensburg 1994.

SCHWERHOFF, GERD, Apud populum potestas? Ratsherrschaft und korporative Partizipation im spätmittelalterlichen und frühneuzeitlichen Köln, in: Schreiner/Meier (Hg.), Stadtregiment, 188 - 243.

Ders., Das rituelle Leben der mittelalterlichen Stadt. Richard C. Trexlers Florenzstudien als Herausforderung für die deutsche Geschichtsschreibung, in: Geschichte in Köln, Heft 35, August 1994, 33-60.

Ders., Köln rüstet sich zur Gottestracht: Eine Morgensprache vom 23. März 1478, in: Quellen zur Geschichte der Stadt Köln, Bd. II: Spätes Mittelalter und Frühe Neuzeit (1396 - 1794), hg. vom Förderverein Geschichte in Köln e.V., Köln 1996, 129-135.

SCHWINEKÖPER, BEREND, Der Handschuh in Recht, Ämterwesen, Brauch und Volksglauben, Sigmaringen 1981, Erstausgabe: 1938.

SCRIBNER, ROBERT W., Civic Unity and the Reformation in Erfurt, in: Past and Present 66 (1975), 29-60.

Ders., Ritual and Popular Religion in Catholic Germany at the Time of the Reformation, in: Journal of Ecclesiastical History 35 (1984), 47-77.

Ders., Ritual and Reformaton, in: The German People and the Reformation, hg. von Po-Chia Hsia, Ithaca (N.Y.) 1988, 122-142.

Ders., Die Eigentümlichkeit der Erfurter Reformation, in: Weiß (Hg.), Erfurt (1992), 241-254.

SDRALEK, MAX, Die Straßburger Diözesansynoden, Freiburg i. Br. 1894.

SEBALDER HÜTTENBRIEF 6, 19. August 1993, Nürnberg.

SEEBASS, GOTTFRIED, Das reformatorische Werk des Andreas Osiander, Nürnberg 1967.

Ders., Die Reformation in Nürnberg, in: MVGN 55 (1967/68), 252-269.

Ders., Der Nürnberger Rat und das Religionsgespräch von März 1525 (mit den Akten Christoph Scheurls und anderen unbekannten Quellen), in: JfL 34/35 (1975), 467-499.

Ders., Zur Geschichte der reformatorischen und sozialen Bewegung der Reichsstadt Nürnberg im Jahre 1524/25 (zugleich Rezension Günter Vogler, Nürnberg, 1982), in: MVGN 71 (1984), 269-276.

SEHI, MEINRAD, Die Bettelorden in der Seelsorgsgeschichte der Stadt und des Bistums Würzburg bis zum Konzil von Trient: eine Untersuchung über die Mendikantenseelsorge unter besonderer Berücksichtigung der Verhältnisse in Würzburg, Würzburg 1981.

SENSI, MARIO, Santuari, culte e riti „ad repellendam pestem" tra medioevo et età moderna, in: Luoghi sacri e spazi della santità, hg. von Sofia Boesch Gajano und Lucetta Scaraffia, Turin 1990, 135-150.

SEYBOTH, REINHARD, Reichsinstitutionen und Reichsbehörden in Nürnberg im 15. und 16. Jahrhundert, in: MVGN 79 (1992), 89-121.

SIBEN, ARNOLD, Geschichte des Fronleichnamsfestes und der Fronleichnamsprozession im alten Fürstbistum Speyer, in: AMRhKG 7 (1955), 345-370.

SIEH-BURENS, KATARINA, Oligarchie, Konfession und Politik im 16. Jahrhundert. Zur sozialen Verflechtung der Augsburger Bürgermeister und Stadtpfleger 1518-1618, München 1986.

SIGNORI, GABRIELA, Maria zwischen Kathedrale, Kloster und Welt. Hagiographische und historiographische Annäherungen an den Typus der hochmittelalterlichen Wunderpredigt, Sigmaringen 1995.

Dies. (Hg.), „Meine in Gott geliebte Freundin". Freundschaftsdokumente aus klösterlichen und humanistischen Schreibstuben, Bielefeld 1995.

Dies., Die verlorene Ehre des heiligen Joseph oder Männlichkeit im Spannungsfeld spätmittelalterlicher Altersstereotype. Zur Genese von Urs Grafs „Heiliger Familie" (1521), in: Verletzte Ehre. Ehrkonflikte in Gesellschaften des Mittelalters und der Frühen Neuzeit, hg. von Gerd Schwerhoff und Klaus Schreiner, Köln 1995, 183-213.

Dies., The Mysteries of Ritual Integration, Vortrag in Leeds, Juli 1995, Bielefeld (Arbeitspapier) 1995.

Dies., Wörter, Sachen und Bilder. Oder: die Mehrdeutigkeit des scheinbar Eindeutigen, in: Löther u.a. (Hg.), Mundus (s. Löther, Rituale), 11-33.

Dies., Ritual und Ereignis. Die Straßburger Bittgänge zur Zeit der Burgunderkriege (1474-1477), in: 263 HZ (1997), 1-47.

SIMMEL, GEORG, Soziologie der Mahlzeit, in: Ders., Brücke und Tür. Essays des Philosophen zur Geschichte, Religion, Kunst und Gesellschaft, Stuttgart 1957, 243-250.

SINNER, EMILIE, Kirche und Frömmigkeit in Osnabrück vor der Reformation, in: 450 Jahre Reformation in Osnabrück, hg. von Karl Georg Kaster und Gerd Steinwascher, Bramsche 1993, 39-48.

SITTLER, LUCIEN, Prozessionen und Bittgänge im Kolmar des 15. Jahrhunderts, in: AEKG 11 (1936), 137-142.

SONNTAG, FRANZ PETER, Das Kollegiatstift St. Marien in Erfurt von 1117-1400. Ein Beitrag zur Geschichte seiner Verfassung, seiner Mitglieder und seines Wirkens, Leipzig 1962.

SOUCHON, MARTIN, Die Papstwahlen in der Zeit des großen Schismas, Aalen 1970, Nd. der Ausgabe Braunschweig 1889-99.

SPIEGLER, HANNI, Die Geschichte der Pest in Erfurt von den Anfängen bis zum Beginn des 17. Jahrhunderts, Diss. Erfurt 1962.

SPIELVOGEL, JACKSON, Patricians in Dissension: A Case Study from sixteenth-century Nürnberg, in: The Social History of Reformation, hg. von Lawrence P. Buck und Jonathan W. Zophy, Columbus (Ohio) 1972, 73-90.

SPIESS, WERNER, Fernhändlerschicht und Handwerkermasse in Braunschweig bis zur Mitte des 15. Jahrhunderts, in: Hansische Geschichtsblätter 63 (1938), 49-85.

SPRUSANSKY, SVETOZAR, Das Haupt des heiligen Sebald. Zur Geschichte des Nürnberger Stadtheiligen und seiner Verehrung, in: MVGN 68 (1981), 109-122.

STAAB, FRANZ, Die Gründung der Bistümer Erfurt, Büraburg und Würzburg durch Bonifatius im Rahmen der fränkischen und päpstlichen Politik, in: AMRhKG 40 (1988), 13-41.

STALMANN, JOACHIM und HEINRICH, JOHANNES, Handbuch zum evangelischen Kirchengesangbuch, Bd. 3, Liederkunde, Zweiter Teil: Lied 176-394, Göttingen 1990.

STAPPER, RICHARD, Der alte Gereonsaltar und die früheste Form der Fronleichnamsfeier in Köln, in: Annalen des Historischen Vereins für den Niederrhein 106 (1922), 130-141.

STEINBACH, FRANZ, Stadtgemeinde und Landgemeinde. Studien zur Geschichte des Bürgertums, in: Rheinische Vierteljahrsblätter 13 (1948), 11-50.

STIEVERMANN, DETLEF, Biberach im Mittelalter, in: Geschichte der Stadt Biberach, hg. von dems., Stuttgart 1991, 209-254.

STOLZ, GEORG, „Gott dem almectingen zw lob unnd seinem allerheiligsten fronleichnam... zw eren", in: Verein zur Erhaltung der St. Lorenzkirche in Nürnberg 39 (1994), 5-42.

STRASSNER, ERICH, Graphemsystem und Wortkonstituenz: schreibsprachliche Entwicklungstendenzen zum Neuhochdeutschen, Tübingen 1977.

STRAUSS, GERALD, Protestant Dogma and City Government: the Case of Nuremberg, in: Past and Present 36/38 (1967), 38-58.

STRIEDINGER, IVO, Der Kampf um Regensburg 1486 - 1492, in: Verhandlungen des historischen Vereins Oberpfalz und Regensburg 44 (1890), 1-88, 523-531.

STROCCHIA, SHARON, Death and Ritual in Renaissance Florence, Baltimore 1992.

STROMER, WOLFGANG FREIHERR VON, Ein Steinmal aus dem Beginn des 14. Jahrhunderts, die Nürnberger Schultheißen Heinrich Geusmit und Sifrit von Kamerstein?, in: MVGN 50 (1960), 1-10.

Ders., Oberdeutsche Hochfinanz, 1350 - 1450 (VSWG Beiheft), Wiesbaden 1970.

Ders., Die Metropole im Aufstand gegen König Karl IV., in: MVGN 65 (1978), 55-87.

STÜVE, CARL, Geschichte des Hochstifts Osnabrück bis zum Jahre 1508, Osnabrück 1970, Nd. der Ausgabe 1853.

SZÖVERFFY, JOSEF, Die Annalen der lateinischen Hymendichtung, 2 Bde., Berlin 1964-1965.

TAVARD, GEORGES, Die Engel (= Hb. der Dogmengeschichte, Bd. 2), Freiburg 1967.

TENFELDE, KLAUS, Adventus: Die fürstliche Einholung als städtisches Fest, in: Stadt und Fest. Zur Geschichte und Gegenwart europäischer Festkultur, hg. von Paul Hugger, Stuttgart 1987, 45-60.

TETTAU, WILHELM VON, Geschichtliche Darstellung des Gebiets der Stadt Erfurt und der Besitzungen der dortigen Stiftungen (= Jahrbuch der Königlichen Akademie gemeinnütziger Wissenschaften zu Erfurt, N.F., Heft 14), Erfurt 1886.

THUM, BERND, Öffentlich-Machen, Öffentlichkeit, Recht. Zu den Grundlagen und Verfahren der politischen Publizistik im Spätmittelalter (mit Überlegungen zur sog. „Rechtssprache"), in: Politik und Dichtung vom Mittelalter bis zur Neuzeit, hg. von Wolfgang Haubrichs, Göttingen 1990, 12-69.

Ders., Öffentlichkeit und Kommunikation im Mittelalter. Zur Herstellung von Öffentlichkeit im Bezugsfeld elementarer Kommunikationsformen im 13. Jahrhundert, in: Ragotzky/Wenzel (Hg.), Höfische Repräsentation, 65-87.

TIMPEL, M., Straßen, Gassen und Plätze von Alt-Erfurt in Vergangenheit und Gegenwart, in: MVGAE 45 (1929), 5-240.

TIMPEL, WOLFGANG und ALTWEIN, ROLAND, Das alte Erfurt aus archäologischer Sicht, in: Weiß (Hg.), Erfurt (1995), 67-79.

TOCH, MICHAEL, Die Nürnberger Mittelschichten im 15. Jahrhundert, Nürnberg 1978.

TORSY, JAKOB, Die Bittprozession des Kölner Doms um 1300, in: Kölner Domblatt 30 (1969), 67-98.

Ders., Zur Verehrung der Eucharistie im Spätmittelalter. Eine Fronleichnamsprozession in Wittlaer im Jahr 1436, in: Von Konstanz bis Trient: Beiträge zur Geschichte der Kirche von den Reformkonzilien bis zum Tridentinum, Festgabe für August Franzen, hg. von Remigius Bäumer, München 1972, 335-343.

TREXLER, RICHARD C., Ritual in Florence: Adolescence and Salvation in the Renaissance, in: ders., The Children of Florence (= Power and Dependence in Renaissance Florence, Bd. 1), Binghampton N.Y. 1993 (Erstausgabe: 1974).

Ders., Public Life in Renaissance Florence, Ithaca - London 1994², Erstauflage: 1980.

TRÜDINGER, KARL, Stadt und Kirche im mittelalterlichen Würzburg, Stuttgart 1978.

TÜMMLER, HANS, Die Grafen von Gleichen als Vögte von Erfurt, in: MVGAE 51 (1935), 43-52.

TURNER, VICTOR, Das Ritual. Struktur und Antistruktur, Frankfurt/Main 1989, englische Erstausgabe: 1969.

Ders. und TURNER, EDITH, Image and Pilgrimage in Christian Culture, New York 1978.

ULMANN, HEINRICH, Kaiser Maximilian I., Stuttgart 1991.

URBAN, LINA PADOAN, Apparati scenografici nelle feste veneziane cinquecentesche, in: Arte Veneta 213 (1969), 145-155.

VAN GENNEP, ARNOLD, Übergangsriten, Frankfurt/Main 1986, Erstausgabe: 1909.

VAUCHEZ, ANDRÉ, Les laics au Moyen Age: pratiques et experiénces réligieuses, Paris 1987.

Ders., Liturgie et culture folklorique: les Rogations dans la Légende doré de Jacques de Voragine, in: Ders., Laics, 145-156.

VEBLEN, THORSTEIN, Theorie der feinen Leute. Eine ökonomische Untersuchung der Institutionen (The Theory of the Leisure Class), Köln 1958, englische Erstausgabe: 1899.

VEIT, PATRICE, Das Kirchenlied in der Reformation Martin Luthers. Eine thematische und semantische Untersuchung, Stuttgart 1986.

VÉNARD, MARC, Itinéraire de processions dans la ville d'Avignon, in: Ethnologie francaise 1 (1977), 55-62.

VICENTINI, ENRICO, The Venetian Soleri from Portable Platforms to Tableaux Vivants, in: Petrarch's Triumphs. Allegory and Spectacle, hg. von Konrad Eisenbichler und Amilcare A. Iannucci, Toronto 1990, 383-393.

VOGELSANG, REINHARD, Stadt und Kirche im spätmittelalterlichen Göttingen, Göttingen 1968.

VOGLER, GÜNTER, Nürnberg 1524/25. Studien zur Geschichte der reformatorischen und sozialen Bewegung in der Reichsstadt, Berlin (O) 1982.

VOLTMER, ERNST, Reichsstadt und Herrschaft: zur Geschichte der Stadt Speyer im hohen und späten Mittelalter, Trier 1981.

VOVELLE, MICHEL, La morte et l'occident de 1300 à nos jours, Paris 1983.

WAINWRIGHT, ELIZABETH, Studien zum deutschen Prozessionslied. Die Tradition der Fronleichnamsspiele in Künzelsau und Freiburg und ihre textliche Entwicklung, München 1974.

WALDNER, EUGEN, Ein Konflikt zwischen dem Rate und der Bäckerzunft zu Colmar, in: ZGO 8 (1893), 616-625.

WALTER, JOHANN, Les processions de la cathédrale au moyen âge, in: L'ancien cantatorium de l'église de Strasbourg. Ms. ad. 23922 du musée britannique, avec un mémoire de M. l'abbé J. Walter, Conservateur de la bibliothèque de Sélestat et trois planches hors texte, ed. A. Wilmart OSB, Colmar 1928, 1-115.

WALTER, PHILIPPE, L'or, l'argent et le fer (étiologie d'une fête médiévale: les Rogations), in: Le Moyen Age 99 (1993), 41-60.

WALTERS, JONATHAN, „No More Than a Boy": The Shifting Construction of Masculinity from Ancient Greece to the Middle Ages, in: Gender and History 5 (1993), 20-33.

WANEGFFELEN, THIERRY, L'eucharistie au temps des reformes: mise au point sur transsubstantiation, consubstantiation et sacramentarisme, in: Historiens et Géographes 84 (1993), 113-116.

WEBER, MAX, Wirtschaft und Gesellschaft: Grundriß der verstehenden Soziologie, Tübingen 1972⁵.

WEHLE, WINFRIED, Der Tod, das Leben und die Kunst - Boccacios Decameron oder der Triumph der Sprache, in: Borst u.a. (Hg.), Tod, 221-260.

WEHRMANN, DR., Der Memorienkalender (Nekrologium) der Marien-Kirche in Lübeck, in: Zeitschrift des Vereins für Lübeckische Geschichte und Alterthumskunde 6 (1890), 49-160.

WEIGEL, MARTIN, Nürnberger Ablaßbriefe und Ablaßprediger, in: ZBKG 3 (1928), 1-16.

WEISS, ULMAN, Die frommen Bürger von Erfurt, Weimar 1988.

Ders., Erfurt 742 - 1992: Stadtgeschichte - Universitätsgeschichte, Weimar 1992.

Ders., (Hg.), Erfurt. Geschichte und Gegenwart, Weimar 1995.

WENDEHORST, ALFRED, Das Bistum Würzburg, (Germania Sacra, 2. Abt. Die Bistümer der Kirchenprovinz Mainz), Bd. 2: Die Bischofsreihe von 1254 bis 1455, Berlin 1969.

Ders., Das Bistum Würzburg (Germania Sacra, 2. Abt. Die Bistümer der Kirchenprovinz Mainz), Bd. 4: Das Stift Neumünster in Würzburg, Berlin - New York 1989.

WENZEL, HORST, Öffentlichkeit und Heimlichkeit in Gottfrieds ‚Tristan', in: Zeitschrift für deutsche Philologie 107 (1988), 352-357.

WERNER, MATTHIAS, Die Gründungstradition des Erfurter Peterskloster, Sigmaringen 1973.

WESOLY, KURT, Lehrlinge und Handwerksgesellen am Mittelrhein. Ihre soziale Lage und ihre Organisation vom 14. bis ins 17. Jahrhundert, Frankfurt/Main 1985.

WESPLINGHOFF, ERICH, Geschichte der Stadt Neuss, Bd. 1, Neuss 1975.

WHALEY, JOACHIM (Hg.) Studies in the Social History of Death, London 1981.

WIEGAND, FRITZ, Das Stadtarchiv Erfurt und seine Bestände, Berlin 1962.

WIESFLECKER, HERMANN, Kaiser Maximilian I. Das Reich, Österreich und Europa an der Wende zur Neuzeit, Bd. I. Jugend, burgundisches Erbe und Römisches Königtum bis zur Alleinherrschaft 1459-1493, München 1971.

Ders., Kaiser Maximilian I., München 1991.

WIESNER, MERRY E., Guilds, Male Bonding and Women's Word in Early Modern Germany, in: Gender and History 1 (1989), 125-137.

WIESSNER, HEINZ (Bearb.), Das Bistum Naumburg, (Germania Sacra: Die Bistümer der Kirchenprovinz Magdeburg), Bd. 1, 1: Die Diözese, Berlin 1997.

WILCKENS, LEONIE VON, Die textilen Schätze der Lorenzkirche, in: 500 Jahre Hallenchor St. Lorenz, 1477 - 1977, Nürnberg 1977, 139-170.

Dies., Die Teppiche der Sebalduskirche, in: 600 Jahre Ostchor St. Sebald, Nürnberg 1979, 133-142.

WILL, ANDREAS, Münzbelustigungen, Teil III, Altdorf 1766.

WILLICKS, PETER, Die Konflikte zwischen Erfurt und dem Erzbischof von Mainz am Ende des 15. Jahrhunderts, in: Weiß (Hg.), Erfurt (1992), 225-240.

WINCKELMANN, OTTO, Straßburgs Verfassung und Verwaltung im 16. Jahrhundert, in: ZGO 18 (1903), 493-537, 600-642.

WITTMANN, ANNELIESE, Kosmas und Damian. Kultausbreitung und Volksdevotion, Berlin 1967.

WOLFF, ARNOLD, Kirchenfamilie Köln. Von der Wahrung der geistlichen Einheit einer mittelalterlichen Bischofsstadt durch das Stationskirchenwesen, in: Colonia Romania. Jb. des Fördervereins Romanischer Kirchen Köln e.V. 1 (1986), 33-44.

WOLLASCH, JOACHIM, Hoffnungen der Menschen in der Zeit der Pest, in: Historisches Jb. 110 (1990), 23-51.

WOLTER, GUNDULA, Die Verpackung des männlichen Geschlechts. Eine illustrierte Kulturgeschichte der Hose, Marburg 1988.

WRIEDT, KLAUS, Ratsverfassung und städtische Gesellschaft im spätmittelalterlichen Osnabrück, in: Osnabrücker Mitteilungen 94 (1989), 11-26.

WÜBBEKE, BRIGITTE MARIA, Das Militärwesen der Stadt Köln im 15. Jahrhundert, Stuttgart 1991.

WUNDER, GERD, „Pfintzing die Alten". Ein Beitrag zur Geschichte des Nürnberger Patriziats, in: MVGN 49 (1959), 34-61.

WÜRDTWEIN, STEPHAN ALEXANDER, Nova Subsidia diplomatica, Bd. 13, Heidelberg 1789.

WUSTMANN, GUSTAV, Frauenhäuser und freie Frauen in Leipzig im Mittelalter, in: Archiv f. Kulturgeschichte 5 (1907), 469-482.

YOUNG, KARL, The drama of the medieval church, 2 Bde., Oxford 1967, Erstausgabe: 1933.

ZAHN, PETER, Nürnberger halligraphische Fakten - 1493 - 1513 in Handschriften aus dem Besitz des Kirchenmeisters Sebald Schreyer, in: Grundwissenschaften und Geschichte, Festschrift für Peter Acht, Kallmünz 1976, 295-304.

ŽAK, SABINE, Musik als „Ehr und Zier" im mittelalterlichen Reich. Studien zur Musik im höfischen Leben, Recht und Zeremoniell, Neuss 1979.

ZEYSS, EDWIN, Beiträge zur Geschichte der Grafen von Gleichen und ihres Gebietes, Gotha 1931.

ZIKA, CHARLES, Processions and Pilgrimages: Controlling the Sacred in the 15th Century Germany, in: Past and Present 118 (1988), 25-63.

ZIMMERMANN, GERD, Die Cyriakus-Schlacht bei Kitzingen (8.8.1266) in Tradition und Forschung, in: JfL 27 (1967), 417-427.

ZIMMERMANN, GÜNTER, Das Nürnberger Religionsgespräch von 1525, in: MVGN 71 (1984), 129-148.

Ders., Hieronymus Baumgärtner und Andreas Osiander, in: JfL 46 (1986), 63-82.

ZINN, KARL GEORG, Kanonen und Pest. Über die Ursprünge der Neuzeit im 14. und 15. Jahrhundert, Opladen 1989.

ZIRNBAUER, HEINZ, Musik in der alten Reichsstadt Nürnberg. Ikonographie zur Nürnberger Musikgeschichte (Beiträge zur Geschichte und Kultur der Stadt Nürnberg, Hg. im Auftrag des Stadtrats Nürnberg von der Stadtbibliothek Bd. 9), Nürnberg o.J.

ZUMKELLER, ADOLAR, Vom geistlichen Leben im erfurter Weißfrauenkloster am Vorabend der Reformation, in: Bäumer (Hg.), Reformatio Ecclesiae (s. Manns), 231-258.

Johannes Grabmayer
Zwischen Diesseits und Jenseits
Oberrheinische
Chroniken als Quellen
zur Kulturgeschichte des   1999. VII, 358 Seiten. Broschur.
späten Mittelalters   ISBN 3-412-12098-7

Wie erlebten die Menschen des späten Mittelalters das Sterben und den Tod? Was erwarteten sie vom Jenseits? Welche Heilsgewißheiten wurden Ihnen vermittelt und von wem? Welche Bedeutung hatte dabei die christliche Lehre vom Weiterleben nach dem Tode?
Der Autor schöpft bei der Beantwortung dieser grundlegenden Fragen menschlicher Existenz aus einer Fülle an Quellenbelegen und interpretiert sie nach einem modernen mentalitätsgeschichtlichen Forschungsansatz.

KÖLN WEIMAR

Böhlau

THEODOR-HEUSS-STR. 76, D-51149 KÖLN, TELEFON (0 22 03) 30 70 21

NORM UND STRUKTUR

Beiträge zum sozialen Wandel in Mittelalter und Früher Neuzeit

Herausgegeben von Gert Melville, in Verbindung mit Gerd Althoff, Heinz Duchhardt, Peter Landau, Klaus Schreiner und Winfried Schulze

Bd. 1: Gert Melville (Hg.): **Institutionen und Geschichte.** Theoretische Aspekte und mittelalterliche Befunde. 1992. 448 S. Gb. ISBN 3-412-06291-X

Bd. 2: Birgit Studt: **Fürstenhof und Geschichte.** Legitimation durch Überlieferung. 1992. XII, 486 S. Gb. ISBN 3-412-03592-0

Bd. 3: Ronald G. Asch: **Der Hof Karls I. von England** Politik, Provinz und Patronage 1625-1640. 1994. XIV, 450 S. Gb. ISBN 3-412-09393-9

Bd. 4: Thomas Fuchs: **Konfession und Gespräch.** Typologie und Funktion der Religionsgespräche in der Reformationszeit. 1995. 545 S. Gb. ISBN 3-412-04895-X

Bd. 5: Gerd Schwerthoff/ Klaus Schreiner (Hg.): **Verletzte Ehre.** Ehrkonflikte in Gesellschaften des Mittelalters und der frühen Neuzeit 1995. X, 452 S. Gb. ISBN 3-412-09095-6

Bd. 6: Gisela Drossbach: **Die »Yconomica« des Konrad von Megenberg.** Das »Haus« als Norm für politische und soziale Strukturen. 1997. XII, 303 S. 17 Abb. Gb. ISBN 3-412-15396-6

Bd. 7: Heinz Duchhardt/ Gert Melville (Hg.): **Im Spannungsfeld von Recht und Ritual.** Soziale Kommunikation in Mittelalter und Früher Neuzeit. 1997. X, 500 S. Gb. ISBN 3-412-04597-7

Bd. 8: Andreas Sohn: **Deutsche Prokuratoren an der römischen Kurie in der Frührenaissance 1431-1474.** 1997. 444 S. Gb. ISBN 3-412-03797-4

Bd. 9: Simon Teuscher: **Bekannte – Klienten – Verwandte.** Soziabilität und Politik in der Stadt Bern um 1500. 1998. IX, 315 S. Gb. ISBN 3-412-14397-9

Bd. 10: Gert Melville / Peter von Moos (Hg.): **Das Öffentliche und Private in der Vormoderne** 1998. XXII, 716 S. Gb. ISBN 3-412-01698-5

Bd. 11: Marcus Sandl: **Ökonomie des Raumes** Der kameralwissenschaftliche Entwurf der Staatswirtschaft im 18. Jahrhundert 1999. XI, 518 S. Gb. ISBN 3-412-00199-6

Bd. 12: Andrea Löther: **Prozessionen in spätmittelalterlichen Städten** Politische Partizipation, obrigkeitliche Inszenierung, städtische Einheit. 1999. X, 400 S. Gb. ISBN 3-412-04799-6

THEODOR-HEUSS-STR. 76, D-51149 KÖLN, TELEFON (0 22 03) 30 70 21

BÖHLAU VERLAG KÖLN WEIMAR